KB060232

세상이 변해도
배움의 즐거움은
변함없도록

시대는 빠르게 변해도
배움의 즐거움은
변함없어야 하기에

어제의 비상은
남다른 교재부터
결이 다른 콘텐츠
전에 없던 교육 플랫폼까지

변함없는 혁신으로
교육 문화 환경의 새로운 전형을
실현해왔습니다.

비상은 오늘, 다시 한번
새로운 교육 문화 환경을 실현하기 위한
또 하나의 혁신을 시작합니다.

오늘의 내가 어제의 나를 초월하고
오늘의 교육이 어제의 교육을 초월하여
배움의 즐거움을 지속하는 혁신,

바로, 메타인지학습을.

상상을 실현하는 교육 문화 기업 비상

메타인지학습
초월을 뜻하는 meta와 생각을 뜻하는 인지가 결합된 메타인지는
자신이 알고 모르는 것을 스스로 구분하고 학습계획을 세우도록 하는
궁극의 학습 능력입니다. 비상의 메타인지학습은 메타인지를 키워주어
공부를 100% 내 것으로 만들도록 합니다.

핵심 기출 단어만 PICK 하다!

〈완자 VOCA PICK〉 시리즈는 예비 고교생부터 수능 직전의 수험생들이 필수 및 기출 어휘를
익히고 암기할 수 있도록 10개년 기출 문제와 EBS 교재, 교과서 등 핵심 자료를 분석하고
수준별로 어휘를 엄선하여 수록하였습니다.

	예비고 – 고1	고1 – 고3	고2 – 고3
최신 교육과정 어휘 (1,800개)	○		
고등 영어 교과서 전종 어휘 (4,455개)	○		
3개년 EBS 고1–2용 교재 (2,950개)	○		
10개년 고1 학력평가 40회 (4,840개)	○		
10개년 고2 학력평가 40회 (5,772개)	○	○	
10개년 고3 학력평가 40회		○	○
10개년 고3 모의평가 20회	(9,562개)	○	○
10개년 대학수학능력시험 10회		○	○
3개년 EBS 수능 연계 교재 (3,672개)		○	○
33,051개의 어휘 데이터에 기반한 수록 어휘 선정	고등 필수	수능 기출	수능 고난도
수록 어휘 수	1600	2000	1200
학습일	40 Day	50 Day	40 Day
학습 목표	내신 및 학평 대비	수능 대비	수능 만점 대비

고 등 필 수

구성과 특징

PART I 주제별 고등 필수 어휘
- 단 1회 학습으로도 "5번 반복"이 가능한 구성!
- 주제별 영단어 분류로 연상 학습 효과 UP!

① Word Map [미리 보기] »1회독

주제별로 분류한 영단어 워드맵으로 학습할 40 단어의
뜻을 미리 확인하고 주요 영단어의 우리말 뜻을 유추해
보도록 구성

② Vocabulary [집중 암기] »2회독

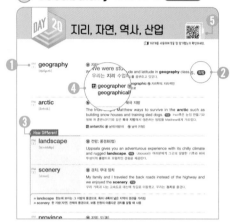

주제별 중요 영단어 40개를 효율적으로 익힐 수 있도록
구성

① 엄선한 영단어의 주요 의미 소개
② 수능, 모평, 학평, EBS 교재 기출 예문 활용
③ How Different : 유사한 뜻의 영단어들을 짝지어
   소개하고, 그 뜻의 차이를 명확히 설명
④ 영단어가 활용된 주요 숙어와, 영단어의 파생어, 반의어,
   유의어까지 소개
⑤ QR코드로 DAY별 영단어와 뜻을 들으며 학습 가능

③ Use Words [쓰면서 암기] »3회독

암기한 40개 영단어의 우리말 뜻에 맞춰 주어진 표현을
완성하고 한 번 더 쓰면서 완벽하게 암기하도록 구성

④ 3-Minute Check [복습] »4회독

영단어와 뜻만 빠르게 다시 보며 미처 암기하지 못한
영단어를 놓치지 않고 다시 한 번 학습하도록 구성

⑤ Wrap Up [테스트] »5회독

3일 동안 학습했던 영단어들을 모아 암기 여부를 **테스트**하며
놓친 영단어가 없는지 점검할 수 있도록 구성

> * Daily Test와 MP3 파일은 학습자료실(book.visang.com)에서
> 다운로드 가능합니다.

PART II 형태별 고등 필수 어휘

- 숙어, 다의어, 반의어, 철자 혼동 어휘 학습
- 여러 빈출 표현의 다양한 활용 능력 UP!

◦ 숙어

주요 영단어의 숙어를 어형별로 학습함으로써 다양한
표현에 대한 대처 능력을 기를 수 있도록 구성

◦ 다의어

여러 뜻으로 쓰일 수 있는 영단어들을 학습함으로써
어느 문장이든 매끄럽게 해석할 수 있도록 구성

◦ 반의어

주요 영단어의 반의어를 짝지어 학습함으로써 영작 및
표현 능력을 확장할 수 있도록 구성

◦ 철자 혼동 어휘

비슷한 철자의 영단어들을 짝지어 학습함으로써 해석
실수에 대처할 능력을 기를 수 있도록 구성

고등 영어 교과서 전종 어휘

고등 영어 교과서 전종 주요 어휘 수록

고등학교 1학년에서 공부하는 **영어 교과서 전종**의,
단원별 주요 어휘를 소개하여 **내신 시험 대비가 가능**하도록 구성

미니 단어장

미니 단어장으로 어디서나 어휘 학습

휴대가 간편한 미니 단어장으로 어디서나 영단어를 암기하고,
그래도 외워지지 않는 영단어는 〈나만의 단어장〉에 정리하여
암기할 수 있도록 구성

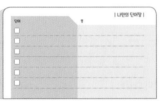

× 기호 정의 ×

(명) 명사   (동) 동사   (형) 형용사   (부) 부사   (전) 전치사   (접) 접속사   (대) 대명사

➕ 파생어   ↔ 반의어   ≡ 유의어

〔 〕 대체 가능 어구   ( ) 보충 설명   (*pl.*) 복수형

수능 대학수학능력시험 기출 예문   **학평** 시도교육청 학력평가 기출 예문

모평 평가원 모의고사 기출 예문   **EBS** EBS 출간 교재 기출 예문

차 례

N회독으로 암기하라!
학습 전략 제안

> ❝
> 〈완자 VOCA PICK 고등 필수〉는 1회독 안에서도 단어당 5회의 노출을 통해
> 반복 암기가 되는 구성이기 때문에, 1회독만으로도 5회독에 버금가는 학습 효과를 누릴 수 있습니다.
> 〈완자 VOCA PICK 고등 필수〉가 제안하는 시간과 노력이 절약되는
> "N회독 학습 전략"과 "스피드 학습 전략"을 따라 해보는 건 어떨까요?
> ❞

제안 ① 8회독 학습 전략

**DAY별 1회 학습(5회독)과 반복 학습(3회독)으로
"8회독" 학습 효과를 노리는 학습자에게 추천!**

기본 학습	DAY별 1회 학습으로 "5회독" 효과 내기	
어휘 노출	학습 활동	코너 및 학습 가이드
1회	눈으로 보며 유추하기	**Word Map** 주제별로 분류한 영단어 워드맵으로 영단어의 뜻을 미리 확인하고 주요 영단어의 우리말 뜻을 유추해 보기
2회	읽고, 듣고, 예문 해석하며 암기하기	**Vocabulary** · DAY당 40개의 영단어를 '영단어 – 뜻' 중심으로 암기 · 가리개를 활용해서 암기 여부 확인하며 학습 · 예문 해석을 통해 영단어의 쓰임 파악 · MP3를 들으면서 암기
3회	단어를 유추하여 반복하여 쓰면서 암기하기	**Use Words** 우리말 뜻에 맞춰 주어진 표현을 완성하는 활동을 통해 영단어를 여러 번 쓰면서 반복하여 암기
4회	눈으로 암기 여부 최종 확인하기	**3-Minute Check** 눈으로 빠르게 영단어와 뜻 훑으며 암기 여부 최종 확인
5회	테스트를 통해 기억 환기시키기	**Wrap Up + Daily TEST** 학습했던 영단어들을 테스트하며 놓친 영단어가 없는지 점검

반복 학습	반복 학습으로 "8회독" 효과 내기	
어휘 노출	학습 활동	코너 및 학습 가이드
6회	반복하여 암기하기	**반복 암기** · '영단어 – 뜻' 위주의 1차 학습분에 파생어, 반의어, 유의어를 추가해서 영단어 재암기 · DAY별 코너 중 자신의 학습 패턴에 맞는 코너를 선택하여 구성해서 재암기
7회	눈으로 암기 여부 최종 확인하기	**3-Minute Check** 눈으로 빠르게 영단어와 뜻 훑으며 암기 여부 최종 확인하고 미암기 영단어 추려 내기
8회	휴대하고 필기하며 암기하기	**미니 단어장 + 나만의 단어장** · 휴대용 미니 단어장을 통해 암기 여부를 최종 확인 · 미암기 영단어를 〈나만의 단어장〉에 따로 정리하여 암기

제안 ② 스피드 학습 전략

어휘의 뜻만 빠르고 확실하게 암기하고 싶은 학습자에게 추천!

어휘 노출	학습 활동	코너 및 학습 가이드
1회	읽고, 들으며 암기하기	**3일치 영단어 120개 집중 암기** 3일치 영단어 120개를, 가리개를 활용하여 '영단어 – 뜻' 위주로 암기
2회	테스트를 통해 기억 환기시키기	**Wrap Up + Daily TEST** 3일치 영단어 120개를 한꺼번에 테스트하며 암기 여부 확인
3회	휴대하며 암기하기	**미니 단어장** 휴대용 미니 단어장을 통해 암기 여부를 최종 확인

학습 계획표

제안 ① 학습 계획표　　8회독 학습 전략

기본 학습과 반복 학습 계획에 따라 영단어당 8번을 반복 학습할 수 있는 "8회독 효과 내기" 학습 계획표입니다. 40일 동안 계획에 따라 학습하면서 완벽 암기에 도전하세요!

· 기본 학습은 "5회독 효과 내기" 전략에 따라 DAY별 전 코너를 학습하는 계획입니다.
· 반복 학습 1–3회는 DAY별 코너 중, 자신의 학습 패턴에 맞는 코너로 구성합니다.
· 학습을 마무리하면 ~~DAY 01~~ 과 같이 완료 표시를 하면서 끝까지 완주해 보세요!

	1일차	2일차	3일차	4일차	5일차	6일차	7일차	8일차
기본 학습	DAY 01	DAY 02	DAY 03	DAY 04	DAY 05	DAY 06	DAY 07	DAY 08
반복 학습	→ DAY 01 8회독!	DAY 01 반복 1회	DAY 01 반복 2회	DAY 01 반복 3회	DAY 04 반복 1회	DAY 04 반복 2회	DAY 04 반복 3회	DAY 07 반복 1회
			DAY 02 반복 1회	DAY 02 반복 2회	DAY 02 반복 3회	DAY 05 반복 1회	DAY 05 반복 2회	DAY 05 반복 3회
				DAY 03 반복 1회	DAY 03 반복 2회	DAY 03 반복 3회	DAY 06 반복 1회	DAY 06 반복 2회

	9일차	10일차	11일차	12일차	13일차	14일차	15일차	16일차
기본 학습	DAY 09	DAY 10	DAY 11	DAY 12	DAY 13	DAY 14	DAY 15	DAY 16
반복 학습	DAY07 반복 2회	DAY07 반복 3회	DAY10 반복 1회	DAY10 반복 2회	DAY10 반복 3회	DAY13 반복 1회	DAY13 반복 2회	DAY13 반복 3회
	DAY08 반복 1회	DAY08 반복 2회	DAY08 반복 3회	DAY11 반복 1회	DAY11 반복 2회	DAY11 반복 3회	DAY14 반복 1회	DAY14 반복 2회
	DAY06 반복 3회	DAY09 반복 1회	DAY09 반복 2회	DAY09 반복 3회	DAY12 반복 1회	DAY12 반복 2회	DAY12 반복 3회	DAY15 반복 1회

	17일차	18일차	19일차	20일차	21일차	22일차	23일차	24일차
기본 학습	DAY 17	DAY 18	DAY 19	DAY 20	DAY 21	DAY 22	DAY 23	DAY 24
반복 학습	DAY16 반복 1회	DAY16 반복 2회	DAY16 반복 3회	DAY19 반복 1회	DAY19 반복 2회	DAY19 반복 3회	DAY22 반복 1회	DAY22 반복 2회
	DAY14 반복 3회	DAY17 반복 1회	DAY17 반복 2회	DAY17 반복 3회	DAY20 반복 1회	DAY20 반복 2회	DAY20 반복 3회	DAY23 반복 1회
	DAY15 반복 2회	DAY15 반복 3회	DAY18 반복 1회	DAY18 반복 2회	DAY18 반복 3회	DAY21 반복 1회	DAY21 반복 2회	DAY21 반복 3회

	25일차	26일차	27일차	28일차	29일차	30일차	31일차	32일차
기본 학습	DAY 25	DAY 26	DAY 27	DAY 28	DAY 29	DAY 30	DAY 31	DAY 32
반복 학습	DAY22 반복 3회	DAY25 반복 1회	DAY25 반복 2회	DAY25 반복 3회	DAY28 반복 1회	DAY28 반복 2회	DAY28 반복 3회	DAY31 반복 1회
	DAY23 반복 2회	DAY23 반복 3회	DAY26 반복 1회	DAY26 반복 2회	DAY26 반복 3회	DAY29 반복 1회	DAY29 반복 2회	DAY29 반복 3회
	DAY24 반복 1회	DAY24 반복 2회	DAY24 반복 3회	DAY27 반복 1회	DAY27 반복 2회	DAY27 반복 3회	DAY30 반복 1회	DAY30 반복 2회

	33일차	34일차	35일차	36일차	37일차	38일차	39일차	40일차
기본 학습	DAY 33	DAY 34	DAY 35	DAY 36	DAY 37	DAY 38	DAY 39	DAY 40
반복 학습	DAY31 반복 2회	DAY31 반복 3회	DAY34 반복 1회	DAY34 반복 2회	DAY34 반복 3회	DAY37 반복 1회	DAY37 반복 2회	DAY37 반복 3회
	DAY32 반복 1회	DAY32 반복 2회	DAY32 반복 3회	DAY35 반복 1회	DAY35 반복 2회	DAY35 반복 3회	DAY38 반복 1회	DAY38 반복 2회
	DAY30 반복 3회	DAY33 반복 1회	DAY33 반복 2회	DAY33 반복 3회	DAY36 반복 1회	DAY36 반복 2회	DAY36 반복 3회	DAY39 반복 1회

제안 ② 학습 계획표 스피드 학습 전략

3일치 영단어 120개를 '영단어 – 뜻' 위주로 암기하고 테스트하며 **"스피디하게 암기하기"** 학습 계획표입니다.
영단어와 뜻 위주로 암기하면서 15일 만에 완벽 암기에 도전하세요!

	1일차	2일차	3일차	4일차	5일차	6일차	7일차	8일차
집중 암기	DAY01-03	DAY 04-06	DAY07-09	DAY10-12	DAY13-15	DAY16-18	DAY19-21	DAY22-24
1차 복습	↓ 3일차씩 묶어서 3회독!	Wrap Up 01-03	Wrap Up 04-06	Wrap Up 07-09	Wrap Up 10-12	Wrap Up 13-15	Wrap Up 16-18	Wrap Up 19-21
2차 복습			미니 단어장 01-03	미니 단어장 04-06	미니 단어장 07-09	미니 단어장 10-12	미니 단어장 13-15	미니 단어장 16-18

	9일차	10일차	11일차	12일차	13일차	14일차	15일차
집중 암기	DAY25-27	DAY28-30	DAY31-33	DAY34-36	DAY37-40		
1차 복습	Wrap Up 22-24	Wrap Up 25-27	Wrap Up 28-30	Daily TEST 31-33	Daily TEST 34-36	Daily TEST 37-40	
1차 복습	미니 단어장 19-21	미니 단어장 22-24	미니 단어장 25-27	미니 단어장 28-30	미니 단어장 31-33	미니 단어장 34-36	미니 단어장 37-40

나만의 학습 계획표

자신에게 맞는 방법과 코너로 구성된 **나만의 학습 계획표**를 짜서 스스로 암기해 보세요!

	1일차	2일차	3일차	4일차	5일차	6일차	7일차	8일차
기본 학습	DAY 01	DAY 02	DAY 03	DAY 04	DAY 05	DAY 06	DAY 07	DAY 08
반복 학습								

	9일차	10일차	11일차	12일차	13일차	14일차	15일차	16일차
기본 학습	DAY 09	DAY 10	DAY 11	DAY 12	DAY 13	DAY 14	DAY 15	DAY 16
반복 학습								

	17일차	18일차	19일차	20일차	21일차	22일차	23일차	24일차
기본 학습	DAY 17	DAY 18	DAY 19	DAY 20	DAY 21	DAY 22	DAY 23	DAY 24
반복 학습								

	25일차	26일차	27일차	28일차	29일차	30일차	31일차	32일차
기본 학습	DAY 25	DAY 26	DAY 27	DAY 28	DAY 29	DAY 30	DAY 31	DAY 32
반복 학습								

	33일차	34일차	35일차	36일차	37일차	38일차	39일차	40일차
기본 학습	DAY 33	DAY 34	DAY 35	DAY 36	DAY 37	DAY 38	DAY 39	DAY 40
반복 학습								

I.

주제별
고등 필수
어휘

CONTENTS

단어를 암기할 때 **뒤쪽 책날개**를 뜯어서
단어 뜻 가리개로 활용하세요.

사람

| Word Map에 주제별로 분류된 단어의 뜻을 유추하여 빈칸에 쓰세요. |

직업

career	직업; 경력
author	저자, 작가
architect	
physician	의사, 내과의사
tutor	가정교사
salesperson	판매원
principal	교장; 중요한
merchant	
minister	성직자; 장관
priest	성직자
detective	
crew	승무원; 동료
maid	하녀, 가정부
clown	어릿광대

신체

limb	팔다리 (중 하나); 큰 가지
belly	
nerve	신경; 담력; 신경과민

성격

cynical	냉소적인, 비꼬는
passionate	
optimist	낙천주의자

성장단계

infant	영아; 유아(용)의
toddler	유아, 아장아장 걷는 아이
adolescent	청소년; 청소년기의
mature	
senior	연상의; 선배의; 연장자

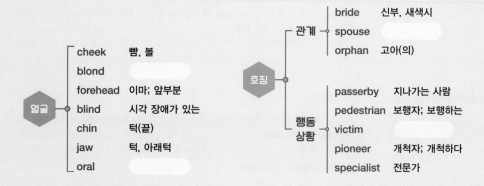

호칭

관계

bride	신부, 새색시
spouse	
orphan	고아(의)

행동상황

passerby	지나가는 사람
pedestrian	보행자; 보행하는
victim	
pioneer	개척자; 개척하다
specialist	전문가

얼굴

cheek	뺨, 볼
blond	
forehead	이마; 앞부분
blind	시각 장애가 있는
chin	턱(끝)
jaw	턱, 아래턱
oral	

사람

📖 가리개를 사용하여 뜻을 잘 암기했는지 확인하세요.

0001 career**
[kəríər]
⬜⬜

명 직업; 경력, 이력

Ms. Cassatt bravely took the steps to make art her **career**. 학평
Cassatt 씨는 예술을 자신의 **직업**으로 삼기 위한 단계를 용감하게 밟아나갔다.

🟰 **work** 명 일, 직업 **profession** 명 직업, 직종

0002 author**
[ɔ́:θər]
⬜⬜

명 저자, 작가

Many **authors** feel that scientific papers must use complex language to sound more scientific. 학평 많은 **저자들**은 과학 논문이 더 과학적으로 보이도록 복잡한 언어를 사용해야 한다고 느낀다.

🟰 **writer** 명 저자, 작가

0003 architect**
[á:rkitèkt]
⬜⬜

명 건축가; 설계자

Architects need a strong artistic sense and drawing skills. 학평
건축가들은 뛰어난 예술적 감각과 그림 실력이 필요하다.

➕ **architecture** 명 건축(술), 건축학, 건축 양식

0004 physician
[fizíʃən]
⬜⬜

명 의사, 내과의사

Physicians say that early treatment is critical for many diseases. 학평
의사들은 많은 질병에 있어 조기 치료가 대단히 중요하다고 말한다.

➕ **physicist** 명 물리학자 **surgeon** 명 외과의사

0005 tutor**
[tjú:tər]
⬜⬜

명 가정교사

Educated by private **tutors** at home, Edith Wharton enjoyed reading and writing early on. 학평
집에서 개인 **가정교사들**에게 교육을 받은 Edith Wharton은 일찍이 읽고 쓰는 것을 즐겼다.

0006 salesperson
[séilzpə̀:rsən]
⬜⬜

명 판매원

You may obtain information from an advertisement, a friend, or a **salesperson**. 학평
여러분은 광고, 친구 또는 **판매원**으로부터 정보를 얻을 수 있습니다.

🟰 **salesclerk** 명 점원, 판매원

---

10   20   30   40

0007
principal*
[prínsəpəl]

⒧ 교장 ⒤ 중요한, 제1의

It's easy to blame the **principal** if there are problems at your school. 학평 여러분의 학교에 문제가 있으면 **교장 선생님**을 탓하기 쉽습니다.

0008
merchant*
[mɔ́:rtʃənt]

⒧ 상인 ⒤ 상인의

Some retail **merchants** wanted to charge different prices to their cash and credit card customers. 학평 일부 소매 **상인들**은 그들의 현금 손님과 신용카드 손님에게 다른 가격을 부과하고 싶어 했다.

How Different

0009
minister
[mínistər]

⒧ 성직자; 장관

Ole Bull's father wished for him to become a **minister** of the church. 학평 Ole Bull의 아버지는 그가 교회의 **성직자**가 되기를 바랐다.

prime minister 국무총리, 수상

0010
priest*
[pri:st]

⒧ 성직자

Saint Andrew Kim Taegon was the first Korean-born Catholic **priest**. 성 안드레아 김대건 신부는 최초의 한국 태생 가톨릭 **사제**였다.

» **minister** 성직자 중 주로 기독교 교회의 성직자를 주로 가리킴
» **priest** 기독교를 포함하여, 그 외 종교나 무속에서 종교적 의무와 책임을 가진 사람을 가리킴

0011
detective
[ditéktiv]

⒧ 탐정, 형사 ⒤ 탐정의

The **detective** must draw conclusions based on the clues. 학평 **탐정**은 단서들에 근거하여 결론을 도출해야 한다.

➕ **detect** ⒟ 발견하다, 찾아내다   **detection** ⒧ 발견, 간파, 탐지

0012
crew*
[kru:]

⒧ 승무원; 동료

Most research missions in space are accomplished through the use of spacecraft without **crews** aboard. 학평 우주에서의 대부분의 연구 임무는 **승무원**이 탑승하지 않은 우주선을 이용하여 수행된다.

cabin crew (항공기의) 승무원

0013
maid
[meid]

⒧ 하녀, 가정부

Women in the upper class did not usually dress themselves but were dressed by **maids**. 학평 상류층 여성들은 대개 스스로 옷을 입는 것이 아니라 **하녀들**이 입혀 주었다.

0014
□□
clown
[klaun]

몡 어릿광대; 익살꾼

The Show, featuring a **clown** and a dancing puppets, was sponsored by a famous food company. EBS
광대와 춤추는 꼭두각시가 출연하는 그 쇼는 유명한 식품 회사의 후원을 받았다.

0015
□□
cheek*
[tʃiːk]

몡 뺨, 볼

Tears slid down Bob's **cheeks** as he hugged his joyful son. 학평
Bob이 기뻐하는 자신의 아들을 껴안았을 때 눈물이 그의 **뺨**을 타고 흘러내렸다.

0016
□□
blond
[blɑnd / blɔnd]

혱 금발의   몡 금발의 사람

It was believed that **blond** hair provided a more youthful appearance among ancient Roman men. 학평
고대 로마 남성들 사이에서는 **금발** 머리가 더 젊어 보이게 한다고 여겨졌다.

🔁 **fair** 혱 (피부색이 희고) 금발인

0017
□□
forehead*
[fɔːrhèd]

몡 이마; (물건의) 앞부분

Roy's shirt was soaked and sweat poured off his **forehead**. 학평
Roy의 셔츠는 흠뻑 젖어 있었고 그의 **이마**에서는 땀이 흘러내렸다.

middle of the forehead 미간

0018
□□
blind*
[blaind]

혱 시각 장애가 있는; 맹목적인

After victory in judo matches in the 2004 Olympic and Paralympic Games, the behaviors displayed by sighted and **blind** athletes were very similar. 학평 2004년 올림픽 대회와 장애인 올림픽 대회의 유도 경기에서 승리 후에, 볼 수 있는 선수들과 **시각 장애가 있는** 선수들이 보여 준 행동은 매우 비슷했다.

➕ **blindness** 몡 실명; 맹목; 무분별   **color-blind** 혱 색맹의

How Different

0019
□□
chin*
[tʃin]

몡 턱 (끝)

Pinchas Zukerman picked up his own violin and tucked it under his **chin**. 모평 Pinchas Zukerman은 자신의 바이올린을 집어서 **턱** 아래에 그것을 괴었다.

keep one's chin up 용기를 잃지 않다   **Chin up!** 기운 내!

0020
□□
jaw*
[dʒɔː]

몡 턱, 아래턱

The growth of human teeth requires a **jaw** structure of a certain size and shape. 학평 인간 치아의 발육에는 특정 크기와 형태의 **턱** 구조가 필요하다.

» **chin** 입 아래의 턱 끝 부분을 가리킴
» **jaw** 치아 전체를 둘러싼 위아래 턱 전체를 가리킴

0021
☐☐

oral*
[ɔ́(ː)rəl]

⟨형⟩ 구술의; 입의

My Spanish exam is a one-on-one **oral** interview with Ms. Alonso.
⟨학평⟩ 나의 스페인어 시험은 Alonso 선생님과의 일대일 **구두** 인터뷰이다.

➕ **orally** ⟨부⟩ 구두로, 입을 통해서

0022
☐☐

limb
[lim]

⟨명⟩ 팔다리 (중 하나); (나무의) 큰 가지

Professor Wells gently rolled up his left trouser leg—his left leg was an artificial **limb**. ⟨학평⟩ Wells 교수는 자신의 왼쪽 바지 자락을 가만히 말아 올렸는데, 그의 왼쪽 다리는 의족이었다.

artificial limb 의수, 의족

0023
☐☐

belly
[béli]

⟨명⟩ 복부; 위; 식욕

There is a famous Spanish proverb that says, "The **belly** rules the mind." ⟨학평⟩ '배가 마음을 지배한다.'라는 유명한 스페인 속담이 있다.

pot belly (항아리처럼) 불룩하게 나온 배

0024
☐☐

nerve
[nəːrv]

⟨명⟩ 신경; 담력; (pl.) 신경과민

The **nerves** from the eye to the brain are 25 times larger than the **nerves** from the ear to the brain. ⟨학평⟩
눈에서 두뇌로 가는 **신경**은 귀에서 두뇌로 가는 **신경**보다 25배 더 크다.

➕ **nervous** ⟨형⟩ 신경의; 신경질적인; 불안한

0025
☐☐

cynical
[sínikəl]

⟨형⟩ 냉소적인, 비꼬는

Matt illustrated perfectly why voters today are so **cynical** about politics. Matt는 요즘 유권자들이 정치에 왜 그렇게 **냉소적인지** 완벽하게 설명했다.

➕ **cynically** ⟨부⟩ 냉소적으로

0026
☐☐

passionate
[pǽʃənit]

⟨형⟩ 열정적인; (감정이) 격렬한

Josh is a **passionate** kid, who throws himself at things that he loves.
⟨학평⟩ Josh는 **열정적인** 아이로, 자신이 사랑하는 일에 전념한다.

➕ **passion** ⟨명⟩ 열정 **passionately** ⟨부⟩ 열정적으로

0027
☐☐

optimist*
[ɑ́ptəmist]

⟨명⟩ 낙천주의자, 낙관론자

Unrealistic **optimists** believe that success will happen to them. ⟨학평⟩
비현실적인 **낙천주의자들**은 성공이 그들에게 일어날 것이라고 믿는다.

➕ **optimism** ⟨명⟩ 낙천주의, 낙관론 **optimistic** ⟨형⟩ 낙관적인, 낙천적인
➖ **pessimist** ⟨명⟩ 비관론자, 염세주의자

How Different

0028 infant*
[ínfənt]

(명) 영아 · (형) 유아(용)의, 유년기의

An **infant** chews on his toe or puts his foot behind his head. (학평)
아기는 자신의 발가락을 깨물거나 발을 자신의 머리 뒤로 넘긴다.

0029 toddler
[tádlər]

(명) 유아, 아장아장 걷는 아이

A young **toddler** played at her mother's feet merrily. (학평)
한 어린 **아기**가 즐겁게 엄마의 발치에서 놀았다.

» **infant** 만 1세, 즉 돌 전까지의 아직 걷기 전의 아기를 가리킴
» **toddler** 돌이 지난 후, 아장아장 걷기 시작하는 12개월~36개월에 해당하는 아기를 가리킴
[아기(baby)의 성장 발달에 따른 호칭] 0~2개월: newborn(신생아), 0~12개월: infant(유아), 12~36개월: toddler(유아)

0030 adolescent*
[ædəlésənt]

(명) 청소년 (형) 청소년기의; 미숙한

Adolescents differ from adults in the way they behave and solve problems. (학평) **청소년**들은 행동하고 문제를 해결하는 방식에서 성인들과 다르다.

➕ **adolescence** (명) 청(소)년기, 사춘기
🟰 **juvenile** (형) 청소년의; 젊은 (명) 청소년

0031 mature*
[mətʃúər]

(형) 익은, 성숙한 (동) 익히다; 성숙하다

Studies have shown that brains continue to **mature** and develop throughout adolescence and well into early adulthood. (학평) 연구는 두뇌가 청소년기 내내 그리고 초기 성인기까지 계속해서 **성숙하고** 발달한다는 것을 보여 준다.

➕ **maturity** (명) 성숙, 원숙 **premature** (형) 조숙한; 조산의 (명) 조산아
🔁 **immature** (형) 미숙한, 미성숙한

0032 senior*
[síːnjər]

(형) 연상의; 선배의 (명) 연장자

Parkside Pool will host special one-day water exercise classes for **senior** customers. (학평)
Parkside Pool에서는 **연로하신** 고객들을 위한 1일 특별 수중 운동 강좌를 열 것입니다.

🔁 **junior** (형) 손아래의; 후배의 (명) 손아랫사람, 연소자
🟰 **elder** (형) 연장의; 선배의 (명) 연장자; 선배

0033 bride*
[braid]

(명) 신부, 새색시

Wheat, a symbol of fertility, was carried in the **bride**'s hand or worn around her neck in early Roman times. (학평) 초기 로마 시대에는 다산의 상징인 밀이 **신부**의 손안에 쥐어져 있거나 목 주위에 둘러 있었다.

🔁 **(bride)groom** (명) 신랑

0034 spouse
[spaus]

(명) 배우자

Drop-out rates were reduced when the patient's **spouse** was included in a weight-control program. (학평)
환자의 **배우자**가 체중 조절 프로그램에 참여했을 때 중도 탈락률이 감소했다.

0035 orphan
[ɔ́:rfən]

(명) 고아   (형) 고아의   (동) 고아로 만들다

During World War I, Ms. Wharton devoted much of her time to assisting **orphans**. (학평)
1차 세계대전 동안 Wharton 씨는 **고아들**을 돕는 데 많은 시간을 바쳤다.

➕ orphanage (명) 고아(임); 고아원

0036 passerby
[pæ̀sərbái]

(명) 지나가는 사람, (통)행인 (pl. passersby)

Bahati lived in a small village, where baking bread for a hungry **passerby** is a custom when one misses someone. (학평)
Bahati는 작은 마을에 살았는데, 그곳에서는 어떤 사람이 누군가를 그리워할 때 배고픈 **행인**을 위해 빵을 굽는 것이 관습이다.

0037 pedestrian
[pədéstriən]

(명) 보행자   (형) 보행하는; 보행자의

The autonomous vehicles should be programmed to minimize harm to **pedestrians**. (학평)
자율 주행차는 **보행자들**에게 끼치는 피해를 최소화하도록 프로그램되어야 한다.

0038 victim*
[víktim]

(명) 희생자, 피해자

We overestimate the risk of being the **victims** of a plane crash. (학평)
우리는 비행기 추락의 **희생자**가 될 위험을 과대평가한다.

➕ victimize (동) 희생시키다; 괴롭히다
🟰 casualty (명) 사상자, 피해자

0039 pioneer*
[pàiəníər]

(명) 개척자, 선구자   (동) 개척하다

A. Y. Jackson was acknowledged as a **pioneer** of modern landscape art. (학평) A. Y. Jackson은 현대 조경 예술의 **선구자**로 인정받았다.

0040 specialist
[spéʃəlist]

(명) 전문가   (형) 전문(가)의

Mae C. Jemison boarded the space shuttle as a science mission **specialist** on the historic eight-day flight. (학평) Mae C. Jemison은 역사적인 8일간의 비행에서 과학 임무 **전문가**로 우주 왕복선에 탑승했다.

사람
Use Words

01	choose a _____ 직업을 선택하다	career　　career
02	this year's bestselling _____ 올해의 베스트셀러 작가	author
03	the first female _____ 최초의 여성 건축가	architect
04	the _____ who makes a diagnosis 진단을 내리는 의사	physician
05	a private _____ 개인 가정교사	tutor
06	with the guidance of the _____ 판매원의 안내로	salesperson
07	To the _____ of Alma High School Alma 고등학교 교장 선생님께	principal
08	sold to the prominent _____ 유명한 상인에게 팔린	merchant
09	a _____ of the church 교회의 성직자	minister
10	become a Catholic _____ 가톨릭 사제가 되다	priest
11	write a _____ novel 탐정 소설을 쓰다	detective
12	the spacecraft without _____ s 승무원들이 없는 우주선	crew
13	hire a daily _____ 출퇴근하는 하녀를 고용하다	maid
14	be dressed like a _____ 어릿광대 같은 옷차림을 하다	clown
15	a mole on the left _____ 왼쪽 뺨에 난 점	cheek
16	dye one's hair _____ 머리카락을 금발로 염색하다	blond
17	the scar on one's _____ 이마에 난 상처	forehead
18	a _____ athlete 시각 장애가 있는 선수	blind
19	scratch one's _____ 턱을 긁다	chin

20 a strong square .... 튼튼한 사각턱   jaw

21 an .... contract 구두 계약   oral

22 an artificial .... 의수   limb

23 have a pot .... 배가 나오다   belly

24 the .... s from the eye to the brain 눈에서 두뇌로 가는 신경   nerve

25 a .... view of human nature 인간성에 대한 냉소적인 견해   cynical

26 a .... kid 열정적인 아이   passionate

27 an unrealistic .... 비현실적인 낙천주의자   optimist

28 an .... in mom's arms 엄마 품속의 아기   infant

29 a two-year-old .... 2살짜리 유아   toddler

30 identity of .... literature 청소년 문학의 정체성   adolescent

31 a .... grapefruit tree 다 자란 자몽 나무   mature

32 the class for .... customers 연로하신 고객들을 위한 강좌   senior

33 a toast to the .... and groom 신부와 신랑을 위한 건배   bride

34 live apart from one's .... 배우자와 별거하다   spouse

35 adopt an .... 고아를 입양하다   orphan

36 ask a .... for directions 행인에게 길을 묻다   passerby

37 .... crossing 횡단보도   pedestrian

38 a .... of identity theft 신원 도용의 피해자   victim

39 be acknowledged as a .... 선구자로 인정받다   pioneer

40 a .... on the history of Seoul 서울 역사 전문가   specialist

			check
0001 **career**	명 직업; 경력, 이력		☐
0002 **author**	명 저자, 작가		☐
0003 **architect**	명 건축가; 설계자		☐
0004 **physician**	명 의사, 내과의사		☐
0005 **tutor**	명 가정교사		☐
0006 **salesperson**	명 판매원		☐
0007 **principal**	명 교장 형 중요한, 제1의		☐
0008 **merchant**	명 상인 형 상인의		☐
0009 **minister**	명 성직자; 장관		☐
0010 **priest**	명 성직자		☐
0011 **detective**	명 탐정, 형사 형 탐정의		☐
0012 **crew**	명 승무원; 동료		☐
0013 **maid**	명 하녀, 가정부		☐
0014 **clown**	명 어릿광대; 익살꾼		☐
0015 **cheek**	명 뺨, 볼		☐
0016 **blond**	형 금발의 명 금발의 사람		☐
0017 **forehead**	명 이마; (물건의) 앞부분		☐
0018 **blind**	형 시각 장애가 있는		☐
0019 **chin**	명 턱 (끝)		☐
0020 **jaw**	명 턱, 아래턱		☐

			check
0021 **oral**	형 구술의; 입의		☐
0022 **limb**	명 팔다리 (중 하나); 큰 가지		☐
0023 **belly**	명 복부; 위; 식욕		☐
0024 **nerve**	명 신경; 담력; 신경과민		☐
0025 **cynical**	형 냉소적인, 비꼬는		☐
0026 **passionate**	형 열정적인; (감정이) 격렬한		☐
0027 **optimist**	명 낙천주의자, 낙관론자		☐
0028 **infant**	명 영아 형 유아(용)의		☐
0029 **toddler**	명 유아, 아장아장 걷는 아이		☐
0030 **adolescent**	명 청소년 형 청소년기의		☐
0031 **mature**	형 익은, 성숙한 동 성숙하다		☐
0032 **senior**	형 연상의; 선배의 명 연장자		☐
0033 **bride**	명 신부, 새색시		☐
0034 **spouse**	명 배우자		☐
0035 **orphan**	명 고아 형 고아의 동 고아로 만들다		☐
0036 **passerby**	명 지나가는 사람, (통)행인		☐
0037 **pedestrian**	명 보행자 형 보행하는; 보행자의		☐
0038 **victim**	명 희생자, 피해자		☐
0039 **pioneer**	명 개척자 동 개척하다		☐
0040 **specialist**	명 전문가 형 전문(가)의		☐

외우지 못한 단어가 있으면 미니 단어장에서 다시 한번 정리해 보세요.

DAY 02

신체 동작, 이동

| Word Map에 주제별로 분류된 단어의 뜻을 유추하여 빈칸에 쓰세요. |

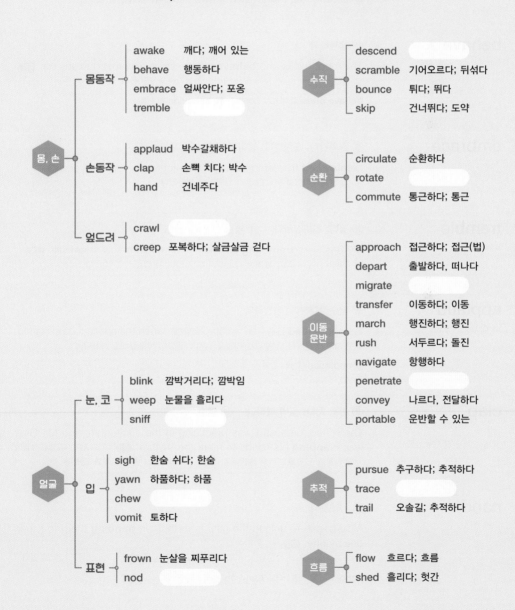

몸, 손

몸동작
- awake 깨다; 깨어 있는
- behave 행동하다
- embrace 얼싸안다; 포옹
- tremble

손동작
- applaud 박수갈채하다
- clap 손뼉 치다; 박수
- hand 건네주다

엎드려
- crawl
- creep 포복하다; 살금살금 걷다

얼굴

눈, 코
- blink 깜박거리다; 깜박임
- weep 눈물을 흘리다
- sniff

입
- sigh 한숨 쉬다; 한숨
- yawn 하품하다; 하품
- chew
- vomit 토하다

표현
- frown 눈살을 찌푸리다
- nod

수직
- descend
- scramble 기어오르다; 뒤섞다
- bounce 튀다; 뛰다
- skip 건너뛰다; 도약

순환
- circulate 순환하다
- rotate
- commute 통근하다; 통근

이동 운반
- approach 접근하다; 접근(법)
- depart 출발하다, 떠나다
- migrate
- transfer 이동하다; 이동
- march 행진하다; 행진
- rush 서두르다; 돌진
- navigate 항행하다
- penetrate
- convey 나르다, 전달하다
- portable 운반할 수 있는

추적
- pursue 추구하다; 추적하다
- trace
- trail 오솔길; 추적하다

흐름
- flow 흐르다; 흐름
- shed 흘리다; 헛간

📖 가리개를 사용하여 뜻을 잘 암기했는지 확인하세요.

0041
☐☐ **awake***
[əwéik]

동 깨다, 깨우다　형 깨어 있는

I **awoke** to the sound of a far away church clock. 학평
나는 멀리서 울리는 교회 시계 소리에 **잠이 깼다**.

🔄 asleep 형 잠든　➕ awaken 동 (잠에서) 깨다, 깨우다; (감정을) 불러일으키다

0042
☐☐ **behave***
[bihéiv]

동 행동하다

The robot thinks and **behaves** in the same way that humans do. 학평
그 로봇은 인간이 하는 것과 같은 방식으로 생각하고 **행동한다**.

behave oneself 바르게 행동하다　➕ behavior 명 행동

0043
☐☐ **embrace**
[imbréis]

동 얼싸안다; 포함하다; 받아들이다　명 포옹

I **embraced** the camp manager who found my mp3 player. 학평
내 mp3 플레이어를 찾아준 캠프 담당자를 **껴안았다**.

0044
☐☐ **tremble**
[trémbəl]

동 떨다; 조바심하다　명 떨림

My legs were **trembling** so badly that I could hardly stand still. 학평
내 다리가 너무 심하게 **떨려서** 나는 도저히 가만히 서 있을 수가 없었다.

0045
☐☐ **applaud**
[əplɔ́ːd]

동 박수갈채하다, 성원하다

We **applauded** Billy Joel enthusiastically when the concert was finished.
그 콘서트가 끝났을 때 우리는 Billy Joel에게 열렬히 **박수갈채를 보냈다**.

➕ applause 명 박수갈채

0046
☐☐ **clap***
[klæp]

동 손뼉 치다; 찰싹 때리다　명 박수

The school orchestra was practicing in the auditorium, and Mr. Grey was **clapping** his hands to mark the rhythm. 학평 학교 관현악단이 강당에서 연습하고 있었고, Grey 선생님은 리듬을 맞추기 위해 **손뼉을 치고** 있었다.

0047
☐☐ **hand**
[hænd]

동 건네주다

Alice began to unload the gifts from the car, **handing** them to Karen one by one. 학평
Alice는 자동차에서 선물들을 내리기 시작했고, 그것들을 하나씩 Karen에게 **건네주었다**.

hand in ~을 제출하다　**hand out** ~을 나누어 주다

How Different

0048 crawl* [krɔːl]

(동) 포복하다; 꾸물꾸물 움직이다

Babies learn to sit up, then **crawl**, and finally walk. (학평)
아기는 일어나 앉고 그다음에 **기어 다니고** 마지막에 걷는 것을 배운다.

0049 creep [kriːp]

(동) 포복하다; 살금살금 걷다

At first I was blinded by the flame; then I saw something **creeping** toward me. (학평) 처음에는 불꽃 때문에 앞이 보이지 않았는데, 그러고 나서 나는 무언가가 나를 향해 **기어 오는** 것을 보았다.

目 **sneak** (동) 몰래 움직이다

» **crawl** 배를 거의 땅에 댄 채로 손과 무릎을 이용해 움직이는 동작을 가리킴
» **creep** 들키지 않도록 서서히 혹은 몰래 (살금살금) 움직이는 동작을 가리킴

0050 blink* [bliŋk]

(동) 깜박거리다, 깜박이다　(명) 깜박임

Blinking is an involuntary action that protects the eye. (학평)
눈 깜박임은 눈을 보호하는 무의식적인 행동이다.
The 9th inning was over in the **blink** of an eye.
9회가 눈 **깜박할** 사이에 끝났다.

0051 weep [wiːp]

(동) 눈물을 흘리다, 울다

The two middle-aged men hugged each other and **wept** together. (학평)
두 명의 중년 남성들이 서로를 껴안은 채 함께 **눈물을 흘렸다**.

目 **sob** (동) 흐느껴 울다

0052 sniff [snif]

(동) 냄새를 맡다; 코를 훌쩍이다

The monkey **sniffed** the coin and, after determining he couldn't eat it, he tossed it aside. (학평)
원숭이는 동전의 **냄새를 맡고** 먹을 수 없다는 것을 알아낸 후에 그것을 내던져 버렸다.

sniff out 냄새로 ~을 찾아내다　　**sniff at** ~의 냄새를 맡다; ~에 콧방귀를 끼다

0053 sigh* [sai]

(동) 한숨 쉬다　(명) 한숨

My wife **sighed** and began telling me the disappointments of her week on the job. 내 아내는 **한숨을 쉬고**, 한 주 동안 일하면서 있었던 실망스러웠던 일을 내게 말하기 시작했다.

0054 yawn [jɔːn]

(동) 하품하다　(명) 하품

Researchers discovered the reason of **yawning**: to protect our brain from overheating. (학평)
연구원들은 **하품**의 이유가 우리의 두뇌를 과열로부터 보호하기 위한 것임을 알아냈다.

0055 chew*
[tʃuː]

(동) 씹다; 물어뜯다

When you take a bite and begin to **chew** your food, it becomes smaller, softer, and easier to swallow. (학평) 여러분이 음식을 한입 베어 물고 **씹기** 시작하면 그것은 더 작아지고 더 부드러워지며 삼키기가 더 쉬워진다.

chew over 깊이 생각하다

0056 vomit
[vάmit]

(동) 토하다

Vampire bats **vomit** blood and share it with other nest-mates. (수능)
흡혈박쥐는 체액을 **토해내서** 서식처의 다른 동료들과 그것을 함께 나눈다.

📘 **throw up** 토하다

0057 frown*
[fraun]

(동) 눈살을 찌푸리다; 찡그리다   (명) 찡그림; 불쾌함

The music teacher—a woman with a seemingly permanent **frown** on her face—led the choir. (학평)
겉으로 보기에 항상 **찡그린** 얼굴의 여자 음악 선생님이 합창단을 이끌었다.

0058 nod*
[nɑd]

(동) 끄덕이다; 승낙하다   (명) 끄덕임

The smiles and **nods** of a listener signal interest and agreement. (학평)
듣는 사람의 미소와 **끄덕임**은 관심과 동의를 나타낸다.

nod off (꾸벅꾸벅) 졸다
📕 **shake one's head** (부정, 거절 등의 표시로) 고개를 가로젓다

0059 descend*
[disénd]

(동) 내려가다; (재산, 성질 등이) 전해지다

Because water is about 1,300 times heavier than air, pressure rises swiftly as you **descend** into water. (학평) 물은 공기보다 약 1,300배 더 무겁기 때문에 여러분이 물속으로 **내려갈** 때 압력이 빠르게 오른다.

➕ **descend** (명) 강하, 하강; 가계, 혈통   **descendant** (명) 자손, 후예
📕 **ascend** (동) 오르다, 올라가다

0060 scramble*
[skrǽmbəl]

(동) 기어오르다; 뒤섞다; 급히 움직이다

The boy **scrambled** up and down the tree several times and never came close to slipping. (EBS)
그 소년은 여러 번 그 나무를 **기어 오르내리면서도** 미끄러질 뻔한 적도 없었다.

0061 bounce*
[bauns]

(동) 튀다; 뛰다   (명) 튀어 오름; 탄력

The high-pitched scream filled the small room and **bounced** off the cement block walls. (학평)
아주 높은 날카로운 소리가 작은 방을 가득 채우고 시멘트 블록 벽에 맞고 **튕겨 나왔다.**

0062 skip[skip]
[skip]

(동) 건너뛰다, 거르다   (명) 도약; 거르기

When you **skip** breakfast, you are like a car trying to run without fuel.
학평 아침 식사를 **거르면** 당신은 연료 없이 달리려고 하는 자동차와 같다.

How Different

0063 circulate[*]
[sə́ːrkjəlèit]

(동) 순환하다; 유포하다

This medicine helps the blood to **circulate** through the body.
이 약은 혈액이 전신으로 **순환하는** 데 도움이 된다.

➕ **circulation** (명) 순환; 유통; 판매 부수

0064 rotate
[róuteit]

(동) 회전하다; 교대하다; 순환하다

The shift in Earth's mass has changed the location of the axis on which Earth **rotates**. 학평
지구의 질량 이동은 지구가 **회전하는** 축의 위치를 변화시켜 왔다.

➕ **rotation** (명) 회전; (규칙적인) 교대; 순환   🟰 **revolve** (동) 회전하다

» **circulate** 정해진 체계 내에서 자유롭게 이동하는 것을 가리킴
» **rotate** 축을 중심으로 회전하거나 정해진 순번이나 차례대로 진행되는 것을 가리킴

0065 commute
[kəmjúːt]

(동) 통근하다   (명) 통근

Many people will eventually be able to work from home rather than **commute** to an office. EBS
많은 사람들이 결국 사무실로 **통근하기**보다는 집에서 일할 수 있을 것이다.

➕ **commuter** (명) 통근자

0066 approach[*]
[əpróutʃ]

(동) 접근하다   (명) 접근(법)

How a person **approaches** the day impacts everything else in that person's life. 학평 어떤 사람이 하루에 어떻게 **접근하는지**가 그 사람의 삶의 다른 모든 부분에 영향을 끼친다.
A better **approach** to improve profitability is to improve productivity.
학평 수익성을 개선하는 더 나은 **접근법**은 생산성을 향상하는 것이다.

0067 depart
[dipáːrt]

(동) 출발하다, 떠나다

While waiting for the bus to **depart** from summer camp, I wanted to listen to music. 학평
여름 캠프에서 **출발하는** 버스를 기다리면서 나는 음악을 듣고 싶었다.

➕ **departure** (명) 출발, 떠남   🟰 **arrive** (동) 도착하다

0068 **migrate**
□□
[máigreit]

(동) 이주하다, 이동하다

Many species must **migrate** across protected area boundaries to access resources that the protected area itself cannot provide. (학평)
많은 종들은 보호 구역 자체가 제공할 수 없는 자원에 접근하기 위해 보호 구역 경계를 넘어 **이동해야** 한다.

➕ migration (명) 이주, 이동

0069 **transfer***
□□
(동) [trænsfə́:r]
(명) [trǽnsfər]

(동) 옮기다, 이동하다; 갈아타다   (명) 이동; (권리) 양도

The manager was promoted and **transferred** to a different location. (학평) 그 관리자는 승진하였고 다른 곳으로 **옮겼다**.

0070 **march**
□□
[ma:rtʃ]

(동) 행진하다   (명) 행진

As globalization **marches** forward, the world gets smaller and smaller. (학평) 세계화가 **진행됨에** 따라 세계는 점점 더 작아진다.
The soldiers began their long **march** to the border.
그 군인들은 국경까지 긴 **행군을** 시작했다.

0071 **rush***
□□
[rʌʃ]

(동) 서두르다   (명) 돌진; 서두름

We all tend to **rush** when we have so many things to do. (학평)
우리 모두는 해야 할 일이 너무 많을 때 **서두르는** 경향이 있다.

with a rush 급히; 갑자기   **in a rush** (매우 바빠서) 시간이 없는

0072 **navigate**
□□
[nǽvəgèit]

(동) 항행하다; 길을 찾다; 다루다

The satellite-based global positioning system (GPS) helps you **navigate** while driving. (수능) 인공위성에 기반을 둔 전(全) 지구 위치 파악 시스템 (GPS)은 여러분이 운전하는 동안 **길을 찾는** 것을 도와준다.

➕ navigation (명) 운항, 항행

0073 **penetrate**
□□
[pénətrèit]

(동) 관통하다; 침투하다

The light from the flash **penetrates** the eyes through the pupils. (학평)
플래시에서 나오는 빛은 동공을 통해 눈을 **통과한다**.

➕ penetration (명) 관통, 침투; 간파   penetrating (형) 관통하는; 통찰력이 있는

0074 **convey***
□□
[kənvéi]

(동) 나르다, 전달하다

It's good to add charts to the presentation to **convey** the information more effectively. (모평)
정보를 더 효과적으로 **전달하려면** 발표 자료에 도표를 넣는 것이 좋다.

0075 portable
[pɔ́ːrtəbəl]

(형) 운반할 수 있는; 휴대용의

This humidifier is **portable** and easy to operate.
이 가습기는 **휴대할 수 있고** 작동이 쉽다.

How Different

0076 pursue*
[pərsjúː]

(동) 추구하다; 추적하다

The father of Philippe Rameau expected his son to **pursue** a career in the field of law. 학평
Philippe Rameau의 아버지는 자신의 아들이 법률 분야의 직업을 **찾기를** 기대했다.

➕ pursuit (명) 추구; 추적 📘 seek (동) 찾다; 추구하다; 조사하다

0077 trace*
[treis]

(동) 추적하다; (선을) 긋다   (명) 자취; 조금

The scientific study of the physical characteristics of colors can be **traced** back to Isaac Newton. 학평
색깔의 물리적 특성에 대한 과학적 연구는 Isaac Newton까지 **거슬러 올라갈** 수 있다.
In 1996, construction workers found **traces** of a large structure sitting on the bedrock in downtown Athens. 학평 1996년, 건설 노동자들이 아테네 시내에서 암반 위에 있는 커다란 구조물의 **흔적들을** 발견했다.

be traced (back) to (기원이) ~까지 거슬러 올라가다   📘 track (동) 추적하다

0078 trail
[treil]

(명) 오솔길; 자국   (동) 추적하다; (질질) 끌다

With more people becoming attracted to trekking, the demand for **trails** with convenient facilities is increasing. 학평 더 많은 사람들이 트레킹에 매료되면서 편리한 시설을 갖춘 **길**에 대한 수요가 증가하고 있다.

📘 chase (동) 쫓다, 추적하다

» pursue 목표 달성을 위해 그것을 좇는다는 의미로 사용
» trace 출처, 기원, 유래나 원인을 찾기 위해 추적한다는 의미로 주로 사용
» trail 추적하는 대상의 흔적을 찾기 위해 뒤를 밟는다는 의미로 사용

0079 flow*
[flou]

(동) 흐르다   (명) 흐름

The Okavango River which **flows** in from Namibia ends in Botswana instead of **flowing** into the ocean. 학평 Namibia에서 **흘러 들어온** Okavango 강은 바다로 **흘러가는** 대신에 Botswana에서 끝난다.
A freer **flow** of capital has raised the risk of financial instability. 학평
더 자유로운 자금의 **흐름**은 금융 불안의 위험을 높였다.

0080 shed
[ʃed]

(동) 흘리다; (빛을) 발하다   (명) 헛간

We **shed** real tears for the victims of this accident.
우리는 이번 사고의 희생자들을 위해 진실된 눈물을 **흘렸다.**
My grandfather built us a **shed** in the backyard.
할아버지가 우리를 위해 뒷마당에 **헛간**을 지어 주셨다.

신체 동작, 이동
Use Words

빈칸을 채우며 단어를 외우고, 쓰면서 한 번 더 익히세요.

01 .... to the sound of a church clock

awake   awake

교회 시계 소리에 잠이 깨다

02 .... in an irrational way   불합리한 방식으로 행동하다

behave

03 give her a warm ....   그녀를 따뜻하게 안아주다

embrace

04 .... with fear   두려움에 떨다

tremble

05 .... the speaker   연사에게 박수갈채를 보내다

applaud

06 .... to the music   음악에 맞춰 손뼉을 치다

clap

07 .... the gifts to Karen   선물들을 Karen에게 건네주다

hand

08 .... slowly across the floor   마룻바닥을 천천히 기어가다

crawl

09 .... toward me   나를 향해 살금살금 다가오다

creep

10 in the .... of an eye   눈 깜박할 사이에

blink

11 .... with emotion   감격하여 눈물을 흘리다

weep

12 .... out bombs   냄새로 폭탄을 찾아내다

sniff

13 with a .... of relief   안도의 한숨을 쉬며

sigh

14 suppress a ....   하품을 참다

yawn

15 .... food well   음식을 잘 씹다

chew

16 .... blood   피를 토하다

vomit

17 .... at one's rude behavior   무례한 행동에 눈살을 찌푸리다

frown

18 .... in response to the question

nod

질문에 대한 답변으로 고개를 끄덕이다

19 .... from a tree   나무에서 내려가다

descend

20	.... up a steep cliff 가파른 절벽을 기어오르다	scramble
21	.... up and down on the bed 침대 위에서 펄쩍펄쩍 뛰다	bounce
22	.... breakfast 아침 식사를 거르다	skip
23	.... throughout the body 온몸을 순환하다	circulate
24	.... on an axis 축을 중심으로 회전하다	rotate
25	people who .... by public transit 대중교통으로 통근하는 사람들	commute
26	.... with quiet steps 조용한 걸음으로 접근하다	approach
27	.... from Busan 부산에서 출발하다	depart
28	.... south to look for food 먹이를 찾아 남쪽으로 이동하다	migrate
29	.... to a different location 다른 곳으로 옮기다	transfer
30	.... to the City Hall 시청까지 행진하다	march
31	.... to catch a taxi 택시를 타려고 서두르다	rush
32	.... through the canal 운하를 통해 항행하다	navigate
33	.... the eyes through the pupils 동공을 통해 눈을 통과하다	penetrate
34	.... oil from the Middle East 중동으로부터 석유를 운반하다	convey
35	a .... humidifier 휴대할 수 있는 가습기	portable
36	.... a career in the field of law 법률 분야에서 직업을 찾다	pursue
37	.... the genetic basis of dogs 개의 유전적 기초를 추적하다	trace
38	a .... with convenient facilities 편의 시설을 갖춘 길	trail
39	.... into the ocean 바다로 흘러가다	flow
40	.... tears 눈물을 흘리다	shed

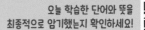

			check
0041	**awake**	(동) 깨다, 깨우다 (형) 깨어 있는	☐
0042	**behave**	(동) 행동하다	☐
0043	**embrace**	(동) 얼싸안다 (명) 포옹	☐
0044	**tremble**	(동) 떨다 (명) 떨림	☐
0045	**applaud**	(동) 박수갈채하다	☐
0046	**clap**	(동) 손뼉 치다; 찰싹 때리다 (명) 박수	☐
0047	**hand**	(동) 건네주다	☐
0048	**crawl**	(동) 포복하다	☐
0049	**creep**	(동) 포복하다; 살금살금 걷다	☐
0050	**blink**	(동) 깜박거리다, 깜박이다 (명) 깜박임	☐
0051	**weep**	(동) 눈물을 흘리다, 울다	☐
0052	**sniff**	(동) 냄새를 맡다	☐
0053	**sigh**	(동) 한숨 쉬다 (명) 한숨	☐
0054	**yawn**	(동) 하품하다 (명) 하품	☐
0055	**chew**	(동) 씹다; 물어뜯다	☐
0056	**vomit**	(동) 토하다	☐
0057	**frown**	(동) 눈살을 찌푸리다 (명) 찡그림	☐
0058	**nod**	(동) 끄덕이다 (명) 끄덕임	☐
0059	**descend**	(동) 내려가다	☐
0060	**scramble**	(동) 기어오르다; 뒤섞다	☐

			check
0061	**bounce**	(동) 튀다; 뛰다 (명) 튀어 오름	☐
0062	**skip**	(동) 건너뛰다, 거르다 (명) 도약, 거르기	☐
0063	**circulate**	(동) 순환하다; 유포하다	☐
0064	**rotate**	(동) 회전하다; 순환하다	☐
0065	**commute**	(동) 통근하다 (명) 통근	☐
0066	**approach**	(동) 접근하다 (명) 접근(법)	☐
0067	**depart**	(동) 출발하다, 떠나다	☐
0068	**migrate**	(동) 이주하다, 이동하다	☐
0069	**transfer**	(동) 옮기다, 이동하다 (명) 이동	☐
0070	**march**	(동) 행진하다 (명) 행진	☐
0071	**rush**	(동) 서두르다 (명) 돌진	☐
0072	**navigate**	(동) 항행하다; 길을 찾다	☐
0073	**penetrate**	(동) 관통하다; 침투하다	☐
0074	**convey**	(동) 나르다, 전달하다	☐
0075	**portable**	(형) 운반할 수 있는	☐
0076	**pursue**	(동) 추구하다; 추적하다	☐
0077	**trace**	(동) 추적하다 (명) 자취	☐
0078	**trail**	(명) 오솔길; 자국 (동) 추적하다; (질질) 끌다	☐
0079	**flow**	(동) 흐르다 (명) 흐름	☐
0080	**shed**	(동) 흘리다 (명) 헛간	☐

외우지 못한 단어가 있으면 미니 단어장에서 다시 한번 정리해 보세요.

직업, 휴식, 일상생활

| Word Map에 주제별로 분류된 단어의 뜻을 유추하여 빈칸에 쓰세요. |

직업 진로

employ	고용하다; 고용; 근무
hire	
recruit	모집하다; 신병, 신입생
labor	노동; 일하다
profession	직업, 전문직; 선언
retire	은퇴하다; 물러가다
promote	촉진하다; 승진시키다

일상 주거

informal	비공식의; 일상적인
routine	
habitat	서식지; 거주지
dwell	거주하다; 머물다
resident	거주자; 거주하는
circumstance	

업무 일

affair	일, 사건; 업무
agency	대리(점); 기관
chief	
client	의뢰인; 고객
corporate	기업의; 단체의
manual	손으로 하는; 육체를 쓰는
chore	
role	역할, 임무; 배역

생활 용품

load	짐, 부담; (짐을) 싣다
object	
pack	짐; 포장하다
cabinet	상자, 수납장
jar	항아리, 병
bulb	전구
fridge	냉장고

여행 휴식

abroad	외국으로, 외국에
backpack	배낭; 배낭여행을 하다
destination	
recess	휴식; 휴회하다
bet	
pastime	기분 전환, 오락

의류 침구

costume	
fabric	직물; 구조, 조직
fiber	
fur	모피 (제품); 부드러운 털
overall	작업용 바지; 전부의
blanket	담요; 포괄적인

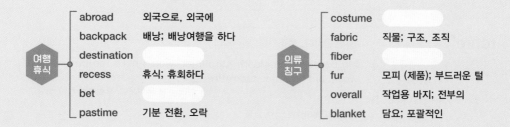

DAY 03 직업, 휴식, 일상생활

가리개를 사용하여 뜻을 잘 암기했는지 확인하세요.

How Different

0081 **employ***
[implɔ́i]

[동] 고용하다; 쓰다 [명] 고용; 근무

Jenny Hernandez is the manager of a medium-sized company that **employs** about 25 people. [학평]
Jenny Hernandez는 약 25명의 사람들을 **고용한** 중간 규모 회사의 관리자이다.

[+] employer [명] 고용주 employee [명] 고용인, 종업원 employment [명] 고용; 작업

0082 **hire***
[haiər]

[동] 고용하다; 빌리다 [명] 고용; 임차

I have found that most people like to **hire** people just like themselves.
[학평] 나는 대부분의 사람이 자신과 같은 사람을 **고용하고** 싶어 한다는 것을 알게 되었다.

0083 **recruit**
[rikrú:t]

[동] 모집하다; 고용하다 [명] 신병, 신입생

Sara **recruited** and trained lots of women as sales agents. [학평]
Sara는 많은 여성을 판매 대리인으로 **모집하여** 교육하였다.

[+] recruitment [명] 신규 모집, 채용

» employ 다른 사람에게 일을 시키고 그 대가를 지급하는 것을 가리킴
» hire 돈을 지불하고 어떤 대상을 일정 기간 사용함을 가리키며, 대상이 사람이 아닌 사물인 경우 '빌리다'의 의미로 쓰임
» recruit 인재를 찾고 채용하는 전반적인 과정을 가리킴

0084 **labor***
[léibər]

[명] 노동 [동] 일하다 [형] 노동의

Long hours of backbreaking **labor** and a poor diet caused my hair to fall out. [학평] 장시간의 고된 **노동**과 열악한 식사가 내 머리카락을 빠지게 했다.

0085 **profession***
[prəféʃən]

[명] 직업, 전문직; 선언

Much of the psychology **profession** is employed in managing and relieving sadness. [학평]
심리학 **직종**의 많은 부분이 슬픔을 관리하고 완화시키는 일에 활용된다.

[+] professional [형] 직업의, 전문(가)적인 [명] 전문가, 프로 선수

0086 **retire***
[ritáiər]

[동] 은퇴하다; 물러가다; 퇴각하다

Mr. Denning, an elderly carpenter, would miss the paycheck each week, but he wanted to **retire**. [학평]
나이 많은 목수 Denning 씨는 매주 받던 급여는 못 받더라도, **은퇴하고** 싶어 했다.

[+] retirement [명] 은퇴, 퇴직

0087 **promote***
[prəmóut]

(동) 촉진하다; 승진시키다

The handmade toys contest aims to **promote** recycling and reusing.
(학평) 수제 장난감 대회는 재활용과 재사용을 **증진하는** 것을 목적으로 한다.
The security guard didn't know that by this time tomorrow, he was going to be **promoted** to head of security. (학평) 그 경비원은 내일 이맘때 자신이 경비실장으로 **승진하게** 되리라는 것을 알지 못했다.

➕ **promotion** (명) 승진; 촉진; 판촉

0088 **affair***
[əfέər]

(명) 일, 사건; 업무

Vivian Malone Jones was director of civil rights and urban **affairs**. (학평)
Vivian Malone Jones는 인권과 도시 관련 **업무**의 책임자였다.

0089 **agency***
[éidʒənsi]

(명) 대리(점), 매개; 작용; 기관

The leaflet from a travel **agency** says they are offering summer wilderness adventure trips for students. (EBS) 여행 **대리점**에서 온 전단지에 여행사에서 학생들을 위한 여름 황무지 모험 여행을 제공할 거라고 쓰여 있다.

➕ **agent** (명) 대리인, 대행자; 대리점

0090 **chief***
[tʃiːf]

(명) 우두머리   (형) 최고의; 주요한

The **Chief** gave a big yell and told Sam, "You're now a married man."
(학평) **족장**은 큰소리로 Sam에게 말했다. "너는 이제 결혼한 사람이다."
Poupliniere hired Philippe Rameau as the **chief** conductor of his orchestra. (학평)
Poupliniere는 Philippe Rameau를 그의 관현악단의 **수석** 지휘자로 고용했다.

0091 **client***
[kláiənt]

(명) 의뢰인; 고객

Why would you give such a harsh sentence to my **client**? (학평)
왜 제 **의뢰인**에게 그토록 가혹한 선고를 내리십니까?

0092 **corporate***
[kɔ́ːrpərit]

(형) 기업의; 단체의; 집합적인

The research sheds light on why **corporate** training often fails. (학평)
그 연구는 **기업의** 훈련이 종종 실패하는 이유를 밝혀낸다.

➕ **corporation** (명) 법인, 주식[유한]회사

0093 **manual**
[mǽnjuəl]

(형) 손으로 하는; 육체를 쓰는   (명) 소책자

Traditional family-run farms were typically dependent on **manual** labor to work the land and tend the animals. (학평) 가족이 운영하는 전통적인 농장들은 토지를 경작하고 동물을 돌보기 위해 대체로 **육체**노동에 의존했다.

➕ **manually** (부) 손으로, 수공으로   ≡ **physical** (형) 육체의; 물질적인

0094 chore
[tʃɔːr]

(명) 허드렛일; 집안일

My dad constantly nagged me to take care of **chores** like mowing the lawn, which I hated. (학평) 나의 아버지는 잔디 깎기 같은, 내가 싫어하는 **허드렛일**에 신경을 쓰라고 계속 내게 잔소리하셨다.

housework (명) 집안일, 가사

0095 role*
[roul]

(명) 역할, 임무; 배역

We live in a society where gender **roles** and boundaries are not as strict as in prior generations. (학평)
우리는 성 **역할**과 경계가 이전 세대만큼 엄격하지 않은 사회에 살고 있다.

play a role in ~에서 역할을 맡다

0096 abroad*
[əbrɔ́ːd]

(부) 외국으로, 외국에

If you are **abroad**, English is likely to be somewhat different from the way you speak it. (학평)
만약 당신이 **외국에** 있다면, 영어는 당신이 말하는 방식과 다소 다를 수 있다.

overseas (형) 해외의; 해외로 가는 (부) 해외로, 해외에서

0097 backpack
[bǽkpæ̀k]

(명) 배낭 (동) 배낭여행을 하다

Every participant will receive a camp **backpack**. (학평)
모든 참가자는 캠프 **배낭**을 받게 됩니다.

0098 destination*
[dèstənéiʃən]

(명) 목적지; 목적, 용도

The transportation industry has always done more than carry travelers from one **destination** to another. (학평) 운송 산업은 항상 한 **목적지**에서 다른 목적지로 사람들을 실어 나르는 것 이상의 일을 해 왔다.

0099 recess
[ríːses]

(명) 휴식; (의회·법정의) 휴회 (동) 휴회하다

Miss Taglia asked Lisa and Jenny to meet with her during **recess** to show them what needed to be done. (학평) Taglia 선생님은 Lisa와 Jenny에게 무슨 일을 해야 하는지 알려 주기 위해 **쉬는** 동안 자신과 만나자고 그들에게 요청했다.

recede (동) 물러나다, 멀어지다 **recession** (명) 후퇴; 불경기

0100 bet*
[bet]

(명) 내기; 방책 (동) 단언하다; 내기를 하다

If the coin is tossed and the outcome is concealed, people will offer lower amounts when asked for **bets**. (수능) 동전이 던져졌고 그 결과가 감춰진 경우에 **내기 걸기**를 요청받으면 사람들은 더 적은 금액을 걸려 한다.

I bet you ~. 확실히 ~이다.

0101 pastime
[pǽstàim]

(명) 기분 전환, 오락

One of Grandma's **pastimes** is telling us a lot of stories from legends and, best of all, ghost stories. 학평 할머니의 **소일거리** 중 하나는 우리에게 많은 전설 이야기들, 무엇보다도 유령 이야기들을 들려주는 것이다.

0102 informal*
[infɔ́:rmǝl]

(형) 비공식의; 일상적인

With old friends, you can tell **informal** jokes or reveal sensitive personal facts. 학평 오랜 친구들과 있으면 여러분은 **격의 없는** 농담을 하거나 민감한 개인적 사실을 밝힐 수 있다.

➕ **informally** (부) 비공식으로, 약식으로 ↔ **formal** (형) 형식에 맞는; 공식의; 격식적인

0103 routine*
[ru:tí:n]

(명) 일과 (형) 일상의, 틀에 박힌

Exercise can be structured into the daily **routine**. 학평
운동은 **일과** 속에 구조화될 수 있다.

➕ **routinely** (부) 일상적으로

0104 habitat
[hǽbitæt]

(명) 서식지; 거주지, 주소

Mammals are able to live in an incredible variety of **habitats**. 학평
포유류는 믿을 수 없을 정도의 다양한 **서식지**에서 살 수 있다.

➕ **habitation** (명) 거주(권); 거주지, 주소 **habitable** (형) 거주할 수 있는

0105 dwell*
[dwel]

(동) 거주하다; 머물다

More and more Maasai have given up the traditional life of mobile herding and now **dwell** in permanent huts. 학평 점점 더 많은 마사이족이 유목이라는 전통적인 생활을 그만두고 지금은 영주하는 오두막에서 **거주한다**.

dwell on ~을 깊이 생각하다
➕ **dweller** (명) 거주자, 주민 **dwelling** (명) 주거(지); 거주

0106 resident
[rézidǝnt]

(명) 거주자 (형) 거주하는

In many cities, car sharing has made a strong impact on how city **residents** travel. 학평
많은 도시에서 차량 공유는 도시 **주민들**이 이동하는 방법에 관해 큰 영향을 끼쳐 왔다.

➕ **reside** (동) 살다, 거주하다 **residence** (명) 주거, 주택; 거주

0107 circumstance*
[sǝ́:rkǝmstæns]

(명) 상황, 환경; 처지

When humans encounter a dangerous **circumstance**, their breathing becomes faster. 학평 인간은 위험한 **상황**에 처하면 호흡이 더 빨라진다.

under[in] any circumstances 어떤 경우에도
under[in] no circumstances 어떤 경우에도 ~ 않다

0108 load*

[loud]

명 짐; 부담   동 (짐을) 싣다

After cleaning an infected finger, Dr. Ross returned to the sick child's house with a **load** of firewood. 학평 Ross 박사는 감염된 손가락을 소독한 다음, 한 **짐**의 장작을 가지고 아픈 아이의 집으로 돌아왔다.

➕ **loaded** 형 짐을 실은(진)

0109 object*

명 [ábdʒikt]
동 [əbdʒékt]

명 물건; 목적   동 반대하다

When the **object** of desire is finally gained, the attraction for the **object** rapidly decreases. 학평
마침내 원하는 **물건**을 얻으면, 그 **물건**에 대한 매력은 빠르게 감소한다.
I strongly **objected** to the terms of the unjust contract.
나는 부당한 계약 조건에 강하게 **반대했다**.

➕ **objection** 명 반대, 이의   **objective** 명 목적 형 목적의; 객관적인

0110 pack*

[pæk]

명 짐   동 포장하다; (사람이) ~을 채우다

It was a **pack** of batteries, which was not a gift I wished for. 학평
그것은 건전지 **꾸러미**로, 내가 바라던 선물이 아니었다.

➕ **packed** 형 꽉 찬, 만원인

0111 cabinet

[kǽbənit]

명 상자, (일용품을 넣는) 수납장; (the C-) 내각

The bathroom medicine **cabinet** is not a good place to keep medicine. 학평 욕실의 의약품 **상자**는 의약품을 보관하기에 좋은 장소가 아니다.

0112 jar*

[dʒaːr]

명 항아리, 병

Men in Egypt had their own makeup boxes that comprised special **jars** of colored makeup. 학평 이집트의 남자들은 색조 화장품이 담긴 특별한 **병**들로 구성된 그들 자신의 화장품 상자를 가지고 있었다.

0113 bulb

[bʌlb]

명 전구

You can control the brightness of the **bulb** by using the circular controller. EBS
여러분은 돌리는 조절기를 사용하여 **전구**의 밝기를 조절할 수 있습니다.

0114 fridge

[fridʒ]

명 냉장고

Fridges are especially useful for storing perishable substances such as milk. 학평 **냉장고**는 우유와 같이 상하기 쉬운 물질을 보관하는 데 특히 유용하다.

📘 **refrigerator** 명 냉장고

0115 costume*
[kástjuːm]

(명) 복장, 의상

Show off your creativity by creating a DIY Halloween **costume**. 학평
DIY 할로윈 **의상**을 만듦으로써 여러분의 창의력을 뽐내세요.

How Different

0116 fabric*
[fæbrik]

(명) 직물; 구조, 조직

Whichever **fabric** you choose, make sure that you are okay with cutting it. 학평 어떤 **천**을 선택하든, 그것을 잘라도 되는지 확인하라.

🔁 **textile** (명) 직물, 옷감 (형) 직물의; 방직된

0117 fiber*
[fáibər]

(명) 섬유 (조직)

Animal furs can be very effective at keeping the cold out, as can many other natural **fibers** and materials. EBS 동물 모피는 많은 다른 천연 **섬유**와 직물들이 그런 것처럼 추위를 막는 데 매우 효과적일 수 있다.

» **fabric** 섬유를 이용하여 만든 천의 원단을 가리킴
» **fiber** 섬유 물질, 섬유 조직을 가리킴

0118 fur*
[fəːr]

(명) 모피; 부드러운 털; (pl.) 모피 제품

With all the **fur** our cats shed, we need a vacuum cleaner with a pet and allergy filter. EBS 우리 고양이에게서 빠지는 **털** 때문에, 우리는 반려동물과 알레르기 필터가 있는 진공청소기가 필요하다.

0119 overall*
[òuvərɔ́ːl]

(명) (pl.) 작업용 바지 (형) 전부의, 전반적인 (부) 전반적으로

As he was driving the last nail into the post, he felt a tug on his **overalls**. EBS 기둥에 마지막 못을 박고 있을 때, 그는 (누군가가) 그의 **작업복**을 잡아당기는 것을 느꼈다.
To rise, a fish must reduce its **overall** density, and most fish do this with a swim bladder. 학평 떠오르기 위해서, 물고기는 자신의 **총** 밀도를 낮춰야 하는데, 대부분의 물고기는 부레를 통해 이것을 한다.

0120 blanket*
[blǽŋkit]

(명) 담요 (형) 포괄적인

Children often have a special stuffed animal or **blanket** that is much more than a toy.
아이들은 흔히 장난감 그 이상인 특별한 봉제 동물 인형이나 **담요**를 가지고 있다.
A **blanket** requirement was announced by education officials — all schools had to cut their budgets by 25%. **전면적인** 요구 사항이 교육 관계자들에 의해 발표되었는데, 모든 학교는 그들의 예산을 25퍼센트 정도 삭감해야 했다.

01 .... about 25 people   약 25명의 사람들을 고용하다   employ   employ

02 .... a wine expert   포도주 전문가를 고용하다   hire

03 .... lots of women as sales agents   recruit
많은 여성을 판매 대리인으로 모집하다

04 long hours of backbreaking ....   장시간의 고된 노동   labor

05 get rid of .... s   직업을 없애 버리다   profession

06 be ready to ....   은퇴할 준비가 되어 있다   retire

07 .... recycling and reusing   재활용과 재사용을 증진하다   promote

08 civil rights and urban .... s   인권과 도시 관련 업무   affair

09 travel ....   여행 대리점   agency

10 the .... conductor of the orchestra   관현악단의 수석 지휘자   chief

11 work with a ....   의뢰인과 일하다   client

12 .... volunteer activities   기업의 자원봉사 활동   corporate

13 a certain level of .... skill   일정 수준의 손기술   manual

14 .... s like mowing the lawn   잔디 깎기 같은 허드렛일   chore

15 gender .... s and boundaries   성 역할과 경계   role

16 Have you been ....?   당신은 외국에 나가 본 적이 있는가?   abroad

17 receive a camp ....   캠핑용 배낭을 받다   backpack

18 from one .... to another   한 목적지에서 다른 목적지로   destination

19 meet with Miss Taglia during ....   recess
Taglia 선생님과 쉬는 동안 만나다

20 ask for ....s 내기 걸기를 요청하다   bet

21 one of Grandma's ....s 할머니의 소일거리 중 하나   pastime

22 tell ....jokes 격의 없는 농담을 하다   informal

23 slide back into one's previous ....s   routine
    이전의 일상으로 다시 빠져들다

24 a variety of ....s 다양한 서식지   habitat

25 ....in permanent huts 영주하는 오두막에 거주하다   dwell

26 how city ....s travel 도시 주민들이 이동하는 방법   resident

27 encounter a dangerous .... 위험한 상황에 처하다   circumstance

28 return with a ....of firewood 한 짐의 장작을 가지고 돌아오다   load

29 the attraction for the .... 그 물건에 대한 매력   object

30 a ....of batteries 건전지 꾸러미   pack

31 the bathroom medicine .... 욕실의 의약품 상자   cabinet

32 ....s of colored makeup 색조 화장품이 담긴 병들   jar

33 the brightness of the .... 전구의 밝기   bulb

34 a drawer at the bottom of the .... 냉장고 밑의 서랍   fridge

35 create a Halloween .... 할로윈 의상을 만들다   costume

36 cotton .... 면직물   fabric

37 natural ....s 천연 섬유   fiber

38 the ....our cats shed 우리 고양이들에게서 빠지는 털   fur

39 feel a tug on one's ....s 작업복을 잡아당기는 것을 느끼다   overall

40 Bring your own .... 여러분의 담요를 가져오세요.   blanket

직업, 휴식, 일상생활

3-Minute Check

오늘 학습한 단어와 뜻을 최종적으로 암기했는지 확인하세요!

			check
0081	employ	[동] 고용하다 [명] 고용; 근무	☐
0082	hire	[동] 고용하다 [명] 고용; 임차	☐
0083	recruit	[동] 모집하다 [명] 신병, 신입생	☐
0084	labor	[명] 노동 [동] 일하다 [형] 노동의	☐
0085	profession	[명] 직업, 전문직; 선언	☐
0086	retire	[동] 은퇴하다; 물러가다	☐
0087	promote	[동] 촉진하다; 승진시키다	☐
0088	affair	[명] 일, 사건; 업무	☐
0089	agency	[명] 대리(점); 작용; 기관	☐
0090	chief	[명] 우두머리 [형] 최고의	☐
0091	client	[명] 의뢰인; 고객	☐
0092	corporate	[형] 기업의; 단체의; 집합적인	☐
0093	manual	[형] 손으로 하는 [명] 소책자	☐
0094	chore	[명] 허드렛일; 집안일	☐
0095	role	[명] 역할, 임무; 배역	☐
0096	abroad	[부] 외국으로, 외국에	☐
0097	backpack	[명][동] 배낭(여행을 하다)	☐
0098	destination	[명] 목적지; 목적, 용도	☐
0099	recess	[명] 휴식; 휴회 [동] 휴회하다	☐
0100	bet	[명] 내기; 방책 [동] 단언하다	☐

			check
0101	pastime	[명] 기분 전환, 오락	☐
0102	informal	[형] 비공식의; 일상적인	☐
0103	routine	[명] 일과 [형] 일상의, 틀에 박힌	☐
0104	habitat	[명] 서식지; 거주지	☐
0105	dwell	[동] 거주하다; 머물다	☐
0106	resident	[명] 거주자 [형] 거주하는	☐
0107	circumstance	[명] 상황, 환경, 처지	☐
0108	load	[명] 짐; 부담 [동] (짐을) 싣다	☐
0109	object	[명] 물건; 목적 [동] 반대하다	☐
0110	pack	[명] 짐 [동] 포장하다	☐
0111	cabinet	[명] 상자, 수납장; 내각	☐
0112	jar	[명] 항아리, 병	☐
0113	bulb	[명] 전구	☐
0114	fridge	[명] 냉장고	☐
0115	costume	[명] 복장, 의상	☐
0116	fabric	[명] 직물; 구조, 조직	☐
0117	fiber	[명] 섬유 (조직)	☐
0118	fur	[명] 모피(제품); 부드러운 털	☐
0119	overall	[명] 작업용 바지 [형] 전부의 [부] 전반적으로	☐
0120	blanket	[명] 담요 [형] 포괄적인	☐

외우지 못한 단어가 있으면 미니 단어장에서 다시 한번 정리해 보세요.

Wrap Up

☑ ANSWERS p.456

A 영어는 우리말로, 우리말은 영어로 쓰시오.

01	trace		21	하품(하다)
02	manual		22	금발의
03	physician		23	내려가다
04	author		24	은퇴하다
05	orphan		25	얼싸안다
06	affair		26	이마; 앞부분
07	minister		27	냄새를 맡다
08	vomit		28	보행자
09	destination		29	물건; 반대하다
10	chin		30	냉소적인
11	penetrate		31	기업의; 단체의
12	fridge		32	익은, 성숙한
13	employ		33	흘리다; 헛간
14	commute		34	접근하다; 접근
15	applaud		35	건축가; 설계자
16	frown		36	깨다; 깨어 있는
17	depart		37	떨다; 떨림
18	infant		38	행진하다; 행진
19	creep		39	탐정
20	habitat		40	직물; 구조, 조직

B 네모 안에서 알맞은 단어를 고르시오.

01 ｜Blinking / Clapping｜ is an involuntary action that protects the eye.

02 A. Y. Jackson was acknowledged as a ｜pioneer / principal｜ of modern landscape art.

03 With all the ｜fur / fabric｜ our cats shed, we need a vacuum cleaner with a pet and allergy filter.

04 Josh is a ｜passionate / cynical｜ kid, who throws himself at things that he loves.

C 각 문장이 우리말과 일치하도록 빈칸에 알맞은 단어를 고르시오. (형태 변화 가능)

| chew | promote | convey | recruit | rotate |

01 It's good to add charts to the presentation to .... the information more effectively. 정보를 더 효과적으로 전달하려면 발표 자료에 도표를 넣는 것이 좋다.

02 When you take a bite and begin to .... your food, it becomes smaller, softer, and easier to swallow.
여러분이 음식을 한입 베어 물고 씹기 시작하면 그것은 더 작아지고 더 부드러워지며 삼키기가 더 쉬워진다.

03 Sara .... and trained lots of women as sales agents.
Sara는 많은 여성을 판매 대리인으로 모집하여 교육하였다.

04 The handmade toys contest aims to .... recycling and reusing.
수제 장난감 대회는 재활용과 재사용을 증진하는 것을 목적으로 한다.

05 The shift in Earth's mass has changed the location of the axis on which Earth

....
지구의 질량 이동은 지구가 회전하는 축의 위치를 변화시켜 왔다.

D 우리말이 영어 문장과 일치하도록 빈칸에 알맞은 말을 쓰시오.

01 Adolescents differ from adults in the way they behave and solve problems.
............................은 행동하고 문제를 해결하는 방식에서 성인들과 다르다.

02 We overestimate the risk of being the victims of a plane crash.
우리는 비행기 추락의 ....가 될 위험을 과대평가한다.

03 Most research missions in space are accomplished through the use of spacecraft without crews aboard.
우주에서의 대부분의 연구 임무는 ....이 탑승하지 않은 우주선을 이용하여 수행된다.

04 The smiles and nods of a listener signal interest and agreement.
듣는 사람의 미소와 ....은 관심과 동의를 나타낸다.

05 When humans encounter a dangerous circumstance, their breathing becomes faster.
인간은 위험한 ....에 처하면 호흡이 더 빨라진다.

감각, 인식

| Word Map에 주제별로 분류된 단어의 뜻을 유추하여 빈칸에 쓰세요. |

시각

시각
- eyesight 시력
- sight 시력; 광경; 찾아내다
- vision
- perspective 관점; 전망; 원근법

보임
- visible 보이는; 명백한
- invisible 보이지 않는
- visual 시각의, 눈에 보이는
- seemingly

보기
- gaze 응시; 시선; 응시하다
- glance 힐긋 봄; 힐긋 보다
- monitor 관찰하다; 감시자
- overlook

청각
- audition 청취; 오디션(을 받다)
- auditory 청각의

후각
- scent
- odor 냄새; 악취

촉각
- chill 한기; 차가운; 오싹하게 하다
- painful 고통스러운; 불쾌한
- smooth

감지
- perceptual 지각하는; 지각이 있는
- sensation 감각; 센세이션, 대사건
- sensitive

인지
- notice 인지하다; 통지하다; 인지
- perceive 감지하다, 인식하다
- realize
- recognize 인지하다; 인정하다
- aware 알아차린; 의식하는
- beware 주의하다, 경계하다
- conscious

통찰
- impression 인상; 느낌; 영향
- insight 통찰(력)
- instinct
- intuition 직관(력), 직감

기억
- recall 생각해 내다; 회상, 상기
- remind 상기시키다

놀람·두려움
- astonish (깜짝) 놀라게 하다
- incredible
- awful 무시무시한; 대단히
- horrify 공포에 떨게 하다
- terrible 끔찍한; 지독한

📖 가리개를 사용하여 뜻을 잘 암기했는지 확인하세요.

0121 **eyesight**
[áisàit]

⟮명⟯ 시력

Warthogs have poor **eyesight**, but excellent senses of smell and hearing. 학평
혹멧돼지는 **시력**이 별로 좋지 않지만 뛰어난 후각과 청각을 가지고 있다.

How Different

0122 **sight***
[sait]

⟮명⟯ 시력; 시야; 광경   ⟮동⟯ 찾아내다

Cassatt lost her **sight** at the age of seventy. 학평
Cassatt은 70세에 **시력**을 잃었다.

out of sight 보이지 않는 곳에   **at the sight of** ~을 보고

0123 **vision**
[víʒən]

⟮명⟯ 시력, 시각; 선견(지명)

Extremely high amounts of Vitamin A can lead to liver damage and blurred **vision**. 학평
비타민 A의 함량이 극도로 높으면 간 손상과 **시력** 저하를 초래할 수 있다.

» **sight** 일반적으로 시력을 가리킴
» **vision** 손상된 경우를 가리킬 때 시력의 뜻으로 쓰이고, 주로 시각, 시야를 가리킴

0124 **perspective**
[pərspéktiv]

⟮명⟯ 관점; 전망; 원근법

Looking at a situation from another's **perspective** can lead to new solutions. 학평
다른 사람의 **관점**으로 상황을 보는 것이 새로운 해결책으로 이어질 수 있다.

0125 **visible***
[vízəbl]

⟮형⟯ 보이는; 명백한

A germ gets through and causes food poisoning, with obvious **visible** effects. 학평
어떤 세균은 몸에 침투하여 분명하게 **눈에 띄는** 증상을 보이며 식중독을 일으킨다.

0126 **invisible**
[invízəbl]

⟮형⟯ 보이지 않는

Black ice is often practically **invisible** to drivers or persons stepping on it. 학평
블랙 아이스는 사실상 흔히 운전자나 그 위를 걷는 사람에게 **보이지 않는다**.

0127 visual*
[víʒuəl]

(형) 시각의, 눈에 보이는

When we learn to read, we recycle a specific region of our **visual** system known as the **visual** word-form area. 수능
우리가 읽는 법을 배울 때, 우리는 **시각적인** 단어 형성 영역이라고 알려진 우리의 **시각** 체계의 특정 영역을 재활용한다.

➕ **visualize** (동) 마음속에 그려 보다, 상상하다

0128 seemingly
[síːmiŋli]

(부) 겉보기에는, 외관상은

Our yearning for certainty leads us to pursue **seemingly** safe solutions. 학평
확실성에 대한 우리의 동경은 우리가 **겉보기에** 안전한 해결책을 추구하도록 이끈다.

0129 gaze
[geiz]

(명) 응시; 시선 (동) 응시하다

Many stars are beyond our **gaze**, and we can't see atoms, or even the tiny creatures in puddles of rain water. 학평 많은 별들은 우리의 **시선** 밖에 있고, 우리는 원자나 빗물의 웅덩이에 있는 작은 생물조차도 볼 수 없다.

0130 glance*
[glæns]

(명) 힐끗 봄; 눈짓 (동) 힐끗 보다

Close-ups and slow camera shots can emphasize a character's brief **glance** of guilt. 학평
근접 촬영과 느린 카메라 촬영으로 등장인물의 짧은 죄책감의 **눈짓**을 강조할 수 있다.
Martha **glanced** inside to see the contents of a half-open box. 학평
Martha는 반쯤 열린 상자의 내용물을 보기 위해 안을 **힐끗 보았다**.

at a[the first] glance 첫눈에

0131 monitor*
[mánitər]

(동) 관찰하다; 청취하다 (명) 감시자; 모니터

Speakers **monitor** audience feedback, the verbal and nonverbal signals an audience gives a speaker. 학평
발표자들은 청중의 피드백, 즉 청중이 발표자에게 보내는 언어적, 비언어적 신호를 **주시한다**.

0132 overlook*
[óuvərlùk]

(동) 간과하다; 눈감아 주다; 내려다보다

Personal blind spots can easily be **overlooked** because you are completely unaware of their presence. 학평 개인이 보지 못하는 부분은 여러분이 그것의 존재를 전혀 알지 못하기 때문에 쉽게 **간과될** 수 있다.

0133 audition
[ɔːdíʃən]

(명) 청취; 오디션 (동) 오디션을 받다

Why don't you take part in the **audition** with me? 학평
나와 함께 **오디션**에 참가하지 않을래?

0134 **auditory**
[ɔ́ːditɔ̀ːri]

(형) 청각의

We send information about the melody from our memory to our **auditory** cortex. 학평
우리는 우리 기억 속에 있는 그 멜로디에 관한 정보를 **청각** 피질로 보낸다.

0135 **scent**
[sent]

(명) 향기   (동) 냄새를 맡다

Erda pushed her face into the grass, smelling the green pleasant **scent** from the fresh wild flowers. 학평 Erda는 풀밭으로 자신의 얼굴을 들이밀어 신선한 야생화에서 풍기는 싱그럽고 쾌적한 **향기**를 맡았다.

0136 **odor**
[óudər]

(명) 냄새; 악취

Each species of animals can detect a different range of **odors**. 학평
각 종의 동물들은 서로 다른 범위의 **냄새**를 감지할 수 있다.

0137 **chill***
[tʃil]

(명) 한기; 오한   (형) 차가운   (동) 오싹하게 하다

The body sends extra blood to the **chilled** area to warm it up. EBS
신체는 **냉각된** 부위를 따뜻하게 하려고 그 부위로 추가적인 혈액을 보낸다.

➕ **chilly** (형) 차가운; 냉담한, 쌀쌀한

0138 **painful**
[péinfəl]

(형) 고통스러운; 불쾌한

When we say or listen to words conveying **painful** feelings, our brains immediately activate to feel that pain. 학평
우리가 **고통스러운** 느낌을 전달하는 말을 하거나 들을 때 우리의 두뇌는 즉시 그 고통을 느끼도록 활성화된다.

➕ **pain** (명) 아픔, 고통   **painfully** (부) 아파서, 고통스럽게

0139 **smooth***
[smuːð]

(형) 매끄러운   (동) 매끄럽게 하다

Mirrors and other **smooth**, shiny surfaces reflect light. 학평
거울과 다른 **매끄럽고** 빛나는 표면은 빛을 반사한다.

➕ **smoothly** (부) 매끄럽게, 원활히

0140 **perceptual**
[pərséptʃuəl]

(형) 지각하는; 지각이 있는

Children absorb and process all the new **perceptual** and sensory information around them. 학평
아이들은 그들 주위의 모든 새로운 **지각** 및 감각 정보를 받아들이고 처리한다.

➕ **perception** (명) 지각(력), 인지

0141 sensation*
[senséiʃən]

(명) 감각; 센세이션, 대사건

If we try to ignore unpleasant **sensations**, then we only end up increasing their intensity. 학평
우리가 불쾌한 **감각**을 무시하려고 한다면, 우리는 결국 그 강도를 증가시킬 뿐이다.

+ sensational (형) 지각의, 감각(상)의; 선풍적 인기의; 굉장한

0142 sensitive
[sénsətiv]

(형) 민감한; 섬세한

The eye is the most delicate and **sensitive** part of the body. 학평
눈은 몸에서 가장 섬세하고 **민감한** 부분이다.

+ sense (명) 감각 (동) 느끼다, 감지하다   sensitivity (명) 민감(도); 감수성

0143 notice*
[nóutis]

(동) 인지하다; 통지하다   (명) 인지; 공고

Dorothy **noticed** a strange light shining from the kitchen. 학평
Dorothy는 낯선 불빛이 부엌에서 빛나고 있는 것을 **알아차렸다**.
The landlord raised the rent without **notice**.
집주인은 **공고** 없이 임대료를 올렸다.

+ notify (동) 통지[통보]하다, 공고하다   noticeable (형) 눈에 띄는, 두드러진

How Different

0144 perceive*
[pərsíːv]

(동) 감지하다, 인식하다

Some people **perceive** technology as a threat. 학평
일부 사람들은 기술을 위협으로 **인식한다**.

+ perception (명) 지각, 인식   perceptible (형) 지각[인지]할 수 있는

0145 realize
[ríː(ː)əlàiz]

(동) 깨닫다; 실현하다

Once I **realized** something strange was happening, my heart started beating fast. 학평
이상한 일이 일어나고 있다는 것을 **깨닫자마자** 내 심장은 빨리 뛰기 시작했다.

+ realization (명) 깨달음; 실현

0146 recognize*
[rékəgnàiz]

(동) 인지하다; 인정하다

Conflict resolution experts should be able to **recognize** cultural and gender differences. 학평
갈등 해결 전문가는 문화적, 성적 차이를 **인지할** 수 있어야 한다.

+ recognition (명) 인식, 인정; 알아봄

» **perceive** 다섯 가지 감각으로 감지하여 이해하고 알아차림을 가리킴
» **realize** 이전에 이해하지 못했던 것을 알게 됨을 가리킴
» **recognize** 이전에 보거나 들은 적이 있어서 알아차림을 가리킴

0147
☐☐ **aware**[*]

[əwέər]

형 알아차린; 의식하는

Poetry sharpens our senses and makes us more keenly and fully **aware** of life. 학평
시는 우리의 감각들을 선명하게 하고 우리가 삶을 더 날카롭고 완전히 **인식하게** 한다.

be aware of ~을 알다[알아차리다]
➕ **awareness** 명 알고 있음, 의식, 인식   ↔ **unaware** 형 알지 못하는, 눈치채지 못한

0148
☐☐ **beware**

[biwέər]

동 주의하다, 경계하다

Beware of the icy patches on the road. 도로의 얼음에 뒤덮인 부분을 **조심해라**.

0149
☐☐ **conscious**[*]

[kάnʃəs]

형 자각하고 있는, 의식적인

Most people think their **conscious** minds control everything they do.
학평 대부분의 사람들은 **의식적인** 생각이 자신들이 하는 모든 것을 통제한다고 생각한다.

➕ **consciousness** 명 의식   **consciously** 부 의식[자각]하여, 의식적으로
↔ **unconscious** 형 무의식의, 알지 못하는; 의식 불명의

0150
☐☐ **impression**

[impréʃən]

명 인상; 느낌; 영향

By not offering relevant information on his own, Tyler gave the **impression** that he was hiding something. 학평 자신에 대한 관련 정보를 제공하지 않음으로써 Tyler는 그가 무언가를 숨기고 있다는 **인상**을 주었다.

➕ **impress** 동 (깊은) 인상을 주다, 감동시키다   **impressive** 형 인상에 남는, 감동을 주는

0151
☐☐ **insight**[*]

[ínsàit]

명 통찰(력)

Observing a child's play can provide rich **insights** into a child's inner world. 학평
아이의 놀이를 관찰하는 것은 아이의 내면세계에 대한 많은 **통찰**을 제공할 수 있다.

➕ **insightful** 형 통찰력이 있는

0152
☐☐ **instinct**[*]

[ínstiŋkt]

명 본능; 직관; 천성

Your sense of smell links you directly with your feelings, **instincts** and memories. 학평
여러분의 후각은 여러분을 여러분의 감정, **본능**, 기억과 직접적으로 연결시킨다.

maternal instinct 모성 본능
➕ **instinctive** 형 본능적인, 직관적인

0153
☐☐ **intuition**

[ìntʃuːíʃən]

명 직관(력), 직감

To play poker, you need **intuition** and creativity. 학평
포커 게임을 하려면 여러분에게 **직관력**과 창의력이 필요하다.

➕ **intuitive** 형 직관적인, 직관에 의한

0154 **recall***

[rikɔ́:l]

[동] 생각해 내다 [명] 회상, 상기

When people are depressed, **recalling** their problems makes things worse. [학평]
사람들이 우울할 때 자신의 문제들을 **떠올리는 것**은 상황을 더 악화시킨다.

0155 **remind***

[rimáind]

[동] 상기시키다

Picasso's artwork **reminds** you there are alternative ways of using shape, objects, and colors. [학평] 피카소의 작품은 여러분에게 형체, 사물, 색을 사용하는 여러 방법들이 있다는 것을 **상기시킨다**.

remind A of B A에게 B를 생각나게 하다[상기시키다]

0156 **astonish***

[əstániʃ]

[동] (깜짝) 놀라게 하다

David was **astonished** to see that the doctor was his childhood friend, Mark. [학평]
David는 그 의사가 자신의 어릴 적 친구인 Mark라는 것을 알고서 **깜짝 놀랐다**.

[+] **astonishment** [명] (깜짝) 놀람, 경악
[=] **amaze** [동] 몹시 놀라게 하다 **surprise** [동] 놀라게 하다

0157 **incredible***

[inkrédəbl]

[형] 믿을 수 없는; 놀라운

A snowy owl's ears are not visible from the outside, but it has **incredible** hearing. [학평] 흰올빼미의 귀는 외부에서는 보이지 않지만, **놀라운** 청력을 가지고 있다.

0158 **awful***

[ɔ́:fəl]

[형] 무시무시한; 엄청난 [부] 대단히

It chilled me greatly to think that someone would capture me and take me back to that **awful** place. [학평] 누군가가 나를 붙잡아서 다시 그 **무시무시한** 장소에 데려갈 거라는 생각이 나를 매우 오싹하게 했다.

[+] **awe** [명] 경외; 두려움 **awfully** [부] 몹시 [=] **horrific** [형] 무서운, 소름끼치는

0159 **horrify**

[hɔ́(:)rəfài]

[동] 공포에 떨게 하다

Horrified, Philip threw himself down at the king's bedside. [학평]
공포에 질려서, Philip은 왕의 침대 옆에 드러누웠다.

[+] **horror** [명] 공포, 전율 **horrified** [형] 공포에 떠는, 겁에 질린

0160 **terrible***

[térəbl]

[형] 끔찍한, 소름끼치는; 지독한

Some scientific discoveries led to **terrible** disasters in human history.
[학평] 몇몇 과학적 발견은 인류 역사에서 **끔찍한** 재난을 초래했다.

[+] **terribly** [부] 무섭게; 지독하게; 몹시

감각, 인식
Use Words

01 have poor .... 시력이 별로 좋지 않다   eyesight   eyesight

02 out of .... 시야에서 벗어난 곳에   sight

03 lead to blurred .... 시력 저하를 초래하다   vision

04 look at a situation from another's ....   perspective
다른 사람의 관점으로 상황을 보다

05 obvious .... effects 분명하게 눈에 띄는 효과   visible

06 .... differences 보이지 않는 차이   invisible

07 a specific region of the .... system 시각 체계의 특정 영역   visual

08 pursue .... safe solutions 겉보기에 안전한 해결책을 추구하다   seemingly

09 .... at the teacher 선생님을 응시하다   gaze

10 after a single .... 단 한 번 흘긋 본 후에   glance

11 .... audience feedback 청중의 피드백을 청취하다   monitor

12 .... personal blind spots 개인의 맹점을 간과하다   overlook

13 take part in the .... 오디션에 참가하다   audition

14 the .... stimulus 청각 자극   auditory

15 the green pleasant .... 싱그럽고 쾌적한 향기   scent

16 detect a nasty .... 고약한 냄새를 감지하다   odor

17 a .... in the air 공기 중의 한기   chill

18 convey .... feelings 고통스러운 느낌을 전달하다   painful

19 .... shiny surfaces 매끄럽고 빛나는 표면   smooth

20 process the .... information 지각 정보를 처리하다   perceptual

21 ignore unpleasant ....s 불쾌한 감각들을 무시하다

sensation

22 the most .... part of the body 몸에서 가장 민감한 부분

sensitive

23 .... a strange light 낯선 불빛을 알아차리다

notice

24 .... technology as a threat 기술을 위협으로 인식하다

perceive

25 .... one's mistake 실수를 깨닫다

realize

26 .... gender differences 성적 차이를 인지하다

recognize

27 fully .... of life 삶을 완전히 알고 있는

aware

28 .... of the icy patches 얼음에 뒤덮인 부분을 조심하다

beware

29 the .... minds 의식적인 생각

conscious

30 make a good first .... 좋은 첫인상을 주다

impression

31 a scientist of great .... 훌륭한 통찰력을 지닌 과학자

insight

32 have a strong maternal .... 모성 본능이 강하다

instinct

33 need .... and creativity 직관력과 창의력을 필요로 하다

intuition

34 .... the recent problems 최근의 문제들을 상기하다

recall

35 .... people of the dangers of COVID-19
사람들에게 코로나 바이러스의 위험성을 상기시키다

remind

36 .... the world 세상을 깜짝 놀라게 하다

astonish

37 an .... amount of work 믿기 어려울 정도의 업무량

incredible

38 have an .... nightmare 무시무시한 악몽을 꾸다

awful

39 the news that will .... all parents
모든 부모들을 공포에 떨게 할 소식

horrify

40 lead to .... disasters 끔찍한 재난을 초래하다

terrible

			check
0121	**eyesight**	(명) 시력	☐
0122	**sight**	(명) 시력; 광경 (동) 찾아내다	☐
0123	**vision**	(명) 시력, 시각; 선견(지명)	☐
0124	**perspective**	(명) 관점; 전망; 원근법	☐
0125	**visible**	(형) 보이는; 명백한	☐
0126	**invisible**	(형) 보이지 않는	☐
0127	**visual**	(형) 시각의, 눈에 보이는	☐
0128	**seemingly**	(부) 겉보기에는, 외관상은	☐
0129	**gaze**	(명) 응시; 시선 (동) 응시하다	☐
0130	**glance**	(명) 힐긋 봄 (동) 힐긋 보다	☐
0131	**monitor**	(동) 관찰하다 (명) 감시자; 모니터	☐
0132	**overlook**	(동) 간과하다; 내려다보다	☐
0133	**audition**	(명) 청취; 오디션 (동) 오디션을 받다	☐
0134	**auditory**	(형) 청각의	☐
0135	**scent**	(명) 향기 (동) 냄새를 맡다	☐
0136	**odor**	(명) 냄새; 악취	☐
0137	**chill**	(명) 한기 (형) 차가운 (동) 오싹하게 하다	☐
0138	**painful**	(형) 고통스러운; 불쾌한	☐
0139	**smooth**	(형) 매끄러운 (동) 매끄럽게 하다	☐
0140	**perceptual**	(형) 지각하는; 지각이 있는	☐

			check
0141	**sensation**	(명) 감각; 센세이션, 대사건	☐
0142	**sensitive**	(형) 민감한; 섬세한	☐
0143	**notice**	(동) 인지하다; 통지하다 (명) 인지; 공고	☐
0144	**perceive**	(동) 감지하다, 인식하다	☐
0145	**realize**	(동) 깨닫다; 실현하다	☐
0146	**recognize**	(동) 인지하다; 인정하다	☐
0147	**aware**	(형) 알아차린; 의식하는	☐
0148	**beware**	(동) 주의하다, 경계하다	☐
0149	**conscious**	(형) 자각하고 있는, 의식적인	☐
0150	**impression**	(명) 인상; 느낌; 영향	☐
0151	**insight**	(명) 통찰(력)	☐
0152	**instinct**	(명) 본능; 직관; 천성	☐
0153	**intuition**	(명) 직관(력), 직감	☐
0154	**recall**	(동) 생각해 내다 (명) 회상, 상기	☐
0155	**remind**	(동) 상기시키다	☐
0156	**astonish**	(동) (깜짝) 놀라게 하다	☐
0157	**incredible**	(형) 믿을 수 없는; 놀라운	☐
0158	**awful**	(형) 무시무시한; 엄청난 (부) 대단히	☐
0159	**horrify**	(동) 공포에 떨게 하다	☐
0160	**terrible**	(형) 끔찍한; 지독한	☐

외우지 못한 단어가 있으면 **미니 단어장**에서 다시 한번 정리해 보세요.

부정적 감정·태도

| Word Map에 주제별로 분류된 단어의 뜻을 유추하여 빈칸에 쓰세요. |

인물 묘사
- impolite — 무례한
- reluctant —
- restless — 가만히 있지 않는
- ridiculous — 우스꽝스러운; 터무니없는
- reckless — 무모한, 분별없는
- wasteful — 낭비하는
- timid —

걱정 불안
- agony — 극도의 고통; 고뇌
- anxiety — 걱정; 열망
- burden —
- nervous — 불안한; 신경의
- tense — 긴장한, 긴박한

두려움
- fear —
- panic — 공포; 공황 상태에 빠지(게 하)다
- frighten — 겁먹게 하다
- terrify — 무서워하게 하다

불쾌 분노
- annoyed — 화가 난
- irritated — 짜증이 난; 염증이 난
- furious —
- resent — ~에 분개하다; 원망하다
- frustrate — 좌절시키다; 실망시키다
- upset — 속상한; 속상하게 하다

창피함 난처함
- ashamed — 부끄러운
- embarrassed —
- humiliate — 굴욕을 주다
- awkward — 당혹스럽게 하는; 어색한

욕심 욕구
- envious — 부러워하는
- greed —
- self-interest — 이기심; 사리사욕
- selfish — 이기적인; 제멋대로인

슬픔 좌절
- grief —
- sorrowful — 아주 슬픈
- miserable — 비참한
- depressed — 우울한; 침체된
- heartbreaking —
- desperate — 절망적인; 필사적인
- helpless — 무력한; 난감한

부정적 행동
- bully — 괴롭히는 사람; 괴롭히다
- neglect —
- insult — 모욕하다; 모욕

부정적 감정·태도

가리개를 사용하여 뜻을 잘 암기했는지 확인하세요.

0161 **impolite** [ìmpəláit]

[형] 무례한

Many people check their phones during a conversation and do not consider it **impolite**. [학평]
많은 사람들이 대화 중에 휴대 전화를 확인하고 그것이 **무례하다고** 생각하지 않는다.

0162 **reluctant** [rilʌ́ktənt]

[형] 내키지 않는

Housewives were peculiarly **reluctant** to use instant cake mixes, which required simply adding water. [학평] 주부들은 그저 물을 넣기만 하면 되는 인스턴트 케이크 믹스를 사용하는 것을 특히 **내키지 않아** 했다.

[+] **reluctance** [명] 내키지 않음

0163 **restless** [réstlis]

[형] 가만히 있지 않는

If you get thirsty, your brain become **restless** and forgetful. [학평]
여러분이 목이 마르면 여러분의 두뇌는 **가만히 있지 못하고** 건망증이 심해진다.

0164 **ridiculous** [ridíkjələs]

[형] 우스꽝스러운, 터무니없는

It would be **ridiculous** to conclude that tattoos cause motorcycle accidents. [학평]
문신이 오토바이 사고를 일으킨다고 단정하는 것은 **터무니없을** 것이다.

[+] **ridicule** [명] 비웃음, 조롱

0165 **reckless** [réklis]

[형] 무모한, 분별없는

If someone is too brave, they become **reckless**. [학평]
누군가가 너무 용감하면 **무모해진다**.

0166 **wasteful** [wéistfəl]

[형] 낭비하는

A movement referred to as “small living” is creating waves against **wasteful** consumption. [학평]
‘small living’이라고 불리는 운동이 **사치스러운** 소비에 반하는 흐름을 만들어 내고 있다.

[+] **waste** [명] 낭비; 쓰레기 [동] 낭비하다

0167 **timid** [tímid]

[형] 소심한, 용기 없는

If your cat is **timid**, he or she won’t want to be displayed in cat shows. [학평] 만약 여러분의 고양이가 **소심하다면**, 그 고양이는 고양이 쇼에 전시되기를 원하지 않을 것이다.

How Different

0168
annoyed*
[ənɔ́id]

(형) 화가 난

There were no cushions on the seats, so I felt **annoyed** during the concert. (학평) 좌석에 완충물이 없어서, 나는 콘서트가 진행되는 동안 **화가 났다**.

➕ **annoy** (동) 짜증나게 하다　**annoyance** (명) 짜증; 골칫거리

0169
irritated
[íritèitid]

(형) 짜증이 난; 염증이 난

Instead of being **irritated**, Bahati decided to offer a prayer. (학평) Bahati는 **짜증을 내는** 대신 기도를 올리기로 결심했다.

➕ **irritate** (동) 짜증나게 하다; 염증을 일으키다　**irritation** (명) 짜증(나게 하는 것); 쓰라림

0170
furious
[fjúəriəs]

(형) 격노한; 맹렬한

I recorded a few minutes of the bird laying **furious** claim to his territory with song. (EBS) 나는 그 새가 노래로 자신의 영역에 대한 권리를 **맹렬하게** 주장하는 것을 몇 분간 녹음했다.

» **annoyed** 약간 화가 난 것을 가리킴
» **irritated** 계속되는 누군가의 말이나 사건 때문에 짜증이 난 것을 가리킴
» **furious** 몹시 화가 난 것을 가리킴

0171
resent
[rizént]

(동) ~에 분개하다; 원망하다

You will **resent** the person who you feel you cannot say no to. (학평) 여러분은 여러분이 거절하는 말을 할 수 없다고 느끼는 대상을 **원망할 것이다**.

➕ **resentment** (명) 분개　**resentful** (형) 분개하는

0172
frustrate*
[frʌ́streit]

(동) 좌절시키다; 실망시키다

Think of specific times when you were mad or **frustrated**. (학평) 여러분이 화가 났거나 **좌절했던** 특정한 때를 생각해 보세요.

➕ **frustration** (명) 좌절감, 낙담　**frustrated** (형) 좌절한, 실망한

0173
upset*
(형)(동) [ʌpsét]
(명) [ʌ́pset]

(형) 속상한　(동) 속상하게 하다; 뒤엎다　(명) 속상함; 예상 밖의 승리

People's selfish behavior leads their neighbors to feel **upset**. (학평) 사람들의 이기적인 행동은 그 이웃 사람들을 **속상하게** 한다.

0174 **grief***
[griːf]

[명] 비통함; 슬픔(의 원인)

The doctor suggested writing as a means to ease Anna's **grief**. [EBS]
그 의사는 Anna의 **비통함**을 덜기 위한 수단으로 글쓰기를 제안했다.

[+] **grieve** [동] 비통해 하다

0175 **sorrowful**
[sárəfəl]

[형] 아주 슬픈

If you encounter a **sorrowful** friend, be careful not to be overcome by the misfortune. [학평]
여러분이 **아주 슬픈** 친구를 만난다면 여러분이 그 불행에 잠식되지 않도록 조심해라.

[+] **sorrow** [명] 큰 슬픔(을 주는 것)

How Different

0176 **miserable**
[mízərəbəl]

[형] 비참한

After all, you choose to be happy or **miserable**. [학평]
결국, 여러분은 행복해지거나 **비참해지기를** 선택하게 된다.

[+] **misery** [명] 불행, 고통; 빈곤

0177 **depressed***
[diprést]

[형] 우울한; 침체된

If you find yourself in a conversation with someone who is **depressed**, show them kindness and give them a sympathetic ear. [학평]
여러분이 **우울해하는** 누군가와 대화하게 되면, 그에게 친절을 베풀고 그의 말을 들으며 공감해 주세요.

[+] **depress** [동] 우울하게 만들다; 침체시키다 **depression** [명] 우울; 불황

» **miserable** 외롭거나, 춥거나, 아프거나, 속상하기 때문에 매우 슬픈 경우를 가리킴 (사람이나 기간을 묘사)
» **depressed** 안 좋은 일이 있거나 건강이 좋지 않아서 매우 슬프고 오랫동안 희망이 없는 경우를 가리킴

0178 **heartbreaking**
[hάːrtbrèikiŋ]

[형] 가슴이 찢어지게 하는

To be separated so long from Amy was **heartbreaking** for Evan. [학평]
Amy와 그렇게 오랫동안 떨어져 있는 것은 Evan에게 **가슴이 찢어지는** 일이었다.

0179 **desperate***
[déspərit]

[형] 절망적인; 자포자기의; 필사적인

Refugees from burning cities were **desperate** to find safe refuge. [학평]
불타는 도시에서 온 난민들은 안전한 피난처를 찾기 위해 **필사적이었다**.

[+] **desperately** [부] 필사적으로; 자포자기하여

0180 **helpless**
[hélplis]

[형] 무력한; 난감한

Some kids feel **helpless** when they make mistakes. [학평]
어떤 아이들은 실수를 할 때 **무력감을 느낀다**.

0181 agony
[ǽɡəni]

(명) 극도의 고통; 고뇌

Renoir continued to paint in **agony**. 학평
Renoir는 **극도의 고통** 속에서 그림을 계속 그렸다.

0182 anxiety*
[æŋzáiəti]

(명) 걱정; 열망

Anxiety warned people when their lives were in danger. 학평
사람들의 생명이 위험에 처했을 때 **불안**이 그들에게 경고했다.

➕ anxious (형) 걱정하는, 불안한; 열망하는

0183 burden*
[bə́ːrdn]

(명) 부담   (동) ~에게 부담시키다

With your reminder, you won't have the **burden** of remembering everything. 학평
상기해 주는 메모가 있으면 여러분은 모든 것을 기억할 **부담**을 갖지 않을 것이다.

0184 nervous*
[nə́ːrvəs]

(형) 불안한, 신경이 과민한; 신경의

You are probably **nervous** about public speaking. 학평
여러분은 아마도 사람들 앞에서 말하는 것에 대해 **불안해할** 것이다.

➕ nervousness (명) 신경과민

0185 tense*
[tens]

(형) 긴장한, 긴박한

Tom stood on stage at the school play, and being in the spotlight made him feel **tense**. 학평 Tom은 학교 연극에서 무대 위에 서 있었고, 스포트라이트를 받는 것은 그가 **긴장감을 느끼게** 했다.

➕ tension (명) 긴장, 갈등; 팽팽함

0186 fear*
[fiər]

(명) 두려움   (동) 두려워하다

One day, the emperor suddenly **feared** his death and the loss of his power. 학평
어느 날, 황제는 갑자기 그의 죽음과 권력의 상실을 **두려워했다**.

➕ fearful (형) 두려워하는; 무시무시한

0187 panic*
[pǽnik]

(명) 공포, 공황   (동) 공황 상태에 빠지(게 하)다

The investors got into a **panic** over losses. 학평
투자자들은 손실로 인해 **공황** 상태에 빠졌다.

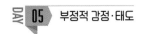
0188 frighten
[fráitn]

ⓥ 겁먹게 하다

When we make a loud noise, it will **frighten** fish and cause them to swim away. 학평
우리가 큰 소리를 내면, 그 소리는 물고기를 **놀라게 하고** 그것들이 헤엄쳐 달아나게 만든다.

➕ frightened ⓐ 깜짝 놀란; 무서워하는   frightening ⓐ 무서운; 놀라운

0189 terrify
[térəfài]

ⓥ 무서워하게 하다

When you are absolutely **terrified**, your body can produce too much adrenalin. 학평
여러분이 매우 **공포에 질렸을** 때, 여러분의 몸은 아드레날린을 너무 많이 만들어 낼 수 있다.

➕ terrified ⓐ 놀란   terrifying ⓐ 무서운

How Different

0190 ashamed
[əʃéimd]

ⓐ 부끄러운

The player felt **ashamed** because he had missed several good chances to score. EBS
그 선수는 득점할 수 있는 좋은 기회를 몇 번 놓쳤기 때문에 **부끄러움을 느꼈다.**

➕ shame ⓝ 수치심; 부끄러워 할 줄 아는 마음   ⓥ 부끄럽게 하다

0191 embarrassed
[imbǽrəst]

ⓐ 당혹스러운

Lucy is **embarrassed** to find the name of the school principal is spelled wrong. 학평 Lucy는 교장 선생님 이름의 철자가 잘못된 것을 보고 **당혹스러웠다.**

➕ embarrass ⓥ 당혹스럽게 만들다   embarrassing ⓐ 난처하게 하는

» ashamed 자신이 한 일, 또는 자신과 관련된 누군가가 한 일 때문에 매우 미안하고 창피함을 가리킴
» embarrassed 사람들이 자신을 어떻게 생각할지에 관해 걱정하고 긴장함을 가리킴 (사람들 앞에서 말하거나 노래해야 할 때 등)

0192 humiliate
[hju:mílièit]

ⓥ 굴욕을 주다

The Prime Minister decided to resign after suffering a **humiliating** defeat in the elections.
총리는 선거에서 **굴욕적인** 패배를 겪은 후 사임하기로 결심했다.

➕ humiliation ⓝ 굴욕, 창피 주기   humility ⓝ 겸손, 겸양

0193 awkward*
[ɔ́:kwərd]

ⓐ 당혹스럽게 하는; 어색한; 서투른

Your brain discourages you from doing something so socially **awkward**. 학평
여러분의 뇌는 여러분이 사회적으로 매우 **당혹스러운** 일을 하는 것을 단념시킨다.

➕ awkwardness ⓝ 어색함   awkwardly ⓐⓓ 어색하게; 서투르게

0194 **envious**

[énviəs]

[형] 부러워하는

Being **envious** of what others have only makes you unhappy with what you personally have. [학평] 다른 사람이 가진 것을 **부러워하는** 것은 자신이 가진 것에 스스로가 불만족하게 만들 뿐이다.

[+] **envy** [명] 부러움, 샘 [동] 부러워하다

0195 **greed***

[gri:d]

[명] 탐욕

Excessive **greed** can give rise to unexpected disasters. [학평]
지나친 **욕심**은 예상치 못한 재앙을 초래할 수 있다.

[+] **greedy** [형] 욕심이 많은

0196 **self-interest**

[selfíntərəst]

[명] 이기심, 사리사욕

Scottish economist Adam Smith saw competitiveness as maximizing **self-interest**. [학평]
스코틀랜드의 경제학자 Adam Smith는 경쟁함을 **자기 이익**을 극대화하는 것으로 보았다.

0197 **selfish**

[sélfiʃ]

[형] 이기적인, 제멋대로인

Selfish adults or kids do not make sound decisions as well as do grateful people. [학평] **이기적인** 성인들이나 아이들은 감사할 줄 아는 사람들이 하는 만큼 건전한 결정을 잘 내리지 못한다.

[+] **selfishness** [명] 제멋대로임, 이기적임

0198 **bully***

[búli]

[명] 괴롭히는 사람 [동] (약한 자를) 괴롭히다

Rob was commonly referred to by students as a **bully**. [EBS]
Rob은 학생들로부터 흔히 **불량배**라고 일컬어졌다.

0199 **neglect***

[niglékt]

[동] 방치하다 [명] 방치, 간과

You shouldn't **neglect** your health. [학평]
여러분은 자신의 건강을 **방치해서는** 안 된다.

[+] **negligence** [명] 태만; 부주의; 무관심

0200 **insult***

[동][insʌ́lt]
[명][ínsʌlt]

[동] 모욕하다 [명] 모욕

Voltaire was imprisoned because he had **insulted** a powerful aristocrat. [학평] Voltaire는 유력한 귀족을 **모욕했기** 때문에 투옥되었다.

[+] **insulting** [형] 모욕적인, 무례한

부정적 감정·태도
Use Words

빈칸을 채우며 단어를 외우고, 쓰면서 한 번 더 익히세요.

01 an _____ behavior 무례한 행동   impolite   impolite

02 _____ to use instant cake mixes   reluctant
    인스턴트 케이크 믹스를 사용하는 것이 내키지 않는

03 a _____ night 잠 못 드는 밤   restless

04 a _____ idea 터무니없는 생각   ridiculous

05 _____ driving 무모한 운전   reckless

06 _____ packaging 낭비가 심한 포장   wasteful

07 a _____ cat 소심한 고양이   timid

08 _____ at the customer service 고객 서비스에 화가 난   annoyed

09 get _____ with oneself 스스로에게 짜증이 나다   irritated

10 _____ at the delay 지연에 격노한   furious

11 _____ being considered a patient 환자로 여겨짐에 분개하다   resent

12 _____ one's attempt 시도를 좌절시키다   frustrate

13 feel _____ to read the news 뉴스를 읽고 속상해하다   upset

14 a means to ease one's _____ 비통함을 덜기 위한 수단   grief

15 encounter a _____ friend 아주 슬픈 친구를 만나다   sorrowful

16 make life _____ 삶을 비참하게 만들다   miserable

17 _____ about the situation 그 상황에 관해 우울해하는   depressed

18 a _____ news 가슴이 찢어지게 하는 소식   heartbreaking

19 _____ to find safe refuge 안전한 피난처를 찾기 위해 필사적인   desperate

20	a _____ victim 무력한 희생자	helpless
21	paint in _____ 극도의 고통 속에서 그림을 그리다	agony
22	a source of deep _____ 깊은 불안의 근원	anxiety
23	free from the daily _____ 일상의 부담에서 벗어나서	burden
24	_____ about public speaking 대중 연설에 대해 불안해하는	nervous
25	a _____ moment for everyone 모두에게 긴박한 순간	tense
26	_____ the loss of power 권력의 상실을 두려워하다	fear
27	get into a _____ over losses 손실로 인해 공황에 빠지다	panic
28	the sounds that _____ me 나를 겁먹게 하는 소리	frighten
29	big and _____ing animals 크고 무시무시한 동물들	terrify
30	_____ of one's behavior 행동을 수치스러워하는	ashamed
31	_____ about making mistakes 실수해서 당혹스러운	embarrassed
32	feel _____d after being rejected 거절당한 후에 굴욕감을 느끼다	humiliate
33	in an _____ situation 당혹스러운 상황에서	awkward
34	_____ of what others have 다른 사람들이 가진 것을 부러워하는	envious
35	excessive _____ 지나친 욕심	greed
36	based entirely on _____ 전적으로 이기심에 근거하여	self-interest
37	a _____ motive 이기적인 동기	selfish
38	a victim of _____ing 괴롭힘의 피해자	bully
39	_____ one's health 건강을 방치하다	neglect
40	_____ a powerful aristocrat 유력한 귀족을 모욕하다	insult

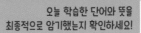
			check
0161	impolite	혱 무례한	☐
0162	reluctant	혱 내키지 않는	☐
0163	restless	혱 가만히 있지 않는	☐
0164	ridiculous	혱 우스꽝스러운; 터무니없는	☐
0165	reckless	혱 무모한, 분별없는	☐
0166	wasteful	혱 낭비하는	☐
0167	timid	혱 소심한, 용기 없는	☐
0168	annoyed	혱 화가 난	☐
0169	irritated	혱 짜증이 난; 염증이 난	☐
0170	furious	혱 격노한; 맹렬한	☐
0171	resent	동 ~에 분개하다; 원망하다	☐
0172	frustrate	동 좌절시키다; 실망시키다	☐
0173	upset	혱 속상한 동 속상하게 하다 명 속상함; 예상 밖의 승리	☐
0174	grief	명 비통함; 슬픔(의 원인)	☐
0175	sorrowful	혱 아주 슬픈	☐
0176	miserable	혱 비참한	☐
0177	depressed	혱 우울한; 침체된	☐
0178	heartbreaking	혱 가슴이 찢어지게 하는	☐
0179	desperate	혱 절망적인; 필사적인	☐
0180	helpless	혱 무력한; 난감한	☐

			check
0181	agony	명 극도의 고통; 고뇌	☐
0182	anxiety	명 걱정; 열망	☐
0183	burden	명 부담 동 ~에게 부담시키다	☐
0184	nervous	혱 불안한; 신경의	☐
0185	tense	혱 긴장한, 긴박한	☐
0186	fear	명 두려움 동 두려워하다	☐
0187	panic	명 공포, 공황 동 공황 상태에 빠지(게 하)다	☐
0188	frighten	동 겁먹게 하다	☐
0189	terrify	동 무서워하게 하다	☐
0190	ashamed	혱 부끄러운	☐
0191	embarrassed	혱 당혹스러운	☐
0192	humiliate	동 굴욕을 주다	☐
0193	awkward	혱 당혹스럽게 하는; 어색한	☐
0194	envious	혱 부러워하는	☐
0195	greed	명 탐욕	☐
0196	self-interest	명 이기심; 사리사욕	☐
0197	selfish	혱 이기적인; 제멋대로인	☐
0198	bully	명 괴롭히는 사람 동 괴롭히다	☐
0199	neglect	동 방치하다 명 방치, 간과	☐
0200	insult	동 모욕하다 명 모욕	☐

외우지 못한 단어가 있으면 미니 단어장에서 다시 한번 정리해 보세요.

긍정적 감정·태도

| **Word Map**에 주제별로 분류된 단어의 뜻을 유추하여 빈칸에 쓰세요. |

강정
grateful	고마워하는
amused	즐거워하는, 즐기는
cheerful	즐거운; 쾌활한
delight	기쁨, 즐거움
preference	
eager	열망하는; 열심인
satisfy	만족시키다

인물 묘사
adventurous	모험적인; 모험을 즐기는
alert	
charming	매력적인
confident	확신하는, 자신감 있는
graceful	우아한, 품위 있는

영향력

격려
| inspire | 고취하다; 영감을 주다 |
| motivate | |

흥미 관심
| attract | 흥미를 끌다 |
| fascinate | 마음을 빼앗다 |

태도
endurance	
tolerance	관용; 인내(력)
generous	후한, 관대한
sacrifice	
affection	애정, 호의; 감정
favor	호의, 친절
hospitality	
bold	대담한; 뚜렷한
cautious	신중한; 주의하는
painstakingly	힘들여, 공들여
hard-working	근면한, 열심히 하는
enthusiasm	열의; 열광
heartwarming	마음이 따뜻해지는
moderate	
self-control	자제(력), 극기
self-confidence	자신감
self-esteem	자존감; 자부심

능력 평가

능력
capable	
competent	적임의, 유능한; 충분한
promising	유망한
talented	

평가
noticeable	눈에 띄는, 두드러진
outstanding	현저한, 걸출한
renowned	

📖 가리개를 사용하여 뜻을 잘 암기했는지 확인하세요.

0201
grateful*
[gréitfəl]

혱 고마워하는

I would be **grateful** if the principal reconsider his decision. (학평)
저는 교장 선생님께서 결정을 재고해 주시면 **감사하겠습니다.**

➕ gratefully 悙 감사하여, 기꺼이   gratitude 몡 감사(하는 마음)

0202
amused
[əmjúːzd]

혱 즐거워하는, 즐기는

James stood watching us with an **amused** expression on his face.
James는 그의 얼굴에 **즐거운** 표정을 하고 우리를 지켜보며 서 있었다.

➕ amuse 통 즐겁게 하다, 재미나게 하다   amusement 몡 즐거움, 재미; 오락

0203
cheerful
[tʃíərfəl]

혱 즐거운; 쾌활한

Act as though you were trying out for the role of a positive, **cheerful**, happy, and likable person. (학평)
긍정적이고, **쾌활하고**, 행복하고, 호감이 가는 사람의 역할을 해 보려는 것처럼 행동하라.

➕ cheerfully 悙 기분 좋게, 쾌활하게   cheerfulness 몡 기분 좋음

0204
delight*
[diláit]

몡 기쁨, 즐거움   통 매우 기쁘게 하다

Ester leaped from her bed with **delight**. (학평)
Ester는 **기뻐서** 자신의 침대에서 벌떡 일어났다.

➕ delighted 혱 기뻐하는, 즐거워하는   delightful 혱 매우 기쁜, 즐거운

0205
preference
[préfərəns]

몡 선호(도); 편애

From birth, each baby has a unique personality and **preferences**.
(학평) 태어나면서부터, 각각의 아기는 특유의 성격과 **선호도**를 가진다.

➕ prefer 통 (오히려) ~을 좋아하다, 선호하다

0206
eager*
[íːgər]

혱 열망하는; 열심인

Patricia is **eager** to be the best mom she can be, but she finds parenting a hard task. (학평) Patricia는 그녀가 될 수 있는 최고의 엄마가 되기를 **간절히 바라지만**, 양육이 어려운 일이라는 것을 알게 된다.

➕ eagerly 悙 열망하여, 열심히; 간절히   eagerness 몡 열심, 열망

0207
□□ **satisfy***
[sǽtisfài]

동 만족시키다; 납득시키다

Not all our gold and jewelry could **satisfy** our hunger. 학평
우리의 모든 금과 보석이 우리의 갈망을 **만족시킬** 수는 없었다.

➕ satisfied 형 만족한; 납득한   satisfying 형 만족을 주는, 충분한; 납득이 가는

How Different

0208
□□ **endurance**
[indjúː)ərəns]

명 인내(력); 지구력

Lifting weights increases muscle strength, which will improve your **endurance** and balance when maintaining difficult yoga postures. 학평
역기 들기는 근력을 증가시켜, 여러분이 어려운 요가 자세를 유지할 때 여러분의 **지구력**과 균형감을 향상시킬 것이다.

➕ endure 동 견디다, 인내하다, 참다   enduring 형 참을성 있는; 지속하는, 영속적인
🟰 patience 명 인내(력), 참을성

0209
□□ **tolerance**
[tálərəns]

명 관용; 인내(력)

Having **tolerance** means giving every person the same consideration. 학평 **관용**이 있다는 것은 모든 사람에게 같은 배려를 한다는 것을 의미한다.

➕ tolerate 동 관대히 다루다; 참다   tolerant 형 관대한, 아량 있는

» endurance 힘들고 오래가는 고통이나 불쾌한 일을 견디거나 견디도록 강요받았음을 가리킴
» tolerance 힘들고 불쾌한 일이라서 싫고 못마땅함에도 불구하고 기꺼이 받아들임을 가리킴

0210
□□ **generous***
[dʒénərəs]

형 후한, 관대한

If you are kind and **generous**, being wealthy will make you more so. EBS 만약 여러분이 친절하고 **관대하다면**, 부유함은 여러분을 더 그렇게 만들 것이다.

➕ generously 부 아낌없이, 후하게; 관대하게   generosity 명 관대, 아량; 마음이 후함

0211
□□ **sacrifice***
[sǽkrəfàis]

명 희생; 제물   동 희생시키다

If we practice taking the many small opportunities to help others, we'll be in shape to act when those times requiring real, hard **sacrifice** come along. 학평 우리가 다른 사람들을 도울 작은 기회들을 가지는 연습을 많이 하면, 우리는 진정한 어려운 **희생**이 필요한 그러한 시기가 올 때 행동할 준비가 될 것이다.

0212
□□ **affection***
[əfékʃən]

명 애정, 호의; 감정

During his childhood, Gerald had a great **affection** for his aunt Lucy. 학평 어린 시절 동안, Gerald는 자신의 이모 Lucy에 대한 엄청난 **애정**을 가지고 있었다.

➕ affect 동 영향을 미치다; 감동시키다   affectionate 형 다정한, 애정 어린

0213 favor*
[féivər]

명 호의, 친절 동 호의를 보이다; 찬성하다

Many people barter to a small extent, when they return **favors**. 학평
많은 사람들이 **호의**에 보답할 때, 작은 범위에서 물물교환을 한다.

➕ favorable 형 호의적인; 찬성하는; 유리한 favorably 부 호의적으로; 유리하게

0214 hospitality
[hàspitǽləti]

명 환대, 후한 대접

It is the guest's duty not to abuse the host's **hospitality**.
주인의 **환대**를 악용하지 않는 것이 손님의 의무이다.

➕ hospitable 형 대접이 좋은, 친절한; 개방적인; 쾌적한

0215 bold*
[bould]

형 대담한; 뻔뻔스러운; 뚜렷한

Yasuni oilfield's protection is a **bold** move, considering that about 70 percent of Ecuador's income is from oil. 학평 에콰도르 소득의 약 70퍼센트가 석유에서 나온다는 점을 감안하면 Yasuni 지역의 유전 보호는 **대담한** 조치다.

➕ boldly 부 대담하게; 뻔뻔스럽게; 뚜렷하게 boldness 명 대담, 배짱; 두드러짐

0216 cautious
[kɔ́ːʃəs]

형 신중한; 주의하는

When we praise kids for their ability, kids become more **cautious**. 학평
우리가 아이들의 능력을 칭찬할 때, 아이들은 더 **신중해집니다**.

➕ cautiously 부 조심스럽게 caution 명 조심, 경고

0217 painstakingly
[péinstèikiŋli]

부 힘들여, 공들여

Both the vocal and piano parts have been **painstakingly** written down by the composer. 학평
보컬과 피아노 부분은 모두 작곡가에 의해 **공들여** 작곡되었다.

➕ painstaking 형 수고를 아끼지 않는; 공들인 명 수고, 근면; 공들임

0218 hard-working
[hardwɔ́ːrkiŋ]

형 근면한, 열심히 하는

One **hard-working** couple I know regularly gets together for lunch. 학평
내가 아는 **근면한** 어느 부부는 정기적으로 점심식사를 함께 한다.

🟰 diligent 형 근면한, 부지런한

0219 enthusiasm
[inθjúːziæzəm]

명 열의; 열광

Inglis is remembered as a wonderful woman of **enthusiasm**, strength, and kindliness. 학평
Inglis는 **열정**, 힘, 그리고 친절함을 갖춘 멋진 여성으로 기억되고 있다.

➕ enthusiastic 형 열렬한, 열광적인 enthusiastically 부 열광적으로, 매우 열심히

0220 heartwarming
[háːrtwɔ̀ːrmiŋ]

(형) 마음이 따뜻해지는

A **heartwarming** news story tells of a shipwrecked sailor who was in a stormy sea. (학평)
폭풍우 치는 바다에 있던 조난당한 선원에 대한, **마음이 따뜻해지는** 뉴스 기사가 전해진다.

0221 moderate
[mάdərit]

(형) 절제하는; 온건한

Moderate exercise, such as stretching or walking, is recommended.
(학평) 스트레칭이나 걷기 등 **적당한** 운동이 권장된다.

➕ **moderately** (부) 적당히, 알맞게   **moderation** (명) 적당함, 절제

0222 self-control
[sélfkəntróul]

(명) 자제(력), 극기

Jack learned a lot about true **self-control** that night. (EBS)
Jack은 그날 밤 진정한 **자제력**에 대해 많은 것을 배웠다.

0223 self-confidence
[sélfkάnfidəns]

(명) 자신감

As children grow, musical training continues to help them develop the discipline and **self-confidence** needed to achieve in school. (학평)
아이들이 자랄 때, 음악 훈련은 아이들이 학업 성취도를 높이는 데 필요한 절제와 **자신감**을 계발하는 데 계속 도움이 된다.

➕ **self-confident** (형) 자신 있는   **self-confidently** (부) 자신 있게

0224 self-esteem
[sélfistíːm]

(명) 자존감; 자부심

Certainly praise is critical to a child's sense of **self-esteem**. (학평)
확실히 칭찬은 아이의 **자존감**에 매우 중요하다.

➕ **esteem** (동) 존경[존중]하다 (명) 존중, 존경

0225 adventurous
[ədvéntʃərəs]

(형) 모험적인; 모험을 즐기는

Uppsala gives you an **adventurous** experience with its chilly climate and rugged landscape. (학평)
Uppsala는 쌀쌀한 기후와 험준한 풍경으로 당신에게 **모험적인** 경험을 선사한다.

➕ **adventure** (명) 모험(심) (동) 위험을 무릅쓰다   **adventurously** (부) 대담하게, 모험적으로

0226 alert*
[ələ́ːrt]

(형) 방심 않는, 경계하는; 기민한   (명) 경계; 경보   (동) 경계하게 하다

Assigned the enormous task of processing all new information, brains are continuously **alert** and attentive. (학평)
아예 새로운 정보를 처리하는 엄청난 임무가 주어지면, 두뇌는 끊임없이 **경계하고** 주의한다.

on the alert 경계 태세인

0227 charming
[tʃɑ́:rmiŋ]

(형) 매력적인

The Camelback design looks **charming**, but it is not a practical design for a house. 학평
낙타 등 모양 설계는 **매력적으로** 보이지만, 그것은 주택으로서 실용적인 디자인이 아니다.

➕ charm (명) 매력; 마력, 주문 (동) 매혹하다; 마법을 걸다

0228 confident*
[kɑ́nfidənt]

(형) 확신하는, 자신감 있는

A person who has learned a variety of ways to handle anger is more competent and **confident**. 학평
분노를 다스릴 수 있는 다양한 방법을 배운 사람은 더 유능하고 **자신감이 있다**.

➕ confidence (명) 신뢰; 자신, 확신 confidently (부) 확신을 갖고, 자신 있게

0229 graceful
[gréisfəl]

(형) 우아한, 품위 있는

When done well, both reading and skiing are **graceful**, harmonious activities. 학평 제대로 수행되기만 하면, 독서와 스키 모두 **우아하고** 조화로운 활동이다.

➕ grace (명) 우아, 품위; 세련미; 은총 (동) 우아하게 하다

0230 inspire
[inspáiər]

(동) 고취하다; 영감을 주다

Plumb **inspired** thousands of people through his lectures. 학평
Plumb은 자신의 강연을 통해 수천 명의 사람들에게 **영감을 주었다**.

➕ inspired (형) 영감을 받은 inspiration (명) 영감(을 주는 것); 고취, 고무

0231 motivate
[móutəvèit]

(동) 동기를 주다, 자극하다

Praising your child's talent would boost his self-esteem and **motivate** him. 학평 자녀의 재능을 칭찬하면 아이의 자존감을 높이고 **동기를 부여할** 수 있다.

➕ motivation (명) 자극; 동기 부여; 열의 motivated (형) 자극받은, 동기가 부여된

How Different

0232 attract*
[ətrǽkt]

(동) 흥미를 끌다

The book failed to **attract** a large audience. 학평
그 책은 많은 청중들의 **흥미를 끌지** 못했다.

➕ attractive (형) 마음을 끄는, 매력적인 attraction (명) 끌어당김; 매력; 명소

0233 fascinate*
[fǽsənèit]

(동) 마음을 빼앗다

Children are **fascinated** by animals and can develop very special connections and relationships with them. 학평
아이들은 동물에게 **매료되고** 동물과 매우 특별한 친교와 관계를 발전시킬 수 있다.

➕ fascinating (형) 매혹적인; 아주 재미있는 fascination (명) 매혹, 매료; 매력

» **attract** 정서적으로 호감을 가지게 하고 그에 따라 주의나 흥미를 끄는 것을 가리킴
» **fascinate** 호감 여부와 무관하게, 호기심 어린 강한 흥미를 가지게 함을 가리킴

0234 **capable**[*]
[kéipəbl]

(형) 유능한, (~할) 능력이 있는

Crows are **capable** of solving more complex problems compared to other birds. (학평) 까마귀는 다른 새들에 비해 더 복잡한 문제를 해결할 **능력이 있다**.

➕ **capability** (명) 가능성, 능력, 역량　**capably** (부) 유능하게, 훌륭하게

0235 **competent**[*]
[kámpitənt]

(형) 적임의, 유능한; 충분한

In this world, being smart or **competent** isn't enough. (학평)
이 세상에서, 똑똑하거나 **능력이 있는** 것만으로는 충분하지 않다.

➕ **competence** (명) 능력, 자격; 권한　**competently** (부) 유능하게, 능숙하게; 적당히

0236 **promising**
[prámisiŋ]

(형) 유망한

Adolphe was a **promising** young composer who had just written his first cello piece. (학평)
Adolphe는 그의 첫 번째 첼로 곡을 막 완성한 **유망한** 젊은 작곡가였다.

0237 **talented**
[tǽləntid]

(형) 재능 있는

We have been providing music education to **talented** children for 10 years. (학평) 우리는 10년 동안 **재능 있는** 아이들에게 음악 교육을 제공해 왔다.

➕ **talent** (명) 재주, 재능

How Different

0238 **noticeable**
[nóutisəbl]

(형) 눈에 띄는, 두드러진

Coachman's talent in track and field was **noticeable** as early as elementary school. (학평)
육상 경기에서의 Coachman의 재능은 일찍이 초등학교 때 **눈에 띄었다**.

➕ **notice** (동) 알아채다 (명) 통지, 공고; 주의　**noticeably** (부) 두드러지게, 현저히

0239 **outstanding**[*]
[àutstǽndiŋ]

(형) 현저한, 걸출한

Athletes from the areas can achieve **outstanding** performances at lower altitudes. (학평)
그 지역 출신의 운동선수들은 낮은 고도에서 **눈에 띄는** 성적을 거둘 수 있다.

» **noticeable** 오감과 관련되어 눈에 띄는 것을 가리킴
» **outstanding** 남들에 비해 몹시 훌륭하고 뛰어나서 두드러진 성과를 내는 것을 가리킴

0240 **renowned**
[rináund]

(형) 유명한, 명성이 있는

Meet and talk with **renowned** poets about their poems. (학평)
유명한 시인들을 만나 그들의 시에 대해 이야기하세요.

➕ **renownedly** (부) 유명하여, 명성이 있어　🟰 **famous** (형) 유명한

01 receive a warm .... letter   따뜻한 감사의 편지를 받다   grateful   *grateful*

02 with an .... expression   즐거워하는 표정으로   amused

03 a .... voice   쾌활한 목소리   cheerful

04 express one's ....   기쁨을 표현하다   delight

05 show a strong ....   강한 선호도를 보이다   preference

06 .... to be the best mom   최고의 엄마가 되기를 간절히 바라는   eager

07 .... the requirements   요구 조건을 충족시키다   satisfy

08 increase one's ....   지구력을 기르다   endurance

09 .... towards religious minorities   종교적 소수자에 대한 관용   tolerance

10 .... parents   관대한 부모   generous

11 .... other opportunities   다른 기회를 희생하다   sacrifice

12 have a great ....   엄청난 애정을 가지고 있다   affection

13 accept the ....   호의를 받아들이다   favor

14 abuse the host's ....   주인의 환대를 악용하다   hospitality

15 make a .... attempt   대담한 시도를 하다   bold

16 become more ....   더 신중해지다   cautious

17 be .... recreated   공들여 재현되다   painstakingly

18 .... employees   열심히 일하는 직원들   hard-working

19 boost .... for the task   일에 대한 열의를 끌어올리다   enthusiasm

20	a _____ moment	마음이 따뜻해지는 순간	heartwarming
21	a _____ degree of success	적당한 정도의 성공	moderate
22	lose _____	자제력을 잃다	self-control
23	be full of _____	자신감에 가득 차 있다	self-confidence
24	have low _____	자존감이 낮다	self-esteem
25	an _____ experience	모험적인 경험	adventurous
26	have to stay _____	방심하지 않아야 한다	alert
27	have a _____ smile	매력적인 미소를 짓다	charming
28	become _____ in singing	노래 부르기에 자신감을 가지다	confident
29	a _____ dancer	우아한 무용수	graceful
30	_____ thousands of people	수천 명의 사람들에게 영감을 주다	inspire
31	_____ people to achieve their goals 사람들이 자신의 목표를 이루도록 동기 부여하다		motivate
32	_____ a large audience	많은 청중들의 흥미를 끌다	attract
33	be _____d by the voice	목소리에 매료되다	fascinate
34	_____ of solving problems	문제를 해결할 능력이 있는	capable
35	a _____ mechanic	유능한 기술자	competent
36	the most _____ young researcher	가장 유망한 젊은 연구자	promising
37	_____ children	재능 있는 아이들	talented
38	wear _____ clothes	눈에 띄는 옷을 입다	noticeable
39	achieve _____ performances	걸출한 성적을 거두다	outstanding
40	talk with _____ poets	유명한 시인들과 이야기하다	renowned

check

0201 **grateful**	형 고마워하는	☐
0202 **amused**	형 즐거워하는, 즐기는	☐
0203 **cheerful**	형 즐거운; 쾌활한	☐
0204 **delight**	명 기쁨, 즐거움 동 매우 기쁘게 하다	☐
0205 **preference**	명 선호(도); 편애	☐
0206 **eager**	형 열망하는; 열심인	☐
0207 **satisfy**	동 만족시키다; 납득시키다	☐
0208 **endurance**	명 인내(력); 지구력	☐
0209 **tolerance**	명 관용; 인내(력)	☐
0210 **generous**	형 후한, 관대한	☐
0211 **sacrifice**	명 희생; 제물 동 희생시켜다	☐
0212 **affection**	명 애정, 호의; 감정	☐
0213 **favor**	명 호의, 친절 동 호의를 보이다; 찬성하다	☐
0214 **hospitality**	명 환대, 후한 대접	☐
0215 **bold**	형 대담한; 뚜렷한	☐
0216 **cautious**	형 신중한; 주의하는	☐
0217 **painstakingly**	부 힘들여, 공들여	☐
0218 **hard-working**	형 근면한, 열심히 하는	☐
0219 **enthusiasm**	명 열의; 열광	☐
0220 **heartwarming**	형 마음이 따뜻해지는	☐

check

0221 **moderate**	형 절제하는; 온건한	☐
0222 **self-control**	명 자제(력), 극기	☐
0223 **self-confidence**	명 자신감	☐
0224 **self-esteem**	명 자존감; 자부심	☐
0225 **adventurous**	형 모험적인; 모험을 즐기는	☐
0226 **alert**	형 방심 않는 명 경계; 경보 동 경계하게 하다	☐
0227 **charming**	형 매력적인	☐
0228 **confident**	형 확신하는, 자신감 있는	☐
0229 **graceful**	형 우아한, 품위 있는	☐
0230 **inspire**	동 고취하다; 영감을 주다	☐
0231 **motivate**	동 동기를 주다, 자극하다	☐
0232 **attract**	동 흥미를 끌다	☐
0233 **fascinate**	동 마음을 빼앗다	☐
0234 **capable**	형 유능한; (~할) 능력이 있는	☐
0235 **competent**	형 적임의, 유능한; 충분한	☐
0236 **promising**	형 유망한	☐
0237 **talented**	형 재능 있는	☐
0238 **noticeable**	형 눈에 띄는, 두드러진	☐
0239 **outstanding**	형 현저한, 걸출한	☐
0240 **renowned**	형 유명한, 명성이 있는	☐

외우지 못한 단어가 있으면 **미니** 단어장에서 다시 한번 정리해 보세요.

Wrap Up

☑ ANSWERS p.457

A 영어는 우리말로, 우리말은 영어로 쓰시오.

01	tolerance		21	소심한, 용기 없는
02	preference		22	매끄러운
03	desperate		23	방치하다; 방치
04	seemingly		24	모험적인
05	conscious		25	유망한
06	envious		26	믿을 수 없는
07	insight		27	한기; 차가운
08	awkward		28	속상한; 속상하게 하다
09	humiliate		29	괴롭히는 사람
10	outstanding		30	대담한; 뻔뻔스러운
11	hospitality		31	우아한, 품위 있는
12	charming		32	힐긋 봄; 힐긋 보다
13	sensation		33	무력한; 난감한
14	burden		34	불안한; 신경의
15	reluctant		35	낭비하는
16	overlook		36	애정, 호의; 감정
17	motivate		37	탐욕
18	perceive		38	직관(력), 직감
19	competent		39	가슴이 찢어지게 하는
20	self-esteem		40	호의, 친절

B 네모 안에서 알맞은 단어를 고르시오.

01 The book failed to | attract / realize | a large audience.

02 Poetry sharpens our senses and makes us more keenly and fully | aware / beware | of life.

03 Not all our gold and jewelry could | sacrifice / satisfy | our hunger.

04 If you get thirsty, your brain become | auditory / restless | and forgetful.

C 각 문장이 우리말과 일치하도록 빈칸에 알맞은 말을 쓰시오.

01 Think of specific times when you were mad or ....
여러분이 화가 났거나 좌절했던 특정한 때를 생각해 보세요.

02 .... warned people when their lives were in danger.
사람들의 생명이 위험에 처했을 때 불안이 사람들에게 경고를 주었다.

03 You will .... the person who you feel you cannot say no to.
여러분은 여러분이 거절하는 말을 할 수 없다고 느끼는 대상을 원망할 것이다.

04 When people are depressed, ... their problems makes things worse.
사람들이 우울할 때 자신의 문제들을 떠올리는 것은 상황을 더 악화시킨다.

05 Patricia is .... to be the best mom she can be, but she finds parenting a hard task.
Patricia는 그녀가 될 수 있는 최고의 엄마가 되기를 간절히 바라지만, 양육이 어려운 일이라는 것을 알게 된다.

D 우리말이 영어 문장과 일치하도록 빈칸에 알맞은 말을 쓰시오.

01 The doctor suggested writing as a means to ease Anna's grief.
그 의사는 Anna의 .... 을 덜기 위한 수단으로 글쓰기를 제안했다.

02 Voltaire was imprisoned because he had insulted a powerful aristocrat.
Voltaire는 유력한 귀족을 .... 때문에 투옥되었다.

03 Moderate exercise, such as stretching or walking, is recommended.
스트레칭이나 걷기 등 .... 운동이 권장된다.

04 Plumb inspired thousands of people through his lectures.
Plumb은 자신의 강연을 통해 수천 명의 사람들에게 ....

05 Dorothy noticed a strange light shining from the kitchen.
Dorothy는 낯선 불빛이 부엌에서 빛나고 있는 것을 ....

DAY 07

언어, 말, 글

| Word Map에 주제별로 분류된 단어의 뜻을 유추하여 빈칸에 쓰세요. |

언어
- linguistic
- verbal 말의, 구두의
- illiterate 문맹의; 소양이 없는
- spell 철자를 말하다; 마법
- tone 어조; 음질; 색조

이야기 소문
- narrative 이야기(의); 서술
- tale
- rumor 소문; 소문내다
- gossip 소문, 험담; 수군거리다

비유 논리
- ironically 반어적으로
- metaphor 은유, 유사한 것
- paradox 역설
- persuasive

바꾸기
- revise
- translate 번역하다; 해석하다

알림
- publish 출판하다; 발표하다
- announce 알리다, 발표하다
- declare

문답
- respond 응답하다; 반응하다
- inquire 문의하다

말하다
- comment 의견을 말하다; 논평
- mention 언급하다; 언급
- remark (의견을) 말하다; 주목
- utter

소리 크기
- whisper 속삭이다; 속삭임
- yell

표현
- apologize 사과하다
- pledge

토론 대화
- debate 토의하다; 토론, 논쟁
- argue 언쟁을 하다; 주장하다
- chat 잡담하다; 잡담, 한담

글
- clue 단서, 실마리
- context 문맥; 전후 관계
- headline
- index 색인; 지표
- journal 신문; 학술지; 일기

글의 형태
- paragraph
- passage 구절
- phrase 어구, 관용구
- script 대본, 원고

DAY 07 언어, 말, 글

📖 가리개를 사용하여 뜻을 잘 암기했는지 확인하세요.

0241 **linguistic***
[liŋgwístik]

(형) 어학의, 언어의

There are many ways of categorizing someone's **linguistic** skills, but the concept of fluency is hard to define. (EBS)
누군가의 **언어** 능력을 분류하는 방법은 많지만, 유창성이라는 개념을 정의하기는 어렵다.

➕ linguistically (부) 언어(학)적으로　linguist (명) 언어학자　linguistics (명) 언어학

0242 **verbal**
[və́ːrbəl]

(형) 말의, 구두의

Verbal and nonverbal signs are not only relevant but also significant to intercultural communication. (학평) **언어적**, 비언어적 신호들은 문화 간 의사소통과 관련되어 있을 뿐만 아니라 (문화 간 의사소통에 있어서) 중요하다.

➕ verbally (부) 말로, 구두로　↔ nonverbal (형) 말을 쓰지 않는, 비언어적인

0243 **illiterate**
[ilítərit]

(형) 문맹의; 소양이 없는

The professor said he had forgotten that the fisherman was **illiterate**.
(학평) 교수는 그 어부가 **문맹이라는** 것을 잊었었다고 말했다.

➕ illiteracy (명) 문맹; 무학　↔ literate (형) 읽고 쓸 수 있는　🟰 ignorant (형) 무지한

0244 **spell***
[spel]

(동) 철자를 말하다　(명) 마법

School was always difficult for Rudy because he had difficulty in reading and **spelling**. (학평)
Rudy는 글을 읽고 **철자를 쓰는** 데 어려움이 있어서 학교생활이 항상 힘들었다.

spell out 철자를 옳게 말하다; 명확히 설명하다
↔ misspell (동) 철자를 잘못 쓰다

0245 **tone***
[toun]

(명) 어조; 음질; 색조

You might guess about what kind of mood your friends are in from the **tone** of voice that they use. (학평)
여러분은 친구들이 쓰는 목소리의 **어조**를 통해 그들이 어떤 기분인지 짐작할 수도 있다.

tone down (어조를) 누그러뜨리다; 부드럽게 하다

0246 **narrative**
[nǽrətiv]

(형) 이야기의　(명) 이야기; 서술

A film has always been in a dialogue with other **narrative** genres. (수능)
영화는 다른 **서사** 장르와 항상 소통해 왔다.

➕ narrate (동) 이야기하다　narration (명) 서술; 내레이션　narrator (명) 내레이터

0247 tale*
[teil]

명 이야기, 소설

Dragons appear in many **tales** throughout human history. 학평
인류 역사를 통틀어 많은 **이야기**에서 용이 등장한다.

How Different

0248 rumor
[rúːmər]

명 소문   동 소문내다

The more outrageous a **rumor**, the faster it travels. 학평
소문은 터무니없을수록 더 빨리 퍼져 나간다.

0249 gossip
[gásip]

명 소문, 험담   동 수군거리다

Through **gossip**, we bond with our friends, sharing interesting details.
학평 **소문**을 통해 우리는 친구들과 흥미로운 세부 사항을 공유하면서 유대를 형성한다.

» **rumor** 사실일 수도 있고, 아닐 수도 있는 정보나 이야기
» **gossip** 타인의 사생활에 관한 추측성 정보로, 대개 사실이 아님

0250 ironically
[airánikəli]

부 반어적으로; 얄궂게도

Ironically, it's usually when we try to do everything right that we wind up doing something wrong. 학평
얄궂게도, 우리가 뭔가 잘못하게 되는 것은 대개 우리가 무슨 일이든 잘 해 보려 할 때이다.

➕ **irony** 명 반어(법); 비꼼, 아이러니   **ironic(al)** 형 반어적인, 비꼬는

0251 metaphor
[métəfɔːr]

명 은유, 유사한 것

Metaphors are pervasive in every language and throughout human thought. EBS 모든 언어와 인간 사고의 구석구석까지 **은유**가 퍼져 있다.

➕ **metaphorical** 형 은유적인

0252 paradox
[pǽrədàks]

명 역설

One of the little understood **paradoxes** in communication is that the more difficult the word, the shorter the explanation. 수능
의사소통에 있어서 거의 잘 이해되지 않는 **역설** 중의 하나는 단어가 어려우면 어려울수록 설명은 더욱더 짧아진다는 것이다.

➕ **paradoxical** 형 역설적인, 모순된

0253 persuasive
[pərswéisiv]

형 설득력 있는

We are more **persuasive** when we express ourselves through stories.
학평 우리가 이야기를 통해 자기 생각을 표현할 때 우리는 더 **설득력을 갖게** 된다.

➕ **persuade** 동 설득하다   **persuasion** 명 설득(력)
🟰 **convincing** 형 설득력 있는

0254 revise*
[riváiz]

(동) 수정하다 (명) 교정, 개정

Mrs. Baker turned back to the blackboard to **revise** her equation. 학평
Baker 선생님은 자신의 방정식을 **수정하기** 위해 칠판으로 돌아섰다.

➕ **revision** (명) 수정; 개정판

0255 translate*
[trænsléit]

(동) 번역하다; 해석하다; 전환되다

Al-Khawarizmi's book was **translated** from Arabic into Latin, three hundred years after his death. 학평 Al-Khawarizmi의 책은 그가 세상을 떠난 뒤 3백년 후에 아라비아어에서 라틴어로 **번역되었다.**

➕ **translation** (명) 번역, 해석 **translator** (명) 번역가, 통역사

0256 publish*
[pábliʃ]

(동) 출판하다; 발표하다

Dorothy West's second novel, *The Wedding*, was **published** in 1995 and was made into a TV drama. 학평
Dorothy West의 두 번째 소설 〈결혼식〉은 1995년에 **출판되었고** TV 드라마로 만들어졌다.

➕ **publication** (명) 출판(물), 발행 **publisher** (명) 출판업자, 출판사

How Different

0257 announce*
[ənáuns]

(동) 알리다, 발표하다

Participants waited for the winner to be **announced**. 학평
참가자들은 우승자가 **발표되기**를 기다렸다.

➕ **announcement** (명) 알림; 발표

0258 declare*
[diklέər]

(동) 선언하다; (의견을) 분명히 말하다

The founder of the Muslim religion **declared** pork to be unclean. 학평
이슬람교의 창시자는 돼지고기가 청결하지 않다고 **선언했다.**

➕ **declaration** (명) 선언, 공표; 신고(서)

» **announce** 결정, 계획 등과 같이 특히 새로운 소식을 공식적으로 발표함
» **declare** 특정 입장이나 의견을 공식적으로 발표함

0259 respond*
[rispánd]

(동) 응답하다; 반응하다

By learning a variety of anger management strategies, you develop control and flexibility in how you **respond** to angry feelings. 학평
다양한 분노 조절 전략을 배움으로써, 당신은 화난 감정에 **대응하는** 방식에 있어 통제와 융통성을 발전시킨다.

➕ **response** (명) 응답; 반응 **respondent** (명) 응답자 (형) 응답하는; 반응하는
responsive (형) (바로) 대답하는; 반응하는

0260 inquire
[inkwáiər]

(동) 문의하다

A doctor would **inquire** about the family health history to see if any relatives had suffered from similar diseases. 모평
의사는 친척들이 유사한 질병을 앓았는지 확인하기 위해 가족의 건강 이력을 **묻곤** 했다.

➕ inquiry (명) 질문, 문의; 조사

0261 comment*
[kάment]

(동) 의견을 말하다   (명) 논평, 의견

When people come back from visiting Latin America, they always **comment** on the friendliness they experienced. 학평 사람들이 라틴 아메리카를 방문하고 돌아오면, 그들은 항상 그들이 겪은 친절에 관해 **말한다**.

➕ commentator (명) (방송의) 해설자; 실황 방송인   commentary (명) 논평; 해설, 실황 방송

0262 mention*
[ménʃən]

(동) 언급하다   (명) 언급

Amy felt overwhelmingly thrilled for being **mentioned** as one of the top five medical graduates of her school. 학평 Amy는 자신의 학교에서 다섯 명의 최우수 의대 졸업생 중 한 명으로 **언급되어** 매우 기뻤다.

not to mention ~은 말할 것도 없고, ~은 물론

0263 remark*
[rimάːrk]

(동) (의견을) 말하다; 인지하다   (명) 주목; 비평

The composer Puccini **remarked**, "The music of the opera *Madame Butterfly* was dictated to me by God." EBS 작곡가 Puccini는 "오페라 〈나비 부인〉의 음악은 신께서 제게 받아쓰게 하신 것이었습니다."라고 **말했다**.

➕ remarkable (형) 주목할 만한, 놀라운

0264 utter
[ʌ́tər]

(동) (입으로) 소리를 내다; 말하다   (형) 완전한

Language did not fully begin when the first human-being **uttered** the first word or sentence. 학평
언어는 최초의 인류가 최초의 단어나 문장을 **발화했을** 때 온전히 시작된 것은 아니었다.

➕ utterance (명) 발언, 발화   utterly (부) 완전히, 아주

0265 whisper*
[hwíspər]

(동) 속삭이다   (명) 속삭임; 소문

I held my son by the arm and **whispered**, "Someone broke in and might still be inside." 학평
나는 내 아들의 팔을 잡고 "누군가 침입했고 아직 안에 있을지도 몰라."라고 **속삭였다**.

0266 yell*
[jel]

(동) 고함치다   (명) 외침

A woman came running up to the firefighter **yelling** at the top of her lungs, "My baby is on the fifth floor!" 학평
어느 여성이 "내 아기가 5층에 있어요!"라고 목청껏 **소리 지르며**, 소방관에게 달려왔다.

0267 apologize
[əpάlədʒàiz]

동 사과하다

We sincerely **apologize** for any inconveniences that may be experienced.
(학평) 겪게 될 불편에 대해 진심으로 **사과드립니다**.

➕ apology 명 사과, 사죄   apologetic 형 사과의; 미안해하는

0268 pledge
[pledʒ]

동 서약하다, 약속하게 하다   명 서약; 담보

The government has **pledged** to root out the long-standing problems in sports by increasing punishment for hooligans. 정부는 훌리건에 대한 처벌을 강화함으로써 스포츠계에서 오래된 문제를 근절하겠다고 **약속했다**.

How Different

0269 debate*
[dibéit]

동 토의하다   명 토론, 논쟁

Debating is as old as language itself and has taken many forms throughout human history. (학평)
토론하기는 언어 그 자체만큼이나 오래되었고 인류 역사를 통틀어 여러 형태들을 취해 왔다.

0270 argue*
[άːrgjuː]

동 언쟁을 하다; 주장하다

Some people **argue** that early exposure to computers is helpful in adapting to the digital world. (학평) 어떤 이들은 컴퓨터에 일찍 노출되는 것이 디지털 세계에 적응하는 데 도움이 된다고 **주장한다**.

➕ argument 명 논의, 논쟁; 논거

» debate 다양한 의견을 가진 사람들이 서로를 설득할 목적으로 격식을 갖추어 각자의 주장을 말함
» argue 상대방의 의견에 동의하지 않기 때문에 격앙된 상태로 반대의 주장을 말함

0271 chat*
[tʃæt]

동 잡담하다   명 잡담, 한담

Kate and Joan, who had not seen each other for three months, were **chatting** happily in Joan's apartment. (수능) 3개월 동안이나 서로 보지 못했던 Kate와 Joan은 Joan의 아파트에서 즐겁게 **수다를 떨고** 있었다.

➡ chatter 동 수다를 떨다, 재잘거리다 명 수다, 재잘거림

0272 clue*
[kluː]

명 단서, 실마리

Very old trees can offer **clues** about what the climate was like long before measurements were recorded. (학평) 매우 오래된 나무는 관측이 기록되기 훨씬 이전에 기후가 어떠했는지에 대한 **단서**를 제공해 줄 수 있다.

➕ clueless 형 단서 없는; 무지한

0273 context*
[kάntekst/kɔ́n-]

명 문맥; 전후 관계

In order to learn language, an infant must make sense of the **contexts** in which language occurs. (학평)
언어를 배우려면, 유아는 언어가 발생하는 **맥락**을 이해해야 한다.

➕ contextual 형 문맥상의, 전후 관계의   contextualize 동 맥락화하다

0274 headline
[hédlàin]

명 (신문의) 표제; 주요 뉴스

The chief editor knows the effective ways to make the **headline**. 학평
수석 편집자는 **표제**를 만드는 효율적인 방법을 안다.

0275 index
[índeks]

명 색인; 지표

To find documents with both "hate" and "love," first look up the words in the **index**.
'hate'와 'love'가 모두 있는 문서를 찾으려면, 우선 **색인**에서 그 단어들을 찾아보세요.

目 **indicator** 명 지시자[물]; 지표

0276 journal*
[dʒə́ːrnəl]

명 신문; 학술지; 일기

Jessie Redmon Fauset taught French in public schools in Washington, D.C. and worked as a **journal** editor. 학평 Jessie Redmon Fauset은 워싱턴의 공립 학교에서 프랑스어를 가르치면서 **신문** 편집자로 일했다.

➕ **journalism** 명 저널리즘; 신문 잡지(계), 언론계   **journalist** 명 저널리스트, 기자

0277 paragraph*
[pǽrəgræf]

명 문단; 단편 기사

A **paragraph** full of unfamiliar words and familiar words used in unfamiliar ways can be frightening. EBS 익숙하지 않은 단어와 익숙하지 않은 방식으로 사용된 익숙한 단어로 가득 차 있는 **문단**은 두려움을 줄 수 있다.

0278 passage*
[pǽsidʒ]

명 구절; 통과; 통로

Participants read a **passage** about two persons that described both happy events and unhappy events that occurred to them. EBS
참가자들은 자신들에게 일어난 행복한 사건과 불행한 사건 모두를 묘사한 두 사람에 대한 **구절**을 읽었다.

0279 phrase*
[freiz]

명 어구, 관용구   동 말로 표현하다

To find your values, reflect on the words or **phrases** you've written.
학평 여러분의 가치관을 찾기 위해 여러분이 적었던 단어나 **어구**를 곰곰이 생각해 보라.

0280 script
[skript]

명 대본, 원고

It is important for the speaker to memorize his or her **script** to reduce on-stage anxiety. 학평
무대 불안을 줄이기 위해 발표하는 사람이 자신의 **원고**를 암기하는 것이 중요하다.

언어, 말, 글
Use Words

01 particular .... structure   특정한 언어의 구조

linguistic	linguistic

02 .... signals   구두 신호

verbal

03 an .... tribe   문맹 부족

illiterate

04 have difficulty in ....ing   철자 쓰기에 어려움을 겪다

spell

05 in a soft ....   부드러운 어조로

tone

06 a director of great .... power   서사의 힘이 있는 감독

narrative

07 an instructive fairy ....   교훈을 주는 동화

tale

08 spread a ....   소문을 퍼뜨리다

rumor

09 .... about celebrities   유명인들에 관한 소문

gossip

10 But, ..., comedians tend not to smile.
하지만 역설적이게도, 희극인들은 웃지 않는 편이다.

ironically

11 a .... comparing crime to a virus
범죄를 바이러스에 비유한 은유

metaphor

12 trapped in a ....   역설에 갇힌

paradox

13 the .... power of stories   이야기의 설득력

persuasive

14 .... the policy on education   교육 정책을 개정하다

revise

15 .... from Arabic into Latin   아라비아어에서 라틴어로 번역하다

translate

16 pressure to .... novels   소설을 출판해야 하는 압박

publish

17 .... an annual plan   연간 계획을 발표하다

announce

18 .... a state of emergency   비상 상태를 선포하다

declare

19 .... to angry feelings   화난 감정에 대응하다

respond

20	.... about the family health history 가족의 건강 이력을 묻다	inquire
21	a highly critical .... 대단히 비판적인 논평	comment
22	as I ....ed earlier 내가 전에 언급했듯이	mention
23	a cynical .... 냉소적인 말	remark
24	.... one's feelings 감정을 말로 나타내다	utter
25	an urgent .... 다급한 속삭임	whisper
26	.... at the top of one's lungs 목청껏 소리 지르다	yell
27	.... for inconveniences 불편을 끼친 것을 사과하다	apologize
28	.... to root out the problems 문제를 근절할 것을 약속하다	pledge
29	a .... on abortion 낙태에 대한 토론	debate
30	.... against cutting the military budget 군비 예산 삭감에 반대하는 주장을 하다	argue
31	favor text .... 문자 대화를 선호하다	chat
32	leave no .... 단서를 남기지 않다	clue
33	in a wider .... 더 넓은 맥락에서	context
34	the .... of today's newspaper 오늘 신문의 주요 뉴스	headline
35	look up in the .... 색인에서 찾아보다	index
36	a professional .... 전문적인 학술지	journal
37	the key .... in the article 기사의 핵심 문단	paragraph
38	read a short .... 짧은 구절을 읽다	passage
39	the words or ....s you've written 당신이 적었던 단어나 어구	phrase
40	the higher quality movie .... 더 완성도 높은 영화 대본	script

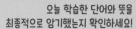

			check
0241	linguistic	형 어학의, 언어의	☐
0242	verbal	형 말의, 구두의	☐
0243	illiterate	형 문맹의; 소양이 없는	☐
0244	spell	동 철자를 말하다 명 마법	☐
0245	tone	명 어조; 음질; 색조	☐
0246	narrative	형 이야기의 명 이야기; 서술	☐
0247	tale	명 이야기, 소설	☐
0248	rumor	명 소문 동 소문내다	☐
0249	gossip	명 소문, 험담 동 수군거리다	☐
0250	ironically	부 반어적으로; 얄궂게도	☐
0251	metaphor	명 은유, 유사한 것	☐
0252	paradox	명 역설	☐
0253	persuasive	형 설득력 있는	☐
0254	revise	동 수정하다 명 교정, 개정	☐
0255	translate	동 번역하다; 해석하다	☐
0256	publish	동 출판하다; 발표하다	☐
0257	announce	동 알리다, 발표하다	☐
0258	declare	동 선언하다; 분명히 말하다	☐
0259	respond	동 응답하다; 반응하다	☐
0260	inquire	동 문의하다	☐

			check
0261	comment	동 의견을 말하다 명 논평	☐
0262	mention	동 언급하다 명 언급	☐
0263	remark	동 (의견을) 말하다 명 주목; 비평	☐
0264	utter	동 소리를 내다 형 완전한	☐
0265	whisper	동 속삭이다 명 속삭임; 소문	☐
0266	yell	동 고함치다 명 외침	☐
0267	apologize	동 사과하다	☐
0268	pledge	동 서약하다 명 서약	☐
0269	debate	동 토의하다 명 토론, 논쟁	☐
0270	argue	동 언쟁을 하다; 주장하다	☐
0271	chat	동 잡담하다 명 잡담; 한담	☐
0272	clue	명 단서, 실마리	☐
0273	context	명 문맥; 전후 관계	☐
0274	headline	명 (신문의) 표제; 주요 뉴스	☐
0275	index	명 색인; 지표	☐
0276	journal	명 신문; 학술지; 일기	☐
0277	paragraph	명 문단; 단편 기사	☐
0278	passage	명 구절; 통과; 통로	☐
0279	phrase	명 어구, 관용구 동 말로 표현하다	☐
0280	script	명 대본, 원고	☐

외우지 못한 단어가 있으면 미니 단어장에서 다시 한번 정리해 보세요.

DAY 08

생각, 믿음, 관계

| Word Map에 주제별로 분류된 단어의 뜻을 유추하여 빈칸에 쓰세요. |

개념
- notion 관념, 생각
- stereotype

생각 심리

상상 심리
- fancy 공상(의); 예쁜
- ideal 이상; 이상적인
- imagination 상상(력)
- illusion 환영, 착각
- suppose 가정하다, 추측하다
- psychology

의도
- intend 의도하다
- tendency 경향, 추세; 성향
- deliberate

믿음 약속

믿음
- assure 보증하다; 확신시키다
- convince 납득시키다; 설득하다
- authentic 진짜의, 믿을 만한
- loyal
- certificate 증명서; 증명서를 주다
- reliable 믿음직한; 의지가 되는
- credible 믿을 수 있는, 확실한

약속
- engage 약속하다; 약혼시키다
- ensure
- vow 맹세; 맹세하다
- betray 배반하다; (적에게) 팔다

접촉 연락
- contact 접촉, 연락; 연락하다
- encounter

관계
- mutual 서로의; 공동의
- interact
- relate 관계시키다
- involve 관련시키다; 포함하다

친분 존경
- buddy 친구, 짝; 친해지다
- colleague 동료
- fellow 친구, 동료(의)
- peer
- adorable 존경할 만한; 사랑스러운
- honor

충돌 적대감
- controversy 논란, 논쟁
- conflict 싸움; 충돌하다
- contrast 대조; 대조시키다
- quarrel
- struggle 몸부림치다; 투쟁
- obsess 사로잡히다; 괴롭히다

0281 **notion**
[nóuʃən]

몡 관념, 생각

All new ideas come from combining existing **notions** in creative way. 학평
모든 새로운 아이디어는 기존의 **관념들**을 창의적인 방식으로 조합하는 것에서 나온다.

0282 **stereotype**
[stériətàip]

몡 고정 관념   동 정형화하다

Many of the stories have to do with some kind of **stereotype**. 학평
많은 이야기들이 일종의 **고정 관념**과 관련이 있다.

0283 **fancy***
[fǽnsi]

몡 공상; 변덕   혱 예쁜; 공상의; 화려한

The poet Emily Dickinson is known for her brilliant **fancies**.
시인 Emily Dickinson은 뛰어난 **상상력**으로 알려져 있다.

0284 **ideal***
[aidí(:)əl]

몡 이상, 관념   혱 이상적인

Today the Internet has given people immediate access to the cultural artifacts and **ideals** of other societies. 학평
오늘날 인터넷은 사람들에게 다른 사회의 문화적 유물과 **이상**에 즉각 접근할 수 있게 했다.

➕ **ideally** 倝 이상적으로   **idealize** 동 이상화하다

0285 **imagination**
[imædʒənéiʃən]

몡 상상(력)

It is the intuitive force that sparks our **imaginations**. 학평
우리의 **상상력**을 자극하는 것은 직관적인 힘이다.

➕ **imagine** 동 상상하다   **imaginable** 혱 상상할 수 있는
imaginary 혱 상상의, 가상의   **imaginative** 혱 상상력이 풍부한

0286 **illusion**
[ilú:ʒən]

몡 환영, 착각

Snow is made by machines to create the **illusion** of winter in Hollywood.
학평 할리우드 영화에서는 겨울이란 **환상**을 만들기 위해 눈을 기계로 만든다.

➕ **disillusion** 몡 각성, 환멸 동 각성시키다   **illusionist** 몡 마술사

0287 **suppose***
[səpóuz]

동 가정하다, 추측하다

Suppose your group has to find an answer for a problem. 학평
여러분 집단이 어떤 문제에 대한 해답을 찾아야 한다고 **가정해 보라**.

0288 psychology*
[saikάlədʒi]

(명) 심리학, 심리 (상태)

Much of the **psychology** profession is employed in managing and relieving stress. 학평
심리학 직업 대부분이 스트레스를 관리하고 해소하는 데 쓰인다.

➕ **psychologist** (명) 심리학자   **psychological** (형) 심리학의; 정신적인

0289 intend*
[inténd]

(동) 의도하다

An ambiguous term is one which has more than a single meaning and whose context does not clearly indicate which meaning is **intended**. 학평 모호한 용어란 하나 이상의 의미가 있으면서 어떤 의미가 **의도되었는지**를 그 문맥이 명확하게 보여 주지 못하는 용어이다.

➕ **intended** (형) 의도한   **intention** (명) 의도

0290 tendency
[téndənsi]

(명) 경향, 추세; 성향

Do you have a **tendency** to focus more on what you don't have than on what you do? 학평
여러분은 여러분이 가진 것보다 가지지 않은 것에 더 집중하는 **경향**이 있나요?

➕ **tend** (동) 경향이 있다

0291 deliberate
(형)[dilíbərit]
(동)[dilíbərèit]

(형) 계획적인; 신중한   (동) 숙고하다

The United States has a tradition of using town hall meetings to **deliberate** important issues within communities. 학평 미국에는 공동체 안의 중요한 사안을 **숙의하기** 위해 타운홀 미팅을 활용하는 전통이 있다.

➕ **deliberately** (부) 신중히, 일부러   **deliberation** (명) 숙고, 신중

How Different

0292 assure*
[əʃúər]

(동) 보증하다; 확신시키다

When Bibiana was born, all the neighbors **assured** her father that she was the most beautiful girl in Germany. 학평 Bibiana가 태어났을 때, 모든 이웃들이 그녀의 아버지에게 그녀가 독일에서 가장 예쁜 소녀라고 **장담했다**.

➕ **assurance** (명) 보증, 보장; 확신

0293 convince*
[kənvíns]

(동) 납득시키다; 설득하다

An argument is made to **convince** others that one's claims are true. 학평 논증은 자신의 주장이 사실임을 타인에게 **납득시키기** 위해 만들어진다.

➕ **convinced** (형) 확신을 가진, 신념 있는   **convincing** (형) 설득력 있는

» **assure** 듣는 이가 안심할 수 있도록 확실하다고 말하는 것을 가리킴
» **convince** 듣는 이가 납득하여 믿을 수 있도록 함을 가리킴

0294 authentic
[ɔːθéntik]

형 진짜의, 믿을 만한

The food company is putting lots of effort into presenting **authentic** flavors. 학평 그 식품회사는 **진짜** 맛을 구현하기 위해 많은 노력을 기울이고 있다.

➕ authenticity 명 진짜임, 확실성 ➖ inauthentic 형 진짜가 아닌

0295 loyal*
[lɔ́iəl]

형 충성스러운, 충실한

Debbie was able to acquire special treatment for being a **loyal** customer to that airline. 학평
Debbie는 그 항공사에 **충실한** 고객이어서 특별 대우를 받을 수 있었다.

➕ loyalty 명 충성, 충실

0296 certificate*
형[sərtífikit]
동[sərtífikèit]

명 증명서; 면허증 동 증명서를 주다

In the chess tournament, every participant will receive a **certificate** for entry! 학평 체스 선수권 대회에서 모든 참가자는 참가 **증명서**를 받을 것입니다!

➕ certify 동 증명[보증]하다 certification 명 증명; 증명서 교부

How Different

0297 reliable
[riláiəbəl]

형 믿음직한, 의지가 되는

Are the sources of information **reliable**? 학평
정보의 출처는 **신뢰할 만한가**?

➕ rely 동 의지하다, 신뢰하다 reliability 명 신빙성, 신뢰도

0298 credible*
[krédəbəl]

형 믿을 수 있는, 확실한

Nonverbal cues are more **credible** than verbal cues when verbal and nonverbal cues conflict. 모평 언어적 신호와 비언어적 신호가 상충할 때에는 비언어적 신호가 언어적 신호보다 더 **믿을 수 있다**.

➕ credibility 명 믿을 수 있음, 신용 ➖ incredible 형 믿을 수 없는; 놀라운

» **reliable** 주관적 경험 등에 의해 긍정적 결과를 기대할 만큼 신뢰가 있는 상태를 가리킴
» **credible** 객관적 지표 등으로 비춰 볼 때, 사실로 납득할 만한 상태를 가리킴

0299 engage*
[ingéidʒ]

동 약속하다; 약혼시키다

Vicky was **engaged** to be married to Ivan. 학평
Vicky는 Ivan과 결혼하기로 **약속했다**.

be engaged to ~와 약혼하다
➕ engaged 형 약속된; 약혼한 engagement 명 약속; 약혼

0300 ensure*
[inʃúər]

동 보장하다; 확실하게 하다

Overeating in the past was essential to **ensure** survival. 학평
과거에는 과식하는 것이 생존을 **보장하는** 데 필수적이었다.

0301 vow
[vau]

(명) 맹세, 서약　(동) 맹세하다, 서약하다

Schreiber has suffered from addictive exercise tendencies, and **vows** not to use wearable tech when she works out. 학평 Schreiber는 중독적인 운동 성향으로 고통을 겪어 왔고, 운동할 때 웨어러블 기기를 사용하지 않기로 **맹세한다**.

0302 betray*
[bitréi]

(동) 배반하다; (적에게) 팔다

Dr. Wilkinson was accused of **betraying** his country during the war.
Wilkinson 박사는 전쟁 중 자신의 조국을 **배반한** 혐의로 기소되었다.

➕ betrayal (명) 배반, 배신

0303 contact*
(명)[kántækt]
(동)[kəntǽkt]

(명) 접촉, 연락　(동) 접촉하다, 연락하다

Contact with nature enhances children's health and wellbeing. 학평
자연과의 **접촉**은 아이들의 건강과 복지를 증진시킨다.

come in contact with ~와 접촉하다; ~와 만나다
get in contact with ~와 접촉[연락]하다

0304 encounter*
[inkáuntər]

(명) (우연히) 만남　(동) (우연히) 마주치다

We know that **encounters** with members of other ethnic-racial categories trigger stress responses. 학평 우리는 다른 민족적-인종적 범주의 구성원들과 **마주치는** 것이 스트레스 반응을 유발한다는 것을 안다.

have an encounter with ~와 우연히 만나다

0305 mutual
[mjúːtʃuəl]

(형) 서로의; 공동의

Social lies may benefit **mutual** relations. 학평
사회적 거짓말이 **상호** 관계에 도움이 될 수 있다.

➕ mutuality (명) 상호 관계, 상관　mutually (부) 서로; 공동으로

0306 interact*
[íntərækt]

(동) 상호 작용하다; 소통하다

Those who **interacted** with others reduced their concerns by 55 percent over time. 학평 다른 사람들과 **상호 작용을 한** 사람들은 시간이 흐르면서 자기들의 걱정을 55퍼센트 줄였다.

➕ interaction (명) 상호 작용　interactive (형) 상호 작용하는

0307 relate*
[riléit]

(동) 관계시키다; 관련이 있다

The quality of the decision is **related** to the effort that went into making it. 학평 결정의 질은 그것을 만드는 데 투입된 노력과 **관련되어** 있다.

be related to ~와 관련되다
➕ related (형) 관계있는, 관련된　relation (명) 관계, 관련
　　relative (형) 관련 있는; 상대적인 (명) 친척

0308 **involve**[*]
□□
[inv́álv]

(동) 관련시키다; 포함하다, 수반하다

Science fiction **involves** much more than shiny robots and fantastical spaceships. 학평
공상 과학 소설은 반짝이는 로봇과 환상적인 우주선보다 훨씬 더 많은 것을 **포함한다**.

be involved in ~에 관련되다; ~에 몰두하다
➕ **involved** (형) 관련된; 복잡한 **involvement** (명) 관련, 연루; 포함

0309 **buddy**
□□
[b́ádi]

(명) 친구, 짝   (동) 친해지다

My **buddy** and his wife were in constant conflict over the housework. 학평
내 **친구**와 그의 아내는 집안일에 대해 끊임없이 갈등을 빚었다.

How Different

0310 **colleague**[*]
□□
[ká́liːg]

(명) 동료

In 1949, Dorothy Hodgkin worked on the structure of penicillin with her **colleagues**. 학평
1949년에 Dorothy Hodgkin은 자신의 **동료들**과 페니실린의 구조를 연구했다.

0311 **fellow**[*]
□□
[félou]

(명) 친구, 동료   (형) 동료의

The Internet glues us to our computer monitors and isolates us from our **fellow** human beings. 학평
인터넷은 우리를 컴퓨터 화면에 붙여두고 우리 **동료** 인간들로부터 격리시킨다.

➕ **fellowship** (명) 친구[동료]임, 동료 의식; 우정

» colleague 같은 직장이나 직종에서 함께 일하는 사람, 특히 직장 동료를 가리킴
» fellow 넓은 범위의 친구의 뜻으로, 자신과 비슷한 처지의 사람이나 혹은 공통점이 있는 사람들을 가리킴

0312 **peer**[*]
□□
[piər]

(명) 동등한 사람   (동) 응시하다

Three main forces shape our development: personal temperament, our parents, and our **peers**. 학평 세 가지 주요한 힘이 우리의 발달을 형성하는데, 개인의 기질, 우리의 부모, 그리고 **또래 친구**이다.
Paul sees a stuffed giraffe in a closet and **peers** into drawers full of feathers and glass eyeballs on a children's tour of the museum. 학평
Paul은 박물관의 어린이 투어에서 장식장 속에 박제된 기린을 보았고, 깃털과 유리로 된 눈알로 가득 찬 서랍도 **들여다보았다**.

0313 **adorable**
□□
[ədɔ́ːrəbəl]

(형) 존경할 만한; 사랑스러운

I admit that the executive is an **adorable** manager.
나는 그 임원이 **존경할 만한** 관리자라는 것을 인정한다.
The puppy had beautiful golden fur and an **adorable** tail. 학평.
그 강아지에게는 예쁜 황금색 털과 **사랑스러운** 꼬리가 있었다.

➕ **adore** (동) 숭배하다, 존경하다; 흠모하다

0314 honor*
[ɑ́nər]

[명] 명예, 영광 [동] 존경하다; ~에게 명예를 주다

Snakes are **honored** by some cultures and hated by others. [학평]
뱀은 일부 문화에서 **경외의 대상이 되고**, 다른 문화에서는 혐오의 대상이 된다.

[+] honorable [형] 명예로운; 존경할 만한

0315 controversy*
[kɑ́ntrəvə̀ːrsi]

[명] 논란, 논쟁

In India, debate was used to settle religious **controversies**. [학평]
인도에서 토론은 종교적인 **논쟁**을 해결하기 위해 사용되었다.

[+] controversial [형] 논쟁의, 논의의 여지가 있는

0316 conflict*
[명] [kɑ́nflikt]
[동] [kənflíkt]

[명] 싸움; 대립 [동] 충돌하다; 모순되다

Gender research shows a complex relationship between gender and **conflict** styles. [학평]
성별에 관한 연구는 성별과 **갈등** 유형 사이의 복잡한 관계를 보여 준다.

0317 contrast*
[명] [kɑ́ntræst]
[동] [kəntrǽst]

[명] 대조, 차이 [동] 대조시키다, 대조되다

Much of James's work deals with the **contrast** in values of Americans and Europeans. [학평]
James의 작품 대부분은 미국인과 유럽인의 가치관에 있어서의 **차이**를 다룬다.

by[in] contrast 그에 반해서, 대조적으로

0318 quarrel
[kwɔ́(ː)rəl]

[명] 다툼; 불화 [동] 다투다; 불화하다

Most of the tensions and **quarrels** between children are natural. [학평]
아이들 사이의 긴장과 **다툼** 대부분은 자연스러운 것이다.

0319 struggle*
[strʌ́gəl]

[동] 몸부림치다; 분투하다 [명] 몸부림; 투쟁

To see what is in front of your nose needs constant **struggle**. [학평]
코앞에 무엇이 있는지 보는 것은 끊임없는 **투쟁**을 필요로 한다.

0320 obsess
[əbsés]

[동] 사로잡히다; 괴롭히다

Many people cannot understand *what* there is about birds to become **obsessed** about. [학평]
새에 관해서 **집착할** 만한 것이 도대체 '무엇'이 있는지 많은 사람들은 이해하지 못한다.

[+] obsession [명] 강박 관념, 망상, 사로잡힘 obsessive [형] 강박 관념의, 망상의

01 a well-established _____ 잘 확립된 개념 notion *notion*

02 cultural _____ 문화적 고정 관념 stereotype

03 a child's wild flights of _____ 마구 펼쳐지는 아이의 상상 fancy

04 the _____s of freedom and democracy 자유와 민주주의의 이상 ideal

05 spark one's _____ 상상력을 자극하다 imagination

06 create an _____ 환상을 일으키다 illusion

07 Let us _____ (that) ~. 우리 ~라고 가정해 보자 suppose

08 study child _____ 아동 심리학을 공부하다 psychology

09 _____ to be a surprise 놀라게 하려고 의도하다 intend

10 have _____ to overact 과장하는 경향이 있다 tendency

11 make a _____ choice 계획적인 선택을 하다 deliberate

12 I can _____ you. 내가 장담할 수 있어. assure

13 manage to _____ voters 유권자들을 납득시키는 데 성공하다 convince

14 present _____ flavors 진짜 맛을 구현하다 authentic

15 become a _____ customer 충실한 고객이 되다 loyal

16 receive a _____ for entry 참가 증명서를 받다 certificate

17 achieve _____ data 신뢰할 만한 데이터를 얻다 reliable

18 find a _____ witness 믿을 만한 증인을 찾다 credible

19 _____ two seats at a theater 극장에 두 좌석을 예약하다 engage

20 .... survival 생존을 보장하다   ensure

21 break[keep] a .... 맹세를 어기다[지키다]   vow

22 .... one's trust 누군가의 신뢰를 배반하다   betray

23 come in .... with many people 많은 사람들과 접촉하다   contact

24 many ....s with majority individuals
다수 집단의 개인들과 잦은 마주침   encounter

25 build .... relations 상호 관계를 형성하다   mutual

26 .... with each other 서로 소통하다   interact

27 be directly ....d to ~와 직접적으로 관련되다   relate

28 .... some real sacrifice 진정한 희생을 수반하다   involve

29 an old college .... of mine 나의 오래된 대학 친구   buddy

30 a long-time .... from office 오래된 직장 동료   colleague

31 ask .... students 동료 학생들에게 묻다   fellow

32 place great importance on one's .... group
또래 집단을 매우 중요하게 여기다   peer

33 What an .... child! 정말 사랑스러운 아이로구나!   adorable

34 feel .... to ~하게 되어 영광스럽다   honor

35 the .... over history textbooks 역사 교과서에 관한 논쟁   controversy

36 spark off a major .... 주요 갈등이 촉발되다   conflict

37 show a sharp .... with ~와 극명한 대조를 보이다   contrast

38 end the family .... 집안싸움을 끝내다   quarrel

39 describe the inner .... 내면의 갈등을 설명하다   struggle

40 be ....ed by a fixed idea 고정 관념에 사로잡히다   obsess

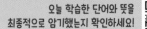

		check
0281 **notion**	몡 관념, 생각	☐
0282 **stereotype**	몡 고정 관념 동 정형화하다	☐
0283 **fancy**	몡 공상; 변덕 형 예쁜; 공상의; 화려한	☐
0284 **ideal**	몡 이상 형 이상적인	☐
0285 **imagination**	몡 상상(력)	☐
0286 **illusion**	몡 환영, 착각	☐
0287 **suppose**	동 가정하다, 추측하다	☐
0288 **psychology**	몡 심리학, 심리 (상태)	☐
0289 **intend**	동 의도하다	☐
0290 **tendency**	몡 경향, 추세; 성향	☐
0291 **deliberate**	형 계획적인; 신중한 동 숙고하다	☐
0292 **assure**	동 보증하다; 확신시키다	☐
0293 **convince**	동 납득시키다; 설득하다	☐
0294 **authentic**	형 진짜의, 믿을 만한	☐
0295 **loyal**	형 충성스러운; 충실한	☐
0296 **certificate**	몡 증명서; 면허증 동 증명서를 주다	☐
0297 **reliable**	형 믿음직한; 의지가 되는	☐
0298 **credible**	형 믿을 수 있는, 확실한	☐
0299 **engage**	동 약속하다; 약혼시키다	☐
0300 **ensure**	동 보장하다; 확실하게 하다	☐

		check
0301 **vow**	몡 맹세 동 맹세하다	☐
0302 **betray**	동 배반하다; (적에게) 팔다	☐
0303 **contact**	몡 접촉, 연락 동 연락하다	☐
0304 **encounter**	몡 만남 동 마주치다	☐
0305 **mutual**	형 서로의; 공동의	☐
0306 **interact**	동 상호 작용하다; 소통하다	☐
0307 **relate**	동 관계시키다; 관련이 있다	☐
0308 **involve**	동 관련시키다; 포함하다	☐
0309 **buddy**	몡 친구, 짝 동 친해지다	☐
0310 **colleague**	몡 동료	☐
0311 **fellow**	몡 친구, 동료 형 동료의	☐
0312 **peer**	몡 동등한 사람 동 응시하다	☐
0313 **adorable**	형 존경할 만한; 사랑스러운	☐
0314 **honor**	몡 명예, 영광 동 존경하다	☐
0315 **controversy**	몡 논란, 논쟁	☐
0316 **conflict**	몡 싸움; 대립 동 충돌하다	☐
0317 **contrast**	몡 대조, 차이 동 대조시키다	☐
0318 **quarrel**	몡 다툼, 불화 동 다투다	☐
0319 **struggle**	동 몸부림치다 몡 투쟁	☐
0320 **obsess**	동 사로잡히다; 괴롭히다	☐

외우지 못한 단어가 있으면 미니 단어장에서 다시 한번 정리해 보세요.

평가, 판단, 의견, 주장

| Word Map에 주제별로 분류된 단어의 뜻을 유추하여 빈칸에 쓰세요. |

평가 판단
- determine
- blame   비난하다; 비난
- attribute   ~의 원인을 …으로 여기다
- judge   판사; 판단하다
- assess   평가하다; 사정하다
- evaluate   평가하다
- estimate
- qualify   자격을 갖추(게 하)다

찬성 반대
- approve
- disapprove   찬성하지 않다
- contradict   반박하다; 모순되다
- oppose
- refuse   거절[거부]하다; 쓰레기
- reject   거절하다; 거부된 대상

조사
- analyze
- inspect   조사하다
- investigate   조사하다; 수사하다
- identify   확인하다; 동일시하다

의견
- regret   후회하다; 유감; 후회
- suspect   (~라고) 의심하다; 용의자
- hesitate
- curse   저주하다; 저주; 욕설
- celebrate   경축하다; 찬양하다
- cherish   소중히 하다
- exaggerate

반응
- react   반응하다; 반작용하다
- acknowledge

주장
- claim   주장하다; 주장
- insist
- assert   단언하다, 강력히 주장하다
- appeal   간청(하다); 항의하다; 호소
- protest   항의하다; 항의
- justify   정당화하다
- stress   강조; 강조하다

제안
- counselor   상담가; (법률) 고문
- suggest
- recommend   추천하다; 충고하다
- propose   제안하다; 청혼하다
- urge   강력히 촉구하다
- feedback   반응, 감상; 피드백

평가, 판단, 의견, 주장

📖 가리개를 사용하여 뜻을 잘 암기했는지 확인하세요.

0321 determine* □□
[ditə́ːrmin]

동 결심하다; 결정하다

It is difficult to know how to **determine** whether one culture is better than another. 학평 어느 문화가 다른 문화보다 더 나은지 **결정하는** 법을 알기란 어렵다.

➕ **determination** 명 결심; 결정 **determined** 형 (단단히) 결심한; 단호한

0322 blame □□
[bleim]

동 비난하다; ~의 책임으로 돌리다 명 탓; 비난

In everyday life we often **blame** people for "creating" their own problems. 학평 매일의 삶에서 우리는 사람들이 자신의 문제를 만들어 내는 것을 **비난한다.**

be to blame (for) (~에 대한) 책임이 있다

0323 attribute* □□
동[ətríbjuːt]
명[ǽtribjùːt]

동 ~의 원인을 …으로 여기다 명 속성, 특질

We **attribute** others' behavior to their inner dispositions. EBS
우리는 다른 사람들의 행동을 그들의 내면적 성향 때문이라고 **여긴다.**

➕ **attribution** 명 귀속; 속성 ▤ **ascribe** 동 (원인·기원을) ~에 돌리다

How Different

0324 judge* □□
[dʒʌdʒ]

명 판사 동 재판하다; 판단하다; 심사하다

Judging whether something is right or wrong is based on individual societies' beliefs. 학평
어떤 것이 옳은지 그른지 **판단하는 것**은 개별 사회의 신념에 근거한다.

judging from ~으로 미루어 보아[판단하건대]
➕ **judgment** 명 재판; 판결; 판단

0325 assess* □□
[əsés]

동 평가하다; 사정하다; 할당하다

It has been determined that it takes only a few seconds for anyone to **assess** another individual. 학평
누군가가 다른 개인을 **평가하는** 데 단지 몇 초만 걸린다는 것이 밝혀져 왔다.

➕ **assessment** 명 평가, 사정

0326 evaluate* □□
[ivǽljuèit]

동 평가하다

Research should be **evaluated** by other scientists before it is made public. 학평 연구는 그것이 공표되기 전에 다른 과학자들에 의해 **평가되어야** 한다.

➕ **evaluation** 명 평가 **evaluative** 형 평가하는

» **judge** 지식, 경험, 지성을 이용하여 누군가 또는 어떤 것에 대한 의견 형성을 가리킴
» **assess** 품질, 가치, 중요성을 측정하는 등의 방법으로, 성취된 성과 수준이 어느 정도인지 식별하는 것을 가리키며 진단에 가까움
» **evaluate** 특정 가치나 목표가 성취된 정도를 정하기 위한 판단을 가리키며 결과물을 중시함

---

20   30   40

0327 estimate*
[éstəmèit]
[éstəmit]

(동) 추정하다; 평가하다   (명) 평가; 견적

The map reading and navigation course covers reading map symbols, planning a route, and **estimating** distance. (학평) 지도 읽기 및 내비게이션 과정은 지도 기호 읽기, 경로 계획하기, 그리고 거리 **추정하기**를 다룬다.

➕ estimation (명) 판단, 평가; 추정   overestimate (동) 과대평가하다 (명) 과대평가

0328 qualify*
[kwáləfài]

(동) 자격을 갖추(게 하)다

If you think you're **qualified**, please don't hesitate to apply for the Excellent Employee Award. (모평)
여러분이 **자격을 갖췄다**고 생각한다면, 우수 사원상에 지원하는 것을 주저하지 마세요.

➕ qualification (명) 자격 (부여); 조건, 제한   qualified (형) 자격 있는; 적임의

0329 analyze
[ǽnəlàiz]

(동) 분석하다, 검토하다

Many students could probably benefit if they spent more time on **analyzing** the meaning of their reading assignments. (학평)
많은 학생들이 만약 그들의 읽기 과제의 의미를 **분석하는** 데 더 많은 시간을 보낸다면 아마 이익을 얻을 수 있을 것이다.

➕ analysis (명) 분석, 해석   analytical (형) 분석의, 분석적인

0330 inspect*
[inspékt]

(동) 조사하다

After **inspecting** every inch of my body, the doctor gave his verdict. (학평) 내 몸 구석구석을 **검사한** 후, 그 의사는 진단을 내렸다.

➕ inspection (명) 검사, 조사; 시찰   inspector (명) 검사자, 조사관

0331 investigate*
[invéstəgèit]

(동) 조사하다; 수사하다

I have **investigated** the situation you experienced and scheduled additional customer service training for the staff. (학평) 제가 귀하가 겪으셨던 상황에 대해 **조사하고** 직원들 대상의 추가적인 고객 서비스 훈련을 계획했습니다.

➕ investigation (명) 조사; 수사   investigator (명) 조사자; 수사관

0332 identify*
[aidéntəfài]

(동) (동일물임을) 확인하다; 인지하다; (~와) 동일시하다

Animals use their eyesight to **identify** members of their species. (학평)
동물들은 그들 종의 구성원을 **식별하기** 위해 시력을 사용한다.

➕ identification (명) 신원 확인; 신분증; 동일시   identity (명) 동일함; 자기 자신임

0333 react*
[riːǽkt]

(동) 반응하다; 반작용하다

People **react** far too quickly and emotionally over information without establishing context. (학평)
사람들은 전후 사정을 확실히 하지 않고 정보에 대해 너무 빠르고 감정적으로 **반응한다**.

➕ reaction (명) 반응; 반작용   reactive (형) 반응하는; 반동적인

0334
acknowledge*
[æknɑ́lidʒ]

(동) 인정하다, 승인하다; 감사하다

You should **acknowledge** your own limitations. 학평
여러분은 여러분 자신의 한계를 **인정해야** 합니다.

➕ acknowledg(e)ment (명) 승인; 감사   acknowledged (형) (일반적으로) 인정된

How Different

0335
claim*
[kleim]

(동) (권리를) 주장하다; 청구하다   (명) 주장; 청구

Lots of reports **claim** that breakfast is the most important meal of the day. 학평 많은 보고서들은 아침 식사가 하루 중 가장 중요한 식사라고 **주장한다.**

0336
insist*
[insíst]

(동) 우기다, 주장하다; 강요하다

Many high school students **insist** on doing their homework while watching TV or listening to loud music.
학평 많은 고등학생은 TV를 보거나 시끄러운 음악을 들으면서 숙제하기를 **고집한다.**

➕ insistence (명) 주장, 강조; 강요   insistent (형) 주장하는, 고집하는; 강요하는

0337
assert*
[əsə́ːrt]

(동) 단언하다, 강력히 주장하다

Some people **assert** that competition kills off prosocial behaviors. 학평
어떤 사람들은 경쟁이 친사회적 행동을 없앤다고 **주장한다.**

➕ assertion (명) 단언, 주장   assertive (형) 단정적인, 독단적인

» **claim** 증명되지 않은 일방적인 주장을 가리킴
» **insist** 주장하는 바를 굽히지 않는 태도를 가리킴
» **assert** 주장하는 바를 강력히 단언하여 공표함을 가리킴

0338
appeal*
[əpíːl]

(동) 간청하다; 항의하다   (명) 간청, 호소; 매력

Many ads **appeal** to the feelings rather than to the reason. 학평
많은 광고가 이성보다는 감정에 **호소한다.**

➕ appealing (형) 호소하는 듯한, 애원하는; 마음을 끄는, 매력적인

0339
protest*
(동)[prətést]
(명)[próutèst]

(동) 항의하다   (명) 항의, (이의) 제기; 시위

Gandhi started fasting on January 13, 1948, to **protest** the fighting between Hindu and Muslims. 학평 Gandhi는 힌두교도와 이슬람교도 사이의 분쟁에 **항의하기** 위해 1948년 1월 13일에 단식을 시작했다.

0340
justify*
[dʒʌ́stəfài]

(동) 정당화하다

When a person accepts a moral principle, naturally the person believes the principle is important and well **justified**. 수능 어떤 사람이 도덕 원칙을 수용할 때, 그 사람은 당연히 그 원칙이 중요하고 아주 **정당하다고** 믿는다.

➕ justification (명) (행위의) 정당화; 변명(의 사유)

0341 stress
[stres]

명 강조; 스트레스   동 강조하다; 압박하다

The Scouts read aloud a message **stressing** the need for recycling.
학평 스카우트 단원들이 재활용의 필요성을 **강조하는** 메시지를 큰 소리로 읽었다.

➕ **stressful** 형 긴장[스트레스]이 많은

0342 approve＊
[əprúːv]

동 찬성하다; 승인하다; 입증하다

Mary's family did not **approve** when she decided to become an artist.
학평 Mary의 가족은 그녀가 화가가 되기로 결정했을 때 **찬성하지** 않았다.

➕ **approval** 명 찬성; 승인   **approved** 형 인가된; 입증된, 공인된

0343 disapprove
[dìsəprúːv]

동 찬성하지 않다; 불만을 나타내다

A mother's falling intonation tells the baby that the mother **disapproves** of something. EBS
엄마의 낮은 억양은 엄마가 무언가에 **불만을 나타낸다는** 것을 아기에게 말해 준다.

➕ **disapproval** 명 안 된다고 하기; 불찬성; 불만

0344 contradict
[kὰntrədíkt]

동 반박하다, 반대하다; 모순되다

Speech conveying discriminatory, hateful ideas should be strongly **contradicted**. EBS
차별적이고 혐오에 찬 견해를 전하는 발언은 강하게 **반박되어야** 한다.

➕ **contradiction** 명 반박; 모순   **contradictory** 형 모순된 명 반박(론), 부정적 주장

0345 oppose＊
[əpóuz]

동 이의를 제기하다; (시합에서) 겨루다

Some professionals actually **oppose** teenagers' position they can study better with the TV or radio playing. 학평
일부 전문가들은 실제로 십 대들이 TV나 라디오를 켜 둔 채로 공부를 더 잘 할 수 있다는 그들의 견해에 **반대한다**.

➕ **opposition** 명 반대; 대립   **opposite** 형 맞은편의; 정반대의

0346 refuse＊
동[rifjúːz]
명[réfjuːs]

동 거절하다, 거부하다   명 쓰레기, 찌꺼기

Schreiber recently sustained a stress fracture in her foot because she **refused** to listen to her overworked body. 학평 Schreiber는 자신의 혹사당한 몸에 귀 기울이는 것을 **거부한** 탓에 최근 발에 피로 골절을 입었다.

➕ **refusal** 명 거절, 거부

0347 reject＊
동[ridʒékt]
명[ríːdʒekt]

동 거절하다; 퇴짜 놓다   명 거부된 대상

Some **reject** a chance to study abroad because they don't consider themselves adventurous. 학평
어떤 이들은 스스로가 모험적이라고 생각하지 않기 때문에 유학 기회를 **거부한다**.

➕ **rejection** 명 거절, 기각

0348 regret*
[rigrét]

[동] 후회하다; 유감으로 생각하다 [명] 유감; 후회

Rangan **regretted** fixing up the old man's bicycle. [학평]
Rangan은 그 노인의 자전거를 고쳐 준 것을 **후회했다**.

to one's regret 유감스럽게도
[+] regretful [형] 후회하는; 유감으로 생각하는 regrettable [형] 유감스러운

0349 suspect*
[동][səspékt]
[형][명][sʌ́spekt]

[동] (~라고) 의심하다; 알아채다 [형] 수상한 [명] 용의자

US researchers **suspect** that there are definite disadvantages to our powerful brain. [EBS] 미국의 연구자들은 우리의 강력한 두뇌에 확실히 불리한 점이 있지 않을까 하고 **의심한다**.

[+] suspicion [명] 혐의; 의심 suspicious [형] 의심스러운, 수상쩍은
[=] doubt [동] (~라는 사실을) 의심하다 [명] 의심; 불확실함

0350 hesitate*
[hézətèit]

[동] 주저하다; 내키지 않다

I **hesitate** to pass judgment on someone I've had very little association with at all. [학평]
나는 거의 교제가 없었던 누군가에 대해 의견을 말하는 것을 **주저한다**.

[+] hesitation [명] 주저, 망설임 hesitancy [명] 머뭇거림, 주저
hesitant [형] 머뭇거리는, 주저하는

0351 curse
[kəːrs]

[동] 저주하다 [명] 저주; 욕설

In Ghana, if you prepare food with or for someone but you do not take the food, it is believed that you have put a **curse** on it. [EBS]
가나에서는 여러분이 누군가와 함께 또는 그를 위해 음식을 준비하고, 그 음식을 먹지 않으면, 여러분이 음식에 **저주**를 가한 것으로 여겨진다.

0352 celebrate*
[séləbrèit]

[동] 경축하다; 찬양하다

To **celebrate** our company's 10th anniversary, we have arranged a small event. [학평] 회사의 10주년을 **경축하기** 위해 우리는 작은 행사를 마련했다.

[+] celebration [명] 축하; 찬양

0353 cherish
[tʃériʃ]

[동] 소중히 하다; (소원 등을) 품다

We all **cherish** certain memories of our childhoods, like birthday parties and bike rides. [학평]
우리 모두는 생일 파티와 자전거 타기 같은 어린 시절의 특정한 기억을 **소중히 여긴다**.

0354 exaggerate*
[igzǽdʒərèit]

[동] 과장하다

People usually **exaggerate** about the time they waited. [학평]
사람들은 보통 그들이 기다렸던 시간에 대해 **과장한다**.

[+] exaggeration [명] 과장

0355 **counselor**

[káunsələr]

[명] 상담가; (법률) 고문, (미국) 변호사

Counselors often advise clients to get some emotional distance from whatever is bothering them. [학평] **상담가들**은 의뢰인들에게 그들을 귀찮게 하는 그 어떤 것과도 약간의 감정적인 거리를 두라고 흔히 충고한다.

[+] counsel [명] 상담; 조언; 변호인 [동] 조언[충고]하다; 상담하다

How Different

0356 **suggest***

[səgdʒést]

[동] 제안하다; 시사하다; 연상시키다

Recent research **suggests** that evolving humans' relationship with dogs changed the structure of both species' brains. [학평] 최근의 연구는 진화하는 인간의 개와의 관계가 두 종 모두의 뇌 구조를 바꿨다는 것을 **시사한다**.

[+] suggestion [명] 제안; 암시; 연상

0357 **recommend***

[rèkəménd]

[동] 추천하다; 충고하다

I'd like to **recommend** you for the leader of this book club. [학평] 나는 너를 이 독서 동아리의 회장으로 **추천하고** 싶다.

[+] recommendation [명] 추천; 권고, 충고

0358 **propose***

[prəpóuz]

[동] 제안하다; 계획하다, 꾀하다; 청혼하다

Centuries before telescopes were invented, the Greeks **proposed** that the earth might rotate on an axis or revolve around the sun. [학평] 망원경이 발명되기 수세기 전, 그리스인들은 지구가 축을 중심으로 회전하거나 태양 주변을 돌지도 모른다는 **의견을 냈다**.

[+] proposal [명] 제안, 제의; 청혼

» suggest 누군가에게 무엇을 해야 하는지에 대해 자신의 생각을 말할 때 사용
» recommend 이전 경험으로 좋다는 것을 알고 그들이 좋아할 것이라고 생각하기 때문에 누군가가 어딘가에 가고, 시도하고, 무언가를 시도하고, 다른 사람에게 권할 때 사용
» propose 공식적으로 계획이나 행동 방침을 제안할 때 사용

0359 **urge***

[əːrdʒ]

[동] 강력히 촉구하다; 주장하다

We work hard to **urge** ourselves to get up and go to work and do what we must do day after day. [학평] 우리는 일어나 직장에 가고 매일 우리가 해야 하는 것을 하도록 자신을 **촉구하려** 노력한다.

0360 **feedback**

[fíːdbæ̀k]

[명] 반응, 감상; 피드백

Managers are taught how to give their employees effective **feedback**. [학평] 관리자는 직원에게 효과적인 **피드백**을 제공하는 방법을 배운다.

01	.... where to live 어디에 살지 결정하다	determine
02	find someone else to .... 책임을 돌릴 다른 누군가를 찾다	blame
03	.... one's success to hard work 성공을 열심히 노력한 덕분이라고 여기다	attribute
04	.... people by one's looks 외모로 사람을 판단하다	judge
05	.... another individual 다른 개인을 평가하다	assess
06	.... the research 연구를 평가하다	evaluate
07	.... distance 거리를 추정하다	estimate
08	one chance left to .... 자격을 얻기 위해 남은 한 번의 기회	qualify
09	.... DNA from bones 뼈의 DNA를 분석하다	analyze
10	.... every inch of my body 내 몸 구석구석을 검사하다	inspect
11	.... the incident closely 사건을 자세히 조사하다	investigate
12	.... members of the species 종의 구성원을 식별하다	identify
13	.... far too emotionally 너무 감정적으로 반응하다	react
14	.... one's own limitations 자신의 한계를 인정하다	acknowledge
15	.... to have seen the ghosts 유령을 봤다고 주장하다	claim
16	.... on doing the right things 옳은 일 하기를 고집하다	insist
17	.... that Korean cooking is the best 한국 음식이 최고라고 단언하다	assert
18	.... to common sense 상식에 호소하다	appeal
19	.... the fighting 분쟁에 항의하다	protest

20	.... one's distorted political beliefs	justify
	왜곡된 정치적 신념을 옳다고 주장하다	
21	.... the need for recycling 재활용의 필요성을 강조하다	stress
22	.... the national budget 국가 예산을 승인하다	approve
23	.... of the marriage 그 결혼을 찬성하지 않다	disapprove
24	.... the common belief 일반적인 믿음과 모순되다	contradict
25	.... the students' position 학생들의 입장에 반대하다	oppose
26	.... to listen to oneself 내면의 소리 듣기를 거부하다	refuse
27	.... a chance to study abroad 유학할 기회를 버리다	reject
28	.... fixing up the bicycle 자전거를 고쳐 준 것을 후회하다	regret
29	.... something is wrong 무언가 잘못되었다고 의심하다	suspect
30	.... to tell the truth 진실을 말하기를 주저하다	hesitate
31	put a .... on one's neighbor 이웃에게 저주를 퍼붓다	curse
32	.... the win over Japan 일본에 이긴 것을 축하하다	celebrate
33	.... childhood's memories 어린 시절의 기억을 소중히 하다	cherish
34	.... about the time they waited	exaggerate
	그들이 기다린 시간에 대해 과장하여 말하다	
35	tell the problem to the .... 상담가에게 문제를 말하다	counselor
36	.... a vacation 휴가를 제의하다	suggest
37	the movie I .... ed to my friend 내가 친구에게 추천했던 영화	recommend
38	.... new ideas 새로운 아이디어를 제의하다	propose
39	.... Jack to stay awake Jack에게 깨어 있도록 촉구하다	urge
40	.... about what to do 할 일에 관한 피드백	feedback

			check
0321	**determine**	통 결심하다; 결정하다	☐
0322	**blame**	통 비난하다 명 비난	☐
0323	**attribute**	통 ~의 원인을 …으로 여기다 명 속성; 특질	☐
0324	**judge**	명 판사 통 판단하다	☐
0325	**assess**	통 평가하다; 사정하다	☐
0326	**evaluate**	통 평가하다	☐
0327	**estimate**	통 추정하다 명 평가; 견적	☐
0328	**qualify**	통 자격을 갖추(게 하)다	☐
0329	**analyze**	통 분석하다, 검토하다	☐
0330	**inspect**	통 조사하다	☐
0331	**investigate**	통 조사하다; 수사하다	☐
0332	**identify**	통 확인하다; 동일시하다	☐
0333	**react**	통 반응하다; 반작용하다	☐
0334	**acknowledge**	통 인정하다, 승인하다	☐
0335	**claim**	통 주장하다 명 주장	☐
0336	**insist**	통 우기다; 강요하다	☐
0337	**assert**	통 단언하다, 강력히 주장하다	☐
0338	**appeal**	통 간청하다 명 간청, 호소	☐
0339	**protest**	통 항의하다 명 항의	☐
0340	**justify**	통 정당화하다	☐

			check
0341	**stress**	명 강조; 스트레스 통 강조하다	☐
0342	**approve**	통 찬성하다; 승인하다	☐
0343	**disapprove**	통 찬성하지 않다	☐
0344	**contradict**	통 반박하다; 모순되다	☐
0345	**oppose**	통 이의를 제기하다	☐
0346	**refuse**	통 거절하다, 거부하다 명 쓰레기, 찌꺼기	☐
0347	**reject**	통 거절하다 명 거부된 대상	☐
0348	**regret**	통 후회하다 명 유감; 후회	☐
0349	**suspect**	통 (~라고) 의심하다 형 수상한 명 용의자	☐
0350	**hesitate**	통 주저하다	☐
0351	**curse**	통 저주하다 명 저주; 욕설	☐
0352	**celebrate**	통 경축하다; 찬양하다	☐
0353	**cherish**	통 소중히 하다	☐
0354	**exaggerate**	통 과장하다	☐
0355	**counsel**	명 상담가; (법률) 고문	☐
0356	**suggest**	통 제안하다; 시사하다	☐
0357	**recommend**	통 추천하다; 충고하다	☐
0358	**propose**	통 제안하다; 청혼하다	☐
0359	**urge**	통 강력히 촉구하다	☐
0360	**feedback**	명 반응, 감상; 피드백	☐

외우지 못한 단어가 있으면 미니 단어장에서 다시 한번 정리해 보세요.

Wrap Up

☑ ANSWERS p.457

A 영어는 우리말로, 우리말은 영어로 쓰시오.

01	contradict		21	인정하다
02	assure		22	역설
03	verbal		23	서로의; 공동의
04	protest		24	문맹의
05	reliable		25	몸부림치다; 투쟁
06	honor		26	단서, 실마리
07	interact		27	간청(하다)
08	argue		28	이상; 이상적인
09	utter		29	결심하다
10	inspect		30	수정하다; 개정
11	pledge		31	보장하다
12	involve		32	이야기의
13	persuasive		33	소중히 하다
14	index		34	언급하다; 언급
15	blame		35	약속하다
16	encounter		36	속삭이다
17	announce		37	강력히 촉구하다
18	translate		38	경향; 성향
19	exaggerate		39	소문, 험담
20	intend		40	주저하다

B 네모 안에서 알맞은 단어를 고르시오.

01 The founder of the Muslim religion declared / inquired pork to be unclean.

02 It takes only a few seconds for anyone to assess / oppose another individual.

03 The food company is putting lots of effort into presenting authentic / credible flavors.

04 To celebrate / cherish our company's 10th anniversary, we have arranged a small event.

C 각 문장이 우리말과 일치하도록 빈칸에 알맞은 단어를 고르시오. (형태 변화 가능)

| notion | tone | contact | illusion | remark |

01 You might guess about what kind of mood your friends are in from the ....
of voice that they use.
여러분은 친구들이 쓰는 목소리의 어조를 통해 그들이 어떤 기분인지 짐작할 수도 있다.

02 The composer Puccini ...., "The music of the opera *Madame Butterfly*
was dictated to me by God."
작곡가 Puccini는 "오페라 〈나비 부인〉의 음악은 신께서 제게 받아쓰게 하신 것이었습니다."라고 말했다.

03 All new ideas come from combining existing .... in creative way.
모든 새로운 아이디어는 기존의 관념들을 창의적인 방식으로 조합하는 것에서 나온다.

04 .... with nature enhances children's health and wellbeing.
자연과의 접촉은 아이들의 건강과 복지를 증진시킨다.

05 Snow is made by machines to create the .... of winter in Hollywood.
할리우드 영화에서는 겨울이란 환상을 만들기 위해 눈을 기계로 만든다.

D 우리말이 영어 문장과 일치하도록 빈칸에 알맞은 말을 쓰시오.

01 Dorothy West's second novel, *The Wedding*, was published in 1995 and was made into
a TV drama.
Dorothy West의 두 번째 소설 〈결혼식〉은 1995년에 ...., TV 드라마로 만들어졌다.

02 Some reject a chance to study abroad because they don't consider themselves
adventurous.
어떤 이들은 스스로 모험적이라고 생각하지 않기 때문에 유학 기회를 ....

03 Animals use their eyesight to identify members of their species.
동물들은 그들 종의 구성원을 .... 위해 시력을 사용한다.

04 Gender research shows a complex relationship between gender and conflict styles.
성별에 관한 연구는 성별과 .... 유형 사이의 복잡한 관계를 보여 준다.

05 People usually exaggerate about the time they waited.
사람들은 보통 그들이 기다린 시간에 대해 ....

DAY 10

훌륭한 가치

| **Word Map**에 주제별로 분류된 단어의 뜻을 유추하여 빈칸에 쓰세요. |

훌륭함
- awesome — 경탄할 만한; 멋진
- brilliant — 훌륭한; 영리한
- terrific — 아주 좋은; 엄청난
- marvelous —
- desirable — 탐나는, 바람직한
- gorgeous — 아주 아름다운
- respectable — 존경할 만한; 상당한
- remarkable —

힘
- dignity — 위엄, 품위; 진중함
- privilege —

귀중함
- valuable — 값비싼; 귀중품
- precious —
- invaluable — 평가할 수 없을 만큼 귀중한
- noble — 귀족의; 고상한; 귀족

독창성
- characteristic — 특징; 특색을 이루는
- trait — 특징
- odd —
- unusual — 특이한, 유별난

올바름
- steady — 꾸준한; 꾸준히
- ethical — 윤리적인
- optimal — 최선의, 최적의

운명
- destiny — 운명, 숙명
- fate — 운명; 최후

유명세
- fame — 명성
- popularity —
- reputation — 평판

정돈 섬세
- delicate — 섬세한; 민감한
- precise — 정확한; 꼼꼼한
- tidy —
- sophisticated — 교양 있는; 정교한

중요함
- significant —
- crucial — 결정적인, 중대한
- primary — 제1의, 주요한; 최초의
- core — 핵심, 중심
- essence — 본질; 정유, 에센스
- meaningful — 의미 있는; 중요한

편안함
- cozy —
- comfort — 안락; 위안; 위로하다

효과
- effective — 효과적인
- valid —

DAY 10

훌륭한 가치

가리개를 사용하여 뜻을 잘 암기했는지 확인하세요.

0361 **awesome***

[ɔ́:səm]

[형] 경탄할 만한; 멋진

Videos should be submitted till March 13th to win **awesome** prizes.
[학평] **멋진** 상을 타려면 3월 13일까지 영상을 제출해야 한다.

[+] **awesomeness** [명] 경탄할 만함; 멋짐 **awesomely** [부] 무시무시하게; 멋지게

0362 **brilliant***

[bríljənt]

[형] 훌륭한; 영리한

Newton and Leibniz came up with their **brilliant** idea at the same time. [학평] Newton과 Leibniz는 동시에 **훌륭한** 아이디어를 생각해 냈다.

[+] **brilliance** [명] 훌륭함; 영리함 **brilliantly** [부] 훌륭히

0363 **terrific***

[tərífik]

[형] 아주 좋은; 엄청난

Great people have **terrific** advice about what helped them succeed.
[수능] 위인들은 그들이 성공하는 데에 무엇이 도움이 되었는지에 관한 **훌륭한** 조언을 가지고 있다.

0364 **marvelous**

[mɑ́:rvələs]

[형] 놀라운; 매우 훌륭한

John made up fanciful tales about the **marvelous** adventures of Raggedy Ann. [EBS]
John은 Raggedy Ann의 **놀라운** 모험에 관한 허황된 이야기를 지어냈다.

[+] **marvelously** [부] 불가사의하게; 훌륭하게 **marvel** [명] 경이 [동] 경이로워하다
[=] **wonderful** [형] 매우 훌륭한

0365 **desirable**

[dizáiərəbəl]

[형] 탐나는, 바람직한

Precious metals have been **desirable** as money across the millennia.
[학평] 귀금속은 천년 동안 돈처럼 **탐나는** 대상이었다.

[+] **desire** [명] 욕구, 갈망 [동] 원하다, 갈망하다
[↔] **undesirable** [형] 탐탁지 않은

0366 **gorgeous***

[gɔ́:rdʒəs]

[형] 아주 아름다운

It's the most **gorgeous** table I have ever seen. [EBS]
그것은 내가 본 것 중 가장 **아름다운** 탁자다.

20 30 40

0367 respectable
[rispéktəbəl]

(형) 존경할 만한, 훌륭한; 상당한

Adapting novels is one of the most **respectable** of movie projects.
수능 소설을 각색하는 것은 영화 기획에서 가장 **훌륭한** 것들 중 하나이다.

➕ **respect** (명) 존경; 존중 (동) 존경하다; 존중하다

0368 remarkable
[rimáːrkəbəl]

(형) 주목할 만한, 남다른

Expert chess players possess a **remarkable** capacity to recall the position of chess pieces at any point from a game. 학평
숙련된 체스 선수들에게는 경기의 어느 시점이든 체스 말들의 위치를 떠올릴 수 있는 **남다른** 능력이 있다.

➕ **remark** (동) 주목하다; 말하다 (명) 주목   **remarkably** (부) 현저하게, 대단히

0369 dignity
[dígnəti]

(명) 위엄, 품위; 진중함

The old man was ragged but he had an air of **dignity** around him.
학평 그 노인은 누더기를 걸쳤지만 **위엄** 있는 태도를 지녔다.

0370 privilege
[prívəliʤ]

(명) 특권   (동) ~에게 특권을 주다

The leader of the group has the **privilege** of eating first. 학평
그 그룹의 리더는 먼저 식사를 할 수 있는 **특권**이 있다.

➕ **privileged** (형) 특권이 있는

How Different

0371 valuable
[vǽljuːəbəl]

(형) 값비싼   (명) (pl.) 귀중품

Water is our most **valuable** natural resource. 학평
물은 우리의 가장 **귀중한** 천연 자원이다.

➕ **value** (명) 가치, 유용성 (동) 가치 있게 여기다; 평가하다

0372 precious*
[préʃəs]

(형) 소중한; 값비싼

Families don't grow strong unless parents invest **precious** time in them. 학평 부모가 **소중한** 시간을 투자하지 않는 한 가정은 튼튼해지지 않는다.

0373 invaluable
[invǽljuəbəl]

(형) 평가할 수 없을 만큼 귀중한

The Internet has quickly become an **invaluable** tool. 학평
빠른 속도로 인터넷은 **평가할 수 없을 만큼 귀중한** 도구가 되었다.

➖ **priceless** (형) 평가할 수 없을 만큼 귀중한

» **valuable** 금전적 가치나 활용도 높은 대상을 묘사함
» **precious** 정신적이고 개인적으로 소중히 여겨지는 대상을 묘사함
» **invaluable** 그 정도를 측정할 수 없을 만큼 큰 가치를 지닌 대상을 묘사함

0374 **noble***
[nóubəl]

(형) 귀족의; 고상한　(명) 귀족

As villagers sat to eat, all eyes were on their **noble** guest. 모평
마을 사람들이 식사하기 위해 앉았을 때, 모든 눈은 그 **고상한** 손님에게 향했다.

0375 **characteristic***
[kæ̀riktərístik]

(명) 특징　(형) 특색을 이루는

The spacecraft carry instruments that test the **characteristics** of planets. 학평　그 우주선은 행성들의 **특징**을 시험하는 기구들을 운반한다.

➕ **characterize** (동) ~의 특징을 묘사하다; ~의 특징이 되다

0376 **trait**
[treit]

(명) 특징

After all, confidence is often considered a positive **trait**. 학평
결국, 자신감은 흔히 긍정적인 **특징**으로 여겨진다.

0377 **odd***
[ɑd]

(형) 기묘한; 홀수의

The sheets of paper were covered with **odd** symbols and codes. 학평
그 종이들은 **기묘한** 기호와 암호들로 뒤덮여 있었다.

➕ **oddly** (부) 이상하게　**odds** (명) 확률; 차이
➖ **even** (형) 짝수의

0378 **unusual**
[ʌnjúːʒuəl]

(형) 특이한, 유별난

Native people create legends to explain **unusual** events in their environment. 학평
원주민들은 그들의 환경에서 일어나는 **특이한** 사건들을 설명하기 위해 전설을 창조한다.

➕ **unusually** (부) 평소와 달리; 몹시
➖ **usual** (형) 보통의, 흔히 있는

0379 **steady***
[stédi]

(형) 꾸준한　(부) 꾸준히　(동) 견고하게 하다

You need investments that provide you with a **steady** income. 학평
여러분은 여러분에게 **꾸준한** 수입을 제공하는 투자처가 필요하다.

➕ **steadily** (부) 착실하게, 꾸준히

0380 **ethical**
[éθikəl]

(형) 윤리적인; 도덕적으로 옳은

Any moral or **ethical** opinions are affected by an individual's cultural perspective. 학평
모든 도덕적 또는 **윤리적** 의견은 개인의 문화적 관점에 의해 영향을 받는다.

➕ **ethic** (명) 윤리, 도덕 (pl.) 윤리학

0381 optimal
[áptəməl]

(형) 최선의, 최적의

Ethylene gas may be introduced to help achieve **optimal** quality of bananas. 학평
바나나가 **최적의** 상태가 되도록 하기 위해 에틸렌 가스가 주입될 수 있다.

目 optimum (형) 최선[최적]의 (명) 최선[최적]의 것

0382 destiny*
[déstəni]

(명) 운명, 숙명

We tend to overestimate our power to control our **destiny**. EBS
우리는 우리의 **운명**을 통제할 수 있는 우리의 힘을 과대평가하는 경향이 있다.

➕ destined (형) ~할 운명인; ~행(行)의

0383 fate*
[feit]

(명) 운명; 최후

A person's **fate** must not be determined by luck. 학평
사람의 **운명**은 운으로 결정되어서는 안 된다.

➕ fatal (형) 생명에 관계되는, 치명적인; 운명의

> How Different

0384 fame*
[feim]

(명) 명성

The desire for **fame** has its roots in the experience of neglect. 학평
명성에 대한 열망은 방치된 경험에 그 뿌리를 두고 있다.

➕ famous (형) 유명한

0385 popularity
[pàpjəlǽrəti]

(명) 인기

Charles Dickens' works have been widely read and still enjoy great **popularity**. 학평
Charles Dickens의 작품들은 널리 읽혔고, 여전히 큰 **인기**를 누린다.

➕ popular (형) 인기 있는

0386 reputation
[rèpjətéiʃən]

(명) 평판

Your **reputation** as a world-class violinist precedes you. 학평
세계적인 바이올리니스트로서 당신의 **평판**이 자자하다.

➕ reputable (형) 평판이 좋은

» **fame** 업적 때문에 많은 사람들에게 알려짐을 가리킴
» **popularity** 많은 사람들이 좋아하여 얻은 인기를 가리킴
» **reputation** 과거에 일어난 일 때문에 사람들이 그 대상에 대해 가지고 있는 의견을 가리킴

0387 delicate*
[délikət]

(형) 섬세한; 민감한; 깨지기 쉬운

The eye is the most **delicate** and sensitive part of the body. 학평
눈은 신체 중 가장 **섬세하고** 민감한 부분이다.

➕ delicacy (명) 세심함; 민감함; 진미[별미]

0388 precise*
[prisáis]

(형) 정확한; 꼼꼼한

Numbers were invented to describe **precise** amounts. 학평
숫자는 **정확한** 양을 묘사하기 위해 발명되었다.

➕ **precisely** (부) 정확히   **precision** (명) 정확
➖ **imprecise** (형) 부정확한

0389 tidy*
[táidi]

(형) 단정한   (동) 정돈하다

There are three effective ways to **tidy** things up. 학평
물건을 **정돈하는** 데 효과적인 방법이 세 가지 있다.

➕ **tidily** (부) 단정히   **tidiness** (명) 정돈

0390 sophisticated
[səfístəkèitid]

(형) 교양 있는; 정교한

We rely on robots to do the tedious while working on increasingly more **sophisticated** tasks. 학평
우리가 점점 더 **정교한** 과업을 수행하는 동안, 지루한 일을 하는 것은 로봇에게 의존한다.

➕ **sophistication** (명) 교양, 세련

How Different

0391 significant*
[signífikənt]

(형) 중대한; 의미심장한

For many young people, peers are of **significant** importance. 학평
많은 젊은이들에게 또래 친구들은 매우 **중요하다**.

➕ **significance** (명) 중대성; 의미

0392 crucial*
[krú:ʃəl]

(형) 결정적인, 중대한

Conflict is not only unavoidable but actually **crucial** for the long-term success of the relationship. 학평
갈등은 피할 수 없을 뿐만 아니라, 실제로 장기적으로는 관계의 성공에 **중요하다**.

➕ **crucially** (부) 결정적으로

0393 primary*
[práimeri]

(형) 제1의, 주요한; 최초의

Our **primary** sense is vision, occupying up to one-third of our brain. 학평 우리의 **제1** 감각은 우리 두뇌의 1/3을 차지하는 시각이다.

» **significant** 눈에 띄거나 큰 변화를 일으키는 데 영향을 미칠 수 있는 것을 가리킴
» **crucial** 결과나 미래를 좌우할 요소들 중 주요한 것임을 가리킴
» **primary** 중요함의 순서에 있어서 가장 우선함을 가리킴

0394 core*
[kɔ:r]

(명) 핵심, 중심   (동) (과일의) 심을 도려내다

You need to get directly to the **core** of an issue. 학평
여러분은 문제의 **핵심**을 직접 파악할 필요가 있다.

0395 essence
[ésəns]

(명) 본질; 정유, 에센스

The **essence** of sports is competition. (학평)
스포츠의 본질은 경쟁이다.
Put one teaspoon of vanilla **essence** in the yolk.
노른자에 바닐라 **에센스** 한 티스푼을 넣으세요.

in essence 본질적으로   **of the essence** 불가결의, 가장 중요한
➕ **essential** (형) 필수적인; 근본적인 (명) (pl.) 필수적인 것; 요점

0396 meaningful
[mí:niŋfəl]

(형) 의미 있는; 중요한

Seeking **meaningful** relationships has long been vital for human survival. (학평)
의미 있는 관계를 추구하는 것은 오랫동안 인간의 생존에 필수적이었다.

➕ **meaningfully** (부) 의미 있게
➖ **meaningless** (형) 무의미한, 의미가 들어 있지 않은

0397 cozy
[kóuzi]

(형) 아늑한, 안락한

Are you looking for a **cozy** home at a reasonable price? (학평)
적당한 가격에 **아늑한** 집을 찾고 계신가요?

➕ **cozily** (부) 아늑하게   **coziness** (명) 아늑함   ➡ **comfortable** (형) 편안한

0398 comfort*
[kʌ́mfərt]

(명) 안락; 위안   (동) 위로하다

Clothing doesn't have to be expensive to provide **comfort** during exercise. (학평)   운동하는 동안 **안락함**을 제공하기 위해 의류가 비쌀 필요는 없다.

comfort food 위안이 되는 음식
➕ **comfortable** (형) 편안한; 풍족한   **comforting** (형) 위로가 되는
➖ **discomfort** (명) 불편(하게 하는 것)

0399 effective*
[iféktiv]

(형) 효과적인; 효력이 발생하는; 실질적인

Effective personal branding isn't about talking about yourself all the time. (학평)   **효과적인** 개인 브랜딩이 항상 여러분 자신에 대해 말하는 것은 아니다.

➕ **effectively** (부) 효과적으로; 사실상
➖ **ineffective** (형) 효과 없는

0400 valid
[vǽlid]

(형) 유효한; 타당한

The ticket is **valid** for 24 hours from the first time of use. (학평)
그 티켓은 최초 사용 시점부터 24시간 동안 **유효하다**.

➕ **validity** (명) 유효함; 타당성   **validate** (동) 입증[인증]하다

훌륭한 가치
Use Words

01 win _____ prizes 멋진 상을 타다

02 come up with a _____ idea 훌륭한 아이디어를 생각해 내다

03 _____ advice about success 성공에 관한 훌륭한 조언

04 tales about the _____ adventures 놀라운 모험에 관한 이야기

05 socially _____ behavior 사회적으로 바람직한 행동

06 the most _____ table 가장 아름다운 탁자

07 the _____ movie directors 존경할 만한 영화감독들

08 possess a _____ capacity 남다른 능력을 지니다

09 an air of _____ 위엄 있는 태도

10 have the _____ of eating first 먼저 식사를 할 수 있는 특권

11 _____ natural resource 귀중한 천연 자원

12 the most _____ gift 가장 소중한 선물

13 an _____ tool 평가할 수 없을 만큼 귀중한 도구

14 _____ and virtuous attitude 고상하고 고결한 태도

15 the _____ of the planet 행성의 특징

16 a positive _____ 긍정적인 특징

17 covered with _____ symbols 기묘한 기호들로 뒤덮인

18 _____ events 특이한 사건들

19 provide a _____ income 꾸준한 수입을 제공하다

awesome	awesome
brilliant	
terrific	
marvelous	
desirable	
gorgeous	
respectable	
remarkable	
dignity	
privilege	
valuable	
precious	
invaluable	
noble	
characteristic	
trait	
odd	
unusual	
steady	

20	the _____ selling policy 윤리적인 판매 정책	ethical
21	achieve _____ quality 최적의 품질을 달성하다	optimal
22	control our _____ 우리의 운명을 통제하다	destiny
23	a person's _____ 사람의 운명	fate
24	the desire for _____ 명성에 대한 열망	fame
25	enjoy great _____ 큰 인기를 누리다	popularity
26	damage one's _____ 평판을 손상시키다	reputation
27	the most _____ part of the body 신체의 가장 섬세한 부분	delicate
28	describe _____ amounts 정확한 양을 묘사하다	precise
29	_____ up one's house 집을 정돈하다	tidy
30	more _____ tasks 더 정교한 과업	sophisticated
31	occupy a _____ place 중요한 위치를 차지하다	significant
32	a _____ component of modernity 현대성의 결정적인 요소	crucial
33	our _____ sense 우리의 제1의 감각	primary
34	the _____ of an issue 문제의 핵심	core
35	the _____ of sports 스포츠의 본질	essence
36	seek _____ relationships 의미 있는 관계를 추구하다	meaningful
37	a _____ home 아늑한 집	cozy
38	a sense of _____ 편안한 느낌	comfort
39	_____ personal branding 효과적인 개인 브랜딩	effective
40	a _____ ticket 유효한 티켓	valid

			check
0361	awesome	형 경탄할 만한; 멋진	☐
0362	brilliant	형 훌륭한; 영리한	☐
0363	terrific	형 아주 좋은; 엄청난	☐
0364	marvelous	형 놀라운; 매우 훌륭한	☐
0365	desirable	형 탐나는, 바람직한	☐
0366	gorgeous	형 아주 아름다운	☐
0367	respectable	형 존경할 만한; 상당한	☐
0368	remarkable	형 주목할 만한; 남다른	☐
0369	dignity	명 위엄, 품위; 진중함	☐
0370	privilege	명 특권 동 ~에게 특권을 주다	☐
0371	valuable	형 값비싼 명 귀중품	☐
0372	precious	형 소중한; 값비싼	☐
0373	invaluable	형 평가할 수 없을 만큼 귀중한	☐
0374	noble	형 귀족의; 고상한 명 귀족	☐
0375	characteristic	명 특징 형 특색을 이루는	☐
0376	trait	명 특징	☐
0377	odd	형 기묘한; 홀수의	☐
0378	unusual	형 특이한, 유별난	☐
0379	steady	형 꾸준한 부 꾸준히 동 견고하게 하다	☐
0380	ethical	형 윤리적인; 도덕적으로 옳은	☐

			check
0381	optimal	형 최선의, 최적의	☐
0382	destiny	명 운명, 숙명	☐
0383	fate	명 운명; 최후	☐
0384	fame	명 명성	☐
0385	popularity	명 인기	☐
0386	reputation	명 평판	☐
0387	delicate	형 섬세한; 민감한	☐
0388	precise	형 정확한; 꼼꼼한	☐
0389	tidy	형 단정한 동 정돈하다	☐
0390	sophisticated	형 교양 있는; 정교한	☐
0391	significant	형 중대한; 의미심장한	☐
0392	crucial	형 결정적인, 중대한	☐
0393	primary	형 제1의, 주요한; 최초의	☐
0394	core	명 핵심, 중심 동 (과일의) 심을 도려내다	☐
0395	essence	명 본질; 정유, 에센스	☐
0396	meaningful	형 의미 있는; 중요한	☐
0397	cozy	형 아늑한, 안락한	☐
0398	comfort	명 안락; 위안 동 위로하다	☐
0399	effective	형 효과적인; 실질적인	☐
0400	valid	형 유효한; 타당한	☐

외우지 못한 단어가 있으면 미니 단어장에서 다시 한번 정리해 보세요.

DAY 11

성질·정도 서술

| Word Map에 주제별로 분류된 단어의 뜻을 유추하여 빈칸에 쓰세요. |

유사함 같음
- analogy — 비슷함; 유추, 비유
- similar —
- coincidence — (우연의) 일치
- correspond — 일치하다
- equal — 동등한; ~와 같다
- identical —
- uniform — 동일한; 획일적인; 제복

다름
- disagree — 의견이 다르다
- discrimination — 구별; 차별
- distinct — 별개의; 뚜렷한

복잡 혼란
- chaos — 혼돈; 무질서
- complicated —
- confuse — 혼동하다; 혼란시키다
- crisis — 위기; (병의) 고비

분명함
- apparent —
- definitely — 확실히, 틀림없이
- vivid — 생기 있는; 선명한

성질 서술

정도 서술

중간 보통
- appropriate — 알맞은; 충당하다
- proper — 적당한; 올바른
- relevant —
- applicable — 해당되는; 적절한
- typical — 전형적인; 일반적인
- neutral — 중립의; 중립(국)

약함
- slightly — 약간; 약하게

상당함
- considerable —
- profound — 심오한; 난해한

극심함
- absolutely — 절대적으로
- deadly —
- exceed — 초과하다
- extensive — 광대한, 광범위한
- intense — 강렬한; 열정적인
- overwhelming — 압도적인
- severe — 극심한; 엄격한

속도 서술
- accelerate — 가속하다; 촉진하다
- prompt —
- rapid — 신속한; 급히 서두르는

크기 서술

큼
- enormous — 거대한, 엄청난
- tremendous —
- vast — 광대한, 막대한

작음
- minimize —

📖 가리개를 사용하여 뜻을 잘 암기했는지 확인하세요.

0401 **analogy**
[ənǽlədʒi]

⊛ 비슷함; 유추, 비유

The simplest way to define the role of the media agency is to take an **analogy** from fishing. 학평
미디어 대행사의 역할을 규정하는 가장 간단한 방법은 낚시에 **비유**하는 것이다.

by analogy with ~에서 유추하여

0402 **similar***
[símələr]

⊛ 비슷한, 유사한

Why doesn't the modern American accent sound **similar** to a British accent? 학평 왜 현대의 미국 억양은 영국 억양과 **비슷하게** 들리지 않는가?

➕ **similarly** ⊕ 비슷하게; 마찬가지로   **similarity** ⊛ 유사(점), 비슷한

0403 **coincidence**
[kouínsidəns]

⊛ (우연의) 일치, 동시 발생

It's no **coincidence** that some people are just like their dogs. 학평
어떤 사람들이 그들의 개와 꼭 닮은 것은 **우연의 일치**가 아니다.

➕ **coincide** ⊛ 동시에 일어나다; 일치하다

0404 **correspond***
[kɔ̀:rəspánd]

⊛ 일치하다; 서신을 주고받다

Brain responses **correspond** to people's self-reports that social support from a loved one helps reduce stress. 학평 두뇌 반응은 사랑하는 사람의 사회적 지지가 스트레스를 줄이는 데 도움이 된다는 사람들의 자기 보고와 **일치한다**.

➕ **corresponding** ⊛ 상응하는, 일치하는; 유사한
   correspondence ⊛ 일치; 유사; 서신 (왕래)

How Different

0405 **equal***
[í:kwəl]

⊛ 동등한   ⊛ 대등한 사람   ⊛ ~와 같다

We would have a better life in a more **equal** and cooperative society.
학평 더 **평등하고** 협력하는 사회에서 우리는 더 나은 삶을 살게 될 것이다.

➕ **equally** ⊕ 동등하게   **equality** ⊛ 동등; 평등

0406 **identical***
[aidéntikəl]

⊛ 일치하는

In reality, it was just the box that differed—the detergents inside were all **identical**. 학평 사실, 다른 것은 박스뿐이었고 안에 든 세제는 모두 **똑같았다**.

➕ **identity** ⊛ 본인임, 정체(성); 동일함

» **equal** 두 개 또는 그 이상의 양, 총계, 수준 등이 동일함
» **identical** 모든 면에서 정확히 같음

20　　　　　　30　　　　　　40

0407 uniform＊
[júːnəfɔ̀ːrm]

(형) 동일한; 획일적인　(명) 제복

All states adopted a **uniform** speed limit. 학평
모든 주에서 **동일한** 속도 제한을 채택했다.

➕ **uniformity** (명) 한결같음, 균일(성)　**uniformly** (부) 한결같이, 균일[균등]하게

0408 disagree＊
[dìsəgríː]

(동) 의견이 다르다; 일치하지 않다

Some people **disagree** with the idea of exposing three-year-olds to computers. 학평
어떤 사람들은 세 살짜리 아이들을 컴퓨터에 노출시킨다는 생각에 **동의하지 않는다**.

➕ **disagreement** (명) 의견 차이; 불일치　**disagreeable** (형) 불쾌한; 사귀기 힘든
➖ **agree** (동) 동의하다; 의견이 일치하다

0409 discrimination
[diskrìmənéiʃən]

(명) 구별; 차별

From very early on infants show **discrimination** of their mother's voice and scent. EBS
아주 이른 시기부터 아기들은 엄마의 목소리와 향기를 **구별할 수 있음**을 보여 준다.

➕ **discriminate** (동) 구별[식별]하다; 차별하다

0410 distinct
[distíŋkt]

(형) 별개의; 뚜렷한

There are as many types of dances as there are communities with **distinct** identities. 학평
뚜렷한 정체성을 가진 공동체들이 존재하는 만큼 많은 종류의 춤들이 존재한다.

➕ **distinction** (명) 구별, 차이; 특성; 탁월함

0411 chaos＊
[kéias]

(명) 혼돈; 무질서

We search for order in **chaos**, the right answer in ambiguity, and conviction in complexity. 학평　우리는 **혼돈** 속에서 질서를, 모호함 속에서 정답을, 복잡함 속에서 확신을 찾는다.

0412 complicated
[kámplikèitid]

(형) 복잡한, 알기 어려운

Don't use an overly **complicated** word when a simple word will do.
학평 간단한 단어 하나면 될 때 지나치게 **어려운** 단어를 사용하지 마라.

➕ **complicate** (동) 복잡하게 하다; (병을) 악화하다

0413 confuse＊
[kənfjúːz]

(동) 혼동하다; 혼란시키다

People sometimes **confuse** the poisonous and edible mushrooms.
학평 사람들은 가끔 독버섯과 식용 버섯을 **혼동한다**.

➕ **confusing** (형) 혼란시키는　**confused** (형) 혼란스러워 하는, 당황한
confusion (명) 혼란; 혼동; 당황

0414 crisis*
[kráisis]

(명) 위기; (병의) 고비 (*pl.* crises)

The East Asian **crisis** of the late 1990s came in the wake of the liberalization. (학평) 1990년대 후반의 동아시아 **위기**는 자유화의 결과로 발생했다.

0415 apparent*
[əpǽrənt]

(형) 명백한; 외견상의

As the color-blind children grew, it became **apparent** that they could not see colors and many could not distinguish letters. (학평)
색맹인 아이들이 자라면서 그들이 색깔을 볼 수 없고, 그중 상당수가 글자를 구별할 수 없다는 것이 **명백해졌다**.

➕ appear (동) 나타나다; 분명해지다　apparently (부) 명백히, 외관상으로는

0416 definitely
[défənitli]

(부) 확실히, 틀림없이

I **definitely** think the words 'garage' and 'garbage' must be related. (학평) 나는 **확실히** '차고'와 '쓰레기'라는 단어가 관련되어 있음에 틀림없다고 생각한다.

➕ definite (형) 확실한, 분명한; 한정된　▣ certainly (부) 확실히

0417 vivid
[vívid]

(형) 생기 있는; 선명한

Successful, happy people dwell continually on **vivid** pictures of what their goals will look like when they are realized. (학평)
성공적이고 행복한 사람들은 자신들의 목표가 실현되었을 때 그것이 어떻게 보일지에 관한 **생생한** 이미지를 끊임없이 깊이 생각한다.

➕ vividly (부) 생생하게; 선명하게　vividness (명) 생생함; 선명함

0418 accelerate*
[æksélərèit]

(동) 가속하다; 촉진하다

One thing we know is that we live in a world of rapidly **accelerating** change. (학평)
우리가 아는 한 가지는 우리가 빠르게 **가속하는** 변화의 세상에 산다는 것이다.

➕ acceleration (명) 가속(도); 촉진　accelerator (명) 가속 장치

0419 prompt
[prɑmpt]

(동) 촉구하다　(형) 신속한; 즉석의; 시간을 지키는

Competition **prompts** innovation, drives global markets, and puts money in the pocket. (학평)
경쟁은 혁신을 **촉구하고**, 세계 시장을 견인하며, 주머니에 돈을 벌어 준다.

➕ promptness (명) 신속, 기민　promptly (부) 신속히; 즉시

0420 rapid*
[rǽpid]

(형) 신속한; 급히 서두르는

The trade agreement will facilitate more **rapid** economic growth. (EBS)
무역 협정은 더 **빠른** 경제 성장을 촉진할 것이다.

➕ rapidly (부) 빨리, 신속히　rapidity (명) 신속, 민첩

0421 appropriate*
□□
- 형 [əpróupriət]
- 동 [əpróuprièit]

형 알맞은   동 충당하다; 도용하다

We learn at a young age what kind of behavior is **appropriate** or inappropriate. (EBS) 우리는 무슨 행동이 **적절하거나** 부적절한지 어렸을 때 배운다.

➕ **appropriation** 명 도용; 충당   ➖ **inappropriate** 형 부적절한

0422 proper*
□□
[prápər]

형 적당한; 올바른; 고유의, 특유의

Great ideas, like great wines, need **proper** aging. (학평)
위대한 아이디어는 훌륭한 와인과 같이 **적절한** 숙성이 필요하다.

➕ **properly** 부 적절하게; 올바로

» **appropriate** 특정한 목적에 부합할 때 사용함
» **proper** 대부분의 사람들이 가장 적합하다고 생각하는 도구, 장비, 방식을 나타낼 때 사용함

0423 relevant
□□
[réləvənt]

형 관련된; 적절한

When facing a problem, we should consider all **relevant** information.
(학평) 문제에 직면했을 때, 우리는 모든 **관련** 정보를 고려해야 한다.

➕ **relevantly** 부 관련되어; 적절하게   ➖ **irrelevant** 형 무관한; 부적절한

0424 applicable
□□
[ǽplikəbəl]

형 해당되는, 적절한

Quick judgments are equally **applicable** in love and relationship matters too. (학평) 빠른 판단은 사랑과 관계 문제에 동일하게 **적용된다**.

➕ **apply** 동 지원하다; 적용하다

0425 typical*
□□
[típikəl]

형 전형적인; 일반적인

The **typical** peasant in traditional China ate rice for breakfast, for lunch, and for dinner. (학평)
전통적인 중국의 **전형적인** 농부들은 아침, 점심, 저녁으로 밥을 먹었다.

➕ **typically** 부 전형적으로, 일반적으로

0426 neutral*
□□
[njú:trəl]

형 중립의   명 중립(국); 중간색

Emotional memories are more likely to be vividly remembered than **neutral** memories. (학평)
감정적인 기억은 **중립적인** 기억보다 생생하게 기억될 가능성이 높다.

➕ **neutrally** 부 중립적으로   **neutralize** 동 중화하다; 무효화하다

0427 slightly
□□
[sláitli]

부 약간; 약하게

Most people have one foot that is **slightly** larger than the other. (학평)
대부분의 사람들은 한쪽 발이 다른 쪽 발보다 **약간** 더 크다.

0428 considerable
[kənsídərəbəl]

(형) 상당한; 중요한

The great people who have made an impact on the world spent a **considerable** amount of time alone thinking. (학평)
세상에 영향을 끼친 위대한 사람들은 **상당한** 양의 시간을 혼자 생각하면서 보냈다.

➕ **considerably** (부) 상당히, 꽤   ➕ **inconsiderable** (형) 적은; 하찮은

0429 profound
[prəfáund]

(형) 심오한; 난해한

Consciousness is one of the most **profound** puzzles of existence.
(학평) 의식은 존재의 가장 **심오한** 수수께끼 중 하나이다.

➕ **profoundly** (부) 깊이, 심하게

0430 absolutely
[ǽbsəlù:tli]

(부) 절대적으로

Please reconsider whether the proposed trail is **absolutely** necessary. (학평) 제안된 산책로가 **절대적으로** 필요한지 재고해 주시기 바랍니다.

➕ **absolute** (형) 절대적인; 완전한; 확실한

0431 deadly
[dédli]

(형) 치명적인; 극도의   (부) 극도로

Washing hands drastically reduced **deadly** fevers. (EBS)
손 씻기가 **치명적인** 열병을 대폭 감소시켰다.

➕ **deadliness** (명) 치명적임; 맹렬함

0432 exceed*
[iksí:d]

(동) 초과하다

In 2005, the actual number of hurricanes **exceeded** the predicted number of hurricanes. (학평)
2005년에 실제 허리케인의 횟수는 예상된 허리케인의 횟수를 **초과했다**.

0433 extensive
[iksténsiv]

(형) 광대한, 광범위한

Hunter-gatherers held **extensive** knowledge and knew deep secrets of their lands and creatures. (학평)
수렵 채집인들은 **광범위한** 지식을 가졌고 그들의 땅과 생물에 대한 깊은 비밀을 알았다.

➕ **extend** (동) 넓히다, 연장하다   **extensively** (부) 널리, 광범위하게

0434 intense*
[inténs]

(형) 강렬한, 심한; 열정적인

The pressure to conform to the expectations of friends is likely to be **intense**. (학평) 친구들의 기대에 부응해야 한다는 압박감이 **심할** 가능성이 있다.

➕ **intensity** (명) 강렬함; 강도   **intensely** (부) 강렬하게

0435 overwhelming
[òuvərhwélmiŋ]

(형) 압도적인

When we see an adorable creature, we must fight an **overwhelming** urge to squeeze that cuteness. 〔학평〕 우리가 사랑스러운 생명체를 볼 때, 우리는 그 귀여움을 꽉 쥐고 싶은 **압도적인** 충동과 싸워야 한다.

➕ **overwhelmingly** (부) 압도적으로

0436 severe[*]
[sivíər]

(형) 극심한; 엄격한

When you face a **severe** source of stress, you may fight back, reacting immediately. 〔학평〕 **극심한** 스트레스의 요인과 직면했을 때, 당신은 즉각적으로 반응하면서 반격할지도 모른다.

➕ **severely** (부) 극심하게; 엄격하게 **severity** (명) 극심함; 엄격; 가혹

0437 enormous[*]
[inɔ́ːrməs]

(형) 거대한, 엄청난

Tarsiers have **enormous** eyes in comparison with their body size. 〔학평〕 안경원숭이는 몸집에 비해 **거대한** 눈을 갖고 있다.

➕ **enormously** (부) 엄청나게, 매우

How Different

0438 tremendous
[triméndəs]

(형) 엄청나게 큰; 대단한

Josh put **tremendous** effort into achieving his goals. 〔학평〕 Josh는 자신의 목표를 달성하기 위해 **엄청난** 노력을 기울였다.

➕ **tremendously** (부) 엄청나게, 굉장히

0439 vast[*]
[væst]

(형) 광대한, 막대한; 굉장한

Vast numbers of developing countries' doctors were working abroad. 〔학평〕 **막대한** 수의 개발 도상국 의사들이 해외에서 일하고 있었다.

➕ **vastly** (부) 방대하게; 대단히 **vastness** (명) 광대(함)

» **tremendous** 극도로 큰 영향을 미치는 것을 묘사할 때 사용함
» **vast** 극도로 큰 면적, 거리, 숫자, 양을 나타낼 때 사용함

0440 minimize
[mínəmàiz]

(동) 최소화하다; 축소하다

Our constant goal is to maximize rewards and **minimize** costs. 〔학평〕 우리의 지속적인 목표는 보상을 최대화하고 비용을 **최소화하는** 것이다.

➕ **minimal** (형) 최소의 **minimum** (형) 최소의 (부) 최소한 (명) 최소
➖ **maximize** (동) 최대화하다; 최대한 활용하다

성질·정도 서술
Use Words

빈칸을 채우며 단어를 외우고, 쓰면서 한 번 더 익히세요.

01 take an _____ from fishing   낚시에 비유하다

analogy   analogy

02 achieve _____ results   비슷한 결과를 달성하다

similar

03 the double _____ of wants   욕망의 이중적 일치

coincidence

04 The two halves of the document _____.
문서의 두 반쪽이 일치한다.

correspond

05 a more _____ society   더 평등한 사회

equal

06 _____ twin sons   일란성 쌍둥이 아들

identical

07 a _____ standard   동일한 기준

uniform

08 _____ with the idea   그 생각에 동의하지 않다

disagree

09 face prejudice and _____   편견과 차별에 직면하다

discrimination

10 twin with _____ identities   뚜렷한 정체성을 가진 쌍둥이

distinct

11 in the midst of the _____   혼돈의 한가운데에서

chaos

12 an overly _____ word   지나치게 어려운 단어

complicated

13 _____ the poisonous and edible mushrooms
독버섯과 식용 버섯을 혼동하다

confuse

14 overcome the economic _____   경제 위기를 극복하다

crisis

15 for no _____ reason   명백한 이유 없이

apparent

16 _____ wrong   확실히 틀린

definitely

17 intensely _____ memories   강렬하게 선명한 기억들

vivid

18 the ability to _____ and run   속력을 내서 달릴 수 있는 능력

accelerate

19 too limited to _____ emotions   감정을 자극하기에는 너무 제한적인

prompt

20	with shallow, _____ breathing 얕고 빠른 숨으로	rapid
21	clothing _____ for the temperature 기온에 알맞은 의류	appropriate
22	have _____ expectations 적당한 기대를 가지다	proper
23	consider all _____ information 모든 관련 정보를 고려하다	relevant
24	be universally _____ 보편적으로 적용되다	applicable
25	_____ patterns of interaction 상호 작용의 전형적인 패턴	typical
26	adopt a _____ position 중립적인 입장을 취하다	neutral
27	a _____ slower train 약간 더 느린 기차	slightly
28	a _____ amount of time 상당한 양의 시간	considerable
29	the most _____ puzzle 가장 심오한 수수께끼	profound
30	be _____ sure 절대적으로 확신하다	absolutely
31	_____ fevers 치명적인 열병	deadly
32	_____ the expected costs 예상 비용을 초과하다	exceed
33	_____ knowledge of the stars 별에 대한 광범위한 지식	extensive
34	under _____ pressure 강렬한 압박하에	intense
35	an _____ urge 압도적인 충동	overwhelming
36	a _____ source of stress 극심한 스트레스의 요인	severe
37	filter an _____ amount of water 엄청난 양의 물을 여과하다	enormous
38	the _____ value of network analysis 네트워크 분석의 큰 가치	tremendous
39	the _____ majority of Germans 막대한 다수의 독일인	vast
40	_____ harm to pedestrians 보행자들의 피해를 최소화하다	minimize

			check
0401 **analogy**	명 비슷함; 유추, 비유	☐
0402 **similar**	형 비슷한, 유사한	☐
0403 **coincidence**	명 (우연의) 일치, 동시 발생	☐
0404 **correspond**	동 일치하다; 서신을 주고받다	☐
0405 **equal**	형 동등한 명 대등한 사람 동 ~와 같다	☐
0406 **identical**	형 일치하는	☐
0407 **uniform**	형 동일한; 획일적인 명 제복	☐
0408 **disagree**	동 의견이 다르다	☐
0409 **discrimination**	명 구별; 차별	☐
0410 **distinct**	형 별개의; 뚜렷한	☐
0411 **chaos**	명 혼돈; 무질서	☐
0412 **complicated**	형 복잡한, 알기 어려운	☐
0413 **confuse**	동 혼동하다; 혼란시키다	☐
0414 **crisis**	명 위기; (병의) 고비	☐
0415 **apparent**	형 명백한; 외견상의	☐
0416 **definitely**	부 확실히, 틀림없이	☐
0417 **vivid**	형 생기 있는; 선명한	☐
0418 **accelerate**	동 가속하다; 촉진하다	☐
0419 **prompt**	동 촉구하다 형 신속한	☐
0420 **rapid**	형 신속한; 급히 서두르는	☐

			check
0421 **appropriate**	형 알맞은 동 충당하다	☐
0422 **proper**	형 적당한; 올바른; 고유의	☐
0423 **relevant**	형 관련된; 적절한	☐
0424 **applicable**	형 해당되는, 적절한	☐
0425 **typical**	형 전형적인; 일반적인	☐
0426 **neutral**	형 중립의 명 중립(국)	☐
0427 **slightly**	부 약간; 약하게	☐
0428 **considerable**	형 상당한; 중요한	☐
0429 **profound**	형 심오한; 난해한	☐
0430 **absolutely**	부 절대적으로	☐
0431 **deadly**	형 치명적인; 극도의 부 극도로	☐
0432 **exceed**	동 초과하다	☐
0433 **extensive**	형 광대한, 광범위한	☐
0434 **intense**	형 강렬한, 심한; 열정적인	☐
0435 **overwhelming**	형 압도적인	☐
0436 **severe**	형 극심한; 엄격한	☐
0437 **enormous**	형 거대한, 엄청난	☐
0438 **tremendous**	형 엄청나게 큰; 대단한	☐
0439 **vast**	형 광대한, 막대한; 광장한	☐
0440 **minimize**	동 최소화하다; 축소하다	☐

외우지 못한 단어가 있으면 미니 단어장에서 다시 한번 정리해 보세요.

DAY 12

출현, 선택, 주고받기

| Word Map에 주제별로 분류된 단어의 뜻을 유추하여 빈칸에 쓰세요. |

드러남
- disclose — 폭로하다; 드러내다
- display — 전시; 전시하다
- exhibit — 전시하다; 전시품
- detect — 탐지하다, 발견하다
- appear —
- arise — 발생하다; 유발되다
- emerge — 나오다; 드러나다
- exposure —
- imply — 암시하다; 의미하다
- indicate — 나타내다; 가리키다
- demonstrate — 입증하다; 보여 주다
- illustrate — 설명하다, 예시하다

숨김
- disguise —
- fade — 서서히 사라지다
- pretend — ~인 척하다; 가짜의

선택
- alternative —
- opportunity — 기회

추가
- additional — 추가의
- appendix — 부록; 맹장
- attach —

제외
- remove —
- eliminate — 완전히 없애다; 탈락시키다
- cancel — 취소하다; 무효화하다
- exception — 예외
- exclude —
- filter — 여과 (장치); 여과하다
- isolation — 고립; 분리, 격리

주기
- assign — 할당하다; 부여하다
- commit — 저지르다; 전념하다
- deliver —
- grant — 부여하다; 보조금
- input — 입력; 투입; 입력하다
- refer —

받기
- accept — 받아들이다, 수락하다
- admit — 인정하다; 들어가게 하다
- obtain — 입수하다; 통용되다
- acquire —
- inherit — 상속받다, 물려받다
- capture — 포로로 잡다; 포획
- reception — 받아들임; 환영회

출현, 선택, 주고받기

📖 가리개를 사용하여 뜻을 잘 암기했는지 확인하세요.

0441 **disclose***
□□
[disklóuz]

(동) 폭로하다; 드러내다

Americans even show a willingness to **disclose** information about themselves to strangers. 학평
미국인들은 심지어 낯선 사람들에게 그들 자신에 대한 정보를 기꺼이 **드러내려고** 한다.

➕ **disclosure** (명) 폭로; 드러난 일

0442 **display***
□□
[displéi]

(명) 전시 (동) 전시하다; 드러내다

You may **display** up to three campaign posters in the designated areas. 학평 여러분은 지정된 구역에 선거 운동 포스터를 3개까지 **게시할** 수 있습니다.

0443 **exhibit***
□□
[igzíbit]

(동) 전시하다 (명) 전시품; 증거물

Please do not touch or climb on the **exhibits**. 학평
전시품에 손을 대거나 올라타지 마세요.

➕ **exhibition** (명) 전시회

0444 **detect***
□□
[ditékt]

(동) 탐지하다, 발견하다

Each species of animals can **detect** a different range of odors. 학평
각 종의 동물들은 다른 범위의 냄새를 **탐지할** 수 있다.

➕ **detection** (명) 탐지 **detectable** (형) 탐지할 수 있는

0445 **appear***
□□
[əpíər]

(동) ~인 것 같다; 등장하다

Dragons **appear** in many tales throughout human history. 학평
인류 역사를 통틀어 많은 이야기에서 용이 **등장한다**.

➕ **appearance** (명) 외모; 출현

0446 **arise***
□□
[əráiz]

(동) 발생하다; 유발되다

After a certain age, anxieties **arise** when sudden cultural changes are coming. 학평 특정 연령 이후에는 갑자기 문화적 변화가 닥치면 불안감이 **발생한다**.

0447 **emerge***
□□
[imə́:rdʒ]

(동) 나오다; 드러나다

The crowd saw a firefighter **emerge** from the building with Kris. 학평
군중들은 소방관이 Kris와 함께 건물 밖으로 **나오는** 것을 보았다.

➕ **emergence** (명) 출현; 탈출 **emerging** (형) 최근 생겨난

0448 exposure
[ikspóuʒər]

[명] 노출; 폭로; 알려짐

Direct **exposure** to ultraviolet light can cause some negative effects on the skin. [학평] 자외선에 직접 **노출**되면 피부에 부정적인 영향을 일으킬 수 있다.

[+] expose [동] 노출하다; 폭로하다 exposed [형] 드러난, 노출된

0449 imply
[implái]

[동] 암시하다; 의미하다

The blue lights, which mimicked the lights atop police cars, seemed to **imply** that the police were always watching. [학평] 경찰차 위 불빛을 흉내 낸 파란 불빛은 경찰이 항상 지켜보고 있다는 것을 **암시하는** 듯했다.

[+] implication [명] 암시; (예상되는) 결과; 연루

How Different

0450 indicate*
[índikèit]

[동] 나타내다; 시사하다; 가리키다

The low number of shark attacks **indicates** that sharks do not feed on humans by nature. [학평]
상어 공격 횟수가 적다는 것은 이들이 본래 사람을 잡아먹지 않음을 **나타낸다**.

[+] indication [명] 표시 indicator [명] 지표

0451 demonstrate*
[démənstrèit]

[동] 입증하다; 보여 주다; 시위하다

Join our annual Young Filmmakers Contest, and **demonstrate** your filmmaking skills! [학평] 연례 행사인 저희 〈젊은 영화인 경연〉에 참여하셔서 여러분의 영화 제작 기술을 **보여 주세요**.

[+] demonstration [명] 입증; 표현; 시위

» indicate 자료나 단서 등을 통해 간접적으로 시사하거나 암시함
» demonstrate 실제로 보여 주어 명확하게 함. 과학적인 내용이나 작동 방식 등을 보여 줄 때 사용함

0452 illustrate*
[íləstrèit]

[동] 설명하다, 예시하다; 삽화를 넣다

Charles Henry Turner **illustrated** that insects can alter behavior based on previous experience. [학평] Charles Henry Turner는 곤충이 이전의 경험을 바탕으로 행동을 바꿀 수 있다고 **설명했다**.

[+] illustration [명] 예시; 삽화

0453 disguise
[disgáiz]

[동] 위장하다; 숨기다 [명] 변장 (도구)

The insect **disguises** itself so that enemies often aren't able to distinguish it from real leaves. [학평]
그 곤충은 적들이 종종 실제 나뭇잎과 구별할 수 없도록 스스로를 **위장한다**.

0454 fade*
[feid]

(동) 서서히 사라지다; 흐릿해지다; 쇠약해지다

Ester looked out her window and saw the rain slowly beginning to **fade**. 학평 Ester는 창밖을 내다보고 비가 **서서히 잦아들기** 시작하는 것을 보았다.

0455 pretend*
[priténd]

(동) ~인 척하다; 속이다   (형) 가짜의

When you accidentally catch someone's gaze, you probably **pretend** you are looking at something else. 학평 여러분이 우연히 어느 사람과 눈이 마주치면, 여러분은 아마도 다른 것을 보는 **척할** 것이다.

0456 alternative*
[ɔːltə́ːrnətiv]

(형) 대안이 되는   (명) 대안

For many children, the library is the one place that provides a secure, supervised **alternative** to being home alone. 학평 많은 어린이들에게 도서관은 혼자 집에 있는 것에 대한, 안전하고 관리 가능한 **대안**을 제공하는 유일한 장소이다.

alternative energy 대체 에너지
➕ **alternatively** (부) 그 대신에   **alternate** (형) 번갈아 하는 (동) 번갈아 일어나다

0457 opportunity*
[àpərtjúːnəti]

(명) 기회

Milton Dance Studio is pleased to offer your kids the **opportunity** to learn dancing during the summer. 학평 Milton 댄스 스튜디오는 여름 동안 여러분의 아이들에게 춤을 배울 수 있는 **기회**를 제공하게 되어 기쁩니다.

0458 additional
[ədíʃənəl]

(형) 추가의

I would like to ask if you might consider giving an **additional** week to consider your offer. 학평
귀하의 제안을 고려할 수 있게 **추가로** 일주일을 더 주실 수 있는지 여쭙고 싶습니다.

➕ **addition** (명) 추가(된 것); 덧셈   **additionally** (부) 게다가

0459 appendix
[əpéndiks]

(명) 부록; 맹장

Is it true that a human being can survive without an **appendix**? 학평
인간이 **맹장** 없이 생존할 수 있다는 것이 사실인가요?

0460 attach*
[ətǽtʃ]

(동) 붙이다, 첨부하다

Have you ever sent an email saying there is a document **attached** without actually **attaching** the document? 학평 여러분은 실제로 문서를 **첨부하지** 않고 **첨부된** 문서가 있다고 쓴 이메일을 보낸 적이 있는가?

➕ **attachment** (명) 애착; 부가 (장치); 첨부 파일

0461 remove[*]
[rimúːv]

동 없애다; 내보내다; 벗다

Can you **remove** the poster from the bulletin board? 학평
게시판에서 포스터를 **떼** 주시겠어요?

➕ removal 명 제거

0462 eliminate[*]
[ilímənèit]

동 완전히 없애다; 탈락시키다

You cannot **eliminate** distractions, but you can learn to live with them. 학평
집중을 방해하는 것을 **없앨** 수는 없지만, 그것과 함께 사는 법은 배울 수 있다.

➕ elimination 명 제거, 배제

» **remove** 함께 있던 것들로부터 그중 일부를 따로 분리함
» **eliminate** 영구적으로 완전히 없앰

0463 cancel[*]
[kǽnsəl]

동 취소하다; 무효화하다

We offer full refunds if you **cancel** at least 10 days in advance. 학평
귀하께서 적어도 10일 전에 미리 **취소하신다면** 저희는 전액 환불을 제공합니다.

➕ cancellation 명 취소; 무효화

0464 exception
[iksépʃən]

명 예외

Without **exception**, the hero and heroine live happily ever after in the classical fairy tale. 학평
고전 동화에서 남녀 주인공은 **예외** 없이 그 후로 행복하게 산다.

with the exception of ~은 예외로 하고
➕ exceptional 형 예외적인; 특별한   exceptionally 부 예외적으로

0465 exclude[*]
[iksklúːd]

동 제외하다, 배제하다

No one wants to be **excluded** or be the one to **exclude** others.
누구도 **제외당하거나**, 다른 이들을 **제외하는** 이가 되고 싶지 않다.

➕ exclusion 명 제외, 배제

0466 filter[*]
[fíltər]

명 여과 (장치)   동 여과하다

Houseplants are by far the best way to **filter** indoor air. 학평
화초는 실내 공기를 **여과하는** 단연코 가장 좋은 방법이다.

0467 isolation
[àisəléiʃən]

명 고립; 분리, 격리

Social **isolation** leads people to make risky financial decisions. 학평
사회적 **고립**은 사람들로 하여금 재정적으로 위험한 결정을 내리도록 만든다.

➕ isolate 동 분리하다   isolated 형 고립한; 격리된

0468 assign*
[əsáin]

(동) 할당하다; 부여하다

Good managers have learned to overcome the initial feelings of anxiety when **assigning** tasks. 학평
훌륭한 관리자들은 업무를 **할당할** 때 처음 느끼는 불안감을 극복하는 법을 배워 왔다.

➕ assignment (명) 과제, 숙제; 배정, 배치

0469 commit*
[kəmít]

(동) 저지르다; (엄숙히) 약속하다; 전념하다

People who **commit** serious crimes should be imprisoned so they can no longer hurt people.
심각한 범죄를 **저지른** 이들은 그들이 더 이상 사람을 해치지 못하도록 투옥되어야 한다.

➕ commitment (명) 약속; 헌신   committed (형) 헌신적인

0470 deliver*
[dilívər]

(동) 배달하다; (연설, 강연을) 하다; 출산하다

I'll have enough time to **deliver** the product to you. 학평
제게는 귀하에게 제품을 **배달할** 시간이 충분히 있을 것입니다.

➕ delivery (명) 배달; 출산

0471 grant*
[grænt]

(동) 부여하다; 승낙하다   (명) 보조금

It was here that the kings were crowned and **granted** their power. 학평
왕들이 왕위에 오르고 그들의 권력을 **부여받은** 것은 바로 여기였다.

take ~ for granted ~을 당연시하다

0472 input*
[ínput]

(명) 입력; 투입   (동) 입력하다

For a set of **inputs**, the robot will always produce the same output.
학평 일련의 **입력**에 대해 그 로봇은 항상 같은 결과를 낼 것이다.

0473 refer*
[rifə́:r]

(동) 언급하다; 참고하다; 나타내다

Obesity **refers** to having too much fat in our body. 학평
비만은 우리 몸에 지방이 너무 많은 것을 **나타낸다**.

➕ reference (명) 언급; 참조; 추천서; 참고 문헌

0474 accept*
[æksépt]

(동) 받아들이다, 수락하다

I was so delighted to learn that you have been **accepted** to Royal Holloway. 학평
당신이 Royal Holloway에 **합격했다는** 것을 알게 되어 매우 기뻤습니다.

➕ acceptable (형) 받아들일 수 있는, 용인되는   acceptance (명) 수락

0475 **admit**[*]
[ædmít]

(동) 인정하다; 들어가게 하다

When you don't know something, **admit** it as quickly as possible and immediately take action. 학평
여러분에게 모르는 것이 있으면 가능한 한 빨리 그것을 **인정하고** 즉시 조치를 취하라.

➕ **admission** (명) 인정, 시인; 들어감, 입학　**admittance** (명) 입장 (허가)

How Different

0476 **obtain**[*]
[əbtéin]

(동) 입수하다; 통용되다

People are attracted to individuals and things they cannot readily **obtain**. 학평
사람들은 그들이 쉽게 **얻을** 수 없는 사람과 사물들에 끌린다.

0477 **acquire**[*]
[əkwáiər]

(동) 습득하다, 취득하다

Teachers encourage students to **acquire** teamwork skills. 학평
교사들은 학생들이 팀워크 기술을 **습득하도록** 독려한다.

➕ **acquisition** (명) 습득, 취득

» **obtain** 목표로 했던 바를 얻기 위해 노력을 기울인 끝에 얻음
» **acquire** 주로 지식, 기술 등의 가치를 시간을 들여 습득함

0478 **inherit**
[inhérit]

(동) 상속받다, 물려받다

What you **inherited** and live with will become the inheritance of future generations. 학평
당신이 **물려받아** 함께 산 것이 미래 세대의 유산이 될 것이다.

➕ **inheritance** (명) 유산; 상속, 유전

0479 **capture**[*]
[kǽptʃər]

(동) 포로로 잡다; 포착하다　(명) 포획

Today, much taller wind towers are being used to **capture** the power of wind. 학평
오늘날에는 바람의 힘을 **포착하기** 위해 훨씬 더 높은 풍력 탑이 사용되고 있다.

0480 **reception**[*]
[risépʃən]

(명) 받아들임; 환영회; 접수처

Bing skipped the **reception**, skipped dinner, and stayed up all night thinking about the problem. 학평
Bing은 **환영회**도 거르고, 저녁도 거르고, 밤새워 그 문제에 대해 생각했다.

➕ **receive** (동) 받다　**receptive** (형) 수용적인

출현, 선택, 주고받기
Use Words

빈칸을 채우며 단어를 외우고, 쓰면서 한 번 더 익히세요.

01	.... information about oneself 자신에 관한 정보를 드러내다	disclose disclose
02	.... campaign posters 선거 운동 포스터를 게시하다	display
03	.... one's artwork 작품을 전시하다	exhibit
04	.... a different range of odors 다른 범위의 냄새를 탐지하다	detect
05	.... to be an impossible task 불가능한 일인 것 같다	appear
06	when an opportunity .... s 기회가 생길 때	arise
07	.... from the building 건물 밖으로 나오다	emerge
08	direct .... to ultraviolet light 자외선에의 직접적 노출	exposure
09	as the examples .... 예시들이 암시하듯이	imply
10	.... a small chair 작은 의자를 가리키다	indicate
11	.... their capabilities as athletes 선수로서 그들의 역량을 보여 주다	demonstrate
12	.... the point with diagrams 도표로 요점을 예시하다	illustrate
13	.... oneself as a leaf 스스로를 나뭇잎처럼 위장하다	disguise
14	.... away with time 시간이 지남에 따라 서서히 사라지다	fade
15	.... to look at something else 다른 것을 본 척하다	pretend
16	.... energy 대체 에너지	alternative
17	the .... to learn dancing 춤을 배울 수 있는 기회	opportunity
18	collect .... information 추가 정보를 모으다	additional
19	survive without an .... 맹장 없이 생존하다	appendix

20 without _____ing the document 문서를 첨부하지 않고   attach

21 _____ the label 라벨을 없애다   remove

22 _____ the paperwork problem 서류 문제를 완전히 없애다   eliminate

23 _____ the appointment 약속을 취소하다   cancel

24 the _____ to the rule 규칙의 예외   exception

25 _____ the possibility 가능성을 배제하다   exclude

26 install a _____ 여과 장치를 설치하다   filter

27 people living in social _____ 사회적 고립 속에 사는 사람들   isolation

28 _____ rooms to students 학생들에게 방을 배정하다   assign

29 _____ crimes 범죄를 저지르다   commit

30 _____ the product 그 제품을 배달하다   deliver

31 _____ a visa to visit the UK 영국 방문 비자를 부여하다   grant

32 an important _____ 중요한 투입   input

33 _____ to the matter 그 문제를 언급하다   refer

34 _____ the offer 제안을 받아들이다   accept

35 _____ to having shared a fake news story   admit
가짜 뉴스 기사를 공유했던 것을 인정하다

36 _____ information from the Internet 인터넷에서 정보를 얻다   obtain

37 _____ teamwork skills 팀워크 기술을 습득하다   acquire

38 _____ a fortune from one's grandmother   inherit
할머니로부터 재산을 상속받다

39 _____ the rebel leader 반란 지도자를 포로로 잡다   capture

40 get a warmer _____ 더 따뜻한 환영을 받다   reception

출현, 선택, 주고받기
3-Minute Check

		check				check
0441 **disclose**	동 폭로하다; 드러내다	☐	0461 **remove**	동 없애다; 내보내다; 벗다	☐
0442 **display**	명 전시 동 전시하다	☐	0462 **eliminate**	동 완전히 없애다; 탈락시키다	☐
0443 **exhibit**	동 전시하다 명 전시품	☐	0463 **cancel**	동 취소하다; 무효화하다	☐
0444 **detect**	동 탐지하다, 발견하다	☐	0464 **exception**	명 예외	☐
0445 **appear**	동 ~인 것 같다; 등장하다	☐	0465 **exclude**	동 제외하다, 배제하다	☐
0446 **arise**	동 발생하다; 유발되다	☐	0466 **filter**	명 여과 (장치) 동 여과하다	☐
0447 **emerge**	동 나오다; 드러나다	☐	0467 **isolation**	명 고립; 분리, 격리	☐
0448 **exposure**	명 노출; 폭로; 알려짐	☐	0468 **assign**	동 할당하다; 부여하다	☐
0449 **imply**	동 암시하다; 의미하다	☐	0469 **commit**	동 저지르다; 약속하다	☐
0450 **indicate**	동 나타내다; 시사하다	☐	0470 **deliver**	동 배달하다; 출산하다	☐
0451 **demonstrate**	동 입증하다; 보여 주다	☐	0471 **grant**	동 부여하다 명 보조금	☐
0452 **illustrate**	동 설명하다, 예시하다	☐	0472 **input**	명 입력; 투입 동 입력하다	☐
0453 **disguise**	동 위장하다; 숨기다 명 변장 (도구)	☐	0473 **refer**	동 언급하다; 참고하다	☐
0454 **fade**	동 서서히 사라지다	☐	0474 **accept**	동 받아들이다, 수락하다	☐
0455 **pretend**	동 ~인 척하다 형 가짜의	☐	0475 **admit**	동 인정하다; 들어가게 하다	☐
0456 **alternative**	형 대안이 되는 명 대안	☐	0476 **obtain**	동 입수하다; 통용되다	☐
0457 **opportunity**	명 기회	☐	0477 **acquire**	동 습득하다, 취득하다	☐
0458 **additional**	형 추가의	☐	0478 **inherit**	동 상속받다, 물려받다	☐
0459 **appendix**	명 부록; 맹장	☐	0479 **capture**	동 포착하다 명 포획	☐
0460 **attach**	동 붙이다; 첨부하다	☐	0480 **reception**	명 받아들임; 환영회; 접수처	☐

외우지 못한 단어가 있으면 미니 단어장에서 다시 한번 정리해 보세요.

☑ANSWERS p.458

A 영어는 우리말로, 우리말은 영어로 쓰시오.

01	slightly		21	압도적인
02	neutral		22	전형적인
03	respectable		23	단정한; 정돈하다
04	rapid		24	탐나는, 바람직한
05	pretend		25	취소하다
06	precious		26	극심한; 엄격한
07	gorgeous		27	교양 있는
08	definitely		28	일치하지 않다
09	analogy		29	가속하다
10	intense		30	나오다; 드러나다
11	arise		31	본질; 정유
12	crucial		32	전시; 전시하다
13	enormous		33	탐지하다
14	assign		34	안락; 위로하다
15	unusual		35	동일한; 제복
16	capture		36	(우연의) 일치
17	confuse		37	심오한
18	exceed		38	받아들이다
19	vivid		39	훌륭한; 영리한
20	dignity		40	최선[최적]의

B 네모 안에서 알맞은 단어를 고르시오.

01 Numbers were invented to describe precise / enormous amounts.

02 Charles Dickens' works have been widely read and still enjoy great dignity / popularity .

03 Ideas about how much disclosure is typical / appropriate vary among cultures.

04 Direct input / exposure to ultraviolet light can cause some negative effects on the skin.

C 각 문장이 우리말과 일치하도록 빈칸에 알맞은 말을 쓰시오.

01 Your .... as a world-class violinist precedes you.
    세계적인 바이올리니스트로서 당신의 평판이 자자하다.

02 It was here that the kings were crowned and .... their power.
    왕들이 왕위에 오르고 그들의 권력을 부여받은 것은 바로 여기였다.

03 Seeking .... relationships has long been vital for human survival.
    의미 있는 관계를 추구하는 것은 오랫동안 인간의 생존에 필수적이었다.

04 The low number of shark attacks .... that sharks do not feed on
    humans by nature.
    상어 공격 횟수가 적다는 것은 이들이 본래 사람을 잡아먹지 않음을 나타낸다.

05 The great people who have made an impact on the world spent a ....
    amount of time alone thinking.
    세상에 영향을 끼친 위대한 사람들은 상당한 양의 시간을 혼자 생각하면서 보냈다.

D 우리말이 영어 문장과 일치하도록 빈칸에 알맞은 말을 쓰시오.

01 For many young people, peers are of significant importance.
    많은 젊은이들에게 또래 친구들은 매우 ....

02 Our constant goal is to maximize rewards and minimize costs.
    우리의 지속적인 목표는 보상을 최대화하고 비용을 .... 것이다.

03 Please do not touch or climb on the exhibits.
    .... 들에 손을 대거나 올라타지 마세요.

04 Milton Dance Studio is pleased to offer your kids the opportunity to learn dancing
    during the summer.
    Milton 댄스 스튜디오는 여름 동안 여러분의 아이들에게 춤을 배울 수 있는 .... 를
    제공하게 되어 기쁩니다.

05 The blue lights, which mimicked the lights atop police cars, seemed to imply that the
    police were always watching.
    경찰차 위 불빛을 흉내 낸 파란 불빛은 경찰이 항상 지켜보고 있다는 것을 .... 듯했다.

국가

| Word Map에 주제별로 분류된 단어의 뜻을 유추하여 빈칸에 쓰세요. |

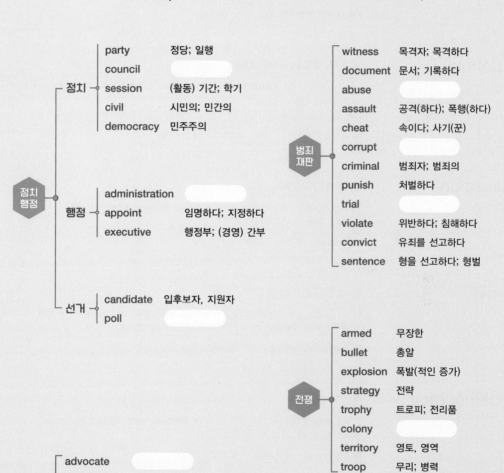

정치행정

정치
- party 정당; 일행
- council
- session (활동) 기간; 학기
- civil 시민의; 민간의
- democracy 민주주의

행정
- administration
- appoint 임명하다; 지정하다
- executive 행정부; (경영) 간부

선거
- candidate 입후보자, 지원자
- poll

범죄 재판
- witness 목격자; 목격하다
- document 문서; 기록하다
- abuse
- assault 공격(하다); 폭행(하다)
- cheat 속이다; 사기(꾼)
- corrupt
- criminal 범죄자; 범죄의
- punish 처벌하다
- trial
- violate 위반하다; 침해하다
- convict 유죄를 선고하다
- sentence 형을 선고하다; 형벌

전쟁
- armed 무장한
- bullet 총알
- explosion 폭발(적인 증가)
- strategy 전략
- trophy 트로피; 전리품
- colony
- territory 영토, 영역
- troop 무리; 병력

법률
- advocate
- attorney 변호인; 대리인
- legal 법률의; 합법적인
- principle
- regulate 규제하다, 조절하다
- standard 표준(의); 수준; 규범
- constitution 헌법; 구성

국제 외교
- globalization 국제화, 세계화
- immigration
- ambassador 대사

DAY 13 국가

가리개를 사용하여 뜻을 잘 암기했는지 확인하세요.

0481 **party**
[pá:rti]

명 정당; 일행; (계약, 소송의) 당사자

There is ample evidence that sharing information about third **parties** is essential to communal life. EBS
제삼자에 대한 정보를 공유하는 것이 공동생활에 필수적이라는 충분한 증거가 있다.

the political party 정당

0482 **council***
[káunsəl]

명 회의, 협의회, (지방) 의회

I urge the city **council** to cancel the plan to close libraries on Mondays. 학평
저는 도서관을 월요일마다 닫으려는 계획을 취소할 것을 시 **의회**에 촉구합니다.

유 **assembly** 명 의회; 집회 **committee** 명 위원회

0483 **session***
[séʃən]

명 (활동) 기간; 학기

The schedule includes a question and answer **session**. 학평
일정에는 질의응답 **시간**이 포함된다.

in session 개회 중의, 회기 중의

0484 **civil***
[sívəl]

형 시민의; 민간의; 문명의

The congresswoman spoke out for **civil** rights and women's. 학평
그 여성 의원은 **시민**권과 여성의 권리를 위해 목소리를 냈다.

+ **civilization** 명 문명 (사회) **civilian** 명 일반인, 민간인

0485 **democracy***
[dimákrəsi]

명 민주주의

The Greeks developed the idea of **democracy**. 학평
그리스인들은 **민주주의** 사상을 발전시켰다.

+ **democratic** 형 민주주의의, 민주적인

0486 **administration**
[ædmìnəstréiʃən]

명 행정(부); 경영; 집행

Alfred Chandler was an economic historian whose work centered on the study of business history and **administration**. 학평
Alfred Chandler는 경영사학과 **경영**학을 집중적으로 연구했던 경제사학자였다.

+ **administer** 동 관리하다, 운영하다

0487 appoint*
[əpɔ́int]

동 임명하다; 지정하다

In 1849, Boole was **appointed** the first professor of mathematics at Queen's College. 학평 1849년, Boole는 퀸스 대학 최초의 수학 교수로 **임명되었다**.

➕ appointment 명 약속; 임명
🟰 assign 동 (임무를) 주다, 배정하다, 선임하다

0488 executive
[igzékjətiv]

명 (the ~) 행정부; (경영) 간부   형 실행의

Houston Airport **executives** faced plenty of complaints regarding baggage claim time. 학평
휴스턴 항공의 **경영진**은 수하물 수취 시간과 관련한 수많은 불만에 직면했다.

executive powers 행정권
➕ execution 명 실행, 수행

0489 candidate*
[kǽndidèit]

명 입후보자, 지원자

Rude behavior toward other **candidates** are not allowed. 학평
다른 **후보자**를 향한 무례한 행동은 용납되지 않습니다.

0490 poll*
[poul]

명 여론 조사; 투표(수)   동 여론 조사를 하다

Charlie Plumb, a U.S. Navy jet pilot, was selected as one of the top speakers in a **poll** of U.S. meeting planners. 학평
미국 해군 전투기 조종사인 Charlie Plumb은 미국 회의 기획자들 대상의 **여론 조사**에서 최고의 연설가들 중 한 명으로 선정되었다.

🟰 survey 명 실문 조사(나수의 실문 포함)

How Different

0491 advocate*
명 [ǽdvəkit]
동 [ǽdvəkèit]

명 옹호자; 변호인   동 옹호하다, 지지하다

In Greece, **advocates** for policy changes would make their cases before citizen juries. 학평 그리스에서 정책 변화를 **옹호하는 자들**은 시민 배심원단 앞에서 자신들의 주장을 펼치곤 했다.

➕ advocacy 명 옹호, 변호

0492 attorney
[ətɔ́ːrni]

명 변호인; 대리인

I have spoken with our **attorneys** and have decided to take the necessary legal action to solve this matter. EBS 저는 저희 **변호사들**과 이야기를 했고, 이 문제를 해결하기 위해 필요한 법적 조치를 취하기로 결정했습니다.

» **advocate** 누군가를 법정에서 변호해 주는 직업인의 의미로도 쓰이지만, 특정 정책이나 안에 대한 옹호자, 지지자를 주로 가리킴
» **attorney** 미국에서 법적 대리인의 의미로 주로 사용하며, 특히 법정에서 활동하는 법조인을 가리킴

0493
legal*
[líːgəl]

(형) 법률의; 합법적인

Free **legal** advice should be offered to more people. 학평
더 많은 사람들에게 무료 **법률** 조언이 제공되어야 한다.

➕ **legally** (부) 법적으로, 법률상
➖ **illegal** (형) 불법의

0494
principle*
[prínsəpəl]

(명) 원칙, 원리; (과학의) 법칙; 신조

Science fiction helps students see scientific **principles** in action. 학평
공상 과학 소설은 학생들이 실제로 쓰이는 과학적 **원리**를 이해하는 데 도움을 준다.

in principle 원칙적으로; 대체적으로

0495
regulate
[régjəlèit]

(동) 규제하다, 조절하다

Emotions are often seen as something to be **regulated** or managed.
학평 감정은 흔히 **조절되고** 관리되어야 하는 것으로 여겨진다.

➕ **regulation** (명) 규정, 규제   **regulatory** (형) 규제하는

0496
standard*
[stǽndərd]

(명) 표준; 수준; (pl.) 규범   (형) 표준의

Morality is often defined as **standards** for judging right and wrong.
학평 도덕은 흔히 옳고 그름을 판단하는 **기준**으로 정의된다.

➕ **standardize** (동) 표준에 맞추다, 표준화하다

0497
constitution
[kànstətjúːʃən]

(명) 헌법; 구성

Ecuador is the first nation on Earth to put the rights of nature in its
constitution. 학평 에콰도르는 지구상에서 자연권을 **헌법**에 넣은 첫 번째 국가이다.

➕ **constitute** (동) ~이 되다, 구성하다

0498
witness*
[wítnis]

(명) 목격자; 증언   (동) 목격하다; 증언하다

I **witnessed** vehicles traveling far in excess of the speed limit on the
street. 학평   나는 도로에서 제한 속도를 훨씬 초과하여 이동하는 차량들을 **목격했다**.

🔁 **eyewitness** (명) 목격자

0499
document*
[dákjəmənt]

(명) 문서   (동) 기록하다; 기록으로 증명하다

Digital nomads use cloud services to collaborate on a **document**
with clients or peers. 학평 디지털 유목민은 고객 혹은 동료와 **문서**로 공동 작업을
하기 위하여 클라우드 서비스를 사용한다.

➕ **documentary** (명) 다큐멘터리, 기록물 (형) 다큐멘터리의; 문서로 된

0500
☐☐
abuse*
형 [əbjú:s]
동 [əbú:z]

명 남용; 학대; 욕설 　동 남용하다; 학대하다; 욕을 하다

Some people sink into debt because of overspending or credit card **abuse**. 학평 　어떤 사람들은 과소비와 신용 카드 **남용** 때문에 빚에 빠진다.

0501
☐☐
assault
[əsɔ́:lt]

명 공격; 폭행 　동 공격하다; 폭행하다

The army renewed its **assault** on the capital.
그 군대는 수도에 대한 **공격**을 재개했다.

» **abuse** 아동 학대(child abuse)와 같이 가까운 관계에 있거나 돌봐야 할 사람에 대한 폭력적인 대우를 가리킴
» **assault** 주로 신체적인 공격 행위를 묘사하며, 적이 점령한 지역이나 장소를 차지하기 위한 공격을 가리키기도 함

0502
☐☐
cheat
[tʃi:t]

동 속이다 　명 사기(꾼); (시험) 부정행위

Computers are not good at poker because they can't bluff or even **cheat** the way human players do. 학평 　컴퓨터는 인간 참가자처럼 허세를 부리거나 **속임수를 쓸** 수 없기 때문에 포커를 잘 치지 못한다.

➕ **cheater** 명 사기꾼

0503
☐☐
corrupt*
[kərʌ́pt]

형 타락한 　동 타락시키다

Mark Ciavarella was a **corrupt** judge and made frequent misjudgment.
Mark Ciavarella는 **부패한** 판사였고, 오심을 자주 저질렀다.

➕ **corruption** 명 부패

0504
☐☐
criminal*
[krímənl]

명 범죄자 　형 범죄의; 형사상의; 죄악의

DNA left behind at the scene of a crime has been used to prosecute **criminals**. 학평
범죄 현장에 남겨진 DNA는 **범죄자들**을 기소하는 데 사용되어 왔다.

➕ **crime** 명 범죄, 범행

0505
☐☐
punish*
[pʌ́niʃ]

동 처벌하다

Seeing the overcooked food, the rich man got angry and **punished** the slave. 학평 　너무 익힌 음식을 보고 부유한 남자는 화가 나서 노예를 **처벌했다**.

➕ **punishment** 명 처벌, 형벌

0506
☐☐
trial*
[tráiəl]

명 재판; 시도; 골칫거리

Jurors are called to proceed the **trial**, or to help set a penalty or final judgement. 학평
배심원들은 **재판**을 진행하거나 처벌 또는 최종 판결을 하는 데 도움을 주도록 소집된다.

bring ~ to trial ~을 재판에 회부하다

0507 violate

[váiəlèit]

(동) 위반하다; 침해하다

Lawyers usually defend clients for **violating** laws. EBS
변호사들은 주로 법을 **위반한** 의뢰인을 변호한다.

➕ violation (명) 위반; 침해

How Different

0508 convict*

(동) [kənvíkt]
(명) [kánvikt]

(동) 유죄를 선고하다   (명) 죄인, 죄수

Two brothers were **convicted** of stealing sheep. 학평
두 형제는 양을 훔친 죄로 **유죄** 판결을 받았다.

➕ conviction (명) 유죄 선고[판결]; 확신   ➡ prisoner (명) 죄수

0509 sentence*

[séntəns]

(동) 형을 선고하다   (명) 형벌; 선고

Molly made a complete confession in court, and was **sentenced** to 3 years in prison. Molly는 법정에서 모두 자백했고, 징역 3년을 **선고받았다.**

be sentenced to death 사형 선고를 받다

» **convict** 법정에서 피고인에게 죄가 있음을 선언하는 행위를 가리킴
» **sentence** 유죄 판결을 받은 피고인에게 판사가 형량을 선고하는 행위를 가리킴

0510 armed

[ɑːrmd]

(형) 무장한

Armed with scientific knowledge, people build tools and machines that make our lives much better. 학평
과학적 지식으로 **무장한** 사람들은 우리의 삶을 훨씬 더 낫게 만드는 도구와 기계를 만든다.

➕ arm (동) 무장하다 (명) (pl.) 무기   armor (명) 갑옷

0511 bullet*

[búlit]

(명) 총알

During World War II, the planes that returned tended to have **bullet** holes along the wings. 학평 제2차 세계 대전 기간에, 돌아온 비행기들은 날개 부분을 따라 **총알** 구멍을 갖고 있는 경향이 있었다.

0512 explosion

[iksplóuʒən]

(명) 폭발(적인 증가)

During the 1800s, printing became cheaper and faster, leading to an **explosion** in the number of newspapers. 학평
1800년대에 인쇄는 더 싸고 더 빨라졌고, 이것은 신문 수의 **폭발적인 증가**로 이어졌다.

➕ explode (동) 폭발하다   explosive (형) 폭발하기 쉬운; 폭발적인 (명) 폭발물, 폭약

0513 strategy*

[strǽtədʒi]

(명) 전략

Each species has a characteristic survival **strategy**. 학평
각각의 종은 특징적인 생존 **전략**을 갖고 있다.

➕ strategic (형) 전략적인

0514 trophy*
[tróufi]

(명) 트로피; 전리품

We provide a silver **trophy** for the winner of a horse race. (학평)
우리는 경마 우승자에게 은 **트로피**를 제공합니다.

0515 colony*
[káləni]

(명) 식민지; (생물) 군집

The boy was kidnapped by slave traders and shipped to the British **colony** of Virginia. (학평)
소년은 노예 상인들에 의해 납치되어 영국 **식민지**인 Virginia로 보내졌다.

➕ **colonize** (동) 식민지로 만들다; 대량 서식하다   **colonial** (형) 식민지의
colonist (명) 식민지 이주민, 식민지 개척자

0516 territory*
[térətɔ̀ːri]

(명) 영토, 영역; (동물의) 세력권

You have to venture beyond the boundaries of your current experience and explore new **territory**. (수능) 여러분은 위험을 무릅쓰고, 여러분의 현재 경험의 한계를 넘어서 새로운 **영역**을 탐사해야 한다.

expand one's territory 영토를 확장하다

0517 troop*
[truːp]

(명) 무리; (pl.) 병력

Tanks caused alarm among the Germans and raised the morale of the British **troops**. (학평)
탱크는 독일군 사이에서 불안감을 조성했고 영국 **군대**의 사기를 높였다.

0518 globalization
[glòubəlizéiʃən]

(명) 국제화, 세계화

Globalization gives us a chance to learn about other societies. (학평)
세계화는 우리에게 다른 사회에 대해 배울 수 있는 기회를 준다.

➕ **global** (형) 세계적인   **globalize** (동) 세계화하다   **globe** (명) 세계; 지구본

0519 immigration
[ìməgréiʃən]

(명) (타국으로부터의) 이주; 출입국 관리소

Increasing **immigration** is a controversial issue in many countries. (EBS)
이민의 증가는 여러 나라에서 논란이 많은 사안이다.

➕ **immigrate** (동) 이주하다   **immigrant** (명) 이민자
➖ **emigration** (명) (타국으로의) 이주

0520 ambassador*
[æmbǽsədər]

(명) 대사

Carl Stokes was appointed the U.S. **Ambassador** to the Republic of Seychelles. (모평) Carl Stokes는 세이셸 공화국의 미국 **대사**로 임명되었다.

➕ **embassy** (명) 대사관

01 win the _____'s nomination 정당의 공천을 받다

party   party

02 urge the _____ to cancel the plan
의회에 계획을 취소할 것을 촉구하다

council

03 a question and answer _____ 질의응답 시간

session

04 speak out for _____ rights 시민권을 위해 목소리를 내다

civil

05 develop the idea of _____ 민주주의 사상을 발전시키다

democracy

06 work for the new _____ 새 행정부를 위해 일하다

administration

07 be _____ed a professor 교수로 임명되다

appoint

08 the _____ of the Student Union 학생회의 간부

executive

09 emerge as the best _____ 가장 적합한 후보로 떠오르다

candidate

10 carry out a _____ 여론 조사를 실시하다

poll

11 _____ peace 평화를 지지하다

advocate

12 appoint an _____ 변호인을 선임하다

attorney

13 offer free _____ advice 무료 법률 조언을 제공하다

legal

14 I'm a man of _____. 나는 원칙을 지키는 사람이야.

principle

15 be strictly _____d by law 법에 따라 엄격하게 규제되다

regulate

16 below _____ 표준 이하인

standard

17 establish the _____ 헌법을 제정하다

constitution

18 _____ the incident 사고를 목격하다

witness

19 write a book _____ing one's experiences
자신의 경험을 기록한 책을 쓰다

document

20 sink into debt because of credit card ....   abuse
   신용 카드 남용으로 빚에 빠지다

21 renew one's .... on   ~에 대한 공격을 재개하다   assault

22 attempt to .... somebody   누군가를 속이려고 시도하다   cheat

23 .... politicians   부패한 정치인들   corrupt

24 prosecute a ....   범죄자를 기소하다   criminal

25 .... someone severely   누군가를 심하게 처벌하다   punish

26 proceed the ....   재판을 진행하다   trial

27 .... laws   법을 위반하다   violate

28 be .... ed of stealing something   절도로 유죄 판결을 받다   convict

29 receive a life ....   종신형을 받다   sentence

30 an international .... conflict   국가 간 무력 분쟁   armed

31 have .... holes   총알 구멍이 나다   bullet

32 be killed in a bomb ....   폭탄 폭발로 살해되다   explosion

33 develop a ....   전략을 개발하다   strategy

34 provide a .... for the winner   우승자에게 트로피를 제공하다   trophy

35 Hong Kong was a British ....   홍콩은 영국 식민지였다.   colony

36 expand one's ....   영토를 확장하다   territory

37 send .... s to Iraq   이라크에 군대를 보내다   troop

38 the .... of production   생산의 세계화   globalization

39 go through the .... office   출입국 관리소를 통과하다   immigration

40 an .... to the U.S.   주미 대사   ambassador

			check
0481	**party**	몡 정당; 일행; 당사자	☐
0482	**council**	몡 회의, 협의회, (지방) 의회	☐
0483	**session**	몡 (활동) 기간; 학기	☐
0484	**civil**	혱 시민의; 민간의; 문명의	☐
0485	**democracy**	몡 민주주의	☐
0486	**administration**	몡 행정(부); 경영; 집행	☐
0487	**appoint**	됭 임명하다; 지정하다	☐
0488	**executive**	몡 행정부; (경영) 간부 혱 실행의	☐
0489	**candidate**	몡 입후보자, 지원자	☐
0490	**poll**	몡됭 여론 조사(를 하다)	☐
0491	**advocate**	몡 옹호자 됭 옹호하다	☐
0492	**attorney**	몡 변호인; 대리인	☐
0493	**legal**	혱 법률의; 합법적인	☐
0494	**principle**	몡 원칙, 원리; (과학의) 법칙	☐
0495	**regulate**	됭 규제하다, 조절하다	☐
0496	**standard**	몡 표준; 수준; 규범 혱 표준의	☐
0497	**constitution**	몡 헌법; 구성	☐
0498	**witness**	몡 목격자 됭 목격하다	☐
0499	**document**	몡 문서 됭 기록하다	☐
0500	**abuse**	몡 남용; 학대; 욕설 됭 남용[학대]하다	☐

			check
0501	**assault**	몡 공격; 폭행 됭 공격[폭행]하다	☐
0502	**cheat**	됭 속이다 몡 사기(꾼)	☐
0503	**corrupt**	혱 타락한 됭 타락시키다	☐
0504	**criminal**	몡 범죄자 혱 범죄의	☐
0505	**punish**	됭 처벌하다	☐
0506	**trial**	몡 재판; 시도; 골칫거리	☐
0507	**violate**	됭 위반하다; 침해하다	☐
0508	**convict**	됭 유죄를 선고하다 몡 죄인	☐
0509	**sentence**	됭 형을 선고하다 몡 형벌; 선고	☐
0510	**armed**	혱 무장한	☐
0511	**bullet**	몡 총알	☐
0512	**explosion**	몡 폭발(적인 증가)	☐
0513	**strategy**	몡 전략	☐
0514	**trophy**	몡 트로피; 전리품	☐
0515	**colony**	몡 식민지; (생물) 군집	☐
0516	**territory**	몡 영토, 영역	☐
0517	**troop**	몡 무리; 병력	☐
0518	**globalization**	몡 국제화, 세계화	☐
0519	**immigration**	몡 이주; 출입국 관리소	☐
0520	**ambassador**	몡 대사	☐

외우지 못한 단어가 있으면 MINI 단어장에서 다시 한번 정리해 보세요.

금융, 손익, 수량, 증감

| Word Map에 주제별로 분류된 단어의 뜻을 유추하여 빈칸에 쓰세요. |

금융
- finance   재정; 자금을 대다
- insurance
- invest   투자하다
- stock   주식; 재고(품); 가축

재산
- asset
- bankrupt   파산자; 파산한
- wealth   재산; 풍부

돈
- allowance   용돈, 수당; 허용량
- budget   예산(안)
- costly   비용이 많이 드는
- debt
- fare   (탈것의) 요금
- fee   요금, 수수료
- fund
- reward   보상(금); 보답하다
- sum
- wage   임금

손익
- advantage   유리; 장점
- benefit
- profit   수익, 이윤
- behalf   측, 편; 이익
- disadvantage   불이익; 단점

수량
- abundant   풍부한
- amount
- multiple   많은, 복합의
- numerous   수많은
- quantity   양, 수량; 많음

상업
- bargain   흥정(하다), 합의
- commercial   상업의, 영리적인
- discount
- expend   들이다, 지출하다
- receipt   영수증; 수령
- refund   환불(금); 환불하다

증감
- enhance   향상하다
- intensify
- magnify   확대하다; 과장하다
- multiply   늘리다; 증가하다
- diminish   줄이다, 감소하다
- reduce   줄이다, 축소하다
- relieve

금융, 손익, 수량, 증감

📖 가리개를 사용하여 뜻을 잘 암기했는지 확인하세요.

0521 **finance** *
[fáinæns]

(명) 재정, 금융   (동) 자금을 대다

Debbi Fields invested all her money and even persuaded a bank to **finance** her new business. 학평 Debbi Fields는 자신의 모든 돈을 투자했으며 심지어 은행을 설득하여 그녀의 새로운 사업에 **자금을 대도록** 했다.

➕ **financial** (형) 재정(상)의, 금융(상)의   **financially** (부) 재정적으로

0522 **insurance**
[inʃúərəns]

(명) 보험 (계약), 보험업

Each **insurance** plan is different when it comes to what's covered and what's not. 학평
각각의 **보험** 설계는 무엇이 보장되고 무엇이 보장되지 않는지에 따라 달라진다.

0523 **invest** *
[invést]

(동) 투자하다

How we **invest** time is not our decision alone to make. 학평
우리가 시간을 어떻게 **투자하는지는** 우리가 단독으로 내릴 결정이 아니다.

➕ **investment** (명) 투자   **investor** (명) 투자자

0524 **stock** *
[stɑk]

(명) 주식, 자본금; 재고(품); 가축

Be patient when it comes to not only your **stock** portfolio but to personal investments as well. 학평
당신의 **주식** 포트폴리오뿐만 아니라 개인적 투자에 있어서도 인내심을 가져라.

stock market 증권 시장, 증권 거래소   **in stock** 재고로, 비축되어

0525 **allowance**
[əláuəns]

(명) 용돈, 수당; 허용량

Your parents may be afraid that you will not spend your **allowance** wisely. 학평
여러분의 부모님은 여러분이 **용돈**을 현명하게 쓰지 않을 것을 걱정할 수도 있다.

0526 **budget** *
[bʌ́dʒit]

(명) 예산(안)   (동) 예산을 세우다

If you try to go beyond your **budget**, you will fail. 학평
만약 여러분의 **예산**을 초과하려고 시도한다면, 여러분은 실패할 것이다.

0527 **costly**
[kɔ́ːstli]

(형) 비용이 많이 드는; 대가가 큰

Drones can gather relevant data in places that were previously difficult or **costly** to reach. 학평 드론은 이전에는 도달하기 어렵거나 **비용이 많이 들었던** 장소에서 관련 자료를 모을 수 있다.

---

10   20   30   40

0528 debt[*]
[det]

명 부채; 은혜

Within a few months, the executive was out of **debt** and making money once again. 학평
몇 달 이내에, 그 중역은 **부채**에서 벗어났고 다시 돈을 벌게 되었다.

How Different

0529 fare[*]
[fɛər]

명 (탈것의) 요금; 승객

Maybe not for bus **fare** or a place to sleep, but Kevin needed help.
학평 아마 버스 **요금**이나 잘 곳은 아니더라도, Kevin은 도움이 필요했다.

0530 fee[*]
[fiː]

명 요금, 수수료

The parking **fee** is just $1 per hour with an admission ticket. 학평
입장권이 있으면 주차 **요금**은 시간당 1달러입니다.

late fee 연체료　　**admission fee** 입장료

» **fare** 버스, 기차, 비행기, 배 등의 교통수단 이용에 지불하는 금액
» **fee** 수수료, 입장료, 연회비, 등록비 등 서비스 제공에 지불하는 금액

0531 fund[*]
[fʌnd]

명 기금　동 기금을 대다

Wharton helped raise **funds** to support orphans. 학평
Wharton은 고아들을 부양하기 위해 **기금**을 모으는 것을 도왔다.

0532 reward[*]
[riwɔ́ːrd]

명 보상(금)　동 보답하다

Humans have a strong preference for immediate **reward** over delayed **reward**. 학평
인간은 지연된 **보상**보다 즉각적인 **보상**을 더 선호한다.

0533 sum[*]
[sʌm]

명 합계, 총액; 산수

The total benefit is much greater than the **sum** of its parts. 학평
전체 이득은 부분의 **합**보다 훨씬 더 크다.

0534 wage[*]
[weidʒ]

명 임금

At most chains, employee **wages** are set by local managers. 학평
대부분의 체인점에서 직원의 **임금**은 점장에 의해 정해진다.

monthly wage 월급

0535 **bargain**
[báːrɡən]

⒨ 흥정, 합의; 싸게 산 물건　⒩ 흥정하다

There isn't a single person in the world who wouldn't want a great **bargain**. 학평
물건을 싸게 잘 사는 것을 원하지 않을 사람은 이 세상에 단 한 명도 없다.

0536 **commercial**
[kəməːrʃəl]

⒣ 상업의, 영리적인　⒨ 광고 (방송)

Joshua trees have little possibility of ever becoming a **commercial** food crop. 학평　Joshua tree는 **상업적인** 식용 작물이 될 가능성이 거의 없다.

0537 **discount***
[dískaunt / diskáunt]

⒨ 할인　⒩ 할인하다; 무시하다

We offer a 20% **discount** for an annual membership. 학평
연간 회원 가입시 20퍼센트 **할인**을 제공합니다.

get[receive] a 5% discount 5퍼센트 할인을 받다

0538 **expend**
[ikspénd]

⒩ (시간·노력 등을) 들이다, 지출하다

Motivation creates willingness to **expend** time and energy on preparatory behaviors. 학평
동기 부여는 준비 행동에 시간과 에너지를 **들일** 의지를 만든다.

➕ expense ⒨ 비용, 지출　expenditure ⒨ 지출, 경비; 소비　expensive ⒣ 값비싼
➡ spend ⒩ 쓰다, 지출하다

0539 **receipt***
[risíːt]

⒨ 영수증; 수령

Simon smiled and asked Robert if he got a **receipt** and heard of the return policy. 학평　Simon은 미소를 지었고 Robert에게 **영수증**을 받았는지와 환불 정책에 대해 들었는지를 물었다.

upon receipt of ~을 수령하는 즉시

0540 **refund**
[ríːfʌnd]

⒨ 환불(금)　⒩ 환불하다

We offer full **refunds** if you cancel at least 10 days in advance. 학평
여러분이 적어도 10일 전에 취소한다면 우리는 전액 **환불**을 해 줍니다.

0541 **asset***
[æset]

⒨ 자산

Our children's minds are priceless **assets**, and the right to use them should necessarily carry serious and long-lasting responsibilities. 학평
우리 아이들의 생각은 매우 귀중한 **자산**이며, 그것들을 사용할 권리는 중대하고 장기간에 걸친 책임을 반드시 수반해야 한다.

0542 bankrupt
[bǽŋkrʌpt]

(명) 파산자 (형) 파산한 (동) 파산시키다

The record player was so revolutionary that people worried it might **bankrupt** the company because nobody would buy it. (학평)
그 레코드플레이어는 너무 혁신적이어서 아무도 그것을 사지 않을 것이기 때문에 그것이 회사를 **파산시킬지도** 모른다고 사람들은 걱정했다.

➕ **bankruptcy** (명) 파산, 도산

0543 wealth*
[welθ]

(명) 재산; 풍부

Americans believe they shouldn't show off too much **wealth**. (학평)
미국인들은 너무 많은 **재산**을 자랑해서는 안 된다고 믿는다.

➕ **wealthy** (형) 부유한, 풍부한

How Different

0544 advantage*
[ədvǽntidʒ]

(명) 유리; 장점

Technology has doubtful **advantages**. (학평)
기술은 의문의 여지가 있는 **장점**을 지니고 있다.

take advantage of ~을 이용하다, 이용해 먹다

0545 benefit*
[bénəfit]

(명) 이득 (동) ~에게 이롭다

Considering the immense **benefits**, don't hesitate to give re-consuming a try. (학평)
엄청난 **이득**을 고려할 때, 재소비를 시도하는 것을 망설이지 마라.

0546 profit*
[práfit]

(명) 수익, 이윤 (동) 이익을 얻다

The **profits** from reselling the shoes will be used to build schools in Africa. (학평) 신발을 재판매한 **수익금**은 아프리카에 학교를 짓는 데 쓰일 것이다.

» **advantage** 다른 대상보다 비교 우위에 있음을 가리킴
» **benefit** 개인 및 집단의 복지와 관련된 이익이나 급여 및 보험에서의 부수적인 혜택을 가리킴
» **profit** 물질적, 금전적 이익으로 상품이나 서비스를 팔고 경비를 뺀 돈을 가리킴

0547 behalf*
[bihǽf]

(명) 측, 편; 이익

My name is Susan Harris and I am writing on **behalf** of the students at Lockwood High School. (학평) 제 이름은 Susan Harris이며 저는 Lockwood 고등학교 학생들을 **대신**하여 글을 쓰고 있습니다.

in[on] behalf of ~을 위하여, ~을 대신[대표]하여

0548 **disadvantage***
[dìsədvǽntidʒ]

[명] 불이익; 단점 [동] (사람을) 불리하게 하다

The **disadvantage** is that no single food provides the nutrition necessary for survival. [학평]
단점은 생존에 필요한 영양분을 제공하는 단일 식품은 없다는 것이다.

[반] advantage [명] 유리, 이점

0549 **abundant***
[əbʌ́ndənt]

[형] 풍부한

Many countries have **abundant** natural resources and have managed to outgrow their dependence on them by diversifying their economic activity. [학평] 많은 나라들은 **풍부한** 천연 자원을 가지고 있고 그들의 경제 활동을 다양화함으로써 천연 자원에 대한 의존도를 간신히 넘겨 왔다.

[+] abound [동] 많이 있다 abundance [명] 풍부, 많음 abundantly [부] 풍부하게

0550 **amount***
[əmáunt]

[명] 양; 총액 [동] 총계가 ~에 달하다

In both years, Pakistan exported the smallest **amount** of rice of the four countries. [학평]
두 해 모두 파키스탄이 4개국 중에서 가장 적은 **양**의 쌀을 수출했다.

[유] quantity [명] 양 total [명] 총액 [형] 총; 완전한

0551 **multiple***
[mʌ́ltəpəl]

[형] 많은, 복합의 [명] 배수

The habit of reading books **multiple** times encourages people to engage with them emotionally. [학평]
책을 **여러** 번 읽는 습관은 사람들로 하여금 그 책과 감정적으로 연결되게 한다.

0552 **numerous**
[njúːmərəs]

[형] 수많은

There have been **numerous** times in history when food has been rather scarce. [학평]
역사적으로 음식이 꽤 부족했던 시기가 **수없이** 있었다.

0553 **quantity***
[kwɑ́ntəti]

[명] 양, 수량; 많음

Longevity is a two-sided coin, with **quantity** on one side and quality on the other. [학평]
오래 사는 것은 양면이 있는 동전으로, 한 면에는 **양**을 다른 면에는 질을 가지고 있다.

0554 **enhance***
[inhǽns]

[동] 향상하다

Running improves aerobic capacity, which in turn will **enhance** your endurance when weight lifting or through a long yoga class. [학평]
달리기는 유산소 능력을 향상하고, 그것은 결과적으로 근력 활동을 할 때나 긴 요가 수업 내내 지구력을 **향상할** 것이다.

[+] enhancement [명] 향상

0555 intensify
[inténsəfài]

(동) 강화하다; 강해지다

The brains of both humans and dogs tend to **intensify** one sense at a time. (수능)
인간과 개 양쪽 모두의 두뇌는 한 번에 한 가지 감각을 **강화하는** 경향이 있다.

0556 magnify
[mǽgnəfài]

(동) 확대하다; 과장하다

Several studies have shown that some people tend to **magnify** the importance of their failures. (학평) 몇몇 연구는 몇몇 사람들이 자신들의 실패의 중요성을 **과장하는** 경향이 있다는 것을 보여 주었다.

➕ **magnification** (명) 확대; 과장; 확대율
🟰 **exaggerate** (동) 과장하다

0557 multiply*
[mʌ́ltəplài]

(동) 늘리다; 증가하다; 곱하다

We are faced with unprecedented perils, and these perils are **multiplying** and pushing at our collective gates. (학평)
우리는 전례 없는 위기에 직면해 있고, 이 위기들은 **증가하고** 있으며 우리 공동체의 문을 밀어붙이고 있다.

➕ **multiplication** (명) 증가, 증식; 곱셈   **multiplicity** (명) 다수, 다양성

0558 diminish*
[dimíniʃ]

(동) 줄이다, 감소하다; 폄하하다

Clichés in writing ultimately **diminish** the strength and effectiveness of your message. (학평)
글쓰기에서 상투적 문구는 궁극적으로 당신의 메시지의 강점과 효과를 **감소시킨다**.

How Different

0559 reduce*
[ridʒúːs]

(동) 줄이다, 축소하다

Building on positive accomplishments can **reduce** nervousness. (학평)
긍정적인 성과를 기반으로 하면 긴장감을 **줄일** 수 있다.

➕ **reduction** (명) 감소, 축소

0560 relieve*
[rilíːv]

(동) 덜다; 안도하게 하다

Eli Whitney wanted to **relieve** some of the tiring work. (학평)
Eli Whitney는 그 힘든 노동 중 일부를 **덜고** 싶었다.

➕ **relief** (명) 경감; 안심; 구호물자

» **reduce** 일반적으로 '감소'를 의미할 때 사용하며, 크기, 수량, 정도, 가격 등을 작아지게 하거나 줄이는 것을 가리킴
» **relieve** 고통이나 불편한 감정을 줄이는 것을 가리킴

금융, 손익, 수량, 증감
Use Words

빈칸을 채우며 단어를 외우고, 쓰면서 한 번 더 익히세요.

01 an expert in .... 재정 전문가   finance   finance

02 .... plans 보험 설계   insurance

03 .... in real estate 부동산에 투자하다   invest

04 when it comes to the .... portfolio 주식 포트폴리오에 관한 한   stock

05 spend one's .... wisely 용돈을 현명하게 쓰다   allowance

06 go beyond one's .... 예산을 초과하다   budget

07 places that were .... to reach 도달하기에 비용이 많이 들었던 장소   costly

08 be out of .... 부채가 없다   debt

09 bus .... 버스 요금   fare

10 pay only a small .... 수수료를 적게 지불하다   fee

11 raise ....s to support orphans 고아들을 부양하기 위해 기금을 모으다   fund

12 a preference for immediate .... 즉각적인 보상에 대한 선호   reward

13 the .... of its parts 그것의 부분들의 합   sum

14 ....s set by local managers 점장에 의해 정해진 임금   wage

15 buy a .... 싼 물건을 사다   bargain

16 a .... food crop 상업적인 식용 작물   commercial

17 have a strict .... policy 엄격한 할인 정책이 있다   discount

18 .... time and energy 시간과 에너지를 들이다   expend

19 get a .... 영수증을 받다   receipt

20 offer full .... s 전액 환불을 해 주다   refund

21 have about $9 billion in .... s 자산이 약 90억 달러이다   asset

22 .... the company 회사를 파산시키다   bankrupt

23 show off too much .... 너무 많은 재산을 자랑하다   wealth

24 doubtful .... s 의문의 여지가 있는 장점   advantage

25 the immense .... s 엄청난 이득   benefit

26 the .... s from reselling the shoes 신발을 재판매한 수익금   profit

27 on .... of the students 학생들을 대신하여   behalf

28 turn a .... into an advantage 단점을 장점으로 바꾸다   disadvantage

29 .... natural resources 풍부한 천연 자원   abundant

30 a large .... of food 많은 양의 음식   amount

31 parents of .... children 여러 자녀가 있는 부모   multiple

32 provide .... benefits 수많은 혜택을 제공하다   numerous

33 .... and quality of sleep 수면의 양과 질   quantity

34 .... endurance 지구력을 향상하다   enhance

35 .... anti-discrimination laws 차별 방지 법안을 강화하다   intensify

36 .... the importance 중요성을 과장하다   magnify

37 perils that are .... ing 증가하고 있는 위기들   multiply

38 .... ing job opportunities 감소하는 취업 기회   diminish

39 .... nervousness 긴장감을 줄이다   reduce

40 .... some of the tiring work 그 힘든 노동 중 일부를 덜다   relieve

금융, 손익, 수량, 증감
3-Minute Check

오늘 학습한 단어와 뜻을
최종적으로 암기했는지 확인하세요!

			check
0521	finance	몡 재정 동 자금을 대다	
0522	insurance	몡 보험 (계약), 보험업	
0523	invest	동 투자하다	
0524	stock	몡 주식, 자본금; 재고(품)	
0525	allowance	몡 용돈, 수당; 허용량	
0526	budget	몡 예산(안) 동 예산을 세우다	
0527	costly	혱 비용이 많이 드는	
0528	debt	몡 부채; 은혜	
0529	fare	몡 (탈것의) 요금; 승객	
0530	fee	몡 요금, 수수료	
0531	fund	몡 기금 동 기금을 대다	
0532	reward	몡 보상(금) 동 보답하다	
0533	sum	몡 합계, 총액; 산수	
0534	wage	몡 임금	
0535	bargain	몡 흥정, 합의 동 흥정하다	
0536	commercial	혱 상업의 몡 광고 (방송)	
0537	discount	몡 할인 동 할인하다	
0538	expend	동 (시간, 노력 등을) 들이다; 지출하다	
0539	receipt	몡 영수증; 수령	
0540	refund	몡 환불(금) 동 환불하다	

			check
0541	asset	몡 자산	
0542	bankrupt	몡 파산자 혱 파산한 동 파산시키다	
0543	wealth	몡 재산; 풍부	
0544	advantage	몡 유리; 장점	
0545	benefit	몡 이득 동 ~에게 이롭다	
0546	profit	몡 수익 동 이익을 얻다	
0547	behalf	몡 측, 편; 이익	
0548	disadvantage	몡 불이익; 단점 동 (사람을) 불리하게 하다	
0549	abundant	혱 풍부한	
0550	amount	몡 양; 총액 동 총계가 ~에 달하다	
0551	multiple	혱 많은, 복합의 몡 배수	
0552	numerous	혱 수많은	
0553	quantity	몡 양, 수량; 많음	
0554	enhance	동 향상하다	
0555	intensify	동 강화하다; 강해지다	
0556	magnify	동 확대하다; 과장하다	
0557	multiply	동 늘리다; 증가하다; 곱하다	
0558	diminish	동 줄이다, 감소하다	
0559	reduce	동 줄이다, 축소하다	
0560	relieve	동 덜다; 안도하게 하다	

외우지 못한 단어가 있으면 미니 단어장에서 다시 한번 정리해 보세요.

DAY 15

교육, 예술, 기부, 봉사

| Word Map에 주제별로 분류된 단어의 뜻을 유추하여 빈칸에 쓰세요. |

교육 양육
- educated　　교육받은; 숙련된
- instruct
- breed　　기르다; 품종
- foster　　양육하다; 육성하다
- nourish
- nursery　　육아실; 보육 시설

문학
- autobiography
- biography　　전기, 일대기
- fiction　　소설, 허구
- novel　　(장편) 소설; 신기한
- tragedy　　비극(적 사건)

미술 음악
- dye　　물감, 색조; 염색하다
- carve　　조각하다
- portrait　　초상(화); 상세한 묘사
- profile
- sculpture　　조각(술); 조각하다
- choir　　합창단, 성가대

알림 훈련
- alarm　　경보; 놀람; 놀라게 하다
- cue　　신호, 단서; 신호를 주다
- signal　　신호; 신호의; 신호하다
- inform
- label　　라벨, 꼬리표; 라벨을 붙이다
- aim　　겨냥하다; 조준
- discipline
- drill　　반복 연습; 훈련시키다
- practice　　연습; 연습하다
- experienced　　경험이 많은, 숙련된

헌신 기부
- dedicate
- devote　　바치다; 헌신하다
- contribute　　기부하다; 기여하다
- distribution　　분배; (상품의) 유통
- donate
- share　　몫, 할당; 분배하다

예술
- craft　　공예, 수공업; 솜씨
- critic
- masterpiece　　걸작, 명작

봉사 자선
- charity　　자선 (단체); 자애
- voluntary
- volunteer　　자원봉사자
- welfare　　복지; 행복

DAY 15

교육, 예술, 기부, 봉사

[책] 가리개를 사용하여 뜻을 잘 암기했는지 확인하세요.

0561 **educated**
[édʒukèitid]

[형] 교육받은; 교양 있는; 숙련된

A global brain drain refers to the situation in which countries lose their best **educated** workers. [학평]
세계적인 두뇌 유출은 국가가 최고로 잘 **교육받은** 일꾼들을 잃는 상황을 일컫는다.

[+] educate [동] 교육하다　education [명] 교육

0562 **instruct***
[instrʌ́kt]

[동] 교육하다; 지시하다

I have had the pleasure of **instructing** Ashley in Spanish during her freshman year of high school. [학평]
나는 Ashley가 고등학교 1학년 때 그녀에게 스페인어를 **가르치는** 기쁨을 누렸다.

[+] instruction [명] 교수; 지시; (사용) 설명서　instructor [명] 교사, 교관
instructive [형] 교육적인, 도움이 되는

0563 **breed**
[briːd]

[동] 기르다, (새끼를) 낳다　[명] 품종

In Britain many people dislike rodents, and yet there are several associations devoted to **breeding** them. [학평] 영국에서는 많은 사람들이 설치류를 싫어하지만, 설치류를 **기르는** 데 전념하는 여러 협회들이 있다.

0564 **foster**
[fɔ́ːstər]

[동] 양육하다; 육성하다, 촉진하다

Picasso and Henri Matisse could **foster** creativity through rivalry. [학평]
Picasso와 Henri Matisse는 경쟁을 통하여 창의성을 **육성할** 수 있었다.

[동] nurture [동] 양육하다, 기르다; 양성하다

0565 **nourish**
[nɔ́ːriʃ]

[동] ~에 자양분을 주다; 기르다; 육성하다

From plants come chemical compounds that **nourish** and heal and delight the senses. [학평]
자양분을 주고 치료하고 감각을 즐겁게 하는 화학적 화합물들이 식물에서 나온다.

[+] nourishment [명] 자양물; 양육, 육성　nourishing [형] 자양[영양]이 되는

0566 **nursery**
[nɔ́ːrsəri]

[명] 육아실; 보육 시설

Evelyn ran to the **nursery** to check on her daughter. [모평]
Evelyn은 그녀의 딸을 살피기 위해 **아이의 방**으로 달려갔다.

10   20   30   40

0567
alarm
[əlá:rm]

⟨명⟩ 경보; 놀람; 자명종   ⟨동⟩ 놀라게 하다

Some species use **alarm** calls to share information about potential predators. 학평
어떤 종들은 잠재적 포식자에 대한 정보를 공유하는 **경보 신호**를 사용한다.

How Different

0568
cue
[kju:]

⟨명⟩ 신호, 단서   ⟨동⟩ 신호를 주다

Laughter is seen as a social **cue** that we send to others. 학평
웃음은 우리가 다른 사람들에게 보내는 사교적 **신호**이다.

0569
signal
[sígnəl]

⟨명⟩ 신호   ⟨형⟩ 신호의   ⟨동⟩ 신호하다

The smiles and nods of a listener **signal** interest and agreement. 학평
듣는 이의 미소와 끄덕임은 관심과 동의의 **신호이다**.

» **cue** 특정 행동을 하도록 알리는 신호를 가리킴
» **signal** 힌트나 경고처럼 다른 이들에게 정보를 알려 주기 위한 신호를 가리킴

0570
inform*
[infɔ́:rm]

⟨동⟩ ~에게 알리다; 정보를 주다

The more you know about baseball, the more that knowledge **informs** how you see a game. 학평 여러분이 야구에 대해서 더 많이 알수록, 그 지식은 여러분이 경기를 보는 방식에 대해 더 많은 **정보를 준다**.

➕ information ⟨명⟩ 정보   informed ⟨형⟩ 소식에 밝은; 지식이 넓은

0571
label*
[léibəl]

⟨명⟩ 라벨, 꼬리표   ⟨동⟩ 라벨을 붙이다

Labels on food are like the table of contents found in books. 학평
식품 **라벨**은 책에서 볼 수 있는 차례와 같다.

0572
aim*
[eim]

⟨동⟩ 겨냥하다; 목표로 삼다   ⟨명⟩ 조준; 목적

Many magazines now publish a range of editions **aimed** at specific areas and groups. 학평
이제는 많은 잡지가 특정 지역이나 단체를 **겨냥한** 다양한 판을 출판한다.

0573
discipline*
[dísəplin]

⟨명⟩ 훈련; 규율   ⟨동⟩ 훈련시키다

Every political leader who had an impact on history practiced the **discipline** of being alone to think and plan. 학평
역사에 영향을 끼친 모든 정치 지도자는 혼자서 생각하고 계획하는 **훈련**을 실천했다.

military discipline 군사 훈련

How Different

0574 drill
[dril]

(명) 반복 연습; 송곳   (동) 훈련시키다; 구멍을 뚫다

Wooden ran his **drills** with rare modifications over the course of three decades. 학평 Wooden은 30년 동안 자신의 **훈련**을 거의 변경하지 않고 진행했다.

0575 practice
[prǽktis]

(명) 연습; 실행; 관습   (동) 연습하다; 실행하다

After a little **practice**, it will be easier to write "backwards." 학평
조금 **연습**을 하고 나면, '거꾸로' 쓰는 것이 더 쉬울 것이다.

➕ practical (형) 실제의; 실용적인

» drill 기술 등을 완전히 체득하기 위해 짧고 반복적으로 하는 연습이나 (군사) 훈련
» practice 기량 향상을 목적으로 정규적으로 반복적으로 하는 연습

0576 experienced
[ikspíːəriənst]

(형) 경험이 많은, 숙련된

Though we are all **experienced** shoppers, we are still fooled. 학평
우리가 모두 **경험이 많은** 구매자일지라도, 우리는 여전히 속는다.

➕ experience (명) 경험, 체험 (동) 경험하다

0577 craft*
[kræft]

(명) 공예, 수공업; 솜씨

Visitors can buy souvenirs and local **crafts**. 학평
방문객들은 기념품과 지역 **공예품**을 구입할 수 있다.

➕ craftsman (명) 공예가; 장인(匠人)

0578 critic*
[krítik]

(명) 평론가

Dorothy West's first novel, *The Living Is Easy*, published in 1948, received positive responses from **critics**. 학평 1948년 출판된 Dorothy West 의 첫 소설 〈The Living Is Easy〉는 **평론가들**로부터 긍정적인 반응을 얻었다.

➕ critical (형) 비평의; 비판적인; 위기의   critically (부) 비판적으로; 위급하게
criticism (명) 비평; 비판   criticize (동) 비평하다; 비판하다

0579 masterpiece
[mǽstərpìːs]

(명) 걸작, 명작

The temple is acknowledged to be a **masterpiece** of classical architecture. EBS 그 사원은 고전 건축의 **걸작**이라고 인정받는다.

0580 autobiography[*]
[ɔ̀ːtəbaiɑ́grəfi]

명 자서전

Sarah Pressman and Sheldon Cohen counted the number of relational words that people used in their **autobiographies**. 학평
Sarah Pressman과 Sheldon Cohen은 사람들이 그들의 **자서전**에서 사용한, 관계를 나타내는 단어의 수를 세었다.

0581 biography[*]
[baiɑ́grəfi]

명 전기, 일대기

In 1947, a **biography** of Henson called "Dark Companion" was published. 학평
1947년에 'Dark Companion'이라고 불리는 Henson에 관한 **전기**가 출간되었다.

0582 fiction
[fíkʃən]

명 소설, 허구

Fauset is more famous for being an editor than for being a **fiction** writer. 학평 Fauset은 **소설**가인 것보다 편집자인 것으로 더 유명하다.

science fiction 공상 과학 소설
➕ fictional 형 꾸며낸, 소설적인   fictitious 형 가공의, 허구의

0583 novel[*]
[nάvəl]

명 (장편) 소설   형 신기한

One of Sigrid Undset's **novels** has been translated into more than eighty languages. 학평 Sigrid Undset의 **소설** 중 한 작품은 80개 이상의 언어로 번역되어 왔다.

➕ novelist 명 소설가, 작가   novelty 명 신기함, 새로운 것

0584 tragedy
[trǽdʒədi]

명 비극(적 사건)

When Fourier was 8 years old, his father died, and less than a year after this **tragedy**, his mother passed away. 수능 Fourier가 여덟 살일 때 그의 아버지가 사망했고, 이 **비극**이 있은 지 1년도 안 되어 그의 어머니가 돌아가셨다.

➕ tragic 형 비극의, 비극적인
↔ comedy 명 희극, 희극적인 장면[사건]

0585 dye
[dai]

명 물감, 색조   동 염색하다

A food labeled "free" of a food **dye** will compel some consumers to buy that product. 학평 식용 **색소**가 '없는'이라고 표기된 식품은 일부 소비자들로 하여금 그 제품을 구매하도록 강요할 것이다.

➕ dyed 형 물들인, 염색된   dyeing 명 염색(법), 염색업

0586 carve[*]
[kɑːrv]

동 조각하다

Each room is decorated with furniture **carved** from ice blocks. 학평
각각의 객실은 얼음으로 **조각된** 가구로 장식되어 있다.

0587 portrait*
[pɔ́:rtrit]

(명) 초상(화), 인물 사진; 상세한 묘사

Mary Cassatt painted **portraits** of the children of her friends and family. (학평) Mary Cassatt은 친구들과 가족의 아이들의 **초상화**를 그렸다.

➕ portray (동) 그리다; 묘사하다

0588 profile
[próufail]

(명) 옆모습; 윤곽; 인물 소개

The church 'Sveta Bogoroditsa' in Karlovo has a handsome **profile** with its blue and white bell tower. (모평) Karlovo에 있는 Sveta Bogoroditsa 교회는 흰색과 파란색으로 된 종탑이 있어서 **측면**이 멋있다.

0589 sculpture
[skʌ́lptʃər]

(명) 조각(술), 조각 작품   (동) 조각하다

Have you ever imagined sleeping with Egyptian **sculptures** or waking up beside mummies? (학평) 여러분은 이집트 **조각상**과 함께 잠들거나 미라 옆에서 깨어나는 것을 상상해 보신 적이 있나요?

➕ sculptor (명) 조각가

0590 choir*
[kwáiər]

(명) 합창단, 성가대

Tomas Luis de Victoria was born in Avila and as a boy sang in the church **choir**. (학평)
Tomas Luis de Victoria는 Avila에서 태어나, 소년 시절에 교회 **성가대**에서 노래했다.

How Different

0591 dedicate
[dédikèit]

(동) 바치다; 전념하다

Coachman **dedicated** her life to education. (학평)
Coachman은 그녀의 일생을 교육에 **바쳤다**.

➕ dedication (명) 헌신, 전념   dedicated (형) 헌신적인

0592 devote*
[divóut]

(동) 바치다; 헌신하다

During World War I, Ms. Wharton **devoted** much of her time to assisting orphans. (학평)
제1차 세계 대전 동안 Wharton 씨는 고아들을 돕는 데 많은 시간을 **바쳤다**.

➕ devoted (형) 충실한, 헌신적인   devotion (명) 헌신, 전념

» dedicate 가치 있고 중요하다고 스스로 판단한 일이므로 이를 성취하고자 헌신하는 것을 가리킴
» devote 강한 믿음과 충성심을 가지고 아무런 의문 없이 일방적으로 헌신하는 것을 가리킴

0593 contribute*
[kəntríbju:t]

(동) 기부하다; 기여하다; (~의) 원인이 되다

A decision-maker's knowledge and experience are essential and can **contribute** to a good decision. (학평)
의사 결정권자의 지식과 경험은 필수적이고, 좋은 결정에 **기여할** 수 있다.

➕ contribution (명) 기부(금); 기여   contributor (명) 기부자; 기고자

0594 distribution
[dìstrəbjúːʃən]

명 분배; (상품의) 유통

Fairness refers to the **distribution** of income and well-being. 학평
공평함은 소득과 복지의 **분배**를 나타낸다.

➕ **distribute** **동** 분배하다; 배포하다; 퍼뜨리다

0595 donate*
[dóuneit]

동 기부하다, 기증하다

We are asking you to **donate** any instruments that you may no longer use. 학평
저희는 여러분이 더 이상 사용하지 않을지도 모르는 악기를 **기증해 주시기**를 요청합니다.

➕ **donation** **명** 기부(금), 기증

0596 share*
[ʃɛər]

명 몫; 할당 **동** 분배하다; 공유하다

According to a survey, 23% of people admit to having **shared** a fake news story. 학평 어느 조사에 따르면, 23퍼센트의 사람들이 가짜 뉴스의 내용을 **공유한** 적이 있다고 인정한다.

0597 charity*
[tʃǽrəti]

명 자선 (단체); 자애

Let's tell our friends and family to donate money to a **charity** instead of buying us presents. 학평 우리에게 선물을 사 주는 대신 **자선 단체**에 돈을 기부하라고 우리의 친구와 가족에게 말하자.

0598 voluntary*
[vάləntèri]

형 자발적인; 지원의

The U.S. FDA ruled that toothpaste manufacturers weren't adhering closely enough to **voluntary** safety guidelines. 학평 미국 식품의약국은 치약제조업자들이 **자발적인** 안전 지침을 충분히 철저하게 지키지 않는다고 규정했다.

➕ **involuntary** **형** 무의식적인

0599 volunteer
[vὰləntíər]

명 자원봉사자 **형** 자발적인 **동** 자원해서 하다

The chosen **volunteers** will participate in a 2-day training session run by the coordinator. 학평
선발된 **자원봉사자들**은 진행자가 운영하는 1박 2일의 교육에 참여하게 됩니다.
Anyone who wants to **volunteer** at the book fair must sign up online in advance. 학평
도서 박람회에서 **자원봉사하기**를 원하는 사람은 인터넷으로 사전 등록을 해야 한다.

0600 welfare*
[wélfὲər]

명 복지; 행복 **형** (사회) 복지의

Physicians should pay as much attention to the comfort and **welfare** of the patient as to the disease itself. 학평
의사는 질병 자체만큼 환자의 안락함과 **행복**에도 많은 관심을 기울여야 한다.

child welfare 아동 복지

01 the best _____ workers   최고로 잘 교육받은 일꾼들 | educated educated

02 the pleasure of _____ing   가르치는 기쁨 | instruct

03 devoted to _____ing rodents   설치류를 기르는 데 전념한 | breed

04 _____ creativity   창의성을 육성하다 | foster

05 chemical compounds that _____   자양분을 주는 화학적 화합물들 | nourish

06 the situation in a _____   보육 시설의 상황 | nursery

07 _____ calls to share information   정보를 공유하는 경보 신호 | alarm

08 use other external _____s   다른 외부 신호를 사용하다 | cue

09 the sum of individual _____s   개별 신호의 합 | signal

10 _____ how to see a baseball game
    야구 경기를 보는 방식에 대해 정보를 주다 | inform

11 a _____ on food   식품 라벨 | label

12 _____ at specific areas and groups
    특정 지역이나 단체를 겨냥하다 | aim

13 the _____ of being alone   혼자 있는 훈련 | discipline

14 run one's _____s   연습을 진행하다 | drill

15 the day-to-day _____ in music   매일 행해지는 음악 연습 | practice

16 an _____ shopper   경험이 많은 구매자 | experienced

17 buy local _____s   지역 공예품을 구입하다 | craft

18 positive responses from _____s   평론가들의 긍정적인 반응 | critic

19 a _____ of classical architecture   고전 건축의 걸작 | masterpiece

20 publish one's _____ 자서전을 출판하다

autobiography

21 a _____ of Henson   Henson에 관한 전기

biography

22 a science _____   공상 과학 소설

fiction

23 write _____s, poetry, and essays   소설, 시, 수필을 쓰다

novel

24 Shakespeare's famous _____, *Macbeth*
셰익스피어의 유명한 비극 〈Macbeth〉

tragedy

25 white wine colored with a red _____
붉은색 색소로 물들인 백포도주

dye

26 furniture _____d from ice blocks   얼음으로 조각된 가구

carve

27 paint a _____ of the child   아이의 초상화를 그리다

portrait

28 updating the _____ on SNS   SNS에 인물 소개 업데이트하기

profile

29 Egyptian _____s   이집트 조각상

sculpture

30 sing in the church _____   교회 성가대에서 노래하다

choir

31 _____ one's life to education   일생을 교육에 바치다

dedicate

32 _____ much of time   많은 시간을 바치다

devote

33 _____ to a good decision   좋은 결정에 기여하다

contribute

34 the _____ of income and well-being   소득과 복지의 분배

distribution

35 _____ instruments   악기를 기증하다

donate

36 _____ food with others   다른 사람들과 함께 음식을 나누다

share

37 donate money to a _____   자선 단체에 돈을 기부하다

charity

38 in a _____ effort   자발적인 노력으로

voluntary

39 anyone who wants to _____   지원봉사하기를 원하는 누구나

volunteer

40 the comfort and _____ of the patient   환자의 안락함과 행복

welfare

		check
0561 **educated**	(형) 교육받은; 숙련된	
0562 **instruct**	(동) 교육하다; 지시하다	
0563 **breed**	(동) 기르다 (명) 품종	
0564 **foster**	(동) 양육하다; 육성하다	
0565 **nourish**	(동) ~에 자양분을 주다; 기르다	
0566 **nursery**	(명) 육아실; 보육 시설	
0567 **alarm**	(명) 경보; 놀람; 자명종 (동) 놀라게 하다	
0568 **cue**	(명) 신호, 단서 (동) 신호를 주다	
0569 **signal**	(명)(형) 신호(의) (동) 신호하다	
0570 **inform**	(동) ~에게 알리다; 정보를 주다	
0571 **label**	(명) 라벨, 꼬리표 (동) 라벨을 붙이다	
0572 **aim**	(동) 겨냥하다 (명) 조준; 목적	
0573 **discipline**	(명) 훈련; 규율 (동) 훈련시키다	
0574 **drill**	(명) 반복 연습 (동) 훈련시키다	
0575 **practice**	(명) 연습; 실행 (동) 연습하다	
0576 **experienced**	(형) 경험이 많은, 숙련된	
0577 **craft**	(명) 공예, 수공업; 솜씨	
0578 **critic**	(명) 평론가	
0579 **masterpiece**	(명) 걸작, 명작	
0580 **autobiography**	(명) 자서전	

		check
0581 **biography**	(명) 전기, 일대기	
0582 **fiction**	(명) 소설, 허구	
0583 **novel**	(명) (장편) 소설 (형) 신기한	
0584 **tragedy**	(명) 비극(적 사건)	
0585 **dye**	(명) 물감, 색조 (동) 염색하다	
0586 **carve**	(동) 조각하다	
0587 **portrait**	(명) 초상(화); 상세한 묘사	
0588 **profile**	(명) 옆모습; 윤곽; 인물 소개	
0589 **sculpture**	(명) 조각(술) (동) 조각하다	
0590 **choir**	(명) 합창단, 성가대	
0591 **dedicate**	(동) 바치다; 전념하다	
0592 **devote**	(동) 바치다; 헌신하다	
0593 **contribute**	(동) 기부하다; 기여하다	
0594 **distribution**	(명) 분배; (상품의) 유통	
0595 **donate**	(동) 기부하다, 기증하다	
0596 **share**	(명) 몫; 할당 (동) 분배하다	
0597 **charity**	(명) 자선 (단체); 자애	
0598 **voluntary**	(형) 자발적인; 지원의	
0599 **volunteer**	(명) 자원봉사자 (형) 자발적인 (동) 자원해서 하다	
0600 **welfare**	(명) 복지; 행복 (형) 복지의	

외우지 못한 단어가 있으면 미니 단어장에서 다시 한번 정리해 보세요.

Wrap Up

DAY 13 ~ 15

A 영어는 우리말로, 우리말은 영어로 쓰시오.

01	foster		21	연습(하다)
02	share		22	자금을 대다
03	appoint		23	표준; 수준
04	advantage		24	환불(금)
05	bargain		25	축소하다
06	criminal		26	측, 편; 이익
07	fare		27	공격; 폭행
08	devote		28	보상; 보답하다
09	critic		29	유죄를 선고하다
10	numerous		30	양, 수량; 많음
11	constitution		31	규제하다
12	executive		32	경보; 놀람
13	carve		33	향상하다
14	contribute		34	처벌하다
15	biography		35	영수증
16	violate		36	(장편) 소설
17	invest		37	시민의; 민간의
18	costly		38	자원봉사자
19	stock		39	감소하다
20	attorney		40	무장한

B 괄호 안에서 알맞은 단어를 고르시오.

01 Mary Cassatt painted portraits / sculptures of the children of her friends and family.

02 There is ample evidence that sharing information about third councils / parties is essential to communal life.

03 Motivation creates willingness to expend / reduce time and energy on preparatory behaviors.

04 From plants come chemical compounds that nourish / reward and heal and delight the senses.

DAY 13 - 15 · WRAP UP | 171

C 각 문장이 우리말과 일치하도록 빈칸에 알맞은 단어를 고르시오. (형태 변화 가능)

보기   globalization   profit   allowance   discipline   principle

01 Science fiction helps students see scientific .... in action.
공상 과학 소설은 학생들이 실제로 쓰이는 과학적 원리들을 이해하는 데 도움을 준다.

02 Your parents may be afraid that you will not spend your .... wisely.
여러분의 부모님은 여러분이 용돈을 현명하게 쓰지 않을 것을 걱정할 수도 있다.

03 .... gives us a chance to learn about other societies.
세계화는 우리에게 다른 사회에 대해 배울 수 있는 기회를 준다.

04 The .... from reselling the shoes will be used to build schools in Africa.
신발을 재판매한 수익금은 아프리카에 학교를 짓는 데 쓰일 것이다.

05 Every political leader who had an impact on history practiced the .... of being alone to think and plan.
역사에 영향을 끼친 모든 정치 지도자는 혼자서 생각하고 계획하는 훈련을 실천했다.

D 우리말이 영어 문장과 일치하도록 빈칸에 알맞은 말을 쓰시오.

01 We offer full refunds if you cancel at least 10 days in advance.
여러분이 적어도 10일 전에 취소한다면 우리는 전액 ....을 해 줍니다.

02 Some people sink into debt because of overspending or credit card abuse.
어떤 사람들은 과소비와 신용 카드 .... 때문에 빚에 빠진다.

03 Fairness refers to the distribution of income and well-being.
공평함은 소득과 복지의 ....를 나타낸다.

04 During World War I, Wharton devoted much of her time to assisting orphans.
제1차 세계 대전 동안 Wharton은 고아들을 돕는 데 많은 시간을 ....

05 Lawyers usually defend clients for violating laws.
변호사는 주로 법을 .... 의뢰인을 변호한다.

DAY 16

과학, 기술

| Word Map에 주제별로 분류된 단어의 뜻을 유추하여 빈칸에 쓰세요. |

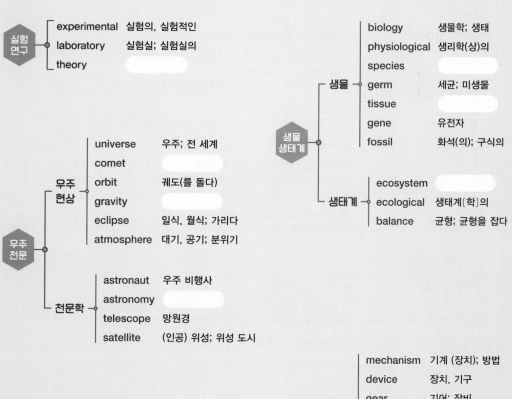

실험 연구
- experimental   실험의, 실험적인
- laboratory   실험실; 실험실의
- theory

우주 천문

우주 현상
- universe   우주; 전 세계
- comet
- orbit   궤도(를 돌다)
- gravity
- eclipse   일식, 월식; 가리다
- atmosphere   대기, 공기; 분위기

천문학
- astronaut   우주 비행사
- astronomy
- telescope   망원경
- satellite   (인공) 위성; 위성 도시

생물 생태계

생물
- biology   생물학; 생태
- physiological   생리학(상)의
- species
- germ   세균; 미생물
- tissue
- gene   유전자
- fossil   화석(의); 구식의

생태계
- ecosystem
- ecological   생태계[학]의
- balance   균형; 균형을 잡다

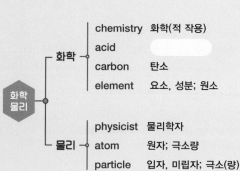

화학 물리

화학
- chemistry   화학(적 작용)
- acid
- carbon   탄소
- element   요소, 성분; 원소

물리
- physicist   물리학자
- atom   원자; 극소량
- particle   입자, 미립자; 극소(량)

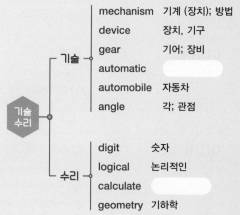

기술 수리

기술
- mechanism   기계 (장치); 방법
- device   장치, 기구
- gear   기어; 장비
- automatic
- automobile   자동차
- angle   각; 관점

수리
- digit   숫자
- logical   논리적인
- calculate
- geometry   기하학

DAY 16 과학, 기술

[책] 가리개를 사용하여 뜻을 잘 암기했는지 확인하세요.

0601 □□ **experimental** [ikspèrəméntəl]

[형] 실험의, 실험적인

Experimental results derived from a single subject are of limited value. [수능] 단 한 명의 피실험자로부터 얻어진 **실험의** 결과는 가치가 제한적이다.

[+] **experiment** [명] 실험 [동] 실험하다

0602 □□ **laboratory*** [lǽbrətɔ̀:ri]

[명] 실험실 [형] 실험실의, 실습의

Participants in a **laboratory** study were asked to listen to loud, unpleasant noises. [학평]
실험실 연구의 참가자들은 크고 불쾌한 소음을 듣도록 요구받았다.

0603 □□ **theory*** [θí(:)əri]

[명] 이론, 학설; 의견

At the age of 22, Vera Rubin shocked scientists with her **theory** about the motion of galaxies. [학평] 22살이었을 때, Vera Rubin은 은하의 움직임에 관한 그녀의 **이론**으로 과학자들을 놀라게 했다.

theory of relativity 상대성 이론
[+] **theoretical** [형] 이론의, 이론적인

0604 □□ **universe*** [jú:nəvə̀:rs]

[명] 우주; 전 세계

There are many methods for finding answers to the mysteries of the **universe**. [학평] **우주**의 신비에 대한 해답을 찾기 위한 많은 방법들이 있다.

[+] **universal** [형] 우주의; 전 세계의; 보편적인

0605 □□ **comet** [kámit]

[명] 혜성

Comet *17P/Holmes* suddenly grew 400,000 times brighter than normal. [학평] '17P/Holmes **혜성**'이 갑자기 평상시보다 사십만 배 더 밝아졌다.

0606 □□ **orbit** [ɔ́:rbit]

[명] 궤도 [동] 궤도를 돌다

Scientists keep watching on small planets in **orbit**. [학평]
과학자들은 **궤도**상의 작은 행성들을 계속 관찰한다.

[+] **orbital** [형] 궤도의

0607 **gravity**
[grǽvəti]

[명] 중력; 중대함

Although the Sun has much more mass than the Earth, we are much closer to the Earth, so we feel its **gravity** more. [학평] 태양이 지구보다 훨씬 더 많은 질량을 지녔으나, 우리는 지구에 훨씬 가까워서 지구의 **중력**을 더 많이 느낀다.

with gravity 엄숙하게

0608 **eclipse**
[iklíps]

[명] 일식, 월식 [동] 가리다

You should not look at the Sun at the time of a solar **eclipse**. [학평]
일식이 일어난 때에는 태양을 바라봐서는 안 된다.

solar[lunar] eclipse 일식[월식] **total[partial] eclipse** 개기[부분] 일식·월식

0609 **atmosphere***
[ǽtməsfìər]

[명] 대기, 공기; 분위기

Global warming is caused by an increase in carbon dioxide in the **atmosphere**. [학평]
지구 온난화는 **대기** 중 이산화 탄소의 증가에 의해 일어난다.

0610 **astronaut**
[ǽstrənɔ̀ːt]

[명] 우주 비행사

Jemison was named the first black woman **astronaut** in 1987. [학평]
Jemison은 1987년 최초의 흑인 여성 **우주 비행사**로 임명되었다.

0611 **astronomy**
[əstrɑ́nəmi]

[명] 천문학

The young astronomer came into the spotlight in the field of **astronomy** when he discovered Pluto. [학평]
그 젊은 천문학자는 명왕성을 발견했을 때 **천문학** 분야에서 주목을 받았다.

[+] **astronomical** [형] 천문학상(의), 천문학적인 **astronomer** [명] 천문학자

0612 **telescope**
[téləskòup]

[명] 망원경

Telescopes let us see further into space. [학평]
망원경은 우리가 우주를 더 멀리 볼 수 있게 해 준다.

[+] **telescopic** [형] 망원경의; 멀리 볼 수 있는; 신축자재의

0613 **satellite***
[sǽtəlàit]

[명] (인공) 위성; 위성 도시

With **satellite** forecasts, climbers know exactly when the weather will be perfect for climbing. [학평]
인공위성 예보로 등반가들은 날씨가 언제 등반에 완벽할지 정확하게 안다.

0614 □□ **chemistry***
[kémistri]

[명] 화학; 화학적 작용

Hodgkin was awarded the Nobel Prize in **Chemistry** with her work on vitamin B12. [학평]
Hodgkin은 비타민 B12에 대한 연구로 노벨 **화학**상을 받았다.

[+] **chemical** [형] 화학의, 화학적인 [명] 화학 물질 **chemist** [명] 화학자

0615 □□ **acid***
[ǽsid]

[명] 산(酸) [형] 산성의, (맛이) 신

Acids from food can attack the enamel of teeth. [학평]
음식에서 나오는 **산**은 치아의 법랑질을 상하게 할 수 있다.

amino acid 아미노산 **acid rain** 산성비

0616 □□ **carbon**
[kɑ́ːrbən]

[명] 탄소

Animals give off **carbon** dioxide, a gas that plants need. [학평]
동물들은 식물이 필요로 하는 기체인 이산화 **탄소**를 배출한다.

carbon dioxide 이산화 탄소

0617 □□ **element***
[éləmənt]

[명] 요소, 성분; 원소

Mixtures consist of different **elements** or compounds which have been physically mixed together.
혼합물은 물리적으로 함께 섞여 있는 서로 다른 **원소**나 화합물로 구성되어 있다.

[+] **elemental** [형] 요소의; 원소의; 기본적인

0618 □□ **physicist**
[fízisist]

[명] 물리학자

Physicists study both the nature of matter and the forces which govern it. [EBS] **물리학자들**은 물질의 본질과 그것을 다스리는 힘을 연구한다.

[+] **physics** [명] 물리학

How Different

0619 □□ **atom***
[ǽtəm]

[명] 원자; 극소량

We can't see **atoms**, or even the tiny creatures in puddles of rain water. [학평] 우리는 **원자**나 빗물의 웅덩이에 있는 작은 생물조차도 볼 수 없다.

[+] **atomic** [형] 원자의, 원자력의

0620 □□ **particle**
[pɑ́ːrtikl]

[명] 입자, 미립자; 극소(량)

When we blink, a film of tears covers the eyes and washes all the tiny dust **particles** that may be present. [학평] 우리가 눈을 깜박거리면 눈물막이 눈을 덮고 존재할지 모르는 모든 작은 먼지 **입자**를 씻어 낸다.

» **atom** 물질의 기본 단위로 주로 화학·물리학에서 쓰이지만, 지극히 작은 일부를 가리키기도 함
» **particle** 원자를 구성하는 미립자나 일반적으로 매우 작은 조각이나 입자 등을 가리킬 때 사용

0621
☐☐
biology*
[baiálədʒi]

(명) 생물학; 생태

The study of identical twins made scientists understand the connection between environment and **biology**. (학평)
일란성 쌍둥이에 대한 연구는 과학자들이 환경과 **생물학** 사이의 연관성을 이해하게 했다.

➕ biological (형) 생물(학)의   biologist (명) 생물학자

0622
☐☐
physiological
[fìziəládʒikəl]

(형) 생리학(상)의, 생리적인

When another driver cuts in front of him, the driver may go through a **physiological** change, becoming angry and out of control. (학평)
다른 운전자가 자신의 앞에 끼어들 때, 운전자는 **생리적인** 변화를 겪게 되어 화가 나고 자제력을 잃게 될 수도 있다.

➕ physiology (명) 생리학

0623
☐☐
species*
[spíːʃiːz]

(명) (생물의) 종

Our gut bacteria belong on the endangered **species** list. (학평)
우리 장 속의 박테리아는 멸종 위기의 **종** 목록에 속해 있다.

0624
☐☐
germ
[dʒəːrm]

(명) 세균, 미생물

Tracer proposes that carrying infants limits their exposure to ground **germs**. (학평)
Tracer는 아이를 안는 것이 바닥 **병균**에 노출되는 것을 제한한다는 의견을 제시한다.

0625
☐☐
tissue*
[tíʃuː]

(명) (세포) 조직; 화장지

It is known that 85% of our brain **tissue** is water. (학평)
우리 두뇌 **조직**의 85퍼센트가 물인 것으로 알려져 있다.

0626
☐☐
gene*
[dʒiːn]

(명) 유전자

Some genetic diseases can be treated by replacing damaged **genes**.
(학평) 일부 유전병들은 손상된 **유전자**를 대체함으로써 치료될 수 있다.

➕ genetic (형) 유전(학)의

0627
☐☐
fossil
[fásl]

(명) 화석   (형) 화석의; 구식의

Our efforts to use **fossil** fuels have shown meaningful results. (학평)
화석 연료를 사용하기 위한 우리의 노력은 의미 있는 결과를 보여 주었다.

➕ fossilize (동) 화석화하다[되다]; 고착하다

0628
☐☐ **ecosystem**
[íkousìstəm]

® 생태계

The water released from the dam can be colder than usual and this can affect the **ecosystems** in the rivers downstream. 학평
댐에서 방류된 물은 평소보다 더 차서 이것이 강 하류 **생태계**에 영향을 미칠 수 있다.

0629
☐☐ **ecological**
[èkəládʒikəl]

® 생태계[학]의

Instead of learning how to survive in just one or two **ecological** environments, we humans took on the entire globe. 학평 한두 개의 **생태학적인** 환경에서 어떻게 살아남는지를 배우는 대신에 우리는 전 세계를 점령했다.

➕ ecology ® 생태학   ecologist ® 생태학자

0630
☐☐ **balance***
[bǽləns]

® 균형; 저울; 잔고   ® 균형을 잡다

In the ideal system there is a natural **balance** between predators and pests. 학평 이상적인 체계에는 포식자와 해충 간의 자연적인 **균형**이 존재한다.

➕ balanced ® 균형이 잡힌   ➖ imbalance 불균형

0631
☐☐ **mechanism***
[mékənìzəm]

® 기계 (장치), 방법; 기제

We developed other **mechanisms**—such as calendars, computers, and smartphones—to help us organize and store the information we've written down. 학평 우리는 우리가 기록해 왔던 정보를 정리하고 저장하는 데 도움이 되는 달력, 컴퓨터, 그리고 스마트폰과 같은 다른 **방법들**을 발전시켰다.

defense mechanism 방어 기제

How Different

0632
☐☐ **device***
[diváis]

® 장치, 기구

The graph shows Americans' average daily Internet usage time by **device**. 학평 그래프는 미국인들의 하루 평균 인터넷 사용 시간을 **장치별**로 보여 준다.

➕ devise ® 고안하다, 발명하다

0633
☐☐ **gear***
[giər]

® 기어; 장비   ® 기어를 넣다; 조정하다

At the coach's suggestion, Jason was very excited, and he hurried to put on his baseball **gear**. 학평
코치의 제안에 Jason은 매우 흥분했고 그는 서둘러 야구 **장비**를 착용했다.

gear up 준비를 갖추다

» **device** 특정 목적을 위해 고안된 기계나 작은 크기의 전자 제품을 가리킴
» **gear** 자동차의 엔진 출력 조정 장치나 운동 등 특정 활동에 필요한 장비를 가리킴

0634 automatic*
[ɔ̀:təmǽtik]

(형) 자동의; 기계적인

A turtle doesn't have **automatic** body temperature control like mammals. 학평 거북이는 포유류처럼 **자동** 체온 조절을 하지 못한다.

➕ **automatically** (부) 자동적으로; 기계적으로; 무의식적으로   **automate** (동) 자동화하다

0635 automobile*
[ɔ́:təməbì:l]

(명) 자동차

The first **automobile** was called a "horseless" carriage. 학평
최초의 **자동차**는 '말 없는' 마차라고 불렸다.

0636 angle*
[ǽŋgl]

(명) 각; 관점   (동) 기울이다

Look for ways of achieving the goal more efficiently from a different **angle**. 학평
다른 **관점**에서 더 효율적으로 목표를 달성할 수 있는 방법을 모색하라.

at an angle 비스듬히

0637 digit
[dídʒit]

(명) 숫자

When we read a number, we're more influenced by the leftmost **digit** than by the rightmost. 학평
수를 읽을 때, 우리는 맨 오른쪽에 있는 것보다 맨 왼쪽에 있는 **숫자**에 더 영향을 받는다.

➕ **digital** (형) 디지털(방식)의; 손[발]가락의

0638 logical
[ládʒikəl]

(형) 논리적인

Decision making is the heart of rational, **logical** thought. 학평
의사 결정은 합리적이고 **논리적인** 사고의 핵심이다.

➕ **logic** (명) 논리(학)   **logically** (부) 논리적으로

0639 calculate*
[kǽlkjəlèit]

(동) 계산하다; 추정하다

It is relatively easy to **calculate** latitude by measuring the height of the Sun above the horizon at noon. 학평
정오에 수평선 위의 태양의 높이를 측정하기만 하면 위도를 **계산하는** 것은 상대적으로 쉽다.

➕ **calculated** (형) 계산된, 계획적인   **calculator** (명) 계산기   **calculation** (명) 계산; 추정

0640 geometry
[dʒiámətri]

(명) 기하학

The Greeks figured out mathematics, **geometry** and calculus long before calculators were available. 학평
그리스인들은 계산기가 사용 가능하기 훨씬 전에 수학, **기하학**, 미적분학을 이해했다.

➕ **geometric** (형) 기하학의, 기하학적인

과학, 기술
Use Words

01 make up .... samples   실험용 샘플을 만들다

experimental

02 participants in a .... study   실험실 연구의 참가자들

laboratory

03 according to a ....   어느 이론에 따르면

theory

04 the mysteries of the ....   우주의 신비

universe

05 the tail of a ....   혜성의 꼬리

comet

06 small planets in ....   궤도상의 작은 행성들

orbit

07 study Newton's theory of ....   뉴턴의 중력 이론을 공부하다

gravity

08 at the time of a solar ....   일식이 일어난 때에

eclipse

09 carbon dioxide in the ....   대기 중 이산화 탄소

atmosphere

10 the first black woman ....   최초의 흑인 여성 우주 비행사

astronaut

11 come into the spotlight in the field of ....
천문학 분야에서 주목을 받다

astronomy

12 look through an astronomical ....   천체 망원경을 통해서 보다

telescope

13 launch a communications ....   통신 위성을 발사하다

satellite

14 Dorothy's interest in ....   Dorothy의 화학에 대한 관심

chemistry

15 essential amino ....   필수 아미노산

acid

16 give off .... dioxide   이산화 탄소를 배출하다

carbon

17 the fundamental ....s   근본적 요소

element

18 Einstein was one of the world's most famous .... s.
아인슈타인은 세계적으로 가장 유명한 물리학자들 중 하나였다.

physicist

19 two hydrogen ....s in a molecule of water
물 분자 속의 두 개의 수소 원자

atom

20 filter out dust ....s 먼지 입자를 걸러 내다   particle

21 get a degree in .... 생물학 학위를 받다   biology

22 the .... effects of stress 스트레스의 생리학적 영향   physiological

23 the endangered .... 멸종 위기 종   species

24 be exposed to ground ....s 바닥 세균에 노출되다   germ

25 a central nervous .... 중추 신경 조직   tissue

26 activation of a .... 유전자 활성화   gene

27 use .... fuels 화석 연료를 사용하다   fossil

28 preserve the .... 생태계를 보존하다   ecosystem

29 research the .... environment 생태 환경을 조사하다   ecological

30 a natural .... between predators and pests
포식자와 해충 간의 자연적인 균형   balance

31 defense .... 방어 기제   mechanism

32 use a mobile .... to surf 검색을 위해 모바일 기기를 쓰다   device

33 put the car into .... 자동차에 기어를 넣다   gear

34 .... body temperature control 자동 체온 조절   automatic

35 make .... parts 자동차 부품을 만들다   automobile

36 think from a different .... 다른 관점에서 생각하다   angle

37 press one's four .... PIN 비밀번호 네 자리 숫자를 누르다   digit

38 enhance .... thinking 논리적인 사고를 강화하다   logical

39 .... the speed of light 빛의 속도를 계산하다   calculate

40 the .... of a spider's web 거미줄의 기하학적 구조   geometry

		check
0601 **experimental**	형 실험의, 실험적인	☐
0602 **laboratory**	명 실험실 형 실험실의	☐
0603 **theory**	명 이론, 학설; 의견	☐
0604 **universe**	명 우주; 전 세계	☐
0605 **comet**	명 혜성	☐
0606 **orbit**	명 궤도 동 궤도를 돌다	☐
0607 **gravity**	명 중력; 중대함	☐
0608 **eclipse**	명 일식, 월식 동 가리다	☐
0609 **atmosphere**	명 대기, 공기; 분위기	☐
0610 **astronaut**	명 우주 비행사	☐
0611 **astronomy**	명 천문학	☐
0612 **telescope**	명 망원경	☐
0613 **satellite**	명 (인공) 위성, 위성 도시	☐
0614 **chemistry**	명 화학(적 작용)	☐
0615 **acid**	명 산 형 산성의, (맛이) 신	☐
0616 **carbon**	명 탄소	☐
0617 **element**	명 요소, 성분; 원소	☐
0618 **physicist**	명 물리학자	☐
0619 **atom**	명 원자; 극소량	☐
0620 **particle**	명 입자, 미립자; 극소(량)	☐

		check
0621 **biology**	명 생물학; 생태	☐
0622 **physiological**	형 생리학(상)의, 생리적인	☐
0623 **species**	명 (생물의) 종	☐
0624 **germ**	명 세균, 미생물	☐
0625 **tissue**	명 (세포) 조직; 화장지	☐
0626 **gene**	명 유전자	☐
0627 **fossil**	명 화석 형 화석의; 구식의	☐
0628 **ecosystem**	명 생태계	☐
0629 **ecological**	형 생태계[학]의	☐
0630 **balance**	명 균형 동 균형을 잡다	☐
0631 **mechanism**	명 기계 (장치); 방법; 기제	☐
0632 **device**	명 장치, 기구	☐
0633 **gear**	명 기어; 장비 동 기어를 넣다; 조정하다	☐
0634 **automatic**	형 자동의; 기계적인	☐
0635 **automobile**	명 자동차	☐
0636 **angle**	명 각; 관점 동 기울이다	☐
0637 **digit**	명 숫자	☐
0638 **logical**	형 논리적인	☐
0639 **calculate**	동 계산하다; 추정하다	☐
0640 **geometry**	명 기하학	☐

외우지 못한 단어가 있으면 미니 단어장에서 다시 한번 정리해 보세요.

DAY 17

건축, 공간, 시설, 교통

| Word Map에 주제별로 분류된 단어의 뜻을 유추하여 빈칸에 쓰세요. |

설비
- arch 활 모양 구조물; 아치
- structure 건축물; 구조, 조직
- barrier
- pole 막대기; 기둥; 극지
- equip 장비를 갖추게 하다
- install 설치하다, 설비하다
- broaden 넓히다
- cable 전선; 굵은 밧줄
- leak

거주
- accommodate 수용하다
- occupy

장소
- locate
- nest 보금자리(를 짓다)
- shelter
- locality 위치; 근처

공간
- internal 내부의; (약) 내복용의
- external 외부의; 대외적인
- hollow
- blank 공백의; 공백
- surface 표면; 외관; 표면의
- border 경계; 국경, 테두리
- boundary

시설
- shelf 선반; (책장의) 칸
- auditorium 강당; 관객석
- pool
- tunnel 터널; 터널을 파다
- resort 리조트; 의지하다
- platform 승강장; 강단

실내 공간
- stair
- aisle 통로, 복도
- cell 작은 방; 세포
- chamber 방, 침실; 회의실

교통
- anchor 닻(을 내리다)
- lane 통로; (도로의) 차선
- aboard
- cab 택시
- carriage 마차; 객차
- fuel 연료; 연료를 공급하다
- vehicle 운송 수단
- transport 수송 (기구); 수송하다

📖 가리개를 사용하여 뜻을 잘 암기했는지 확인하세요.

0641 **arch**
[ɑːrtʃ]

명 활 모양 구조물; 아치

The branches of the trees formed an **arch** over the bench.
나무의 가지들이 벤치 위로 **아치**를 형성했다.

0642 **structure***
[strʌ́ktʃər]

명 건축물; 구조, 조직

Students will compete to build the most creative and livable **structure** made out of blocks. 학평 학생들은 블록을 써서, 가장 창의적이고 살 만한 **건축물**을 만들기 위해 경쟁할 것입니다.

➕ structural 형 구조(상)의, 조직의

0643 **barrier***
[bǽriər]

명 장벽, 장애(물)

Hiding behind a **barrier** is a normal response we learn at an early age to protect ourselves. 모평
장벽 뒤로 숨는 것은 우리가 자신을 보호하기 위해 어릴 때 배운 정상적인 반응이다.

➕ barricade 명 통행 차단물, 바리케이드

0644 **pole***
[poul]

명 막대기; 기둥; 극지

Crane helps in the erection of the telephone **pole**.
크레인이 전신주의 설치를 돕고 있다.

fishing pole 낚싯대   **telephone pole** 전신주, 전봇대
➕ polar 형 극지의, 남극[북극]의

How Different

0645 **equip**
[ikwíp]

동 장비를 갖추게 하다

The airship was completed in 1933 as part of an effort to **equip** the U.S. Navy with airborne military bases. 학평 그 비행선은 1933년에 미국 해군 에 하늘에 떠 있는 군사 기지를 **갖추게** 하려는 노력의 일환으로 완성되었다.

➕ equipment 명 장비, 설비

0646 **install***
[instɔ́ːl]

동 설치하다, 설비하다

Officials hired a team to beautify the city by **installing** a series of blue lights in various noticeable locations. 학평 공무원들이 팀을 고용하여 일련의 파란색 전등을 눈에 잘 띄는 여러 장소에 **설치함**으로써 도시를 아름답게 했다.

➕ installation 명 설치, 설비   installment 명 할부, 납입금

» **equip** 기존의 설비에 새로운 설비를 추가하는 것을 가리킴
» **install** 새로운 설비를 추가함으로 새로운 기능이 활용 가능하도록 함을 가리킴

10   20   30   40

0647 broaden
[brɔ́:dn]

(동) 넓히다

If you want to **broaden** your impact as a writer, tighten your focus on the reader. (학평) 여러분이 여러분의 작가로서의 영향력을 **넓히고** 싶다면, 여러분의 초점을 독자에게로 좁히세요.

🔁 **broad** (형) (폭이) 넓은, 광대한   **broadly** (부) 넓게; 명백히

0648 cable*
[kéibəl]

(명) 전선; 굵은 밧줄

It is fully charged in 30 minutes via USB-**cable**, and it runs for 5 hours. (학평) 그것은 USB **케이블**을 통해 30분 만에 완전히 충전되며, 5시간 동안 작동한다.

0649 leak*
[li:k]

(명) 새는 곳; 누출   (동) 새다; 누출시키다

One such emergency involved a **leak** in the pipe supplying water to the camp. (학평)
그런 비상사태 중 하나는 캠프에 물을 공급하는 파이프가 **새는 경우**를 포함했다.

🔁 **leakage** (명) 누출, 새어 나옴; 누설   **leaky** (형) 새는, 새기 쉬운

0650 internal**
[intə́:rnl]

(형) 내면적인; (약) 내복용의

We have an **internal** temperature control mechanism: when we get too hot we start to sweat. (학평) 우리에게는 **내부의** 체온 통제 체제가 있다: 너무 더우면 우리는 땀을 흘리기 시작한다.

0651 external*
[ikstə́:rnəl]

(형) 외부의; 대외적인

A psychologist did an experiment showing human perception and behavior can be influenced by **external** factors. (학평) 한 심리학자는 인간의 인식과 행동이 **외부** 요인에 의해 영향을 받을 수 있다는 것을 보여 주는 실험을 했다.

0652 hollow
[hálou]

(형) (속이) 빈   (명) 우묵한 곳; 구멍

The turkey vulture nests in caves and **hollow** trees. (학평)
터키 콘도르는 동굴이나 **빈** 나무에 둥지를 튼다.

0653 blank*
[blæŋk]

(형) 공백의; 공허한   (명) 공백

When you find there is **blank** space on your calendar, are you uneasy about it? (학평)
여러분의 일정표에 **빈** 공간이 있음을 발견하면, 여러분은 그것이 불편한가?

🔁 **blankness** (명) 공백

0654 **surface***
[sə́:rfis]

몡 표면; 외관　혱 표면의

Dolphins need to reach the **surface** of the water to breathe. 학평
돌고래는 숨을 쉬기 위해 **수면**에 도달해야 한다.

on the surface 외관은, 겉보기에는

How Different

0655 **border***
[bɔ́:rdər]

몡 경계, 국경; 테두리

Love always flows beyond human **borders** and dissolves the fears that keep us separate. 학평
사랑은 항상 인간의 **경계**를 넘어 흐르고, 우리를 갈라놓는 두려움을 녹인다.

Doctors Without Borders 국경 없는 의사회

0656 **boundary***
[báundəri]

몡 경계(선); (pl.) 한계, 범위

After flooding, a river's course may shift, altering the **boundary** between states or countries. 학평
홍수 후에 강의 경로가 변하여 주나 국가 사이의 **경계**를 바꿀 수 있다.

» **border** 주로 국경과 같은 경계를 가리키며 가장자리의 의미로 쓰임. 경계 안에 있는 입장에서 본 의미로 주로 쓰임
» **boundary** 두 영역을 나누는 선의 의미로 쓰임. 두 영역 사이의 의미로 주로 쓰임

0657 **stair**
[stɛə́r]

몡 계단(의 한 단)

Climbing the **stairs** instead of riding the escalator counts. 학평
에스컬레이터를 타는 것 대신에 **계단**을 오르는 것이 중요하다.

➕ downstairs 倶 아래층으로　upstairs 倶 위층으로
　stairwell 몡 계단실(계단이 있는 공간)
🟰 step 몡 계단

0658 **aisle***
[ail]

몡 통로, 복도

When you are in the supermarket, do you buy something from each and every **aisle**? 학평
여러분이 슈퍼마켓에 가면, 여러분은 각각의 모든 **통로**에서 무언가를 사나요?

0659 **cell***
[sel]

몡 작은 방; 세포

The suspect spent two nights in the **cells** at the local police station.
그 용의자는 지역 파출소의 **독방**에서 이틀 밤을 보냈다.

0660 chamber
[tʃéimbər]

(명) 방, 침실; 회의실

While inside the pressure **chamber**, the subject was asked to perform two simple visual tasks. (학평)
압력 **방** 내부에 있는 동안 피험자는 두 가지 간단한 시각적 작업을 수행하도록 요청받았다.

0661 accommodate*
[əkámədèit]

(동) 수용하다; (편의를) 제공하다; 적응시키다

We are wondering if you will be able to **accommodate** our guests for that night. (학평)
저희는 당신이 그날 밤 저희 손님들을 **수용할** 수 있을지 궁금합니다.

➕ accommodation (명) 숙소, 숙박[수용] 시설; 적응

0662 occupy*
[ákjəpài]

(동) 차지하다; 거주하다

A large picture of the landscape of Mt. Baekdu **occupied** the space over the wall. 백두산 풍경의 커다란 사진이 벽면 전체의 공간을 **차지했다.**

➕ occupation (명) 직업, 업무; 점유, 거주

0663 locate*
[lóukeit]

(동) ~에 두다; ~의 위치를 알아내다

Botswana is **located** in southern Africa. (학평)
보츠와나는 아프리카 남쪽 지역에 **위치한다.**

➕ location (명) 위치, 장소

0664 nest*
[nest]

(명) 보금자리; 안식처   (동) 보금자리를 짓다

Once the dogs find the insect **nest** with their sharp nose, people can have the insects and their **nest** removed. (학평) 일단 개가 그 예민한 코로 곤충의 **서식처**를 찾아내면, 사람들은 그 곤충과 곤충의 **서식처**를 제거할 수 있다.

0665 shelter
[ʃéltər]

(명) 피난처; 쉼터   (동) 보호하다; 피하다

Homeless **shelters** are always in need of decent clothing. (학평)
노숙자 **쉼터**에는 쓸 만한 의류가 항상 부족하다.

➕ sheltered (형) 보호받고 있는

0666 locality
[loukǽləti]

(명) 위치; 근처

We are planning to open a school for the underprivileged students of the **locality** at Norristown. (학평)
저희는 Norristown에 **인근** 소외 계층 학생들을 위해 학교를 열 계획을 세우는 중입니다.

➕ local (형) 장소의, 지방의, 현지의

0667 □□ **shelf***
[ʃelf]

[명] 선반; (책장의) 칸

You are far more likely to purchase items placed at eye level in the grocery store than items on the bottom **shelf**. [학평] 여러분은 아래쪽 **선반**에 있는 상품보다 식료품점의 눈높이에 있는 상품을 구매할 가능성이 훨씬 더 높다.

off the shelf 재고가 있는; 기성품의 **on the shelf** 선반 위에; 보류된

0668 □□ **auditorium**
[ɔ̀:ditɔ́:riəm]

[명] 강당; 관객석

Laughter started to pass through the **auditorium** from front to back. [학평] 웃음소리가 **강당**의 앞에서 뒤로 퍼져 나가기 시작했다.

[+] **auditory** [형] 귀의, 청각의; 청중석의 [명] 청중(석)

0669 □□ **pool***
[pu:l]

[명] 웅덩이; 수영장

Fear of sharks has kept many **pool** swimmers from testing the ocean water. [학평] 상어에 대한 두려움이 **수영장**에서 수영하는 많은 사람들로 하여금 바닷물을 시도해 보지 못하게 해 왔다.

swimming pool 수영장

0670 □□ **tunnel***
[tʌ́nl]

[명] 터널 [동] 터널을 파다

In 1825, Brunel designed a **tunnel** under the river. [학평] 1825년에 Brunel은 강 밑을 지나는 **터널**을 설계했다.

0671 □□ **resort***
[rizɔ́:rt]

[명] 리조트; 의지 [동] 의지하다

Except for the swimming pool, the facilities at the Barbados Sun **Resort** were excellent. [학평] 수영장 외에 Barbados Sun **리조트**의 시설은 훌륭했다.

resort to ~에 의지하다

0672 □□ **platform***
[plǽtfɔ:rm]

[명] 승강장; 강단

The next train for Busan will depart from **platform** 9. 부산행 다음 열차는 9번 **승강장**에서 출발할 것입니다.

0673 □□ **anchor***
[ǽŋkər]

[명] 닻 [동] 닻을 내리다

The dish you start with serves as an **anchor** food for your entire meal. [학평] 여러분이 처음 먹기 시작하는 요리가 여러분의 전체 식사에 **닻**을 내리는 역할을 한다.

0674 lane*
[lein]

(명) 통로; (도로의) 차선

When I came out of that curve, I was in the outside **lane**, the one nearest to the side of the cliff. (학평)
커브를 빠져나왔을 때 나는 절벽 쪽으로 가장 가까운 바깥 **차선**에 있었다.

0675 aboard*
[əbɔ́ːrd]

(부) 탑승하여

Most research missions in space are accomplished through the use of spacecraft without crews **aboard**. (학평)
우주에서의 대부분의 연구 임무는 승무원이 **탑승하지** 않은 우주선을 이용하여 수행된다.

0676 cab*
[kæb]

(명) 택시

Kara grabbed a **cab** to her new apartment, but it was so close that she could walk. (학평)
Kara는 자신의 새로운 아파트로 가는 **택시**를 잡았는데, 그 아파트는 그녀가 걸어서 갈 수 있을 정도로 가까운 곳이었다.

0677 carriage
[kǽridʒ]

(명) 마차; 객차

The first automobile was called a "horseless" **carriage**. (학평)
최초의 자동차는 '말 없는' **마차**라고 불렸다.

0678 fuel*
[fjú(ː)əl]

(명) 연료 (동) 연료를 공급하다

Give your brain the **fuel** it needs to run well. (학평)
여러분의 두뇌가 잘 돌아가는 데 필요한 **연료**를 주어라.

How Different

0679 vehicle*
[víːikəl]

(명) 운송 수단

Construction **vehicles** may also use this street to gain access to the main construction site. (학평)
공사 **차량**도 주요 공사장에 접근하기 위해 이 거리를 이용할 수 있다.

0680 transport*
(명)[trǽnspɔːrt]
(동)[trænspɔ́ːrt]

(명) 수송 (기구), 운송 (동) 수송하다

This annual event for clean and sustainable **transport** runs from Nov 25 to Dec 1. (학평) 깨끗하고 (환경 파괴 없는) 지속 가능한 **교통수단**을 위한 이 연례 행사는 11월 25일부터 12월 1일까지 진행합니다.

➕ **transportation** (명) 운송, 수송; 교통 기관

» **vehicle** 운송 기구를 가리키며, 특히 기계 장치에 의해 움직이는 이동 수단을 가리킴
» **transport** 운송 기구를 비롯하여 이동을 목적으로 움직이는 것을 통칭하여 가리킴

01 a triumphal .... 승전 기념 아치 | arch   arch

02 the .... of the building 그 건물의 구조 | structure

03 break through the .... 장벽을 뚫다 | barrier

04 put up a telephone .... 전봇대를 세우다 | pole

05 .... for wheelchair access 휠체어 접근이 가능하도록 설비하다 | equip

06 .... a series of blue lights 일련의 파란색 전등을 설치하다 | install

07 .... one's impact 영향력을 넓히다 | broaden

08 lay underground .... 지하 전선을 설비하다 | cable

09 The important information is ....ed. 중요한 정보가 누설됐다. | leak

10 medicines for .... use 내복약 | internal

11 .... factors 외부 요인들 | external

12 a .... surface 움푹 팬 표면 | hollow

13 .... space on a calendar 일정표의 빈 공간 | blank

14 the .... of the earth 지표면 | surface

15 the Italian-Austrian .... 이탈리아와 오스트리아의 국경 | border

16 the .... between countries 국가 사이의 경계 | boundary

17 a flight of ....s 한 줄로 이어진 계단 | stair

18 an .... seat 통로 쪽 좌석 | aisle

19 a windowless .... 창문 없는 작은 방 | cell

20 hyperbaric oxygen .... 고압 산소실 | chamber

21	_____ the guests 손님들을 수용하다	accommodate
22	_____ the space over the wall 벽 전체의 공간을 차지하다	occupy
23	be _____ d in Southern Africa 아프리카 남쪽 지역에 위치하다	locate
24	a bird's _____ 새의 둥지	nest
25	a _____ for the homeless 노숙자를 위한 쉼터	shelter
26	a sense of _____ 위치 감각	locality
27	a kitchen _____ 부엌 선반	shelf
28	the crowded _____ 꽉 찬 관객석	auditorium
29	open-air _____ 야외 수영장	pool
30	construct an undersea _____ 해저 터널을 건설하다	tunnel
31	the attractive _____ 매력적인 리조트	resort
32	a railway _____ 기차 승강장	platform
33	cast _____ 닻을 내리다	anchor
34	the outside _____ 바깥 차선	lane
35	go _____ 승선하다	aboard
36	grab a _____ 택시를 잡다	cab
37	European railway _____ 유럽의 기차의 객차	carriage
38	a car with high _____ consumption 연료 소모가 많은 자동차	fuel
39	inside the _____ 차 안에	vehicle
40	clean and sustainable _____ 깨끗하고 지속 가능한 교통	transport

건축, 공간, 시설, 교통
3-Minute Check

오늘 학습한 단어와 뜻을
최종적으로 암기했는지 확인하세요!

			check
0641	**arch**	몡 활 모양 구조물; 아치	☐
0642	**structure**	몡 건축물; 구조, 조직	☐
0643	**barrier**	몡 장벽, 장애(물)	☐
0644	**pole**	몡 막대기; 기둥; 극지	☐
0645	**equip**	동 장비를 갖추게 하다	☐
0646	**install**	동 설치하다, 설비하다	☐
0647	**broaden**	동 넓히다	☐
0648	**cable**	몡 전선; 굵은 밧줄	☐
0649	**leak**	몡 새는 곳 동 새다	☐
0650	**internal**	형 내부의; (약) 내복용의	☐
0651	**external**	형 외부의; 대외적인	☐
0652	**hollow**	형 (속이) 빈 몡 우묵한 곳	☐
0653	**blank**	형 공백의 몡 공백	☐
0654	**surface**	몡 표면; 외관 형 표면의	☐
0655	**border**	몡 경계, 국경; 테두리	☐
0656	**boundary**	몡 경계(선); 한계, 범위	☐
0657	**stair**	몡 계단(의 한 단)	☐
0658	**aisle**	몡 통로, 복도	☐
0659	**cell**	몡 작은 방; 세포	☐
0660	**chamber**	몡 방, 침실; 회의실	☐

			check
0661	**accommodate**	동 수용하다	☐
0662	**occupy**	동 차지하다; 거주하다	☐
0663	**locate**	동 ~에 두다	☐
0664	**nest**	몡동 보금자리(를 짓다)	☐
0665	**shelter**	몡 피난처; 쉼터 동 보호하다	☐
0666	**locality**	몡 위치; 근처	☐
0667	**shelf**	몡 선반; (책장의) 칸	☐
0668	**auditorium**	몡 강당; 관객석	☐
0669	**pool**	몡 웅덩이; 수영장	☐
0670	**tunnel**	몡 터널 동 터널을 파다	☐
0671	**resort**	몡 리조트 동 의지하다	☐
0672	**platform**	몡 승강장; 강단	☐
0673	**anchor**	몡 닻 동 닻을 내리다	☐
0674	**lane**	몡 통로; (도로의) 차선	☐
0675	**aboard**	부 탑승하여	☐
0676	**cab**	몡 택시	☐
0677	**carriage**	몡 마차; 객차	☐
0678	**fuel**	몡 연료 동 연료를 공급하다	☐
0679	**vehicle**	몡 운송 수단	☐
0680	**transport**	몡 수송 (기구), 운송 동 수송하다	☐

외우지 못한 단어가 있으면 **미니 단어장**에서 다시 한번 정리해 보세요.

도구, 재료, 물리적 상태

| **Word Map**에 주제별로 분류된 단어의 뜻을 유추하여 빈칸에 쓰세요. |

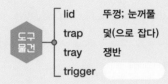

도구 물건
- lid   뚜껑; 눈꺼풀
- trap   덫(으로 잡다)
- tray   쟁반
- trigger

형태
- pile   더미; 쌓다
- square   정사각형; 광장
- level   수준; 평평한
- narrow
- straight   곧은; 솔직한
- stripe   줄무늬

도구 다루기
- fix   고정하다; 고치다
- utilize   활용하다
- expand   확장하다
- extend   연장하다; 뻗다
- maximize

겉모습
- bare   벌거벗은
- pale   창백한; 흐릿한
- remote
- resemble   닮다, 비슷하다
- shallow   얕은; 천박한

물질
- ash   재; 유골
- moisture   습기, 수분

변화
- erosion   부식, 침식
- friction
- ripe   익은; 성숙한
- rotten   썩은; 타락한

상태
- humid
- dense   밀집한; 짙은
- fluid   액체; 유동성의
- solid
- vacuum   진공; 진공의

질감
- ragged   누더기를 걸친
- harsh
- wrinkle   주름(을 짓다)

기술 방법
- motion   움직임; 동작
- trick
- means   수단; 자금
- manner   방식; 태도; 예절

재료
- resource
- stuff   물건; 일

📖 가리개를 사용하여 뜻을 잘 암기했는지 확인하세요.

0681 **lid***
[lid]

(명) 뚜껑; 눈꺼풀

Dorothy covered the pot with its **lid** to put out the flames. (학평)
Dorothy는 불꽃을 끄기 위해 냄비 **뚜껑**으로 냄비를 덮었다.

0682 **trap***
[træp]

(명) 덫 (동) 덫으로 잡다

Many people fall easily into the **trap** of replaying negative situations from a hard day. (학평)
많은 사람은 힘든 하루의 부정적인 장면들을 되풀이해 떠올리는 **덫**에 쉽게 빠진다.

📱 **entrap** (동) 덫에 걸리게 하다, 함정에 빠뜨리다

0683 **tray***
[trei]

(명) 쟁반

At restaurants, servers are taught to present **trays** of food to customers with respect. (학평)
식당에서, 종업원은 손님들에게 정중하게 음식이 담긴 **쟁반**을 가져다주도록 교육받는다.

food tray 식판

0684 **trigger**
[trigər]

(명) 방아쇠; 계기 (동) 촉발하다

Ask someone well-chosen questions to look at their own views from another angle, and this might **trigger** fresh insights. (학평)
누군가에게 그들 스스로의 견해를 다른 관점으로 볼 수 있도록 잘 선정한 질문을 하면, 이것이 새로운 통찰을 **촉발할** 수도 있다.

0685 **fix**
[fiks]

(동) 고정하다; 고치다

I'll text you how much it costs to **fix** the floor. (학평)
바닥을 **고치는** 데 비용이 얼마나 드는지 내가 네게 문자 메시지를 보낼게.

➕ **fixed** (형) 고정된; 확고한

0686 **utilize**
[júːtəlàiz]

(동) 활용하다

Australia **utilized** camels imported from the Middle East to transfer mail across vast deserts. (수능)
호주는 중동에서 수입한 낙타를 광대한 사막을 건너 우편물을 수송하는 데 **활용했다**.

➕ **utilization** (명) 활용, 이용   **utility** (명) 유용; (전기·가스 등의) 설비

How Different

0687 expand*
[ikspǽnd]

ⓢ 확장하다; 발전시키다

The cotton gin required more slaves as cotton culture **expanded**. 학평
목화 경작이 **늘어남**에 따라 목화 씨 빼는 기계는 더 많은 노예를 필요로 했다.

➕ **expansion** ⓝ 확장, 팽창; 발전　**expansive** ⓐ 팽창력 있는; 광대한; 포용력 있는

0688 extend*
[iksténd]

ⓢ 연장하다; 뻗다

Could you **extend** the due date of this report? 학평
이 보고서의 마감일을 **연장해** 주시겠습니까?

➕ **extent** ⓝ 정도; 크기　**extension** ⓝ 연장, 확장　**extensive** ⓐ 광범위한

» **expand** 부피, 크기, 범위 등을 확장함을 가리킴
» **extend** 길이, 거리, 시간 등을 늘이거나 공간, 영향력, 세력을 확장함을 가리킴

0689 maximize
[mǽksəmàiz]

ⓢ 최대화하다; 최대한 활용하다

Scottish economist Adam Smith saw competitiveness as **maximizing** self-interest. 학평
스코틀랜드 경제학자 Adam Smith는 경쟁함을 자기 이익을 **극대화하는** 것으로 보았다.

➖ **minimize** ⓢ 최소[최저]로 하다; 축소하다

0690 ash*
[æʃ]

ⓝ 재; (pl.) 유골

Power lines have collapsed under the weight of **ash** from the volcano.
화산에서 나온 **재**의 무게로 인해 송전선이 내려앉았다.

0691 moisture*
[mɔ́istʃər]

ⓝ 습기, 수분

Too much **moisture** in the air can encourage growths of molds. 학평
공기 중의 너무 많은 **습기**는 곰팡이의 증식을 조장할 수 있다.

➕ **moist** ⓐ 습기 있는, 축축한　**moisten** ⓢ 축축하게 하다　**moisturize** ⓢ 수분을 주다

0692 humid
[hjúːmid]

ⓐ 습한

The best professional singers require **humid** settings to help them achieve the right pitch. 학평
최고의 직업 가수들은 정확한 음 높이를 낼 수 있도록 도울 **습한** 환경을 필요로 한다.

➕ **humidity** ⓝ 습함; 습도　**humidify** ⓢ 가습을 하다

0693 dense*
[dens]

ⓐ 밀집한; 짙은

Kenge had lived his entire life in a **dense** jungle that offered no views of the horizon. 학평 Kenge는 지평선이 보이지 않는 **빽빽한** 밀림에서 평생을 살았다.

➕ **density** ⓝ 밀도, 농도　**densely** ⓐⓓ 밀집하여, 빽빽하게

0694 **fluid**
[flú(:)id]

명 액체　형 유동성의

When you spin the raw egg, the **fluid** inside moves around and causes the shaking. 학평
여러분이 날달걀을 돌릴 때, 내부의 **액체**는 이리저리 움직여서 흔들림을 야기한다.

0695 **solid***
[sálid]

명 고체　형 고체의; 단단한; 탄탄한

Solids like wood transfer the sound waves much better than air typically does. 학평
나무 같은 **고체**는 공기가 일반적으로 음파를 전달하는 것보다 훨씬 더 잘 전달한다.

➕ **solidity** 명 단단함, 견고　**solidify** 동 굳히다, 응고시키다

0696 **vacuum***
[vǽkjuəm]

명 진공　형 진공의　동 (청소기로) 청소하다

Turning off the **vacuum** cleaner will reset all settings except for the current time. 학평
진공청소기를 끄면 현재 시간을 제외한 모든 설정이 재설정될 것이다.

0697 **resource***
[rí:sɔ:rs]

명 (pl.) 자원; 물자

We hope you will devote **resources** to restoring the walking paths in Freer Park for all visitors. 학평 저희는 귀하께서 모든 방문객들을 위해 Freer Park 에 있는 산책로를 복구하는 데 **자원**을 투입해 줄 것을 희망합니다.

➕ **resourceful** 형 자원이 풍부한; 지략이 있는

0698 **stuff***
[stʌf]

명 물건; 일　동 채우다

Today we consume 26 times more **stuff** than we did 60 years ago. 학평 오늘날 우리는 60년 전보다 26배 더 많은 **물건**을 소비한다.

0699 **pile***
[pail]

명 더미, 무더기　동 쌓다; 쌓이다

Serafina spends weeks cutting hay and then carries huge **piles** of it on her head the several miles down to the barn. 학평 Serafina는 몇 주 동안 건초를 베어 그 커다란 **더미들**을 머리에 이고 헛간으로 수 마일을 운반했다.

pile up ~을 쌓다, 쌓이다

0700 **square***
[skwɛər]

명 정사각형; 광장　형 정사각형의; 직각의

The main attraction of each room is a **square** ice cube bed with lights installed underneath the bed. 학평
각 객실의 주된 매력은 아래쪽에 조명이 설치된 **사각형의** 얼음 침대이다.

0701
level*
[lévəl]

(명) 수준　(형) 평평한　(동) 평평하게 하다

No other species on Earth comes close to the **level** of creativity we humans display. 학평
지구상의 어느 다른 종도 우리 인간이 보여 주는 창의력 **수준**에 근접하지 못한다.

0702
narrow*
[nǽrou]

(형) 좁은; 한정된　(동) 좁히다

Many foot problems are due to poor-fitting shoes, including **narrow** toes and high heels. 학평
많은 발 문제는 **좁은** 발가락 부분과 높은 굽을 포함한, 잘 맞지 않는 신발 때문이다.

0703
straight*
[streit]

(형) 곧은; 솔직한　(부) 똑바로

A rabbit running from a coyote does not run endlessly in a **straight** line. 학평 코요테로부터 도망치는 토끼는 계속 **일직선으로** 뛰지는 않는다.

➕ **straighten** (동) 똑바르게 하다; 정리하다

0704
stripe*
[straip]

(명) 줄무늬

The question of what zebras can gain from having **stripes** has puzzled scientists for more than a century. 학평 얼룩말이 **줄무늬**를 지님으로써 얻을 수 있는 것에 관한 질문은 100년 넘게 과학자들을 곤혹스럽게 해 왔다.

➕ **striped** (형) 줄무늬가 있는

0705
bare*
[bɛər]

(형) 벌거벗은　(동) 드러내다

Staring at the **bare** Sun is more harmful than when part of the Moon blocks it. 학평
완전히 노출된 태양을 바라보는 것은 달의 일부가 그것을 가릴 때 보는 것보다 더 해롭다.

➕ **barefoot** (형)(부) 맨발의[로]

0706
pale*
[peil]

(형) 창백한; 흐릿한　(동) 창백해지다

When an octopus gets upset, it may get **pale** all over or turn brown or even purple. 학평
문어가 화가 나면, 그것은 전체가 **창백해지거나** 갈색, 심지어 자주색으로 변할 수 있다.

0707
remote*
[rimóut]

(형) 먼; 외딴; 희박한

Bikes4Hope is a non-profit organization dedicated to sending bicycles to the children in **remote** villages in Africa. 학평
Bikes4Hope은 아프리카의 **외딴** 마을에 사는 아이들에게 자전거를 보내는 일을 목적으로 하는 비영리 단체이다.

0708 resemble*
[rizémbl]

(동) 닮다, 비슷하다

At parties Kluckhohn often served sandwiches filled with a light meat that **resembled** tuna or chicken. 학평 파티에서 Kluckhohn은 종종 참치나 닭고기와 **비슷한** 흰 살코기로 채워진 샌드위치를 대접했다.

➕ resemblance (명) 닮음, 유사함

0709 shallow*
[ʃǽlou]

(형) 얕은; 천박한, 피상적인

American Coots, dark, duck-like birds, build floating nests in wetlands or **shallow** lakes. 학평 어두운 색의, 오리처럼 생긴 새인 American Coot는 습지나 **얕은** 호수에 떠 있는 둥지를 짓는다.

➕ shallowness (명) 얕음; 천박함

0710 erosion
[iróuʒən]

(명) 부식, 침식

Coastal **erosion** is typically driven by the action of waves and currents. 해안 **침식**은 주로 파도와 조류의 움직임에 의해 일어난다.

➕ erode (동) 침식하다; 약화하다

0711 friction
[fríkʃən]

(명) 마찰, (의견의) 충돌

When a marble falls from the top of a building, air applies **friction** to the falling marble and slows it down. 학평 구슬이 건물 꼭대기에서 떨어질 때, 공기는 떨어지는 구슬에 **마찰**을 일으켜서 느려지게 한다.

➕ frictional (형) 마찰의, 마찰로 일어나는

0712 ripe
[raip]

(형) 익은; 성숙한

The plant uses the color of the fruit to signal to predators that it is **ripe**. 학평 식물은 포식자에게 과일이 **익었음**을 알려주기 위해 그 색깔을 사용한다.

➕ ripen (동) (과일 등이) 익다, 성숙하다
➕ unripe (형) 익지 않은

0713 rotten
[rátn]

(형) 썩은; 타락한

Large amounts of small animals make their home in **rotten** wood. 학평 많은 작은 동물들이 **썩은** 나무 속에 집을 짓는다.

0714 ragged
[rǽgid]

(형) 누더기를 걸친; 해어진; 거친

There appeared before the king a poor, **ragged** man, carrying a large sack over his shoulder. 학평 왕 앞에 **누더기를 걸친** 가난한 남자가 그 어깨에 커다란 자루를 메고 나타났다.

⁰⁷¹⁵ **harsh***
[hɑːrʃ]

형 거친; 가혹한; 귀에 거슬리는

The lifeguard needs to be mentally and physically prepared to cope with **harsh** sea conditions. 학평 인명 구조원은 바다의 **거친** 환경에 대처하기 위해 정신적으로나 육체적으로 준비되어야 한다.

⁰⁷¹⁶ **wrinkle**
[ríŋkl]

명 주름 동 주름을 짓다

The well-known cosmetics firm marketed a cream that is supposed to rapidly reduce **wrinkles**. 학평
유명 화장품 회사는 **주름**을 빠르게 줄여 준다는 크림을 시장에 내놓았다.

➕ wrinkled 형 주름진

⁰⁷¹⁷ **motion***
[móuʃən]

명 움직임; 동작 동 몸짓으로 알리다

Your improved flexibility will increase your range of **motion** while weight lifting, which in turn will make your muscles stronger. 학평
여러분의 유연성이 향상되면 근력 운동을 할 때 **동작**의 범위가 늘고, 이는 결국 여러분의 근육을 더 강하게 할 것이다.

put in motion 움직이게 하다, 운전시키다

⁰⁷¹⁸ **trick***
[trik]

명 속임수; 요령; 장난 동 속이다

Snowboarding and skateboarding are almost the same in that the actions include riding and performing **tricks** using a board. 학평
스노보딩과 스케이트보딩은 보드를 타고, 보드를 사용하여 **묘기**를 구사하는 동작을 한다는 점에서 거의 똑같다.

play a trick on ~에게 장난하다, ~을 속이다
➕ tricky 형 속이는, 교활한; 까다로운

How Different

⁰⁷¹⁹ **means**
[miːnz]

명 수단; 자금

Foraging is a **means** of searching for wild food resources. 학평
식량을 찾아다니는 것은 야생의 식량 자원을 탐색하는 **수단**이다.

by all means 반드시 **by means of** ~에 의하여 **by no means** 결코 ~ 않다

⁰⁷²⁰ **manner***
[mǽnər]

명 방식; 태도; (pl.) 예절

We criticize the way someone eats or the **manner** in which they speak. 학평
우리는 어떤 사람이 식사를 하는 방법이나 그들이 말하는 **방식**에 대해 비판한다.

in a manner 어떤 의미로는; 얼마간
➕ well-mannered 형 예의 바른

» **means** 특정한 일을 성취하기 위한 수단
» **manner** 일이 이뤄지거나 발생하는 방식

01 cover the pot with its .... 뚜껑으로 냄비를 덮다   lid   lid

02 fall into one's .... 함정에 빠지다   trap

03 present ....s of food to customers   tray
손님들에게 음식이 담긴 쟁반들을 주다

04 .... fresh insights 새로운 통찰을 촉발하다   trigger

05 .... the floor 바닥을 수리하다   fix

06 .... one's knowledge 지식을 활용하다   utilize

07 .... social networks 사회적 네트워크를 확장하다   expand

08 .... the due date 기한 일자를 연장하다   extend

09 .... workers' abilities 직원들의 능력을 극대화하다   maximize

10 the weight of .... from the volcano 화산에서 나온 재의 무게   ash

11 Some .... is needed in the air. 공기에 습기가 약간 필요하다.   moisture

12 on a hot .... day 덥고 습한 날에   humid

13 a .... jungle 빽빽한 밀림   dense

14 vapor away a heated .... 가열한 액체를 증발시키다   fluid

15 .... objects such as furniture 가구 같은 단단한 물체   solid

16 turn off the .... cleaner 진공청소기를 끄다   vacuum

17 devote ....s to restoring the paths   resource
길을 복구하는 데 자원을 투입하다

18 the sort of silly .... 그러한 종류의 실없는 것   stuff

19 Discarded clothing ....s up in landfills.   pile
버려진 옷이 매립지에 쌓인다.

20 cut out two separate _____ s 두 개의 분리된 사각형을 자르다   square

21 items placed at eye _____ 눈높이에 놓인 제품들   level

22 shoes with _____ toes and high heels
발가락이 좁고 굽이 높은 신발   narrow

23 run in a _____ line 일직선으로 뛰다   straight

24 Zebras have _____ s on their skin. 얼룩말은 피부에 줄무늬가 있다.   stripe

25 the _____ branches of winter tree 겨울나무의 헐벗은 가지들   bare

26 look _____ and drawn 창백하고 핼쑥해 보이다   pale

27 the children in _____ villages 외딴 마을에 사는 아이들   remote

28 a light meat that _____ s tuna 참치와 비슷한 흰 살코기   resemble

29 floating nests in _____ lakes 얕은 호수에 떠 있는 둥지들   shallow

30 the cause of coastal _____ 해안 침식의 원인   erosion

31 _____ between moving parts 움직이는 부품들 간의 마찰   friction

32 bite into a _____ peach 익은 복숭아를 깨물다   ripe

33 The _____ meat smells bad. 그 썩은 고기에서 악취가 난다.   rotten

34 wear the _____ clothes 다 해어진 옷을 입다   ragged

35 cope with _____ sea conditions 바다의 거친 환경에 대처하다   harsh

36 lotions for _____ prevention 주름 방지용 로션   wrinkle

37 increase one's range of _____ 움직임의 범위를 넓히다   motion

38 perform _____ s using a board 보드를 이용하여 묘기를 구사하다   trick

39 a _____ of searching for food resources
식량 자원을 탐색하는 수단   means

40 the _____ in which a person speaks 사람이 말하는 방식   manner

			check
0681	**lid**	명 뚜껑; 눈꺼풀	☐
0682	**trap**	명 덫 동 덫으로 잡다	☐
0683	**tray**	명 쟁반	☐
0684	**trigger**	명 방아쇠; 계기 동 촉발하다	☐
0685	**fix**	동 고정하다; 고치다	☐
0686	**utilize**	동 활용하다	☐
0687	**expand**	동 확장하다; 발전시키다	☐
0688	**extend**	동 연장하다; 뻗다	☐
0689	**maximize**	동 최대화하다	☐
0690	**ash**	명 재; 유골	☐
0691	**moisture**	명 습기, 수분	☐
0692	**humid**	형 습한	☐
0693	**dense**	형 밀집한; 짙은	☐
0694	**fluid**	명 액체 형 유동성의	☐
0695	**solid**	명 고체 형 고체의; 단단한	☐
0696	**vacuum**	명 진공 형 진공의 동 (청소기로) 청소하다	☐
0697	**resource**	명 자원; 물자	☐
0698	**stuff**	명 물건; 일 동 채우다	☐
0699	**pile**	명 더미, 무더기 동 쌓(이)다	☐
0700	**square**	명 정사각형; 광장 형 정사각형의; 직각의	☐

			check
0701	**level**	명 수준 형 평평한 동 평평하게 하다	☐
0702	**narrow**	형 좁은; 한정된 동 좁히다	☐
0703	**straight**	형 곧은; 솔직한 부 똑바로	☐
0704	**stripe**	명 줄무늬	☐
0705	**bare**	형 벌거벗은 동 드러내다	☐
0706	**pale**	형 창백한; 흐릿한 동 창백해지다	☐
0707	**remote**	형 먼; 외딴; 희박한	☐
0708	**resemble**	동 닮다, 비슷하다	☐
0709	**shallow**	형 얕은; 천박한; 피상적인	☐
0710	**erosion**	명 부식, 침식	☐
0711	**friction**	명 마찰, (의견의) 충돌	☐
0712	**ripe**	형 익은; 성숙한	☐
0713	**rotten**	형 썩은; 타락한	☐
0714	**ragged**	형 누더기를 걸친; 해어진	☐
0715	**harsh**	형 거친; 가혹한	☐
0716	**wrinkle**	명 주름 동 주름을 짓다	☐
0717	**motion**	명 움직임; 동작 동 몸짓으로 알리다	☐
0718	**trick**	명 속임수, 요령; 장난 동 속이다	☐
0719	**means**	명 수단; 자금	☐
0720	**manner**	명 방식; 태도; 예절	☐

외우지 못한 단어가 있으면 **미니 단어장**에서 다시 한번 정리해 보세요.

A 영어는 우리말로, 우리말은 영어로 쓰시오.

01	germ		21	(인공) 위성	
02	structure		22	덫(으로 잡다)	
03	extend		23	궤도(를 돌다)	
04	manner		24	탑승하여	
05	occupy		25	방아쇠; 촉발하다	
06	straight		26	연료(를 공급하다)	
07	fossil		27	균형(을 잡다)	
08	shallow		28	뚜껑; 눈꺼풀	
09	auditorium		29	내면적인	
10	wrinkle		30	고정하다; 고치다	
11	digit		31	화학(적 작용)	
12	stuff		32	밀집한; 짙은	
13	atmosphere		33	물리학자	
14	device		34	정사각형(의); 광장	
15	vacuum		35	수용하다	
16	vehicle		36	줄무늬	
17	bare		37	망원경	
18	pale		38	일식, 월식	
19	aisle		39	공백(의)	
20	experimental		40	장벽, 장애(물)	

B 네모 안에서 알맞은 단어를 고르시오.

01 Foraging is a level / means of searching for wild food resources.

02 Jemison was named the first black woman astronaut / astronomy in 1987.

03 After flooding, a river's course may shift, altering the boundary / locality between states or countries.

04 Australia equipped / utilized camels imported from the Middle East to transfer mail across vast deserts.

C 각 문장이 우리말과 일치하도록 빈칸에 알맞은 말을 쓰시오.

01 The first .... was called a "horseless" ....
최초의 자동차는 '말 없는' 마차라고 불렸다.

02 Homeless .... are always in need of decent clothing.
노숙자 쉼터에는 항상 쓸 만한 의류가 부족하다.

03 When you spin the raw egg, the .... inside moves around and causes
the shaking.
여러분이 날달걀을 돌릴 때, 내부의 액체는 이리저리 움직여서 흔들림을 야기한다.

04 Dolphins need to reach the .... of the water to breathe.
돌고래는 숨을 쉬기 위해 수면에 도달해야 한다.

05 We hope you will devote .... to restoring the walking paths in Freer
Park for all visitors.
저희는 귀하께서 모든 방문객들을 위해 Freer Park에 있는 산책로를 복구하는 데 자원을 투입해 줄 것을
희망합니다.

D 우리말이 영어 문장과 일치하도록 빈칸에 알맞은 말을 쓰시오.

01 It is known that 85% of our brain tissue is water.
우리 두뇌 .... 의 85퍼센트가 물인 것으로 알려져 있다.

02 Coastal erosion is typically driven by the action of waves and currents.
해안 .... 은 주로 파도와 조류의 움직임에 의해 일어난다.

03 Look for ways of achieving the goal more efficiently from a different angle.
다른 .... 에서 더 효율적으로 목표를 달성할 수 있는 방법을 모색하라.

04 Too much moisture in the air can encourage growths of molds.
공기 중의 너무 많은 .... 는 곰팡이의 증식을 조장할 수 있다.

05 If you want to broaden your impact as a writer, tighten your focus on the reader.
여러분이 여러분의 작가로서의 영향력을 .... 싶다면, 여러분의 초점을 독자에게로
좁히세요.

생명, 동식물, 기초, 기원

| Word Map에 주제별로 분류된 단어의 뜻을 유추하여 빈칸에 쓰세요. |

생명
alive	살아 있는; 활발한
vital	생명의; 필요한
blossom	
hatch	알을 품다; 부화(하다)
revive	소생하(게 하)다
survive	살아남다

동식물
seal	바다표범, 물개
lawn	
mushroom	버섯
wheat	밀

동물분류
creature	생물, 동물; 창조물
mammal	
ape	유인원, 원숭이
beast	짐승, 동물
predator	
bacteria	박테리아, 세균
sibling	형제자매(의)

동물지체
claw	(동물의) 발톱
paw	
feather	깃털

식물분류
vegetation	
bush	덤불, 수풀
weed	잡초(를 뽑다)
grain	곡물; 낟알

식물지체
branch	(나뭇)가지
stem	(초목의) 줄기; 생기다
trunk	줄기; 여행용 가방
log	통나무, 원목
root	
stump	그루터기

기초본질
basis	
foundation	기반; 토대; 협회
norm	표준; 규범; 평균
radical	근본적인; 철저한

고유기원
inborn	선천적인
innate	
inherent	내재하는, 고유의
origin	유래; 원인; 태생
originate	비롯되다; 시작하다
derive	

생명, 동식물, 기초, 기원

가리개를 사용하여 뜻을 잘 암기했는지 확인하세요.

0721 **alive** [əláiv]

[형] 살아 있는; 활발한

Something was moving in the tunnels, something **alive**, and it wasn't a rat. [학평]
뭔가 **살아 있는** 것이 터널 속에서 움직이고 있었는데, 그것은 쥐가 아니었다.

0722 **vital** [váitl]

[형] 생명의; 필요한; 치명적인

Water is a **vital** component for the smooth function of our brain. [학평]
물은 우리 두뇌의 원활한 기능을 위해 **필수적인** 요소이다.

[+] **vitality** [명] 생명력; 활기

0723 **blossom** [blάsəm]

[명] 꽃; 만발 [동] 꽃을 피우다; 번영하다

Blossoms open and close in tune with the twenty-four-hour cycle of day and night. [학평] 낮과 밤의 24시간 주기에 맞춰 **꽃**이 피고 진다.

in (full) blossom (꽃이) 만발하여
[=] **bloom** [명] 꽃(의 만발) [동] 꽃이 피(게 하)다; 번영하다

0724 **hatch** [hætʃ]

[동] 알을 품다, 부화하다 [명] 부화

Female leopard sharks lay eggs and **hatch** them inside their bodies.
[학평] 암컷 표범무늬상어는 알을 낳고 자기 체내에서 그것을 **부화시킨다**.

[=] **breed** [동] (새끼를) 낳다; 기르다; 번식하다

0725 **revive** [riváiv]

[동] 소생하(게 하)다

A group of students in Miner County wanted to do something that might **revive** their dying community. [학평] Miner County에서 한 무리의 학생들은 그들의 죽어가는 지역 사회를 **소생시킬지도** 모를 무언가를 하기를 원했다.

[+] **revival** [명] 소생, 부활, 부흥

0726 **survive** [sərváiv]

[동] 살아남다

Warthogs can **survive** in dry areas without drinking water for several months. [학평]
혹멧돼지는 몇 달 동안 물을 마시지 않고도 건조한 지역에서 **생존할** 수 있다.

[+] **survival** [명] 생존(자) [형] 생존을 위한; 긴급[비상시]용의 **survivor** [명] 생존자

0727 seal
[siːl]

명 바다표범, 물개; 봉인 동 봉인하다

The leopard **seal** likes to have penguins for a meal. 학평
표범**물개**는 식사로 펭귄을 먹는 것을 좋아한다.
Emma folded the letter twice and **sealed** it within an envelope. 학평
Emma는 그 편지를 두 번 접어서 봉투 안에 넣고 그것을 **봉했다**.

0728 lawn
[lɔːn]

명 잔디(밭)

My dad constantly nagged me to take care of chores like mowing the **lawn** and cutting the hedges. 학평 아빠는 **잔디** 깎기와 울타리 덤불 자르기 같은 집안일을 돌보라고 나에게 계속 잔소리를 하셨다.

lawn mower 잔디 깎는 기계
🔁 **grass** 명 풀, 목초, 잔디

0729 mushroom
[mʌʃruːm]

명 버섯

Some wild **mushrooms** are dangerous, leading people to lose their lives due to **mushroom** poisoning. 학평
일부 야생 **버섯**은 위험해서, 사람들이 **버섯** 중독으로 그들의 목숨을 잃게 한다.

0730 wheat
[hwiːt]

명 밀

About 265 gallons of water is needed to produce two pounds of **wheat**. 학평 2파운드의 **밀**을 생산하기 위해 대략 265갤런의 물이 필요하다.

0731 creature
[kríːtʃər]

명 생물, 동물; 창조물

Humans are deeply sociable **creatures**. 학평
인간은 철저히 사회적인 **동물**이다.

➕ **create** 동 창조하다

0732 mammal
[mǽməl]

명 포유동물

The addax is an endangered **mammal** and there are only about 500 left in the wild. 학평
나사뿔영양은 멸종 위기의 **포유동물**이며 야생에 대략 500마리만이 남아 있다.

➕ **mammalian** 명 형 포유류[동물](의)

0733 ape
[eip]

명 유인원, 원숭이

Some **apes** in the U.S. lacked protection because they were not considered endangered. 학평 미국의 일부 **원숭이들**은 보호가 부족한데, 왜냐하면 그들이 멸종 위기에 있다고 여겨지지 않았기 때문이다.

great ape 고등 유인원(오랑우탄, 침팬지 등)

0734 **beast**
[biːst]

몡 짐승, 동물

Dining was a sign of the human community and differentiated men from **beasts**. 학평
식사는 인간 공동체의 표시이고 인간을 **짐승**과 구별되게 했다.

0735 **predator**
[prédətər]

몡 약탈자; 육식 동물

Some species use alarm calls to share information about potential **predators**. 학평
일부 종(種)은 경고음(울부짖음)을 사용하여 잠재적 **포식자**에 대한 정보를 공유한다.

➕ predatory 톙 약탈하는; 포식성의, 육식의

0736 **bacteria**
[bæktíəriə]

몡 박테리아, 세균

Our gut **bacteria** being on the endangered species list. 학평
우리 장 속의 **박테리아**는 멸종 위기종 목록에 속해 있다.

➕ bacterial 톙 박테리아의, 세균의

0737 **sibling**
[síbliŋ]

몡톙 형제자매(의)

Kids model their own behavior after their parents and their older **siblings**. 학평
아이들은 자신의 부모와 손위 **형제자매들**을 본받아 자신의 행동을 형성한다.

How Different

0738 **claw**
[klɔː]

몡 (동물의) 발톱; 집게발   통 할퀴다

Felines use their **claws** to bring their victim down. 학평
고양잇과 동물은 자신의 **발톱**을 이용하여 그 먹잇감을 거꾸러뜨린다.

0739 **paw**
[pɔː]

몡 (동물의) 발

Rodents use their **paws** and head to shovel dirt toward an aversive stimulus. 학평 설치류는 혐오 자극을 향하여 흙을 파는 데 자신의 **발**과 머리를 사용한다.

» **claw** 짐승이나 새의 발(paw)에 있는 날카로운 발톱 부분을 가리킴
» **paw** 발톱(claw)이 있는 동물의 발, 특히 바닥 부분을 가리킴

0740 **feather**
[féðər]

몡 깃털

The **feathers** on a snowy owl's face guide sounds to its ears, giving it the ability to hear things humans cannot. 학평 흰올빼미의 얼굴에 난 **깃털**은 소리를 귀로 인도하고, 인간이 들을 수 없는 것을 듣는 능력을 준다.

(as) light as a feather 깃털처럼 가벼운

0741 vegetation
[vèdʒətéiʃən]

명 식물, 초목

Desertification occurs when the land loses its ability to produce **vegetation** and turns into deserts. 학평
땅이 **식물**을 생산하는 능력을 잃어버리고 사막으로 변할 때 사막화가 일어난다.

➕ vegetable **명** (식용) 채소   vegetational **형** 식물의

0742 bush
[buʃ]

명 덤불, 수풀

In parts of Africa the farmers cut down trees and **bushes** so that they can cultivate the land.
아프리카 일부에서는 농부들이 땅을 경작할 수 있도록 나무와 **수풀**을 벤다.

A bird in the hand is worth two in the bush.
(속담) 잡은 새 한 마리는 숲속의 새 두 마리의 가치가 있다.
➕ bushy **형** 관목이 무성한; 털이 많은

0743 weed
[wi:d]

명 잡초   **동** 잡초를 뽑다; 제거하다

Organic fields suffer more from **weeds** and insects than conventional fields. 모평
유기농 경작지가 전통적인 경작지보다 **잡초**와 벌레들로부터 더 많은 피해를 입는다.

0744 grain
[grein]

명 곡물; 낟알; 극소량

Windmills helped draw water and grind **grain** into flour. 학평
풍차는 물을 끌어와 **곡물**을 가루로 빻는 데 도움이 되었다.

0745 branch
[bræntʃ]

명 (나뭇)가지; 지점   **동** 가지를 뻗다

Hoping a neighbor friend hadn't seen me, I hid under the low-hanging **branches**. 학평
이웃 친구가 나를 보지 못했기를 바라면서, 나는 낮게 늘어진 **나뭇가지** 아래에 숨었다.

0746 stem
[stem]

명 (초목의) 줄기   **동** 생기다; 유래하다

I recognized something moist and green as a clover that, indeed, had four leaves on just one **stem**. 학평   나는 촉촉한 초록색의 뭔가가 정말로 단 하나의 **줄기**에 네 장의 잎을 가진 클로버라는 것을 알아챘다.

0747 trunk
[trʌŋk]

명 줄기; 여행용 가방; (코끼리의) 코

Young traveler's palms have an underground **trunk** which, in the adult plant, emerges above ground. 학평   어린 부채파초는 성체로 자라면 지상으로 모습을 드러내는 땅속**줄기**를 가지고 있다.

0748 log
[lɔ:g]

(명) 통나무, 원목　(동) 벌채하다

If you lie straight on your side like a **log**, that means you're generally easygoing and social. (수능) 여러분이 **통나무**처럼 똑바로 옆으로 누워 잔다면, 그것은 여러분이 일반적으로 만사태평하고 사교적이라는 것을 의미합니다.

目 timber (명) (가공하지 않은 상태의 큰) 통나무; 재목, 목재 (cf. lumber 가공된 목재)

0749 root
[ru:t]

(명) 뿌리　(동) 뿌리박(게 하)다; 근절하다　(형) 근본적인

It's the seeds and the **roots** that create the fruits. (학평)
열매를 만들어 내는 것은 바로 씨앗과 **뿌리**이다.
A great deal of science fiction is **rooted** in science. (학평)
많은 공상 과학 소설은 과학에 **뿌리를 두고** 있다.

be rooted in ~에 원인이 있다; ~에 뿌리박혀 있다
have (its) root(s) in ~에 근거하다　**root out** ~을 뿌리 뽑다[근절하다]

0750 stump
[stʌmp]

(명) 그루터기

The top of the **stump** has a series of rings. (학평)
그루터기의 윗부분에는 일련의 나이테들이 있다.

0751 basis
[béisis]

(명) 기초; 원리 (pl. bases)

The **basis** of cultural relativism is the notion that no true standards of good and evil actually exist. (학평)
문화 상대주의의 **기본**은 선과 악의 진정한 기준이 실제로 존재하지 않는다는 개념이다.

on the basis of ~을 기초[근거]로 하여
田 **basic** (형) 기초적인, 근본의 (명) (pl.) 기본, 원리; 필수품

0752 foundation
[faundéiʃən]

(명) 기반; 토대; 협회

Competition is the engine of evolution and the **foundation** of democracy. (학평) 경쟁은 발전의 원동력이며 민주주의의 **기반**이다.

田 **found** (동) ~의 기초를 세우다; 설립하다　**foundational** (형) 기본의, 기초적인

0753 norm
[nɔ:rm]

(명) 표준; 규범; 평균

In our relations with others of similar status, the reciprocity **norm** compels us to give about as much as we receive. (학평) 유사한 지위의 타인들과 우리의 관계에서, 상호성 **규범**은 우리에게 대략 우리가 받은 만큼 줄 것을 강요한다.

0754 radical
[rædikəl]

(형) 근본적인; 철저한; 급진적인　(명) 급진론자

Depending on the urgency of a problem, **radical** change can be a good tactic to promote instantaneous change. 문제의 긴급성에 따라 **급진적인** 변화가 즉각적인 변화를 장려하는 좋은 전략이 될 수도 있다.

田 **radically** (부) 근본적으로; 철저히

0755 inborn
[ínbɔ́ːrn]

(형) 선천적인

When it comes to salt and sweets, there's little a parent can do to change a child's **inborn** desire for them. 학평 소금과 단 것에 관한 한, 그것들에 대한 아이의 **선천적인** 욕구를 바꾸기 위해 부모가 할 수 있는 것은 거의 없다.

目 innate **(형)** 타고난, 선천적인

How Different

0756 innate
[ínéit]

(형) 선천적인; 본질적인

An animal's hunting behavior is **innate** and further refined through learning. 학평 동물의 사냥 습성은 **선천적이며** 학습을 통해 한층 더 정교해진다.

➕ innately **(부)** 선천적으로; 본질적으로

0757 inherent
[inhíərənt]

(형) 내재하는, 고유의, 타고난

There exists an **inherent** logical inconsistency in cultural relativism. 학평 문화적 상대주의에는 **고유한** 논리적 모순이 존재한다.

➕ inherently **(부)** 선천적으로; 본질적으로   inherence **(명)** 내재, 고유, 타고남

» innate 경험으로 얻은 것이 아닌, 태어나면서 가지고 있는 것을 가리킴
» inherent 본래부터 가지고 있어 영속적이고 분리할 수 없는 성질이나 속성을 가리킴

0758 origin
[ɔ́ːridʒin]

(명) 유래; 원인; (pl.) 태생

Many inventions were invented thousands of years ago so it can be difficult to know their exact **origins**. 학평
많은 발명품은 수천 년 전에 발명되어서 그것들의 정확한 **기원**을 알기 어려울 수 있다.

➕ original **(형)** 최초의, 본래의; 독창적인   originally **(부)** 원래, 최초에

0759 originate
[ərídʒənèit]

(동) 비롯되다; 시작하다

The emotion itself is tied to the situation in which it **originates**. 학평
감정 자체는 그것이 **비롯된** 상황과 연결되어 있다.

➕ origination **(명)** 시작; 기인; 발명

0760 derive
[diráiv]

(동) 유래하다

The term *euphemism* **derives** from a Greek word meaning 'to speak with good words.' 수능
'완곡어법'이라는 말은 '좋은 단어들로 말하다'를 의미하는 그리스 단어에서 **유래한다**.

➕ derived **(형)** 유래된, 파생된

생명, 동식물, 기초, 기원
Use Words

빈칸을 채우며 단어를 외우고, 쓰면서 한 번 더 익히세요.

01 found .... in the wreckage
잔해에서 살아 있는 상태로 발견된

alive   alive

02 .... for human survival   인간의 생존에 필수적인

vital

03 .... early   일찍 개화하다

blossom

04 .... eggs inside one's body   체내에서 알을 부화하다

hatch

05 .... the unconscious patient   의식이 없는 환자를 소생시키다

revive

06 .... without drinking water   물을 마시지 않고 생존하다

survive

07 prohibit .... hunting   물개 사냥을 금지하다

seal

08 mow the ....   잔디를 깎다

lawn

09 an edible ....   식용 버섯

mushroom

10 produce two pounds of ....   2파운드의 밀을 생산하다

wheat

11 a sociable ....   사회적인 동물

creature

12 an endangered ....   멸종 위기의 포유동물

mammal

13 evolve from ....s   유인원에서 진화하다

ape

14 differentiate men from ....s   인간을 짐승으로부터 구별시키다

beast

15 information about potential ....s   잠재적 포식자에 대한 정보

predator

16 stop .... from growing   박테리아가 증식하는 것을 막다

bacteria

17 model oneself after one's older ....s
손위 형제자매들을 자신의 모델로 삼다

sibling

18 sharp ....s of a cat   고양이의 날카로운 발톱

claw

19 the .... prints of a bear   곰의 발자국

paw

20 as light as a _____ 깃털처럼 가벼운 | feather

21 the cover provided by dense _____ 빽빽한 초목에 의해 제공되는 은신처 | vegetation

22 cut down trees and _____es 나무와 수풀을 베다 | bush

23 suffer from _____s and insects 잡초와 벌레들로 피해를 입다 | weed

24 grind _____ into flour 곡물을 가루로 갈다 | grain

25 the low-hanging _____es 낮게 늘어진 나뭇가지 | branch

26 the _____ of a pine 소나무의 줄기 | trunk

27 lie on side like a _____ 통나무처럼 옆으로 눕다 | log

28 _____ out hate crimes 증오 범죄를 뿌리 뽑다 | root

29 the long _____s with green leaves 녹색 잎이 달린 긴 줄기들 | stem

30 sit on the top of a _____ 그루터기 위에 앉다 | stump

31 on the _____ of scientific facts 과학적 사실을 근거로 하여 | basis

32 the _____ of democracy 민주주의의 토대 | foundation

33 social _____s 사회적 규범 | norm

34 _____ changes in education 교육에서의 근본적인 변화 | radical

35 an _____ talent for music 음악에 대한 타고난 재능 | inborn

36 the _____ ability to learn 타고난 학습 능력 | innate

37 the _____ purpose of knowledge 지식의 내재적 목적 | inherent

38 the _____ of species 종(種)의 기원 | origin

39 a word that _____d from Latin 라틴어에서 유래된 단어 | originate

40 _____ a conclusion from facts 사실에서 결론을 도출하다 | derive

			check
0721	alive	형 살아 있는; 활발한	☐
0722	vital	형 생명의; 필요한; 치명적인	☐
0723	blossom	명 꽃; 만발 동 꽃을 피우다	☐
0724	hatch	동 알을 품다; 부화하다 명 부화	☐
0725	revive	동 소생하(게 하)다	☐
0726	survive	동 살아남다	☐
0727	seal	명 바다표범, 물개; 봉인 동 봉인하다	☐
0728	lawn	명 잔디(밭)	☐
0729	mushroom	명 버섯	☐
0730	wheat	명 밀	☐
0731	creature	명 생물, 동물; 창조물	☐
0732	mammal	명 포유동물	☐
0733	ape	명 유인원, 원숭이	☐
0734	beast	명 짐승, 동물	☐
0735	predator	명 약탈자; 육식 동물	☐
0736	bacteria	명 박테리아, 세균	☐
0737	sibling	명형 형제자매(의)	☐
0738	claw	명 (동물의) 발톱 동 할퀴다	☐
0739	paw	명 (동물의) 발	☐
0740	feather	명 깃털	☐

			check
0741	vegetation	명 식물, 초목	☐
0742	bush	명 덤불, 수풀	☐
0743	weed	명동 잡초(를 뽑다); 제거하다	☐
0744	grain	명 곡물; 낟알; 극소량	☐
0745	branch	명 (나뭇)가지; 지점 동 가지를 뻗다	☐
0746	stem	명 (초목의) 줄기 동 생기다; 유래하다	☐
0747	trunk	명 줄기; 여행용 가방	☐
0748	log	명 통나무, 원목 동 벌채하다	☐
0749	root	명 뿌리 형 근본적인 동 뿌리박(게 하)다; 근절하다	☐
0750	stump	명 그루터기	☐
0751	basis	명 기초; 원리	☐
0752	foundation	명 기반; 토대; 협회	☐
0753	norm	명 표준; 규범; 평균	☐
0754	radical	형 근본적인 명 급진론자	☐
0755	inborn	형 선천적인	☐
0756	innate	형 선천적인; 본질적인	☐
0757	inherent	형 내재하는, 고유의, 타고난	☐
0758	origin	명 유래; 원인; 태생	☐
0759	originate	동 비롯되다; 시작하다	☐
0760	derive	동 유래하다	☐

외우지 못한 단어가 있으면 미니 단어장에서 다시 한번 정리해 보세요.

DAY 20

지리, 자연, 역사, 산업

| Word Map에 주제별로 분류된 단어의 뜻을 유추하여 빈칸에 쓰세요. |

지리
- geography　지리(학)
- arctic
- landscape　전망; 풍경화(법)
- scenery　경치; 무대 장치

장소 구분
- province　지역; 도(道)
- suburb
- urban　도시의
- site　위치, 장소; 위치시키다

지표 형태
- horizon
- cave　동굴; 굴을 파다
- mine　광산; 보고; 채굴하다
- cliff　낭떠러지
- peak
- desert　사막(의); 버리다
- pond　연못
- stream　개울; 흐름; 흐르다
- steep　가파른; 급격한

대륙 형태
- peninsula
- coast　해안
- bay　만(灣)

자연 환경
- breeze　산들바람
- tropical　열대(지방)의
- disaster　재해, 재난
- drought
- earthquake　지진
- pollute
- recycle　재활용하다

역사
- historical　역사(학)의
- primitive
- ancestor　조상
- legend　전설(적인 인물)

산업 상업
- industry　산업; 근면
- merchandise
- purchase　구매(하다)

농축산
- agriculture
- cultivate　재배하다; 계발하다
- plantation　농장; 재배지
- dairy　낙농업; 유제품(의)

미디어
- broadcast　방송하다; 방송(의)
- advertise　광고하다

지리, 자연, 역사, 산업

📖 가리개를 사용하여 뜻을 잘 암기했는지 확인하세요.

0761 geography
[ʤiágrəfi]

(명) 지리; 지리학

We were studying longitude and latitude in **geography** class. (학평)
우리는 **지리** 수업에서 경도와 위도를 공부하고 있었다.

➕ **geographer** (명) 지리학자 **geographic** (형) 지리학의; 지리적인
geographically (부) 지리(학)적으로

0762 arctic
[á:rktik]

(형) 북극의   (명) (the A-) 북극 지방

The Inuit taught Matthew ways to survive in the **arctic** such as
building snow houses and training sled dogs. (학평) Inuit족은 눈집 만들기와
썰매 개 훈련시키기와 같은 **북극 지방**에서 생존하는 방법을 Matthew에게 가르쳤다.

🔄 **antarctic** (형) 남극(지방)의 (명) 남극 (지방)

How Different

0763 landscape
[lǽndskèip]

(명) 전망; 풍경화(법)

Uppsala gives you an adventurous experience with its chilly climate
and rugged **landscape**. (학평) Uppsala는 여러분에게 그곳의 쌀쌀한 기후와 바위
투성이의 **풍경**으로 모험적인 경험을 제공한다.

0764 scenery
[sí:nəri]

(명) 경치; 무대 장치

My family and I traveled the back roads instead of the highway and
we enjoyed the **scenery**. (학평)
우리 가족과 나는 고속도로 대신에 뒷길로 이동했고, 우리는 **경치**를 즐겼다.

» **landscape** 한눈에 보이는 그 지방의 풍경으로, 특히 내륙의 넓은 지역의 경관을 가리킴
» **scenery** 한 지방[자연] 전체의 풍경으로, 보통 전원의 아름다운 경치를 말할 때 사용

0765 province
[právins]

(명) 지역; 도(道)

Deep within the jungle of the southeast Indonesian **province** of
Papua lives the Korowai tribe. (학평)
인도네시아 동남쪽의 파푸아라는 **지역**의 정글 안쪽 깊은 곳에 Korowai족이 산다.

➕ **provincial** (형) 지방의; 도(道)의

0766 suburb
[sʌ́bə:rb]

(명) 교외

Because the **suburbs** are spread out, it's too far to walk to the office
or run to the store. (학평)
교외 지역은 넓게 펼쳐져 있어서 사무실에 걸어가거나 상점으로 뛰어가기에는 너무 멀다.

➕ **suburban** (형) 교외의

0767 **urban**
[ə́ːrbən]

(형) 도시의

Membership in car sharing now exceeds one in five adults in many **urban** areas. 학평
많은 **도시** 지역에서 현재 차량 공유 회원 수는 성인 5명 중 1명을 초과한다.

⊞ **rural** (형) 시골의

0768 **site**
[sait]

(명) 위치, 장소   (동) 위치시키다

Fish pens are placed in **sites** where there is good water flow to remove fish waste. 수능
물고기 양식장은 어류 폐기물을 제거할 수 있는 물의 흐름이 좋은 **장소**에 설치된다.

0769 **horizon**
[həráizən]

(명) 수평선, 지평선; 시야

Kenge had lived his entire life in a dense jungle that offered no views of the **horizon**. 학평
Kenge는 **지평선**이 보이지 않는 울창한 밀림에서 평생을 살았다.

⊞ **horizontal** (형) 수평(선)의, 가로의   ⊟ **skyline** (명) 지평선

0770 **cave**
[keiv]

(명) 동굴   (동) 굴을 파다

Early humans communicated their ideas and experiences to others by drawing pictures on the walls of their **caves**. 학평   초기 인류는 그들의 **동굴** 벽에 그림으로써 그려서 다른 사람들에게 자신의 생각과 경험을 전달했다.

0771 **mine**
[main]

(명) 광산; 보고   (동) 채굴하다

Six boreholes were drilled into different areas of the **mine**. 학평
여섯 개의 시추공이 **광산**의 다른 구역에서 뚫렸다.

⊞ **miner** (명) 광부   **mineral** (명) 광물, 무기물 (형) 광물의, 무기물의

0772 **cliff**
[klif]

(명) 낭떠러지

A marriage without time to communicate is a marriage headed over a **cliff**. 학평
의사소통할 시간이 없는 결혼 생활이란 **낭떠러지**로 향하게 되는 결혼 생활이다.

0773 **peak**
[piːk]

(명) 산꼭대기; 절정   (동) 최고점에 이르다   (형) 한창인

Power companies sometimes have trouble meeting demand during **peak** usage periods. 학평
전력 회사들은 때때로 **최고** 사용 기간 동안 수요를 충족시키는 데 어려움이 있다.

⊟ **summit** (명) 정상, 꼭대기; 절정

0774 desert
명형 [dézərt]
동 [dizéːrt]

명 사막   형 사막의; 불모의   동 버리다

The addax is mostly active at night due to the heat of the **desert**. 학평
나사뿔영양은 **사막**의 열기 때문에 주로 밤에 활동한다.
I found a **deserted** cottage and walked into it. 학평
나는 **버려진** 오두막을 발견하고 그곳으로 걸어 들어갔다.

➕ deserted 형 황폐한; 버림받은

0775 pond
[pɑnd]

명 연못

The lotus plant grows in the dirty, muddy bottom of lakes and **ponds**.
학평 연꽃 식물은 호수와 **연못**의 더럽고 진흙투성이인 바닥에서 자란다.

0776 stream
[striːm]

명 개울; 흐름; 연속   동 흐르다

Some boys were playing in the little **stream** that the rain had made by the roadside. 학평
남자아이들 몇 명이 비가 와서 길가에 생긴 작은 **개울**에서 놀고 있었다.
Tears **streamed** down her cheeks. 학평 눈물이 그녀의 뺨 아래로 **흘러내렸다**.

➕ upstream 부형 상류로[의]   downstream 부형 하류로[의]

0777 steep
[stiːp]

형 가파른; 급격한

When the contour lines are positioned closely together, the hill's slope is **steep**. 수능 등고선이 서로 가깝게 배치되어 있으면 그 산의 경사는 **가파르다**.

➕ steeply 부 가파르게   steepness 명 가파름, 험준함

0778 peninsula
[pənínsələ]

명 반도

Wat Xieng Thong is located close to the tip of the Luang Prabang **peninsula**. 학평
Wat Xieng Thong은 루앙프라방 **반도**의 끝부분과 가까운 곳에 위치해 있다.

➕ peninsular 형 반도의

0779 coast
[koust]

명 해안

Portuguese expeditions began to work their way down the western **coast**, always within sight of land. 학평 포르투갈 원정대는 서부 **해안**을 따라 자신들의 여정을 시작했는데, 늘 육지가 보이는 범위 내에 있었다.

➕ coastal 형 해안의, 근해의

0780 bay
[bei]

명 만(灣)

Factories were discharging mercury into the waters of Minamata **Bay**.
수능 공장들이 Minamata **만**의 수역에 수은을 방류하고 있었다.

0781 breeze
[bri:z]

명 산들바람   동 산들바람이 불다

The wind blew with a faint, warm **breeze** and the sea moved about kindly. 학평 바람이 약하고 따스한 **미풍**으로 불었고 바다는 잔잔하게 움직였다.

➕ **breezy** 형 산들바람이 부는

0782 tropical
[trάpikəl]

형 열대(지방)의; 무더운

Because of a recent **tropical** storm, all telephone and Internet services were down. 학평
최근의 **열대성** 폭풍 때문에 모든 전화와 인터넷 서비스가 불통되었다.

➕ **tropic** 명 열대 지방; 회귀선 형 열대(지방)의

0783 disaster
[dizǽstər]

명 재해, 재난

We often fail to take appropriate measures to reduce potential losses from natural **disasters**. 수능 우리는 흔히 자연**재해**로 인한 잠재적인 손실을 줄이기 위한 적절한 조치를 취하지 못한다.

➕ **disastrous** 형 재해의; 처참한; 손해가 큰   ⬛ **catastrophe** 명 대참사, 큰 재해

0784 drought
[draut]

명 가뭄

There has been a decrease in the water level because of years of **drought**. 학평 수년간의 **가뭄** 때문에 수위가 감소했다.

0785 earthquake
[ɔ́:rθkwèik]

명 지진

Earthquakes happen because of shifts in Earth's plates. 학평
지진은 지구 판의 이동 때문에 발생한다.

0786 pollute
[pəlú:t]

동 오염시키다

The discharge from fish farms can **pollute** nearby natural aquatic ecosystems. 학평
양어장에서 나오는 배출물이 근처 자연 수중 생태계를 **오염시킬** 수 있다.

➕ **pollution** 명 오염, 공해   **pollutant** 명 오염 물질, 오염원   **polluter** 명 오염자(원)
polluted 형 오염된

0787 recycle
[ri:sáikəl]

동 재활용하다

Today, only about 20 percent of magazines are **recycled** from the home. 학평 오늘날 잡지의 20퍼센트 정도만이 가정에서 **재활용된다**.

➕ **recycling** 명 재활용   **recyclable** 형 재활용할 수 있는

0788 historical
[histɔ́:rikəl]

(형) 역사(학)의

Men and women are often assigned roles for various social, political, or **historical** reasons. **EBS**
남성과 여성은 흔히 사회적, 정치적, 혹은 **역사적인** 다양한 이유로 역할이 배정된다.

➕ historic (형) 역사적으로 중요한, 역사적인   history (명) 역사   historian (명) 역사가

0789 primitive
[prímitiv]

(형) 원시(시대)의, 원시적인

The hunters, armed only with **primitive** weapons, were no real match for an angry mammoth. **모평**
원시적인 무기로만 무장한 사냥꾼들은 화난 매머드의 실제 적수가 되지 못했다.

0790 ancestor
[ǽnsestər]

(명) 조상

During the Stone Age, our **ancestor**'s tools were made of flint, wood, and bone. **학평**   석기 시대에 우리 **조상**의 연장들은 부싯돌, 나무, 뼈로 만들어졌다.

➕ ancestral (형) 조상(대대로)의   ➖ descendant (명) 자손, 후예

0791 legend
[lédʒənd]

(명) 전설(적인 인물)

Native people create **legends** to explain unusual events in their environment. **학평**   원주민들은 자신들의 환경에서 일어나는 특이한 사건들을 설명하기 위해 **전설**을 만들어 낸다.

➕ legendary (형) 전설의, 전설적인

0792 industry
[índəstri]

(명) 산업; 근면

Infections in hospitals create serious problems for the healthcare **industry**. **학평**   병원 내 감염은 보건 의료 **산업**에 심각한 문제를 발생시킨다.

➕ industrial (형) 산업(상)의   industrious (형) 근면한

0793 merchandise
[mɔ́:rtʃəndàiz]

(명) 제품; 재고품   (동) 판매하다

Gregorio Dati entered into many profitable partnerships dealing in wool, silk, and other **merchandise**. **수능**   Gregorio Dati는 이득이 되는 많은 협력 관계를 맺고 양털, 비단, 그리고 다른 **상품**을 거래했다.

➕ merchandiser (명) 상인   merchandising (명) 제품, 판매
merchant (명) 상인 (형) 상업의

0794 purchase
[pɔ́:rtʃəs]

(동) 구매하다   (명) 구매

Online tickets must be **purchased** at least 24 hours prior to the event. **학평**   온라인 티켓은 행사에 앞서 최소 24시간 전에 **구입되어야** 합니다.
Returns must be made within one week of **purchase**. **학평**
환불은 **구매** 일주일 이내에 해야 합니다.

0795 agriculture
[ǽgrikʌ̀ltʃər]

(명) 농업; 농학

Global **agriculture** must produce more food to feed a growing population. 학평
세계의 **농업**은 증가하는 인구를 부양하기 위해 더 많은 식량을 생산해야 한다.

➕ agricultural (형) 농업의, 농사의; 농학의

0796 cultivate
[kʌ́ltəvèit]

(동) 재배하다; 계발하다

Around 10,000 years ago, humans learned to **cultivate** plants and tame animals. 학평
약 1만 년 전에 인간은 식물을 **재배하고** 동물을 길들이는 법을 배웠다.

➕ cultivation (명) 경작; 양성   cultivated (형) 경작된; 교양 있는
🟰 grow (동) 재배하다

0797 plantation
[plæntéiʃən]

(명) 농장; 재배지

When Clara was twelve years old, she was sent to a coffee **plantation** as a field hand.
Clara는 12살 때 커피 **농장**에 농장 일꾼으로 보내졌다.

0798 dairy
[dɛ́:əri]

(명) 낙농업; 유제품   (형) 유제품의

Dogs need vitamin D, which may be hard to maintain without meat or **dairy**. 학평
개는 비타민 D를 필요로 하는데, 그것은 고기나 **유제품** 없이는 유지하기 어려울 수 있다.

0799 broadcast
[brɔ́:dkæst]

(동) 방송하다; 널리 알리다   (명) 방송   (형) 방송의

The film award will be **broadcast** live tomorrow evening.
그 영화 시상식은 내일 저녁에 생방송으로 **방송될** 것이다.

➕ broadcasting (명) 방송업   broadcaster (명) 방송인; 방송국

0800 advertise
[ǽdvərtàiz]

(동) 광고하다

Too many companies **advertise** their new products as if their competitors did not exist. 학평 너무 많은 회사들이 마치 자신들의 경쟁자가 존재하지 않는 것처럼 자신들의 신상품을 **광고한다**.

➕ advertisement (명) 광고

01 in _____ class 지리 수업 시간에 — geography

02 ways to survive in the _____ 북극 지방에서 생존하는 방법 — arctic

03 a _____ painting 풍경화 — landscape

04 enjoy the _____ 경치를 즐기다 — scenery

05 the southeast Indonesian _____ of Papua 인도네시아 동남쪽의 파푸아라는 지역 — province

06 live in a _____ of London 런던 교외에 살다 — suburb

07 a large _____ area 넓은 도시 지역 — urban

08 a construction _____ 건설 현장 — site

09 beyond the _____ 수평선 너머에 — horizon

10 explore a _____ 동굴을 탐험하다 — cave

11 discover a gold _____ 금광을 발견하다 — mine

12 a _____ overlooking the ocean 바다를 내려다보는 절벽 — cliff

13 climb a high _____ 높은 산꼭대기를 오르다 — peak

14 the heat of the _____ 사막의 열기 — desert

15 the muddy bottom of a _____ 연못의 진흙투성이 바닥 — pond

16 play in the little _____ 작은 개울에서 놀다 — stream

17 a _____ hill 가파른 언덕 — steep

18 the western coast of the Korean _____ 한반도의 서쪽 해안 — peninsula

19 walk along the _____ 해안을 따라 걷다 — coast

20 the waters of Minamata .... Minamata 만(灣)의 수역   bay

21 a faint, warm .... 약하고 따스한 산들바람   breeze

22 a .... rainforest   열대 우림   tropical

23 reduce potential losses from natural ....s   disaster
    자연재해로 인한 잠재적인 손실을 줄이다

24 suffer from a severe .... 극심한 가뭄을 겪다   drought

25 an undersea .... 해저 지진   earthquake

26 .... aquatic ecosystems   수중 생태계를 오염시키다   pollute

27 .... newspapers and magazines   신문과 잡지를 재활용하다   recycle

28 preserve .... artifacts   역사적 유물을 보존하다   historical

29 a .... agricultural system   원시 농업 체계   primitive

30 a direct .... 직계 조상   ancestor

31 create ....s to explain unusual events   legend
    특이한 사건들을 설명하기 위해 전설들을 만들다

32 the information technology .... 정보 기술 산업   industry

33 various kinds of .... 다양한 종류의 상품   merchandise

34 .... a book online   온라인으로 책을 구매하다   purchase

35 environmentally friendly .... 친환경 농업   agriculture

36 .... sweet potatoes and beans   고구마와 콩을 재배하다   cultivate

37 a coffee .... 커피 농장   plantation

38 the .... industry   낙농업   dairy

39 be .... over the Internet   인터넷으로 방송되다   broadcast

40 .... the new products   신상품을 광고하다   advertise

			check
0761	geography	명 지리; 지리학	☐
0762	arctic	형 북극의 명 북극 지방	☐
0763	landscape	명 전망; 풍경화(법)	☐
0764	scenery	명 경치; 무대 장치	☐
0765	province	명 지역; 도(道)	☐
0766	suburb	명 교외	☐
0767	urban	형 도시의	☐
0768	site	명 위치, 장소 동 위치시키다	☐
0769	horizon	명 수평선, 지평선; 시야	☐
0770	cave	명 동굴 동 굴을 파다	☐
0771	mine	명 광산; 보고 동 채굴하다	☐
0772	cliff	명 낭떠러지	☐
0773	peak	명 산꼭대기 동 최고점에 이르다 형 한창인	☐
0774	desert	명 사막 형 사막의, 불모의 동 버리다	☐
0775	pond	명 연못	☐
0776	stream	명 개울; 흐름 동 흐르다	☐
0777	steep	형 가파른; 급격한	☐
0778	peninsula	명 반도	☐
0779	coast	명 해안	☐
0780	bay	명 만(灣)	☐

			check
0781	breeze	명 동 산들바람(이 불다)	☐
0782	tropical	형 열대(지방)의; 무더운	☐
0783	disaster	명 재해, 재난	☐
0784	drought	명 가뭄	☐
0785	earthquake	명 지진	☐
0786	pollute	동 오염시키다	☐
0787	recycle	동 재활용하다	☐
0788	historical	형 역사(학)의	☐
0789	primitive	형 원시(시대)의, 원시적인	☐
0790	ancestor	명 조상	☐
0791	legend	명 전설(적인 인물)	☐
0792	industry	명 산업; 근면	☐
0793	merchandise	명 제품; 재고품 동 판매하다	☐
0794	purchase	동 구매하다 명 구매	☐
0795	agriculture	명 농업, 농학	☐
0796	cultivate	동 재배하다; 계발하다	☐
0797	plantation	명 농장; 재배지	☐
0798	dairy	명 낙농업; 유제품 형 유제품의	☐
0799	broadcast	동 방송하다 명 형 방송(의)	☐
0800	advertise	동 광고하다	☐

외우지 못한 단어가 있으면 미니 단어장에서 다시 한번 정리해 보세요.

의학, 물질, 현상

| Word Map에 주제별로 분류된 단어의 뜻을 유추하여 빈칸에 쓰세요. |

병부상
- epidemic 유행(병); 유행병의
- infection 전염(병), 감염
- injure 다치게 하다
- wound

진단치료
- clinic 전문 병원; 임상 강의
- cure 치료하다; 치료(제)
- heal 낫(게 하)다
- diagnose
- surgery 외과; 수술
- therapy 치료(법)

신체
- ankle 발목
- gender

약학
- antibiotic
- drug 약품; 마약
- nutrient 영양소; 영양이 되는
- nutrition 영양 (공급); 영양학
- tablet 알약

물질
- clay 찰흙
- magnet 자석; 사람을 끄는 것
- poison 독약; 독살하다
- protein
- rubber 고무(제품)
- substance
- toxic 유독한, 중독(성)의

증상
- ache 아프다; 아픔
- bleed 피를 흘리다
- choke 질식시키다; 숨이 막히다
- chronic
- digest 소화하다
- insane 제정신이 아닌
- pregnant 임신한
- sore 아픈, 쓰라린; 상처
- symptom

현상
- glow 빛나다; 타다; 백열
- illuminate 조명하다; 장식하다
- impact
- impulse 충격; 추진(력); 충동
- melt 녹다; 서서히 사라지다
- phenomenon
- shiny 반짝이는; 햇볕이 내리쬐는

DAY 21

의학, 물질, 현상

📖 가리개를 사용하여 뜻을 잘 암기했는지 확인하세요.

0801 epidemic
[èpədémik]

몡 유행(병) 혱 유행병의

What Joan Cooney wanted to do was create a learning **epidemic** to fight the widespread **epidemics** of poverty and illiteracy. 학평
Joan Cooney가 하길 원했던 것은 가난과 문맹이라는 만연한 **유행병**과 싸우기 위해 학습 **유행**을 만드는 것이었다.

0802 infection
[infékʃən]

몡 전염(병), 감염

Infections in hospitals create serious problems for the healthcare industry. 학평 병원에서 발생하는 **감염**은 건강 관리 산업에 심각한 문제를 일으킨다.

➕ **infect** 통 감염시키다. (병균이) ~에 침입하다

How Different

0803 injure
[índʒər]

통 다치게 하다; (감정 등을) 해치다

The dogs attacked and severely **injured** several of the lambs. 학평
개들이 양 몇 마리를 공격했고 심하게 **다치게 했다.**

➕ **injury** 몡 상해, 부상, 손상 **injured** 혱 상처 입은; 감정이 상한

0804 wound
[wu:nd]

통 상처를 입히다 몡 상처

Over 2,000 flying bombs fell on the city, killing more than 5,000 people and **wounding** many more. 학평 2,000개가 넘는 비행 폭탄이 도시에 떨어져, 5,000명이 넘는 사람들의 목숨을 앗아갔고, 그보다 더 많은 사람에게 **상처를 입혔다.**

➕ **wounded** 혱 상처 입은, 부상당한

» **injure** 사고 또는 공격으로 부상을 입힘
» **wound** 칼이나 총 등의 무기의 공격으로 상처를 입힘

0805 ankle
[ǽŋkl]

몡 발목

Serene had fallen so often that she sprained her **ankle** and had to rest without being able to dance for three months. 학평
Serene는 너무 자주 넘어져 **발목**을 삐어서 3개월 동안 춤추지 못하고 쉬어야 했다.

twist(sprain) one's ankle 발목을 삐다

0806 gender
[dʒéndər]

몡 성(性), 성별

All people have the right to medical care regardless of race, religion, **gender**, and political belief. 학평 모든 인간은 인종, 종교, **성별** 그리고 정치적인 신념과 상관없이 의학적 치료를 받을 권리가 있다.

gender gap 성차(性差) **gender role** 성 역할

0807 □□ **antibiotic**
[æ̀ntaibaiɑ́tik / æ̀nti-]

[명] 항생 물질 [형] 항생 물질의

Antibiotics either kill bacteria or stop them from growing. [학평]
항생 물질은 박테리아를 죽이거나 그것이 증식하는 것을 막는다.

0808 □□ **drug**
[drʌg]

[명] 약품; 마약

Many **drugs** will become ineffective if they are not stored properly. [학평] 만약 많은 **약**이 제대로 보관되지 않는다면 그것들은 효능이 없어질 것이다.

drug abuse 약물 남용

0809 □□ **nutrient**
[njúːtriənt]

[명] 영양소 [형] 영양이 되는

Nutrients from the digested food in the stomach can be absorbed directly into the blood. [학평]
위에서 소화된 음식으로부터 나온 **영양소들**은 곧바로 혈액으로 흡수될 수 있다.

essential nutrients 필수 영양소

0810 □□ **nutrition**
[njuːtríʃən]

[명] 영양 (공급); 영양학

No single food provides the **nutrition** necessary for survival. [학평]
단 한 가지 음식만으로는 생존에 필요한 **영양**을 제공하지 못한다.

[+] **nutritional** [형] 영양(상)의 **nutritious** [형] 영양분이 있는 **nutritionist** [명] 영양사
[↔] **malnutrition** [명] 영양실조

0811 □□ **tablet**
[tǽblit]

[명] 알약

Check whether you must take malaria prevention **tablets**. [학평]
말라리아 예방**약**을 복용해야 하는지 확인하라.

[=] **pill** [명] 알약

0812 □□ **ache**
[eik]

[동] 아프다 [명] 아픔

I searched the streets until my feet **ached**. [학평]
나는 발이 **아플** 때까지 거리를 뒤졌다.

0813 □□ **bleed**
[bliːd]

[동] 피를 흘리다

The slave saw the lion was injured and one of his legs was **bleeding**. [학평] 그 노예는 사자가 다쳐서 다리 하나에서 **피가 나고** 있는 것을 보았다.

[+] **blood** [명] 피, 혈액

0814 □□ **choke**
[tʃouk]

[동] 질식시키다; 숨이 막히다

Six people **choked** to death on the smoke. [학평]
여섯 명의 사람들이 연기로 **질식**사했다.

0815 **chronic**
□□
[kránik / krɔ́n-]

[형] (병이) 만성의; 오래 끄는

Through longer-term programs, Doctors Without Borders treats **chronic** diseases such as malaria, sleeping sickness, and AIDS. [학평]
더 장기적인 프로그램들을 통해서, 국경 없는 의사회는 말라리아, 수면병, 그리고 에이즈와 같은 **만성** 질환을 치료한다.

[+] chronically [부] 만성적으로 [↔] acute [형] (병이) 급성의

0816 **digest**
□□
[dáidʒest / di-]

[동] 소화하다

Some bacteria live in our digestive systems and help us **digest** our food. [학평]
어떤 박테리아는 우리의 소화 기관에 살면서 우리가 음식을 **소화하는** 것을 돕는다.

[+] digestion [명] 소화 digestive [형] 소화의, 소화를 돕는 indigestion [명] 소화 불량

0817 **insane**
□□
[inséin]

[형] 제정신이 아닌; 비상식적인

We were lucky and bought our home before the housing market went **insane**. [학평]
주택 시장이 **비상식적으로** 바뀌기 전에 우리는 다행히도 우리 집을 샀다.

[+] insanity [명] 광기, 정신 이상; 미친 짓

0818 **pregnant**
□□
[prégnənt]

[형] 임신한

One group of **pregnant** women drank ten ounces of carrot juice four times a week for three weeks in a row. [학평]
한 그룹의 **임산**부들은 10온스의 당근 주스를 주 4회씩 연이어 3주 동안 마셨다.

[+] pregnancy [명] 임신

0819 **sore**
□□
[sɔːr]

[형] 아픈, 쓰라린 [명] 상처, 종기

If you're **sore** while exercising, stop it immediately. [학평]
운동 중 **아프다면** 그것을 즉시 그만두어야 한다.

[+] soreness [명] 쓰림, 아픔 sorely [부] 아파서; 심하게

0820 **symptom**
□□
[símptəm]

[명] 증상; 조짐

The final **symptom** stems from the first minor problem. [학평]
최종 **증상**은 최초의 사소한 문제에서 생겨난다.

withdrawal symptom 금단 증상
[+] symptomatic [형] 징후인; 전조가 되는

0821 clinic
[klínik]

명 전문 병원; 임상 강의

My mom worked as a nurse in a **clinic** in Vallejo, California. 학평
우리 엄마는 California주의 Vallejo에 있는 **병원**에서 간호사로 일하셨다.

➕ **clinically** 부 임상적으로   **clinician** 명 임상의(醫)

How Different

0822 cure
[kjuər]

동 치료하다   명 치료(제), 치료법

Moringa **cures** malnutrition, contains over-the-top quantities of a host of vitamins and minerals. 학평   Moringa는 영양실조를 **치료하고**, 여러 가지 비타민과 미네랄을 상당히 많이 함유하고 있다.

0823 heal
[hi:l]

동 낫(게 하)다

To **heal** means we have to learn to reactivate the caring-healing part of ourselves. 학평   **치료하는** 것은 우리가 우리 자신의 돌보고 치유하는 부분을 재활성하는 법을 배워야 함을 의미한다.

➕ **healing** 형 치료의; 낫게 하는 명 치료(법); 회복

» **cure** 약물이나 병원 진료 등을 통해 병(disease)을 치료하거나 완전히 낫게 하는 것
» **heal** 국소 부위의 상처가 자연적으로 치유되는 경우, 또는 마음을 치유하거나 외상(injury)을 치료하는 것

0824 diagnose
[dáiəgnòus]

동 진단하다; 원인을 규명하다

The genetic tracking helps doctors to predict the likelihood of a person getting a disease and to **diagnose** it. 학평   유전 추적은 의사들이 어느 한 사람이 병에 걸릴 가능성을 예측하고 그것을 **진단하는** 데 도움이 된다.

➕ **diagnosis** 명 진단(법); 원인 분석

0825 surgery
[sə́:rdʒəri]

명 외과; 수술

Researchers looked at how people respond to life challenges including getting a job, taking an exam, or undergoing **surgery**. 학평
연구자들은 사람들이 직장을 얻거나, 시험을 치거나, **수술**을 받는 것을 포함하여 인생에서 겪는 어려움에 어떻게 대응하는지 살펴보았다.

➕ **surgical** 형 외과의; 수술의   **surgeon** 명 외과 의사

0826 therapy
[θérəpi]

명 치료(법)

Exercise is great for prevention, but it can be lousy for **therapy**. 학평
운동은 예방에는 좋지만, **치료**에는 안 좋을 수 있다.

➕ **therapeutic** 형 치료(법)의

0827 clay
[klei]

(명) 찰흙

The people of the Plains, who traveled a lot, didn't make **clay** pots.
학평 대초원에서 이동을 많이 하며 사는 사람들은 **점토** 그릇을 만들지 않았다.

0828 magnet
[mǽgnit]

(명) 자석; 사람을 끄는 것

Leaders with positive emotional states of mind are like human **magnets**. **모평** 마음이 긍정적인 감정 상태인 지도자는 인간 **자석**과 같다.

➕ magnetic (형) 자석의; 마음을 끄는, 매력 있는

0829 poison
[pɔ́izən]

(명) 독(약); 폐해 (동) 독살하다

Golden **poison** frogs do not use their **poison** to hunt. **학평**
황금 독화살 개구리는 자신의 **독**을 사냥하는 데 사용하지 않는다.

➕ poisonous (형) 유독한, 유해한   poisoning (명) 독살; 중독

0830 protein
[próuti:in]

(명) 단백질 (형) 단백질의

Beans are rich in dietary fiber as well as **protein**. **학평**
콩은 **단백질**뿐만 아니라 식이섬유도 풍부하다.

0831 rubber
[rʌ́bər]

(명) 고무 (제품); 지우개 (형) 고무제(품)의

An American man accidentally drops some **rubber** onto a hot stove and discovers how to process **rubber**. **학평** 어느 미국 남성이 우연히 **고무**를 뜨거운 난로 위에 떨어뜨리고 **고무**를 가공하는 방법을 발견하게 된다.

0832 substance
[sʌ́bstəns]

(명) 물질; 본질; 요지, 대의

Plants are expert at transforming water, soil, and sunlight into an array of precious **substances**. **학평**
식물들은 물, 토양, 그리고 햇빛을 다수의 귀한 **물질들**로 바꾸는 데 숙달되어 있다.

➕ substantial (형) 실질적인; 상당한   substantially (부) 본질상; 대체로; 충분히

0833 toxic
[táksik / tɔ́k-]

(형) 유독한, 중독(성)의

The strawberry poison arrow frog has bright red coloring that warns predators that it is **toxic**. **학평** 딸기 독화살 개구리는 자신에게 **독성이 있음**을 포식자들에게 경고하는 선명한 붉은색을 띠고 있다.

toxic chemicals 유독성 화학 물질
➕ toxication (명) 중독

0834 glow
[glou]

(동) 빛나다; 타다　(명) 백열; 홍조

Everyone was cheering and Jason's face **glowed** when he finally scored (학평) Jason이 마침내 득점했을 때, 모두가 환호했고, 그의 얼굴은 **상기되었다**.

➕ **glowing** (형) 백열[작열]하는, 새빨간; 열렬한

0835 illuminate
[ilúːmənèit]

(동) 조명하다; 장식하다; 계몽하다

Blue lights are more attractive and calming than the yellow and white lights that **illuminate** much of the city at night. (학평) 파란색 전등은 밤에 도시의 상당 부분을 **밝히는** 노란색과 흰색 전등보다 더 매력적이고 차분하게 만든다.

➕ **illuminated** (형) 조명; 장식을 한; 계몽된
illumination (명) 조명; (pl.) 일루미네이션, 전등 장식; 계몽

0836 impact
[ímpækt]

(명) 충돌; 영향(력)　(동) 충격을 주다

Color can **impact** how you perceive weight. (학평)
색상은 여러분이 무게를 인식하는 방식에 **영향을 줄** 수 있다.

0837 impulse
[ímpʌls]

(명) 충격; 추진(력); 충동

We need to guard against our natural **impulse** to offer imprudent help to our children. (학평)
우리는 아이들에게 분별없이 도움을 주려는 자연스러운 **충동**을 조심할 필요가 있다.

impulse buying 충동 구매
➕ **impulsive** (형) 충동적인; 추진력이 있는

0838 melt
[melt]

(동) 녹다; 서서히 사라지다

If I'd **melted** cheese on it, you guys would have eaten shoe leather. (EBS) 내가 치즈를 **녹여** 그 위에 얹으면, 너희들은 구두의 가죽이라도 먹었을 것이다.

melting pot 용광로, 도가니

0839 phenomenon
[finámənàn]

(명) 현상; 사건 (pl. phenomena)

Modern man's interest in grooming and cosmetic products is not a new **phenomenon**. (학평)
현대 남자의 몸치장 제품과 화장품에 대한 관심이 새로운 **현상**은 아니다.

natural phenomenon 자연 현상

0840 shiny
[ʃáini]

(형) 반짝이는; 햇볕이 내리쬐는

Mirrors and other smooth, **shiny** surfaces reflect light. (학평)
거울과, 부드럽고 **광택이 나는** 다른 표면들은 빛을 반사한다.

➕ **shine** (동) 빛나다, 반짝이다, 비치다

01 fight the widespread .... 만연한 유행병과 싸우다

02 control .... and disease 감염과 질병을 통제하다

03 severely .... the lambs 양을 심하게 다치게 하다

04 protect soldiers from ....s 부상으로부터 군인들을 보호하다

05 sprain one's .... 발목을 삐다

06 regardless of race, religion, and ....
인종, 종교, 성별과 상관없이

07 prescribe an .... 항생제를 처방하다

08 the chemical breakdown of ....s 약품의 화학적 손상

09 ....s from the digested food 소화된 음식에서 나온 영양소들

10 advice on diet and .... 식습관과 영양에 대한 조언

11 take malaria prevention ....s 말라리아 예방약을 복용하다

12 an .... in one's head 두통

13 My left thumb is ....ing. 내 왼쪽 엄지손가락에 피가 난다.

14 .... to death 질식사하다

15 treat .... diseases 만성 질환을 치료하다

16 help us .... our food 우리가 음식을 소화시키는 것을 돕다

17 go completely .... 완전히 미치다

18 what moms eat while .... 엄마들이 임신 중에 먹는 것

19 a .... spot 아픈 곳

epidemic	epidemic
infection	
injure	
wound	
ankle	
gender	
antibiotic	
drug	
nutrient	
nutrition	
tablet	
ache	
bleed	
choke	
chronic	
digest	
insane	
pregnant	
sore	

20 people with the same _____s 동일한 증상이 있는 사람들   symptom

21 _____s without enough staff 직원이 부족한 병원   clinic

22 Prevention is better than _____. 예방이 치료보다 낫다.   cure

23 the time needed to _____ 치유되는 데 필요한 시간   heal

24 _____ known diseases 알려져 있는 질병을 진단하다   diagnose

25 recover from _____ 수술에서 회복하다   surgery

26 a practice called gene _____ 유전자 치료법으로 불리는 진료   therapy

27 make _____ pots 점토 그릇을 만들다   clay

28 A _____ attracts iron. 자석은 쇠를 끌어당긴다.   magnet

29 _____ control centers 유독물 관리 센터   poison

30 dietary fiber as well as _____ 단백질뿐만 아니라 식이섬유도   protein

31 how to process _____ 고무를 가공하는 방법   rubber

32 many other of the _____s 상당수의 다른 물질들   substance

33 dispose of _____ waste 유독 폐기물을 처리하다   toxic

34 The stove was _____ing red. 난로가 빨갛게 되었다.   glow

35 _____ an LED light LED 조명을 비추다   illuminate

36 have a positive _____ 긍정적인 영향을 미치다   impact

37 the link between touch and _____ purchasing
    만져 보는 것과 충동 구매 사이의 연결 관계   impulse

38 _____ in one's mouth 입에서 녹다   melt

39 explain a physical _____ 물리적인 현상을 설명하다   phenomenon

40 smooth, _____ surfaces 부드럽고 광택이 나는 표면들   shiny

		check
0801 **epidemic**	명 유행(병) 형 유행병의	☐
0802 **infection**	명 전염(병), 감염	☐
0803 **injure**	동 다치게 하다; 해치다	☐
0804 **wound**	동 상처를 입히다 명 상처	☐
0805 **ankle**	명 발목	☐
0806 **gender**	명 성(性), 성별	☐
0807 **antibiotic**	명 항생 물질 형 항생 물질의	☐
0808 **drug**	명 약품; 마약	☐
0809 **nutrient**	명 영양소 형 영양이 되는	☐
0810 **nutrition**	명 영양 (공급); 영양학	☐
0811 **tablet**	명 알약	☐
0812 **ache**	동 아프다 명 아픔	☐
0813 **bleed**	동 피를 흘리다	☐
0814 **choke**	동 질식시키다; 숨이 막히다	☐
0815 **chronic**	형 (병이) 만성의; 오래 끄는	☐
0816 **digest**	동 소화하다	☐
0817 **insane**	형 제정신이 아닌; 비상식적인	☐
0818 **pregnant**	형 임신한	☐
0819 **sore**	형 아픈, 쓰라린 명 상처	☐
0820 **symptom**	명 증상; 조짐	☐

		check
0821 **clinic**	명 전문 병원	☐
0822 **cure**	동 치료하다 명 치료(제), 치료법	☐
0823 **heal**	동 낫(게 하)다	☐
0824 **diagnose**	동 진단하다	☐
0825 **surgery**	명 외과; 수술	☐
0826 **therapy**	명 치료(법)	☐
0827 **clay**	명 찰흙	☐
0828 **magnet**	명 자석; 사람을 끄는 것	☐
0829 **poison**	명 독(약) 동 독살하다	☐
0830 **protein**	명 단백질 형 단백질의	☐
0831 **rubber**	명 고무 (제품); 지우개 형 고무제(품)의	☐
0832 **substance**	명 물질; 본질; 요지	☐
0833 **toxic**	형 유독한, 중독(성)의	☐
0834 **glow**	동 빛나다; 타다 명 백열; 홍조	☐
0835 **illuminate**	동 조명하다; 장식하다	☐
0836 **impact**	명 충돌; 영향(력) 동 충격을 주다	☐
0837 **impulse**	명 충격; 추진(력); 충동	☐
0838 **melt**	동 녹다; 서서히 사라지다	☐
0839 **phenomenon**	명 현상; 사건	☐
0840 **shiny**	형 반짝이는; 햇볕이 내리쬐는	☐

외우지 못한 단어가 있으면 미니 단어장에서 다시 한번 정리해 보세요.

Wrap Up

☑ANSWERS p.460

A 영어는 우리말로, 우리말은 영어로 쓰시오.

01	historical		21	유인원, 원숭이
02	sibling		22	알약
03	epidemic		23	충격; 추진(력)
04	tropical		24	박테리아, 세균
05	pregnant		25	재배하다
06	grain		26	재해, 재난
07	ancestor		27	낭떠러지
08	geography		28	소생하(게 하)다
09	coast		29	피를 흘리다
10	glow		30	구매(하다)
11	radical		31	소화하다
12	toxic		32	유래; 원인
13	trunk		33	발목
14	surgery		34	도시의
15	inborn		35	밀
16	melt		36	표준; 규범
17	stream		37	광산; 채굴하다
18	heal		38	고무 (제품)
19	sore		39	제정신이 아닌
20	vital		40	가파른

B 네모 안에서 알맞은 단어를 고르시오.

01 I searched the streets until my feet ached / choked .

02 Antibiotics / Nutrients either kill bacteria or stop them from growing.

03 Droughts / Earthquakes happen because of shifts in Earth's plates.

04 Desertification occurs when the land loses its ability to produce vegetation / weed and turns into deserts.

C 각 문장이 우리말과 일치하도록 빈칸에 알맞은 단어를 고르시오. (형태 변화 가능)

보기   impulse   horizon   drug   basis   agriculture

01 Many .... will become ineffective if they are not stored properly.
만약 많은 약이 제대로 보관되지 않는다면 그것들은 효능이 없어질 것이다.

02 Global .... must produce more food to feed a growing population.
세계의 농업은 증가하는 인구를 부양하기 위해 더 많은 식량을 생산해야 한다.

03 Kenge had lived his entire life in a dense jungle that offered no views of the
....
Kenge는 지평선이라곤 보이지 않는 울창한 밀림에서 평생을 살았다.

04 We need to guard against our natural .... to offer imprudent help to our children.
우리는 아이들에게 분별없이 도움을 주려는 자연스러운 충동을 조심할 필요가 있다.

05 The .... of cultural relativism is the notion that no true standards of good and evil actually exist.
문화 상대주의의 기본은 선과 악의 진정한 기준이 실제로 존재하지 않는다는 개념이다.

D 우리말이 영어 문장과 일치하도록 빈칸에 알맞은 말을 쓰시오.

01 The emotion itself is tied to the situation in which it originates.
그 감정 자체는 그것이 .... 상황과 연결되어 있다.

02 Infections in hospitals create serious problems for the healthcare industry.
병원에서 발생하는 ....은 건강 관리 산업에 심각한 문제를 일으킨다.

03 Dogs need vitamin D, which may be hard to maintain without meat or dairy.
개는 비타민 D를 필요로 하는데, 그것은 고기나 .... 없이는 유지하기 어려울 수 있다.

04 Some species use alarm calls to share information about potential predators.
일부 종(種)은 경고음(울부짖음)을 사용하여 잠재적 ....에 대한 정보를 공유한다.

05 Female leopard sharks lay eggs and hatch them inside their bodies.
암컷 표범무늬상어는 알을 낳고 자기 체내에서 그것을 ....

변화, 조정, 만들기

| Word Map에 주제별로 분류된 단어의 뜻을 유추하여 빈칸에 쓰세요. |

설계
- depict 묘사하다
- devise 고안하다, 발명하다
- generalize 개괄하다; 일반화하다
- institute
- found
- establish 수립하다; 확립시키다

조정 조율
- clarify 분명하게 하다
- purify 정화하다
- confirm 확실히 하다
- adjust
- coordinate 조화시키다; 대등한
- reconcile 조화시키다; 화해시키다
- compromise
- manipulate 조종하다; 조작하다
- organize 조직하다; 체계화하다
- delay 연기하다; 지연

제작
- manufacture 제조하다; 제조; 제품
- reproduce
- launch 착수하다; 출시
- brand-new 신품의
- elaborate
- artificial 인공의, 인위적인
- generate 만들어 내다; 발생시키다
- activate 작동하다; 활성화하다

적용
- apply
- arrange 배열하다; 조정하다
- conform 순응하다; 일치하다
- socialize 사회화하다, 교제하다

변화

개선
- shift
- alter 변경하다
- evolve 발달하다; 진화하다
- refine
- convert 전환하다
- replace 대체하다
- restore 복구하다; 회복시키다

혁신
- switch 전환(하다)
- transform
- reform 개혁(하다), 개선(하다)
- innovation 쇄신
- revolution 혁명; 회전

📖 가리개를 사용하여 뜻을 잘 암기했는지 확인하세요.

0841 depict
[dipíkt]

동 묘사하다

Local artists painted wall paintings **depicting** scenes of government oppression. (EBS) 현지 예술가들은 정부의 억압 장면을 **묘사하는** 벽화를 그렸다.

➕ **depiction** 명 묘사, 서술　➡ **describe** 동 묘사[서술]하다

0842 devise*
[diváiz]

동 고안하다, 발명하다

Humans have used invention to **devise** better ways to feed ourselves. (학평) 인류는 스스로를 먹여 살리는 더 나은 방법을 **고안하기** 위해 창의력을 사용해 왔다.

➕ **device** 명 장치, 도구; 방법, 방책

0843 generalize
[dʒénərəlàiz]

동 개괄하다; 일반화하다

High intensity noise clearly is related to a **generalized** stress response. (EBS) 고강도의 소음은 **일반화된** 스트레스 반응과 분명히 관련이 있다.

➕ **general** 형 일반의, 전반적인　**generalized** 형 일반적인

0844 institute*
[ínstitʒùːt]

동 도입하다, 실시하다　명 (교육) 기관

The bill would **institute** a number of changes to America's immigration system. 그 법안은 미국의 이민 제도에 많은 변화를 **도입할** 것이다.

➕ **institution** 명 기관; 도입; 제도; 보호 시설

How Different

0845 found
[faund]

동 설립하다; 토대를 두다

Doctors Without Borders was **founded** in 1971 by French doctors. (학평) 국경 없는 의사회는 1971년에 프랑스 의사들에 의해 **설립됐다**.

➕ **foundation** 명 창설, 설립; 토대; 재단

0846 establish*
[istǽbliʃ]

동 수립하다; 확립시키다; 제정하다

Westwood High School is currently **establishing** a paper recycling program. (학평) Westwood 고등학교는 최근 종이 재활용 프로그램을 **확립시키는** 중이다.

➕ **establishment** 명 설립, 창립, 확립; 기관; 기득권층

» **found** 기관이나 조직을 공식적으로 시작함을 가리킴
» **establish** 단체, 제도를 시작하여 상당 시간에 걸쳐 알려지고 자리를 잡게 하는 과정을 가리킴

---

10 30 40

0847 manufacture*
[mǽnjəfǽktʃər]

(동) 제조하다; 생산하다   (명) 제조; (pl.) 제품

A week ago I bought a decorative bowl **manufactured** by your company. 학평 지난주에 저는 귀사에서 **생산된** 장식용 그릇을 구입했습니다.

➕ **manufacturer** (명) 제조(업)자, 생산 회사

0848 reproduce
[rìːprədjúːs]

(동) 번식하다; 재현하다; 복사하다

Cod in Canada's Gulf of St. Lawrence begin to **reproduce** at around four today. 수능
오늘날 캐나다의 St. Lawrence 만에 서식하는 대구는 생후 4년쯤 **번식하기** 시작한다.

➕ **reproduction** (명) 복사; 복제품; 생식   **reproductive** (형) 복제의; 생식의

0849 launch*
[lɔːntʃ]

(동) 착수하다; 출시하다   (명) 출시; 발사

In order to create interest in the product, companies will often **launch** pre-market advertising campaigns. 학평
상품에 대한 관심을 창출하기 위해 회사는 흔히 출시 전 광고 행사에 **착수할** 것이다.

the official launch 공식 출시
launch into 갑자기 (이야기를) 시작하다

0850 brand-new
[brændnjuː]

(형) 신품의

The grand opening of our **brand-new** sports center is on November 30th! 모평 저희 **새로운** 스포츠 센터의 개장은 11월 30일입니다!

0851 elaborate
(동)[ilǽbərèit]
(형)[ilǽbərit]

(동) 정교하게 고안하다   (형) 공들인; 정교한

Elaborate scoring rules help make evaluation more objective. 모평
정교한 채점 규정이 평가를 더 객관적으로 만드는 데 도움을 준다.

0852 artificial*
[àːrtəfíʃəl]

(형) 인공의, 인위적인

Artificial light does not seem to have the same effect on mood that sunlight has. 학평
인공조명이 분위기에 미치는 효과는 햇빛이 미치는 효과와 같지 않을 것 같다.

➕ **artificially** (부) 인위적으로, 부자연스럽게   ➖ **natural** (형) 자연적인

0853 generate
[dʒénərèit]

(동) 만들어 내다; 발생시키다

Tourism and tourists can **generate** job and business opportunities in both the formal and informal sector. 학평 관광업과 관광객들은 공식적인 영역과 비공식적인 영역에서 일자리와 사업 기회를 **만들어 낼** 수 있다.

➕ **generator** (명) 발전기; 발생시키는 것   **generation** (명) 세대; 발생

0854 activate*
[ǽktəvèit]

(동) 작동하다; 활성화하다

Mushrooms help **activate** superhero cells that find and destroy infections. 모평
버섯은 감염을 찾아내고 파괴하는 슈퍼히어로 세포를 **활성화하는** 데 도움이 된다.

➕ **activation** (명) 활성화　**active** (형) 활동적인

0855 apply*
[əplái]

(동) 적용하다; 신청하다

Applying a single plan to everything can be inefficient. 학평
단 하나의 계획을 모든 것에 **적용하는 것**은 비효율적일 수 있다.

➕ **application** (명) 적용, 응용; 신청(서)　**applicant** (명) 지원자

0856 arrange*
[əréinʤ]

(동) 배열하다; 조정하다

We **arrange** our lives in largely repetitive schedules. 학평
우리는 대체로 반복되는 일정 속에 우리 생활을 **배열한다**.

➕ **arrangement** (명) 준비; 합의; 방식; 배열

0857 conform*
[kənfɔ́ːrm]

(동) 순응하다; 일치하다

Larger groups put more pressure on their members to **conform**. 수능
더 큰 집단은 구성원들에게 **순응하도록** 더 큰 압력을 가한다.

➕ **conformity** (명) 순응; 일치

0858 socialize
[sóuʃəlàiz]

(동) 사회화하다; 교제하다

Dozens of students come to the library to **socialize** in a safe place.
학평 수십 명의 학생들이 안전한 장소에서 **교제하기** 위해 도서관으로 온다.

➕ **socialization** (명) 사회화

How Different

0859 clarify*
[klǽrəfài]

(동) 분명하게 하다

Putting your plan down on paper will **clarify** your thoughts. 학평
여러분의 계획을 종이에 적는 것은 여러분의 생각을 **분명하게 할** 것이다.

➕ **clarification** (명) 해명; 정화

0860 purify
[pjú(ː)ərəfài]

(동) 정화하다

One of the functions of the kidneys is to **purify** the blood. 학평
신장의 기능들 중 하나는 피를 **맑게 하는** 것이다.

➕ **purification** (명) 정화; 정제

» **clarify** 보거나 이해하지 못하게 하는 것을 제거하여 명확하게 함
» **purify** 더러움, 해로움을 제거하여 깨끗하게 함

0861 confirm*
[kənfə́:rm]

(동) 확실히 하다

I'm calling to **confirm** your trip to New York next week. (모평)
저는 다음 주에 귀하께서 뉴욕으로 가시는 여행을 **확인하려고** 전화드렸습니다.

➕ confirmation (명) 확인; 확정

0862 adjust*
[ədʒΛ́st]

(동) 조정하다; 적응하다

Adjust the volume level by moving the joystick left or right. (학평)
조이스틱을 왼쪽이나 오른쪽으로 움직여서 음량을 **조정하세요.**

➕ adjustment (명) 조정; 적응

0863 coordinate
(동)[kouɔ́:rdənèit]
(형)[kouɔ́:rdənit]

(동) 조화시키다; 조직하다   (형) 대등한

Wolves **coordinate** their hunting through body movements, ear positioning, and vocalization. (학평)
늑대들은 몸동작, 귀의 위치 조정, 발성을 통해 그들의 사냥을 **조직한다.**

➕ coordination (명) 합동, 조화

0864 reconcile
[rékənsàil]

(동) 조화시키다; 화해시키다

It is sometimes difficult to **reconcile** science and religion.
종교와 과학을 **조화시키는** 것이 때론 어렵다.

➕ reconciliation (명) 조정, 화해

0865 compromise
[kámprəmàiz]

(명) 타협   (동) 타협하다; 양보하다

Josh agreed to study chemical engineering as a **compromise** with his father. (학평)
Josh는 그의 아버지와의 **타협**으로 화학 공학을 공부하는 것에 동의했다.

reach a compromise 타협에 이르다

0866 manipulate
[mənípjulèit]

(동) 조종하다; 조작하다

Companies use tricks to **manipulate** children's minds. (학평)
회사들은 아이들의 마음을 **조종하기** 위하여 책략을 사용한다.

➕ manipulation (명) 조종; 다루기

0867 organize
[ɔ́:rɡənàiz]

(동) 조직하다; 체계화하다

I began to **organize** my desk, but then I heard a knocking sound from the front door. (학평)
나는 내 책상을 **정리하기** 시작했는데, 그때 현관문으로부터 노크 소리를 들었다.

➕ organization (명) 기구, 조직; 준비

0868 delay* [diléi]

동 연기하다 명 지연, 연기

Humans, like most animals, have a strong preference for immediate reward over **delayed** reward. 학평
인간은 대부분의 동물들처럼 **지연된** 보상보다 즉각적인 보상을 더 선호한다.

0869 shift* [ʃift]

동 옮기다; 바꾸다 명 변화; (교대) 근무

Earthquakes happen because of **shifts** in Earth's plates. 학평
지진은 지각판의 **변동** 때문에 일어난다.

0870 alter* [ɔ́ːltər]

동 변경하다

By acting on either natural or artificial resources, through techniques, we **alter** them in various ways. 학평 기술로 천연자원이나 인공 자원에 영향을 줌으로써, 우리는 그것들을 다양한 방식으로 **바꾼다**.

➕ alteration 명 변경

0871 evolve* [iválv]

동 발달하다; 진화하다

We have **evolved** the capacity to care for other people, animals and things. 학평 우리는 다른 이들, 동물 그리고 사물을 돌보는 능력을 **발달시켜** 왔다.

➕ evolution 명 진화; 발전 evolutionary 형 발달의; 진화의

0872 refine [rifáin]

동 정제하다; 개선하다

An animal's hunting behavior is innate and further **refined** through learning. 학평 동물의 사냥 습성은 선천적이며 학습을 통해 더 **개선된다**.

➕ refined 형 정제된; 세련된 refinement 명 정제; 세련; 개선

0873 convert [kənvə́ːrt]

동 전환하다

A camel's humps store fat which can be **converted** to water and energy when food is not available. 학평
낙타의 혹은 먹을 것이 없을 때 물과 에너지로 **전환될** 수 있는 지방을 저장하고 있다.

➕ conversion 명 전환, 개조; 개종

0874 replace* [ripléis]

동 대체하다

Our company is happy to **replace** your faulty toaster with a new toaster. 학평 저희 회사는 귀하의 결함 있는 토스터를 새 토스터로 기꺼이 **교환해** 드리겠습니다.

➕ replacement 명 교체, 대체

0875
☐☐
restore*
[ristɔ́ːr]

동 복구하다; 회복시키다

Paying promptly will **restore** your membership to good standing. 학평
신속히 지불해 주시면 귀하의 회원 자격이 정상으로 **회복될** 것입니다.

➕ **restoration** 명 회복; 복구, 복원; 반환

0876
☐☐
switch*
[switʃ]

동 전환하다   명 전환; 스위치

More and more people are **switching** to a vegetarian diet, and wonder if it's good for their pets, too. 학평 점점 더 많은 사람들이 채식주의 식단으로 **전환하고** 있고, 그것이 그들의 반려동물에게도 좋은지 궁금해한다.

switch seats 자리를 바꾸다

0877
☐☐
transform*
[trænsfɔ́ːrm]

동 변형하다

The Internet has **transformed** the way we live. 학평
인터넷은 우리가 사는 방법을 **변형해** 왔다.

➕ **transformation** 명 변형, 탈바꿈

0878
☐☐
reform*
[rifɔ́ːrm]

동 개혁하다, 개선하다   명 개혁, 개선

Most adults perform their jobs successfully in existing ways, without attempting to **reform** the established systems. EBS
대부분의 성인들은 확립되어 있는 체계를 **개혁하려고** 시도하지 않고, 기존의 방식으로 자신의 일을 성공적으로 수행한다.

➕ **reformation** 명 개선, 개혁   **reformer** 명 개혁가

0879
☐☐
innovation
[ìnəvéiʃən]

명 쇄신; 새로 도입한 것

When deliberating about **innovation** opportunities, the leaders weren't inclined to take risks. 학평
쇄신 기회에 대해 심사숙고할 때, 리더들은 위험을 무릅쓰지 않는 경향이 있었다.

➕ **innovate** 동 혁신하다, 쇄신하다

0880
☐☐
revolution*
[rèvəlúːʃən]

명 혁명; 회전

Mechanization was the key that unlocked the Industrial **Revolution**. 학평 기계화는 산업 **혁명**을 연 열쇠였다.

➕ **revolutionary** 형 혁명의, 혁명적인 명 혁명가

» **innovation** 새로운 요구를 충족하기 위해 기존의 것보다 더 나은 생각, 방법, 시스템 등 새로운 해결책을 고안함
» **revolution** 기존의 것과 완전히 다르게 근본적인 변화를 일으킴

변화, 조정, 만들기
Use Words

빈칸을 채우며 단어를 외우고, 쓰면서 한 번 더 익히세요.

01	.... the lives of ordinary people　평범한 이들의 삶을 묘사하다	depict　　depict
02	.... a compound microscope　복합 현미경을 고안하다	devise
03	.... about a complicated subject　복잡한 주제를 일반화하다	generalize
04	.... a local taxi service　지역 택시 서비스를 실시하다	institute
05	.... the school of painting　회화 학교를 설립하다	found
06	.... diplomatic relations　외교 관계를 수립하다	establish
07	in car ....　자동차 제조에서	manufacture
08	.... by laying eggs　알을 낳아서 번식하다	reproduce
09	the official ....　공식 출시	launch
10	a .... smartphone　신상 스마트폰	brand-new
11	.... preparations for the wedding　공들인 결혼 준비	elaborate
12	an .... lake　인공 호수	artificial
13	.... job opportunities　취업 기회를 만들어 내다	generate
14	.... a machine　기계를 작동하다	activate
15	.... a single plan to everything 딘 하니의 계획을 모든 것에 적용하다	apply
16	..................d alphabetically　알파벳순으로 배열된	arrange
17	.... to the law　법을 따르다	conform
18	.... with my colleagues　내 동료들과 교제하다	socialize
19	.... the structure of the article　기사의 구조를 분명하게 하다	clarify
20	.... the blood　피를 맑게 하다	purify

21 .... one's reservation 예약을 확인하다		confirm
22 .... the volume level 음량을 조정하다		adjust
23 .... the whole campaign 전체 캠페인을 조직하다		coordinate
24 .... science and religion 과학과 종교를 조화시키다		reconcile
25 reach a .... 타협에 이르다		compromise
26 .... public opinion 여론을 조작하다		manipulate
27 .... a labor union 노동조합을 조직하다		organize
28 traffic ....s 교통 지연		delay
29 work an 8-hour .... 8시간 교대 근무를 하다		shift
30 .... the color and size 색과 크기를 변경하다		alter
31 .... from sea creatures 해상 생물로부터 진화하다		evolve
32 ....d petroleum 정제된 석유		refine
33 .... to heat energy 열에너지로 전환하다		convert
34 .... the battery 배터리를 교체하다		replace
35 .... one's membership 회원 자격을 회복하다		restore
36 .... seats 자리를 바꾸다		switch
37 .... electrical energy into mechanical energy 전기 에너지를 역학적 에너지로 변환하다		transform
38 .... the established systems 확립되어 있는 체계를 개혁하다		reform
39 technical .... 기술 혁신		innovation
40 the Industrial .... 산업 혁명		revolution

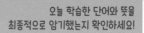

			check
0841	depict	동 묘사하다	☐
0842	devise	동 고안하다, 발명하다	☐
0843	generalize	동 개괄하다; 일반화하다	☐
0844	institute	동 도입하다, 실시하다 명 (교육) 기관	☐
0845	found	동 설립하다; 토대를 두다	☐
0846	establish	동 수립하다; 제정하다	☐
0847	manufacture	동 제조하다 명 제조; 제품	☐
0848	reproduce	동 번식하다; 재현하다	☐
0849	launch	동 착수하다 명 출시; 발사	☐
0850	brand-new	형 신품의	☐
0851	elaborate	동 정교하게 고안하다 형 공들인; 정교한	☐
0852	artificial	형 인공의, 인위적인	☐
0853	generate	동 만들어 내다; 발생시키다	☐
0854	activate	동 작동하다; 활성화하다	☐
0855	apply	동 적용하다; 신청하다	☐
0856	arrange	동 배열하다; 조정하다	☐
0857	conform	동 순응하다; 일치하다	☐
0858	socialize	동 사회화하다; 교제하다	☐
0859	clarify	동 분명하게 하다	☐
0860	purify	동 정화하다	☐

			check
0861	confirm	동 확실히 하다	☐
0862	adjust	동 조정하다; 적응하다	☐
0863	coordinate	동 조화시키다 형 대등한	☐
0864	reconcile	동 조화시키다; 화해시키다	☐
0865	compromise	명 타협 동 타협하다	☐
0866	manipulate	동 조종하다; 조작하다	☐
0867	organize	동 조직하다; 체계화하다	☐
0868	delay	동 연기하다 명 지연; 연기	☐
0869	shift	동 옮기다 명 (교대) 근무	☐
0870	alter	동 변경하다	☐
0871	evolve	동 발달하다; 진화하다	☐
0872	refine	동 정제하다; 개선하다	☐
0873	convert	동 전환하다	☐
0874	replace	동 대체하다	☐
0875	restore	동 복구하다; 회복시키다	☐
0876	switch	동 전환하다 명 전환; 스위치	☐
0877	transform	동 변형하다	☐
0878	reform	동 개혁하다 명 개혁, 개선	☐
0879	innovation	명 쇄신; 새로 도입한 것	☐
0880	revolution	명 혁명; 회전	☐

외우지 못한 단어가 있으면 미니 단어장에서 다시 한번 정리해 보세요.

DAY 23

모임, 동반, 도움, 보호

| Word Map에 주제별로 분류된 단어의 뜻을 유추하여 빈칸에 쓰세요. |

공동 작업
collaborate	협력하다
collective	공동의; 집단
combine	
compound	혼합물; 합성의
cooperative	협력하는, 협조적인
unite	연합하다
supplement	보충(물); 보충하다

동반
cling	달라붙다; 집착하다
accompany	동행하다; 수반하다
assemble	모으다; 조립하다
associate	
attend	참석하다; 돌보다
bond	유대; 유대를 형성하다

지원
aid	
assist	거들다; 참가하다
backup	지원; 지원하는
beg	간청하다

단체 활동
register	등록하다; 기록
enroll	명부에 기재하다
incorporate	
integrate	통합하다; 결합시키다
unify	단일화하다; 통일하다
union	

후원
boost	북돋우다; 격려, 후원
consult	
serve	시중들다
sponsor	후원자; 후원하다

회의 행사
campaign	(사회) 운동, 캠페인
ceremony	
agenda	의제, 안건
committee	위원회
conference	회의; 협의회
ritual	
tribe	부족, 종족

보호
conservation	
escort	호위자; 호위하다
rescue	구조(하다)

보증
secure	안전한; 확보하다
warranty	
guarantee	보장(하다)

모임, 동반, 도움, 보호

📖 가리개를 사용하여 뜻을 잘 암기했는지 확인하세요.

0881 collaborate*
[kəlǽbərèit]

동 협력하다

Leonardo Da Vinci **collaborated** with others to add the finer details. 학평 레오나르도 다빈치는 더 세밀한 세부 묘사를 더하기 위해 다른 사람들과 **협업했다.**

➕ **collaboration** 명 협업, 공동 작업　**collaborative** 명 협력적인; 공동 제작의

0882 collective
[kəléktiv]

형 공동의; 집단적인　명 집단

Our **collective** mind-set has changed, and mass marketing no longer works. 학평 우리의 **집단적** 사고는 변했고, 대중 상대의 영업이 더는 효과가 없다.

➕ **collect** 동 모으다, 수집하다　**collectivity** 명 집단, 집합체; 집단성

0883 combine*
[kəmbáin]

동 결합하다; 화합시키다

Combining the strengths of computers with human strengths creates synergy. 학평 컴퓨터의 강점과 인간의 강점을 **결합하는 것**은 시너지를 생성한다.

➕ **combination** 명 결합, 연합; 화합(물)

0884 compound
형명 [kámpaund]
동 [kəmpáund]

명 혼합물　형 합성의　동 혼합하다; 악화시키다

Compounds in ginger may work in a similar way to anti-nausea medications. 학평 생강 속의 **화합물**이 멀미 방지약과 비슷한 작용을 할 수 있다.

0885 cooperative
[kouápərèitiv]

형 협력하는, 협조적인

We would have a better life in a more equal and **cooperative** society. 학평 더 평등하고 **협력하는** 사회에서 우리는 더 나은 삶을 살게 될 것이다.

➕ **cooperate** 동 협력하다, 협동하다　**cooperation** 명 협력, 협동, 협업

0886 unite*
[ju:náit]

동 연합하다; 결속하다

An Ethiopian proverb says, "When spider webs **unite**, they can halt a lion." EBS 에티오피아에 '거미줄이 **뭉치면** 사자를 멈출 수 있다.'라는 속담이 있다.

➕ **unity** 명 단일(성), 통일(성); 일치　**union** 명 연합; 조합　**united** 명 연합한

0887 supplement
[sʌ́pləmənt]

명 보충(물); 부록　동 보충하다

The beta carotene **supplement** actually increased the risk of certain cancers. 모평 베타카로틴 **보충제**는 실제로 특정 암에 걸릴 위험을 높였다.

➕ **supplementary** 명 보충[추가]의　➡ **appendix** 명 부록; 부가[추가](물)

How Different

0888 register***
[rédʒistər]

(동) 등록하다   (명) 기록; 등록부

If you suffer from a sleep disorder, **register** for the free seminar on sleep health. (학평)
만약 여러분이 수면 장애에 시달리신다면 수면 건강에 관한 무료 세미나에 **등록하십시오.**

➕ registration (명) 등록, 기재

0889 enroll
[inróul]

(동) 명부에 기재하다; 입회하다

Recently, I was about to **enroll** in an expensive coaching program. (학평)
최근에, 나는 비싼 코칭 프로그램에 **입회하려고** 했었다.

➕ enrollment (명) 등록, 기재; 입학; 등록자 수

» **register** 공식 명부에 이름을 기록하거나 등록하는 것을 가리킴
» **enroll** 학교에 입학하거나 수업, 강좌 등에 공식적으로 합류하는 절차를 밟는 것을 가리킴

0890 incorporate
[inkɔ́:rpərit]

(동) 통합하다; 포함하다   (형) 법인의

The concept of a rational action **incorporates** the concept of a reason. (EBS) 합리적 행위라는 개념은 이성이라는 개념을 **포함한다.**

➕ incorporation (명) 합병; 법인 (설립)   incorporated (형) 법인 조직의; 합병한

0891 integrate
[íntəgrit]

(동) 통합하다; 결합시키다

Thomas Edison learned that marketing and invention must be **integrated**. (학평) Thomas Edison은 마케팅과 발명이 **통합되어야** 함을 알게 되었다.

➕ integration (명) 통합, 융합   ➖ segregate (동) 분리[차별]하다

0892 unify***
[júːnəfài]

(동) 단일화하다; 통일하다

The current disagreements about the issue of **unifying** Europe are typical of Europe's disunity. (학평)
유럽을 **단일화하는** 문제에 관한 최근의 의견 불일치는 유럽 분열의 전형이다.

➕ unification (명) 통일, 통합, 단일화

0893 union***
[júːnjən]

(명) 협회; 연합

Tickets can be purchased from the student **union** office. (학평)
티켓은 학생**회** 사무실에서 구매할 수 있습니다.

0894 campaign
[kæmpéin]

(명) (사회) 운동, 캠페인

Many small businesses typically can't afford aggressive online **campaigns**. (학평)
많은 소기업들은 대개 온라인 **캠페인**을 적극적으로 할 여유가 없다.

0895 ceremony
[sérəmòuni]

(명) 의식; 의례

Since early Roman times some grain has been associated with the wedding **ceremony**. 학평
초기 로마 시대 이래로, 어떤 곡식은 결혼 **예식**과 연관되어 왔다.

0896 agenda*
[ədʒéndə]

(명) 의제, 안건

Suppose you are conducting a meeting and you want to ensure that everyone there has a copy of the **agenda**. 학평 여러분이 회의를 진행하고 있고, 그곳의 모든 사람이 **안건**을 한 부씩 반드시 가지고 있게 하고 싶다고 가정하라.

0897 committee*
[kəmíti]

(명) 위원회

Your recommendation must have persuaded the scholarship **committee** to take a chance on. 학평
귀하의 추천서가 장학금 **위원회**로 하여금 기회를 주도록 설득했음에 틀림없습니다.

0898 conference
[kánfərəns]

(명) 회의; 협의회

Lynne arrived at the CEO's large office and sat at a long **conference** table with him on the other end. 학평 Lynne은 CEO의 큰 사무실에 도착하여 그와 마주 보며 긴 **회의용** 테이블 끝에 앉았다.

➕ **confer** (동) 의논하다, 협의하다; 수여하다

0899 ritual
[rítʃuəl]

(명) (종교적) 의식   (형) 의식의; 의례적인

Plants and animals are central to mythology, **rituals**, festivals, and holidays around the world. 학평
식물과 동물은 전 세계의 신화, **의식**, 축제 그리고 기념일의 중심에 있다.

➕ **rite** (명) (종교적) 의식, 의례

0900 tribe*
[traib]

(명) 부족, 종족

Most **tribes** spoke their own language, but could communicate with other **tribes**. 학평
대부분의 **부족**은 그들만의 언어를 말하는데도 다른 **부족들**과 의사소통할 수 있었다.

➕ **tribesman** (명) 부족의 일원   **tribal** (형) 부족의, 종족의

0901 cling*
[kliŋ]

(동) 달라붙다; 집착하다

You will find that the bits of paper **cling** to the pen. 학평
여러분은 종잇조각이 펜에 **달라붙는** 것을 발견하게 될 것이다.

0902 accompany*
[əkʌ́mpəni]

(동) 동행하다; 수반하다

Children under 10 must be **accompanied** by an adult. 학평
10세 미만의 어린이들은 어른과 **동행해야** 합니다.

⁰⁹⁰³ **assemble**[*]
[əsémbl]

(동) 모으다, 집합하다; 조립하다

The theory of evolution has **assembled** an enormous amount of convincing data proving that other competing theories are false. (학평)
진화론은 다른 경쟁 이론들이 틀렸다는 것을 증명하는 막대한 양의 설득력 있는 자료를 **모아** 왔다.

➕ **assembly** (명) 모임; 집회; 의회; 조립   ➖ **scatter** (동) 뿔뿔이 흩어지다

⁰⁹⁰⁴ **associate**[*]
[əsóuʃieit]

(동) 연관 짓다; 교제하다

Memory has been **associated** with rote learning and cramming information into your brain. (학평)
기억은 기계적 학습, 그리고 정보를 여러분의 두뇌에 주입하는 것과 **연관되어** 왔다.

➕ **association** (명) 협회; 연합; 관련; 교제

⁰⁹⁰⁵ **attend**[*]
[əténd]

(동) 참석하다; 돌보다; 동반하다

The games will be **attended** by many college coaches scouting prospective student athletes. (학평)
유망한 학생 선수들을 스카우트하는 많은 대학 코치들이 그 경기에 **참석할** 것이다.

➕ **attendance** (명) 출석, 참석; 출석자 (수); 시중   **attention** (명) 주의; 관심; 돌봄
attendant (명) 종업원; 참석자; 수행원 (형) 수행하는; 수반하는

⁰⁹⁰⁶ **bond**[*]
[bɑnd]

(명) 유대; 계약   (동) 유대를 형성하다

Through gossip, we **bond** with our friends, sharing interesting details.
(학평) 소문을 통해 우리는 친구들과 흥미로운 세부 사항을 공유하면서 **유대를 형성한다.**

➕ **bonding** (명) 긴밀한 유대; 결합; 접합

How Different

⁰⁹⁰⁷ **aid**[*]
[eid]

(동) 원조하다   (명) 도움; 보조물

Stick-N-Find will sound a buzzer or illuminate its LED lights **aiding** in searching the missing items. (학평) Stick-N-Find는 버저를 울리거나 그것의 LED 등을 비춰서 잃어버린 물건을 찾는 것을 **도와준다.**

a hearing aid 보청기   **first aid** 응급 처치

⁰⁹⁰⁸ **assist**[*]
[əsíst]

(동) 거들다, 돕다; 참가하다

Audience feedback **assists** the speaker in creating a respectful connection with the audience. (학평)
청중의 피드백은 발표자가 청중과 존중하는 관계를 만드는 것을 **돕는다.**

➕ **assistant** (명) 조수, 보조자 (형) 보조의   **assistance** (명) 도움, 원조, 보조 지원

» **aid** 한 국가나 단체가 다른 국가나 사람들에게 물자 등 경제적으로 지원하여 돕는 것을 가리킴
» **assist** 주 업무를 하는 사람의 일을 보조하여 잡일 등을 대신하며 돕는 것을 가리킴

0909
backup
[bǽkʌp]

명 지원; 예비(품)　형 지원하는; 보완의

It is often more efficient to develop the technique of selective notetaking using a recorder as **backup**. 학평 예비로 녹음기를 사용하며 선택적으로 필기하는 기술을 발달시키는 것이 흔히 더 효율적이다.

0910
beg*
[beg]

동 간청하다

Josh **begged** Amy to stay, but she simply laughed and went away.
Josh는 Amy에게 남아 달라고 **간청했으나** 그녀는 가볍게 웃으며 떠나 버렸다.

0911
boost*
[buːst]

동 북돋우다; 후원하다　명 격려, 후원

It might seem that praising your child's intelligence or talent would **boost** his self-esteem and motivate him. 학평
자녀의 지능이나 재능을 칭찬하는 것이 그의 자존감을 **북돋우고** 그에게 동기를 부여하는 것처럼 보일지도 모른다.

give somebody a boost (up) ~을 밀어 올리다
➕ booster 명 후원자; 촉진제

0912
consult*
[kánsʌlt]

동 상담하다; 참고하다

A farmer went to the nearest city to **consult** a judge. 학평
한 농부가 재판관에게 **상담하기** 위해 가장 가까운 도시로 갔다.

consult a dictionary 사전을 참고하다
➕ consultant 명 고문, 컨설턴트　consultation 명 상담, 상의; 협의; 자문; 참고

0913
serve*
[səːrv]

동 시중들다; ~에 도움이 되다

Social lies are told for psychological reasons and **serve** both self-interest and the interest of others. 학평
사교적 거짓말은 심리적 이유로 하며 자신의 이익과 타인의 이익 모두에 **도움이 된다**.

serve the purpose 목적에 부합하다
➕ service 명 봉사, 수고; 서비스(업)

0914
sponsor
[spánsər]

명 후원자　동 후원하다; 보증하다

The contest is **sponsored** by East India Press, specializing in the publishing of books in multiple formats. 학평
그 대회는 다양한 형태의 서적 출판을 전문적으로 하는 East India Press가 **후원한다**.

➕ sponsorial 명 보증인의; 후원자의　sponsorship 명 보증인임; 후원
🟰 patron 명 후원자, 보호자

0915 conservation
[kànsərvéiʃən]

(명) 보존, 유지

Establishing protected areas with intact ecosystems is essential for species **conservation**. (학평)
온전한 생태계가 있는 보호 구역을 만드는 것은 종 **보존**에 필수적이다.

conservation of mass 질량 보존
➕ **conserve** (동) 보호[보존]하다, 유지하다   **conservational** (형) 보호의, 보존의

0916 escort*
(명)[éskɔːrt]
(동)[iskɔ́ːrt]

(명) 호위자   (동) 호위하다, 경호하다

Freshwater dolphins will **escort** me on the Amazon, the unknown and mysterious world. (수능)
민물돌고래는 미지의 신비로운 세계인 아마존에서 나를 **호위해** 줄 것이다.

under escort 호위하여

0917 rescue*
[réskjuː]

(동) 구조하다   (명) 구조

Once penguins are **rescued**, they are cleaned and put in salt-water pools for rehabilitation.
일단 펭귄들이 **구조되면**, 그들은 씻기고 회복을 위해 소금물 웅덩이에 입수된다.

➕ **rescuer** (명) 구조자, 구출자

0918 secure*
[sikjúər]

(형) 안전한; 확실한   (동) 확보하다; 안전하게 하다

Aesthetic development takes place in **secure** settings free of competition and adult judgment. (학평)
미적 발전은 경쟁과 성인의 판단이 없는 **안전한** 환경에서 이뤄진다.

➕ **security** (명) 안전, 안심; 보안; 보장
➖ **insecure** (형) 자신이 없는; 불안정한, 불안한

How Different

0919 warranty
[wɔ́(ː)rənti]

(명) (품질 등의) 보증(서); 근거

The product **warranty** says that you provide spare parts and materials for free, but charge for the engineer's labor. (학평) 여분의 부품과 재료는 귀사에서 무료로 제공하지만, 기술자의 노임은 청구한다고 제품 **보증서**에 쓰여 있습니다.

0920 guarantee*
[gæ̀rəntíː]

(명) 보장, 보증(서)   (동) 보장하다

Even when an innovation is consistent with a society's needs, there is still no **guarantee** that it will be accepted. (모평) 어떤 혁신적인 것이 사회의 요구와 일치할 때조차도, 여전히 그것이 받아들여질 것이라는 **보장**은 없다.

» **warranty** 제품의 온전함과 그에 대한 제작 업체의 책임에 관한 보장을 가리킴
» **guarantee** warranty보다 포괄적이고 일반적인 개념의 보장을 가리킴

DAY
23

모임, 동반, 도움, 보호
Use Words

빈칸을 채우며 단어를 외우고, 쓰면서 한 번 더 익히세요.

01 .... with other people   다른 사람들과 협력하다   collaborate

02 .... behavior   집단행동   collective

03 .... with two materials   두 재료를 결합하다   combine

04 .... nouns   합성 명사   compound

05 a .... waiter   협조적인 종업원   cooperative

06 Social media .... us.   소셜 미디어가 우리를 결속한다.   unite

07 necessary ....s to the operations   작동에 필요한 보충물   supplement

08 .... for the free seminar   무료 세미나를 등록하다   register

09 .... in a coaching program   코칭 프로그램에 입회하다   enroll

10 .... many elements   많은 요소들을 포함하다   incorporate

11 .... the schools   학교들을 통합하다   integrate

12 the issue of ....ing Europe   유럽을 통합하는 문제   unify

13 a student ....   학생회   union

14 run an election ....   선거 운동을 벌이다   campaign

15 have a wedding ....   결혼 예식을 올리다   ceremony

16 draw up an ....   안건을 작성하다   agenda

17 the scholarship ....   장학금 위원회   committee

18 a peace ....   평화 회담   conference

19 a solemn ....   엄숙한 의식   ritual

20 the Maasai ....   마사이 부족   tribe

21	_____ to the teeth 치아에 달라붙다	cling
22	insist on _____ing her to the hospital 그녀와 병원까지 동행할 것을 고집하다	accompany
23	difficult to _____ 조립하기 어려운	assemble
24	_____ wealth with freedom 부와 자유를 연관 짓다	associate
25	_____ an automobile show 자동차 쇼에 참석하다	attend
26	_____ with friends 친구들과 유대를 형성하다	bond
27	with the _____ of a stick 막대기의 도움으로	aid
28	_____ the speaker 발표자를 돕다	assist
29	_____ battery 예비 배터리	backup
30	_____ one's pardon 용서를 빌다	beg
31	_____ one's self-esteem 자존감을 북돋우다	boost
32	_____ an expert 전문가와 상담하다	consult
33	_____ without salaries 무보수로 봉사하다	serve
34	thank _____s for their financial support 후원자들의 재정 지원에 감사하다	sponsor
35	_____ of mass 질량 보존	conservation
36	under _____ 호위하여	escort
37	dramatic _____ 극적인 구조	rescue
38	a _____ place 안전한 장소	secure
39	an extended _____ 연장된 품질 보증	warranty
40	_____ a good job 좋은 직업을 보장하다	guarantee

			check
0881	collaborate	동 협력하다	☐
0882	collective	형 공동의 명 집단	☐
0883	combine	동 결합하다; 화합시키다	☐
0884	compound	명 혼합물 형 합성의 동 혼합하다; 악화시키다	☐
0885	cooperative	형 협력하는, 협조적인	☐
0886	unite	동 연합하다, 결속하다	☐
0887	supplement	명 보충(물) 동 보충하다	☐
0888	register	동 등록하다 명 기록; 등록부	☐
0889	enroll	동 명부에 기재하다	☐
0890	incorporate	동 통합하다 형 법인의	☐
0891	integrate	동 통합하다; 결합시키다	☐
0892	unify	동 단일화하다; 통일하다	☐
0893	union	명 협회; 연합	☐
0894	campaign	명 (사회) 운동, 캠페인	☐
0895	ceremony	명 의식; 의례	☐
0896	agenda	명 의제, 안건	☐
0897	committee	명 위원회	☐
0898	conference	명 회의; 협의회	☐
0899	ritual	명 (종교적) 의식 형 의식의	☐
0900	tribe	명 부족, 종족	☐

			check
0901	cling	동 달라붙다; 집착하다	☐
0902	accompany	동 동행하다; 수반하다	☐
0903	assemble	동 모으다; 조립하다	☐
0904	associate	동 연관 짓다; 교제하다	☐
0905	attend	동 참석하다; 돌보다	☐
0906	bond	명 유대 동 유대를 형성하다	☐
0907	aid	동 원조하다 명 도움	☐
0908	assist	동 거들다; 참가하다	☐
0909	backup	명 지원 형 지원하는	☐
0910	beg	동 간청하다	☐
0911	boost	동 북돋우다 명 격려, 후원	☐
0912	consult	동 상담하다; 참고하다	☐
0913	serve	동 시중들다; ~에 도움이 되다	☐
0914	sponsor	명 후원자 동 후원하다	☐
0915	conservation	명 보존, 유지	☐
0916	escort	명 호위자 동 호위하다	☐
0917	rescue	동 구조하다 명 구조	☐
0918	secure	형 안전한 동 확보하다	☐
0919	warranty	명 (품질) 보증(서)	☐
0920	guarantee	명 보장 동 보장하다	☐

외우지 못한 단어가 있으면 MINI 단어장에서 다시 한번 정리해 보세요.

능력, 진행, 성취, 해결

| Word Map에 주제별로 분류된 단어의 뜻을 유추하여 빈칸에 쓰세요. |

가능성
- available
- likely　～할 것 같은; 아마도
- potential　잠재적인; 가능성
- function　기능; 역할; 기능하다

발생 발전
- incident　사건; (함께) 일어나기 쉬운
- occur　일어나다; (생각이) 떠오르다
- process
- transaction　(업무) 처리; 거래
- maintain　유지하다; 주장하다
- progress　전진, 진행; 전진하다
- sustain　떠받치다, 지속하다
- thrive

능력
- efficient　효율적인, 유능한
- authority
- ability　능력, 재능
- capacity　수용 가능한 정도
- intellectual　지적인; 지능의
- expertise
- dominant　지배적인; 우세한 것

성취
- accomplish　이루다, 성취하다
- achieve　성취하다, 성공하다
- afford
- fulfill　이행하다; 충족하다

준비
- preparatory　준비의, 예비의
- reserve　예약하다; 비축(물)

노력 의욕
- attempt　시도; 시도하다
- challenge
- concentrate　집중하다; 농축물
- venture　모험(적 사업)
- ambition　야망, 포부
- incentive

해결 조정
- cope　대처하다, 극복하다
- manage　간신히 해내다; 잘 다루다
- modify
- negotiate　협상하다
- operate　작동하다, 일하다
- overcome　극복하다
- resolve
- settle　해결하다; 안정시키다
- treat　대우하다; 대접, 선물

DAY 24 능력, 진행, 성취, 해결

[📖] 가리개를 사용하여 뜻을 잘 암기했는지 확인하세요.

0921 □□ **available*** [əvéiləbəl]

[형] 이용할 수 있는

Joe tried everything that was **available** but had no success. [학평]
Joe는 **할 수 있는** 모든 것을 시도했지만 성공하지 못했다.

[+] **availability** [명] 이용 가능성 [반] **unavailable** [형] 입수[이용]할 수 없는

0922 □□ **likely*** [láikli]

[형] ~할 것 같은; 그럴듯한 [부] 아마도

We are more **likely** to eat in a restaurant if we know that it is usually busy. [학평] 한 식당이 보통 바쁜 것을 알면 우리는 그 식당에서 식사할 **가능성이** 더 **크다**.

[+] **likelihood** [명] 있음직한 일, 가능성 [반] **unlikely** [형] 있음직하지 않은; 가망 없는

0923 □□ **potential*** [poutén∫əl]

[형] 잠재적인 [명] 가능성, 잠재력

We are creating **potential** enemies in the targets of our gossip. [학평]
우리는 가십의 대상 중에서 **잠재적인** 적을 만들어 내고 있다.

potential customer 잠재 고객
[+] **potentiality** [명] 가능성, 잠재력

0924 □□ **function*** [fʌ́ŋk∫ən]

[명] 기능, 역할 [동] 기능하다, 작용하다

In children, too, play has important **functions** during development. [학평]
아이들에게 있어서도 놀이는 발달하는 동안 중요한 **기능**을 한다.

[+] **functional** [형] 기능의; 실용적인; 작동하는

0925 □□ **efficient*** [ifí∫ənt]

[형] 효율적인, 유능한

Robert suffers some direct loss by leaving the typing to a less **efficient** employee. [학평]
Robert는 타이핑 업무를 덜 **유능한** 직원에게 맡긴 데 따른 직접적인 손실을 약간 겪게 된다.

[+] **efficiency** [명] 능률, 효율 **efficiently** [부] 효율적으로
[반] **inefficient** [형] 비효율적인

0926 □□ **authority** [əθɔ́:rəti]

[명] 권위, 권한; (*pl.*) 당국

There was one senior in the class named Rick, who spoke with **authority**. [학평] 그 수업에 Rick이라는 선배가 있었는데 그는 **권위** 있게 말했다.

the authorities concerned 관계 당국
[+] **authorize** [동] 권한을 주다 **authoritative** [형] 권위 있는

How Different

0927 ability
[əbíləti]

명 능력, 재능

The continued survival of the human race can be explained by our **ability** to adapt to our environment. 학평
인류의 지속적인 생존은 환경에 적응하는 우리의 **능력**으로 설명될 수 있다.

⊕ able 형 ~할 수 있는, 유능한   ⊟ disability 명 무력; 장애   inability 명 무능, 할 수 없음

0928 capacity
[kəpǽsəti]

명 수용 가능한 정도; 능력

Despite your efforts, it is beyond our facility's **capacity** to care for animals with special needs. 학평 여러분의 노력에도 불구하고, 특별한 도움이 필요한 동물을 돌보는 것은 저희 시설의 **능력**을 넘어섰습니다.

» **ability** 행위를 하는 능력, 즉 일을 수행하는 인간의 능력을 가리킴
» **capacity** 받아들이는 능력, 즉 주로 잠재적인 수용 능력을 말하며, 물건이나 사람에 관해 쓸 수 있음

0929 intellectual*
[intəléktʃuəl]

형 지적인; 지능의

Sometimes common sense and practical know-how are more useful than **intellectual** ability. 학평
때로는 상식과 실용 지식이 **지적** 능력보다 더 유용하다.

⊕ intellect 명 지력, 지능; 지식인   ⊟ intelligent 형 총명한; 지능이 있는

0930 expertise
[èkspəːrtíːz]

명 전문적 지식

Indeed, each of us performs feats of intuitive **expertise** many times each day. 학평 사실 우리 각자는 직관적 **전문 지식**의 위업을 매일 여러 번 달성한다.

⊕ expert 명 전문가 형 전문적인, 숙련된

0931 dominant
[dámənənt]

형 지배적인, 우세한   명 우세한 것

We humans, by cooperating with one another, have become Earth's **dominant** species. 학평
우리 인간은 서로 협력함으로써 지구의 **지배적인** 종이 되었다.

⊕ dominance 명 우세, 지배

0932 attempt*
[ətémpt]

명 시도   동 시도하다

We should **attempt** to become the best we can be within our limitations. 학평 우리는 우리의 한계 내에서 우리가 될 수 있는 최고가 되려고 **시도해야** 한다.

0933 challenge*
[tʃǽlindʒ]

명 도전; 이의; 힘든 일   동 도전하다; 이의를 제기하다

Life is filled with a lot of risks and **challenges**. 학평
인생은 많은 위험과 **힘든 일**들로 가득 차 있다.

0934 concentrate*
[kánsəntrèit]

(동) 집중하다　(명) 농축물

Victoria was determined to **concentrate** and practice her part every day. 학평 Victoria는 매일 자신의 배역에 **집중하여** 연습하기로 결심했다.

➕ concentration (명) 집중, 전념; 농도　concentrated (형) 농축된

0935 venture*
[véntʃər]

(명) 모험(적 사업)　(동) 위험을 무릅쓰고 하다

You have to **venture** beyond the boundaries of your current experience. 수능 여러분은 **위험을 무릅쓰고** 여러분의 현재 경험의 한계를 넘어야 한다.

0936 ambition*
[æmbíʃən]

(명) 야망, 포부

Immortality has been an unreachable **ambition** for many people. 학평 영생은 많은 사람들에게 도달할 수 없는 **야망**이었다.

➕ ambitious (형) 야심 있는

0937 incentive*
[inséntiv]

(명) 동기, 격려; 장려(금)　(형) 장려하는

People respond to the **incentives** themselves, and not the higher intentions behind them. 학평 사람들은 장려금의 이면에 있는 높은 차원의 의도가 아니라 **장려금** 그 자체에 반응한다.

0938 incident*
[ínsədənt]

(명) 사건　(형) (함께) 일어나기 쉬운

It's likely you'd remember the funny **incident** a month later. 학평 당신은 그 재미있는 **사건**을 한 달 뒤에도 기억할 가능성이 있다.

➕ incidental (형) ~에 흔히 있는 (to); 우연의

0939 occur*
[əkə́:r]

(동) 일어나다; (생각이) 떠오르다

Much of learning **occurs** through trial and error. 학평 배움의 많은 부분이 시행착오를 거쳐 **일어난다**.

➕ occurrence (명) 사건, 발생; 존재　occurrent (형) 현재 일어나는; 우연의

0940 process*
[práses]

(명) 진행, 과정　(동) 처리하다; 가공하다

Ultimately, it is your commitment to the **process** that will determine your progress. 학평 결국 여러분의 발전을 결정하는 것은 그 **과정**에 대한 여러분의 몰두이다.

➕ processed (형) 가공된

0941 transaction
[trænsǽkʃən]

명 (업무) 처리; 거래

In secret **transactions**, usually conducted at night, farmers would sell to city dwellers pigs concealed in large bags. 학평 대개 밤에 행해졌던 비밀스러운 **거래**에서 농부들은 도시 주민들에게 큰 가방에 숨겨진 돼지를 팔곤 했다.

➕ transact 동 거래하다; 집행하다, 처리하다

0942 maintain*
[meintéin]

동 유지하다; 부양하다; 주장하다

Human beings are driven by a natural desire to form and **maintain** interpersonal relationships. 학평
인간은 대인 관계를 형성하고 **유지하려는** 타고난 욕구에 의해 움직인다.

➕ maintenance 명 유지, 보수; 부양

0943 progress*
명[prágres]
동[prəgrés]

명 전진, 진행; 진보 동 전진하다, 진행하다

Sometimes in life we have to take chances in order to make **progress**.
학평 인생에서 우리는 **전진하기** 위해 종종 위험을 무릅써야 한다.

0944 sustain
[səstéin]

동 떠받치다; 지속하다; (손해 따위를) 입다

Jaywalking is an unnecessary departure from the harmony that **sustains** communities. 학평
무단횡단은 공동체를 **유지하는** 조화에서의 불필요한 이탈이다.

➕ sustainable 형 유지할 수 있는(↔ unsustainable) sustained 형 지속된, 일련의

0945 thrive
[θraiv]

동 번창하다, 잘 자라다

Mathematics **thrives** by intense and highly disciplined actions. 학평
수학은 집중하여 규칙을 상당히 잘 따르는 행위에 의해 **발전한다**.

➕ thriving 형 번영하는, 성장하는

How Different

0946 accomplish*
[əkámpliʃ]

동 이루다, 성취하다

No matter how much you have, no matter how much you have **accomplished**, you need help too. 학평 여러분이 아무리 가진 것이 많아도, 여러분이 아무리 많이 **이루었더라도**, 여러분 역시 도움이 필요하다.

➕ accomplishment 명 성취, 업적; 재능

0947 achieve*
[ətʃíːv]

동 성취하다, 성공하다

What really works to motivate people to **achieve** their goals? 학평
사람들에게 자신의 목표를 **성취하도록** 북돋우는 데 정말 효과적인 것은 무엇인가?

➕ achievement 명 성취, 업적

» **accomplish** 마땅히 해야 할 일을 다 완료하여, 성취함을 가리킴
» **achieve** 목표를 세우고 의도한 결과대로 성공에 도달하여 성취함을 가리킴

0948 **afford**[*]
[əfɔ́ːrd]

(동) ~할 여유가 있다; 제공하다

Stephanie knew that her mother could not **afford** the bike, but she bought it for her anyway. (학평) Stephanie는 엄마에게 자전거를 **살 여유가 없다는** 것을 알았지만 엄마는 어떻게든 그것을 그녀에게 사 주었다.

➕ **affordable** (형) 입수 가능한, (값이) 알맞은

0949 **fulfill**
[fulfíl]

(동) 이행하다; 충족하다

Parenthood is perhaps the most obvious and convenient opportunity to **fulfill** the desire to care for others. (학평) 부모가 되는 것이 아마 다른 사람들을 돌보고자 하는 욕구를 **충족할** 가장 분명하고 편안한 기회일 것이다.

➕ **fulfillment** (명) 이행; 성취; 만족   **fulfilling** (형) 성취감을 주는

0950 **preparatory**
[pripǽrətɔ̀ːri]

(형) 준비의, 예비의

Motivation creates willingness to expend time and energy on **preparatory** behaviors. (학평)
동기 부여는 **준비** 행동에 시간과 에너지를 들일 의지를 만든다.

➕ **prepare** (동) 준비하다   ➕ **preparation** (명) 준비

0951 **reserve**[*]
[rizə́ːrv]

(동) 예약하다; 유보하다   (명) 비축(물); 예비(품)

When someone exhibits some difficult behavior, you might want to **reserve** judgment for later. (학평)
누군가가 난해한 행동을 보일 때, 여러분은 판단을 나중으로 **유보하기를** 원할 수도 있다.

➕ **reservation** (명) 예약; 의구심; 보류   **reserved** (형) 보류된, 예비의; 내성적인

0952 **cope**[*]
[koup]

(동) 대처하다, 극복하다

With competence and confidence comes the strength needed to **cope** with situations that cause frustration and anger. (학평)
좌절과 분노를 유발하는 상황에 **대처하는** 데 필요한 힘은 능력과 자신감에서 온다.

0953 **manage**[*]
[mǽnidʒ]

(동) 간신히 해내다; 잘 다루다; 관리하다

After the concert, the teacher asked Robby how he **managed** to play so brilliantly. (학평)
콘서트 후에, 선생님은 Robby에게 어떻게 그렇게 훌륭하게 연주를 **해냈는지** 물었다.

➕ **management** (명) 관리, 경영

0954 **modify**
[mádəfài]

(동) 수정하다

There is nothing wrong in **modifying** your vision or even abandoning it, as necessary. (학평)
필요할 때, 여러분의 비전을 **수정하거나** 심지어 그것을 버리는 것은 잘못된 것이 아니다.

➕ **modification** (명) 수정, 개량

0955 negotiate*
[nigóuʃièit]

(동) 협상하다

In a study, participants were asked to **negotiate** with a seller over the purchase price of a piece of art. (모평)
한 연구에서, 참가자들이 미술 작품의 구매가에 대해 판매자와 **협상하도록** 요청받았다.

➕ negotiation (명) 협상

0956 operate*
[ápərèit]

(동) 작동하다, 일하다; 수술하다

The robotic vacuum can **operate** for 40 minutes when fully charged. (학평) 로봇 진공청소기는 완전히 충전되었을 때 40분간 **작동할** 수 있다.

➕ operation (명) 작동, 작업; 기업; 수술

0957 overcome*
[òuvərkʌ́m]

(동) 극복하다; (감정에) 압도당하다

By choosing to **overcome** challenges, not avoid them, Toby was ready to make the leap. (학평) Toby는 어려움을 피하는 것이 아니라, **극복하는** 것을 선택함으로써 도약할 준비가 되었다.

How Different

0958 resolve*
[rizálv]

(동) 해결하다; 결심하다; 녹이다   (명) 결심

In the classical fairy tale the conflict is often permanently **resolved**. (학평) 흔히 고전 동화에서 갈등은 영구적으로 **해결된다**.

➕ resolution (명) 결심, 결의; 해결; 해상도

0959 settle*
[sétl]

(동) 해결하다; 안정시키다; 정착하다

How can you **settle** differences if you don't honestly talk them out? (학평) 당신이 차이점들을 솔직하게 이야기해서 풀지 않으면, 어떻게 그것을 **해결할** 수 있겠습니까?

➕ settlement (명) 합의, 해결; 정착(지); 청산

» resolve 문제나 어려움에 대처할 방법을 찾아냄을 가리킴
» settle 중재안이나 해결책을 내놓음으로써 의견 차이, 논쟁을 끝냄을 가리킴

0960 treat*
[tri:t]

(동) 대우하다; 치료하다   (명) 대접, 선물

Sleep clinicians **treating** patients who can't sleep at night will often ask about room temperature. (학평)
밤에 잠을 못 자는 환자를 **치료하는** 수면 임상의는 흔히 침실 온도를 물을 것이다.

➕ treatment (명) 대우, 처리; 치료

01	be _____ in the market	시장에서 구할 수 있다	available available
02	_____ to purchase	구매할 가능성이 있는	likely
03	understanding of the _____ risks	잠재적 위험에 대한 이해	potential
04	have an important _____	중요한 기능을 하다	function
05	less _____ employee	덜 유능한 직원	efficient
06	speak with _____	권위 있게 말하다	authority
07	_____ to adapt to the environment	환경에 적응하는 능력	ability
08	beyond our facility's _____	우리 시설의 수용력을 넘어서	capacity
09	overlook the _____ potential	지적 잠재력을 간과하다	intellectual
10	medical _____	의학적 전문 지식	expertise
11	become Earth's _____ species	지구의 지배적인 종이 되다	dominant
12	_____ to become the best	최고가 되려고 시도하다	attempt
13	a lot of risks and _____ s	많은 위험과 힘든 일들	challenge
14	_____ on one's homework	숙제에 집중하다	concentrate
15	Nothing _____ d, nothing gained. 모험하지 않으면 아무것도 얻을 수 없다.		venture
16	an unreachable _____	도달할 수 없는 야망	ambition
17	respond to the _____ s themselves	장려금 자체에 반응하다	incentive
18	experience an unfortunate _____	불운한 사고를 경험하다	incident
19	An eclipse _____ s.	일식이 일어나다.	occur
20	essential parts of the learning _____ 학습 과정의 필수적인 부분들		process

21 in secret ....s 비밀스러운 거래에서   transaction

22 .... interpersonal relationships 대인 관계를 유지하다   maintain

23 take chances in order to make ....   progress
    전진하기 위해 위험을 무릅쓰다

24 the harmony that ....s communities 공동체를 유지하는 조화   sustain

25 survive and .... 살아남아서 번창하다   thrive

26 .... more difficult things 좀 더 어려운 일들을 성취하다   accomplish

27 .... one's goals 목표를 이루다   achieve

28 .... the bike 자전거를 살 여유가 있다   afford

29 .... the life-long dream 일생의 꿈을 실현하다   fulfill

30 expend time and energy on .... behaviors   preparatory
    준비 행동에 시간과 에너지를 쓰다

31 .... judgment for later 판단을 나중으로 유보하다   reserve

32 .... with situations 상황에 대처하다   cope

33 .... to do the job so quickly 그 일을 매우 빠르게 해내다   manage

34 .... one's behavior 행동을 수정하다   modify

35 .... with a seller 판매자와 협상하다   negotiate

36 .... a complex machine 복잡한 기계를 작동하다   operate

37 .... the initial feelings of anxiety 처음의 불안감을 극복하다   overcome

38 The conflict was ....d. 갈등이 해결됐다.   resolve

39 .... differences 차이점들을 해결하다   settle

40 .... patients 환자들을 치료하다   treat

DAY 24

능력, 진행, 성취, 해결

3-Minute Check

오늘 학습한 단어와 뜻을 최종적으로 암기했는지 확인하세요!

			check
0921	available	[형] 이용할 수 있는	☐
0922	likely	[형] ~할 것 같은 [부] 아마도	☐
0923	potential	[형] 잠재적인 [명] 가능성	☐
0924	function	[명] 기능, 역할 [동] 기능하다	☐
0925	efficient	[형] 효율적인, 유능한	☐
0926	authority	[명] 권위, 권한; 당국	☐
0927	ability	[명] 능력, 재능	☐
0928	capacity	[명] 수용 가능한 정도; 능력	☐
0929	intellectual	[형] 지적인; 지능의	☐
0930	expertise	[명] 전문적 지식	☐
0931	dominant	[형] 지배적인 [명] 우세한 것	☐
0932	attempt	[명] 시도 [동] 시도하다	☐
0933	challenge	[명] 도전; 이의 [동] 도전하다; 이의를 제기하다	☐
0934	concentrate	[동] 집중하다 [명] 농축물	☐
0935	venture	[명] 모험(적 사업) [동] 위험을 무릅쓰고 하다	☐
0936	ambition	[명] 야망, 포부	☐
0937	incentive	[명] 동기, 격려; 장려(금) [형] 장려하는	☐
0938	incident	[명] 사건 [형] (함께) 일어나기 쉬운	☐
0939	occur	[동] 일어나다; (생각이) 떠오르다	☐
0940	process	[명] 진행, 과정 [동] 처리하다; 가공하다	☐

			check
0941	transaction	[명] (업무) 처리; 거래	☐
0942	maintain	[동] 유지하다; 부양하다; 주장하다	☐
0943	progress	[명] 전진, 진행; 진보 [동] 전진하다, 진행하다	☐
0944	sustain	[동] 떠받치다; 지속하다; (손해 따위를) 입다	☐
0945	thrive	[동] 번창하다, 잘 자라다	☐
0946	accomplish	[동] 이루다, 성취하다	☐
0947	achieve	[동] 성취하다, 성공하다	☐
0948	afford	[동] ~할 여유가 있다; 제공하다	☐
0949	fulfill	[동] 이행하다; 충족하다	☐
0950	preparatory	[형] 준비의, 예비의	☐
0951	reserve	[동] 예약하다; 유보하다 [명] 비축(물); 예비(품)	☐
0952	cope	[동] 대처하다, 극복하다	☐
0953	manage	[동] 간신히 해내다; 잘 다루다	☐
0954	modify	[동] 수정하다	☐
0955	negotiate	[동] 협상하다	☐
0956	operate	[동] 작동하다; 수술하다	☐
0957	overcome	[동] 극복하다	☐
0958	resolve	[동] 해결하다; 결심하다 [명] 결심	☐
0959	settle	[동] 해결하다; 안정시키다	☐
0960	treat	[동] 대우하다; 치료하다 [명] 대접, 선물	☐

외우지 못한 단어가 있으면 미니 단어장에서 다시 한번 정리해 보세요.

☑ ANSWERS p.460

A 영어는 우리말로, 우리말은 영어로 쓰시오.

01	integrate		21	혁명; 회전	
02	confirm		22	준비의, 예비의	
03	fulfill		23	조종하다; 조작하다	
04	brand-new		24	간청하다	
05	incident		25	해결하다; 정착하다	
06	collective		26	조화[화해]시키다	
07	launch		27	유지하다; 부양하다	
08	enroll		28	수립하다; 제정하다	
09	restore		29	집중하다; 농축물	
10	function		30	묘사하다	
11	arrange		31	협력하는, 협조적인	
12	attempt		32	호위자; 호위하다	
13	conference		33	유대; 계약	
14	purify		34	전진; 전진하다	
15	union		35	동행하다; 수반하다	
16	sustain		36	협상하다	
17	compound		37	시중들다	
18	ambition		38	의제, 안건	
19	treat		39	극복하다	
20	generalize		40	참석하다	

B 괄호 안에서 알맞은 단어를 고르시오.

01 We humans, by cooperating with one another, have become Earth's artificial / dominant species.

02 Sometimes common sense and practical know-how are more useful than available / intellectual ability.

03 Tourism and tourists can generalize / generate job and business opportunities in both the formal and informal sector.

C 각 문장이 우리말과 일치하도록 빈칸에 알맞은 말을 쓰시오.

01 Much of learning .... through trial and error.
배움의 많은 부분이 시행착오를 거쳐 일어난다.

02 The beta carotene .... actually increased the risk of certain cancers.
베타카로틴 보충제는 실제로 특정 암에 걸릴 위험을 높였다.

03 Cod in Canada's Gulf of St. Lawrence begin to .... at around four today.
오늘날 캐나다의 St. Lawrence 만에 서식하는 대구는 생후 4년쯤 번식하기 시작한다.

04 Larger groups put more pressure on their members to ....
더 큰 집단은 구성원들에게 순응하도록 더 큰 압력을 가한다.

05 The theory of evolution has .... an enormous amount of convincing data proving that other competing theories are false.
진화론은 다른 경쟁 이론들이 틀렸다는 것을 증명하는 막대한 양의 설득력 있는 자료를 모아 왔다.

D 우리말이 영어 문장과 일치하도록 빈칸에 알맞은 말을 쓰시오.

01 Applying a single plan to everything can be inefficient.
단 하나의 계획을 모든 것에 .... 것은 비효율적일 수 있다.

02 We are creating potential enemies in the targets of our gossip.
우리는 가십의 대상 중에서 .... 적을 만들어 내고 있다.

03 Josh agreed to study chemical engineering as a compromise with his father.
Josh는 그의 아버지와의 .... 으로 화학 공학을 공부하는 것에 동의했다.

04 Audience feedback assists the speaker in creating a respectful connection with the audience.
청중의 피드백은 발표자가 청중과 존중하는 관계를 만드는 것을 ....

05 No matter how much you have, no matter how much you have accomplished, you need help too.
여러분이 아무리 가진 것이 많아도, 여러분이 아무리 많이 .... , 여러분 역시 도움이 필요하다.

DAY 25

물리적 움직임

| Word Map에 주제별로 분류된 단어의 뜻을 유추하여 빈칸에 쓰세요. |

마찰
- grind 빻다; 갈기
- rub
- dig 파다, 캐내다; 파내기
- scratch 할퀴다, 긁다; 긁기
- wipe 닦다; 지우다

묶기 잡기
- bind 묶다, 결속하다
- fasten
- grab 잡다; 잡(아채)기
- grasp 꽉 잡다; 파악하다
- seize
- squeeze 짜내다; 짜내기

기울임
- lean 의지하다; 기울다
- incline 기울(이)다; 경사

타격
- strike
- beat 때리다; (심장이) 뛰다
- tap 두드리다; 두드리기
- pound

넘어짐
- slide 미끄러져 가다; 미끄럼틀
- stumble 발을 헛디디다, 비틀거리다
- slip 미끄러지다; 미끄러짐

흡수
- soak (물에) 담그다; 젖음
- absorb

변형
- shrink 줄어들(게 하)다
- spread 퍼지다; 확산
- stretch 뻗(치)다; 늘이다; 기간
- bend 구부리다; 굽힘

돌기
- roll 구르다; 말다; 구르기
- spin

자르기
- slice 얇게 썰다; 조각; 몫
- chop 자르다; 잘게 썰다
- crop 잘라 내다; (농)작물

위치 이동
- elevate
- blow 불다; 불기; 강타
- chase
- pitch 투구하다; 투구
- cast
- lay 놓다, 두다; (알을) 낳다

기타
- litter 쓰레기(를 버리다)
- surround 둘러싸다
- burst 터지다; 갑자기 ~하다

📖 가리개를 사용하여 뜻을 잘 암기했는지 확인하세요.

0961 **grind**
[graind]

ⓢ 빻다 ⓜ 갈기, 빻기; 힘든 일

Windmills help draw water and **grind** grain into flour. 학평
풍차는 물을 끌어내고 곡물을 가루로 **빻는** 것을 돕는다.

🟰 crumble ⓢ 빻다, 부수다 ⓜ 잘게 부순 것

0962 **rub***
[rʌb]

ⓢ 문지르다 ⓜ 마찰

During a thunderstorm, clouds become charged as they **rub** against each other. 학평 뇌우가 치는 동안 구름은 서로를 **문지르면서** 전기를 띠게 된다.

0963 **dig***
[dig]

ⓢ 파다, 캐내다 ⓜ 파내기

When spring comes, the turtle **digs** itself out and starts breathing normally. 학평
봄이 오면 거북이는 땅을 **파고** 나와 평소대로 숨을 쉬기 시작한다.

0964 **scratch***
[skrætʃ]

ⓢ 할퀴다, 긁다 ⓜ 긁기, 긁힌 자국

I just put some bandages on the **scratches** and I'm wearing a long-sleeved shirt for protection. 학평
나는 **긁힌 데**에 반창고를 붙이고, 상처를 보호하기 위해 긴팔 옷을 입고 있다.

0965 **wipe***
[waip]

ⓢ 닦다; 지우다

Lina **wiped** the tears from her cheeks with the back of her hand. 학평
Lina는 자신의 손등으로 뺨에 흐르는 눈물을 **닦았다**.

wipe out 완전히 제거하다

0966 **bind***
[baind]

ⓢ 묶다, 결속하다

In infancy, children acquired the values, beliefs, and attitudes that would **bind** or separate them later in life. 학평
유아기에 아이들은 나중에 그들을 **결속하거나** 분리시킬 가치, 신념, 태도를 습득했다.

be bound to ~하게 마련이다; ~할 것이다
🟰 binding ⓐ 구속력이 있는
🟰 unbind ⓢ 풀다 🟰 tie ⓢ 묶다

0967 fasten*
[fǽsən]

(동) 매다, 묶다

When we make the landing announcement, you should sit down and **fasten** your seat belt. (학평)
저희가 착륙 안내를 할 때, 여러분은 자리에 앉아 안전띠를 **매셔야** 합니다.

How Different

0968 grab*
[græb]

(동) 잡다, 움켜쥐다   (명) 잡(아채)기

Grab your camera, point, and shoot your friends. (학평)
카메라를 **쥐고** 여러분의 친구들을 향하게 하고 촬영하라!

🔁 grip (동) 꽉 쥐다 (명) 꽉 붙잡음; 잡는 법

0969 grasp
[græsp]

(동) 꽉 잡다; 파악하다   (명) 꽉 쥐기; 이해

To my surprise, the baby opened her eyes and **grasped** my finger.
(학평) 놀랍게도 아기가 눈을 뜨더니 내 손가락을 **꽉 잡았다.**

» **grab** 갑자기 세차게 잡는 동작을 가리킴
» **grasp** 대상을 꽉 쥐고 있는 상태 또는 지식 이해를 가리킴

0970 seize
[siːz]

(동) 붙잡다; 점령하다

Humans are sociable creatures, and will **seize** the chance to help others. (학평) 인간은 사회적인 동물이며, 타인을 도울 기회를 **붙잡으려고** 할 것이다.

➕ seizure (명) 압수; 점령; 발작

0971 squeeze*
[skwiːz]

(동) 짜내다; 밀어 넣다   (명) 짜내기; 빽빽한 상태

My mom **squeezed** oranges and poured the juice into a jug.
우리 엄마는 오렌지를 **짜내서** 그 즙을 병에 부었다.

0972 lean*
[liːn]

(동) 의지하다; 기울다

Bicycles turn not just by steering but also by **leaning**. (학평)
자전거는 핸들을 조정하는 것뿐만 아니라 (몸을) **기울임**으로써 방향을 바꾼다.

lean towards ~로 마음이 기울다

0973 incline
[inkláin]

(동) 기울(이)다; ~할 마음이 들(게 하)다   (명) 경사

Someone who just heard some bad news often **inclines** initially to deny what happened. (EBS)
어떤 나쁜 소식을 막 들은 사람은 흔히 처음에는 발생한 일을 부인**하고 싶은 마음이 든다.**
I was once skiing with an advanced skier who came to the top of a steep **incline**, stopped, and looked down and froze. (EBS) 나는 한때 급**경사** 정상에 올라 멈춰서, 아래를 보고 얼어붙은 스키 상급자와 함께 스키를 탔다.

➕ inclination (명) 의향; 경향   inclined (형) ~할 마음이 드는; 경향이 있는

0974 strike*
[straik]

(동) 치다; (생각이) 떠오르다; 파업하다   (명) 파업; 타격

A guard at Windsor Castle heard the bell in the clock tower **strike** thirteen times at midnight. 학평 Windsor 성의 어느 보초가 시계탑의 종이 자정에 13번 **치는** 것을 들었다.

➕ striking (형) 두드러진, 눈에 띄는   strikingly (부) 현저하게

0975 beat*
[biːt]

(동) 때리다; (심장이) 뛰다; (대결에서) 물리치다   (명) 리듬

People were declared dead when their hearts stopped **beating**. 학평 사람들은 그들의 심장이 **뛰는** 것을 멈출 때, 사망 선고를 받는다.

How Different

0976 tap*
[tæp]

(동) (가볍게) 두드리다   (명) 두드리기; (수도) 꼭지

A gray-haired guide **taps** the tip of his cane against the floor for attention. 학평 머리가 센 안내원은 주의를 끌기 위해 지팡이 끝을 바닥에 **두드린다**.

0977 pound
[paund]

(동) 두드리다; (심장이) 뛰다

Someone is **pounding** at the door. 누군가가 문을 쾅쾅 **두드리고** 있다.
My heart was **pounding** as the man approached us. 학평 그 남자가 우리에게 다가오자 내 심장은 **세차게 뛰기** 시작했다.

» tap 주의를 끌기 위해 부드럽고 가볍게 치는 행위를 가리킴
» pound 강한 힘으로 반복적으로 때리거나 두드리는 행위를 가리킴

0978 slide*
[slaid]

(동) 미끄러져 가다   (명) 미끄러짐; 미끄럼틀

As soon as a beginner skier puts skis on his feet, he slips and **slides**, falls down, and has trouble getting up. 학평 스키 초보자는 자신의 발에 스키를 신자마자 발을 헛디뎌 **미끄러지고**, 넘어져서 일어나기 어려워한다.

0979 stumble
[stʌ́mbəl]

(동) 발을 헛디디다, 비틀거리다; 더듬거리다

As Amy stepped back from the woman, she **stumbled** and fell. 학평 Amy는 그 여자로부터 뒷걸음질할 때 **비틀거리다** 넘어졌다.

0980 slip*
[slip]

(동) 미끄러지다   (명) 미끄러짐; 조각

On the way down, Max **slipped** on the fresh paint and fell off the roof. 학평 내려오는 길에 Max는 갓 칠한 페인트에 **미끄러져서** 지붕에서 떨어졌다.

➕ slippery (형) 미끄러운

0981 **soak**[*]
[souk]

(동) (물에) 담그다　(명) 적시기; 젖음

Gandhi's father quietly sat up and read the letter and **soaked** it with his tears. (학평) 간디의 아버지는 조용히 일어나 앉아 편지를 읽고 눈물로 편지를 **적셨다**.

➕ **soaked** (형) 흠뻑 젖은

0982 **absorb**[*]
[əbsɔ́ːrb]

(동) 흡수하다; 열중하게 하다

Nutrients from the stomach can be **absorbed** directly into the blood. (학평) 위장에서 나온 영양소는 혈액으로 직접 **흡수될** 수 있다.

➕ **absorption** (명) 흡수; 열중

0983 **shrink**
[ʃriŋk]

(동) 줄어들(게 하)다

After death, the human body dehydrates, causing the skin to **shrink**, or become smaller. (학평)
죽음 후에 인간의 몸은 수분이 빠져나가 피부가 **수축되거나** 더 작아진다.

➕ **shrinkage** (명) 수축

0984 **spread**[*]
[spred]

(동) 퍼지다; 펼치다　(명) 확산

A slight smile was **spreading** over Elena's face. (학평)
희미한 미소가 Elena의 얼굴 위로 **퍼지고** 있었다.

0985 **stretch**[*]
[stretʃ]

(동) 뻗(치)다; 늘이다　(명) 기간; 신축성

In the icy cave, my son **stretched** his hand out to touch the icy wall. (학평) 얼음 동굴에서 내 아들은 얼음벽을 만지기 위해 그의 손을 **뻗었다**.

➕ **outstretched** (형) 한껏 뻗은
🟰 **spread** (동) 펴다, 펼치다

0986 **bend**[*]
[bend]

(동) 구부리다　(명) 굽힘

When you **bend** to tie your shoe, your knees are working hard. (학평)
여러분이 신발 끈을 묶기 위해 **구부릴** 때, 여러분의 무릎은 열심히 일하는 중이다.

bend one's knees 무릎을 굽히다[꿇다]
➕ **bendable** (형) 구부릴 수 있는; 융통성 있는

0987 **roll**[*]
[roul]

(동) 구르다; 말다　(명) 두루마리; 구르기

Pigs are associated with dirtiness because of their habit of **rolling** around in mud. (학평)
돼지는 진흙 속에서 **뒹구는** 습관 때문에 더러움과 관련이 있다.

0988 spin*
[spin]

(동) 회전하다[시키다]   (명) 회전

When you **spin** the raw egg, the fluid inside moves around. (학평)
날달걀을 **회전시키면** 내부 액체가 이리저리 움직인다.

How Different

0989 slice*
[slais]

(동) 얇게 썰다   (명) (얇은) 조각; 몫

To eat French fries, I peeled two potatoes and **sliced** them up. (학평)
감자튀김을 먹으려고 나는 감자 두 개를 껍질을 벗겨서 **얇게 썰었다.**

0990 chop*
[tʃɑp]

(동) 자르다, 베다; 잘게 썰다

It is a waste of effort to keep **chopping** trees without re-sharpening your axe. (학평)
너의 도끼날을 다시 갈지 않고 계속해서 나무를 **베는** 것은 노력의 낭비이다.

» **slice** 빵이나 치즈 등 식재료의 덩어리를 얇게 써는 것을 가리킴
» **chop** 나무나 고기 등 큰 덩어리를 작은 조각으로 토막 내거나 자르는 것을 가리킴

0991 crop*
[krɑp]

(동) 잘라 내다; 재배하다   (명) (농)작물; 수확량

You can quickly and easily **crop** your picture, correct brightness and contrast levels, even get rid of red-eye. 여러분은 빠르고 쉽게 사진을 **잘라 내고,** 명도 및 대비를 고치고, 심지어 적목 현상도 없앨 수 있습니다.

🗉 cultivate (동) 재배하다   harvest (명) 수확(물), 추수

0992 elevate
[éləvèit]

(동) 올리다; 승진시키다

In parts of rural Africa, a person's status is **elevated** with advancing years. (수능) 아프리카 시골 일부 지역에서, 한 사람의 지위는 나이가 들면서 **올라간다.**

➕ elevation (명) 승진; 고도   elevator (명) 승강기   elevated (형) 높은; 고상한

0993 blow*
[blou]

(동) 불다; 날리다   (명) 불기; 강타

The noise comes from the wind **blowing** through holes in swellings at the base of the thorns, which act like tiny flutes. (학평) 그 소음은 작은 피리처럼 작용하는 가시 밑부분의 부풀어 오른 곳의 구멍을 통해 **부는** 바람에서 발생한다.

blow up 부풀리다

0994 chase*
[tʃeis]

(동) 뒤쫓다; 쫓아내다   (명) 추적; 사냥

Among the typical dreams, "Being **chased**" was the most frequently reported dream. (학평)
대표적인 꿈 중에서 '**쫓기는**' 것은 가장 빈번하게 거론되는 꿈이다.

0995 pitch
[pitʃ]

(동) 투구하다　(명) 투구; 음의 높이; 정점

Imagine that baseballs are **pitched** to two different batters. 수능
야구공이 두 명의 다른 타자들에게 **투구된다고** 상상해 보라.

➕ **pitcher** (명) 투수　**high-pitched** (형) 고음의　**low-pitched** (형) 저음의

0996 cast*
[kæst]

(동) 던지다; 투표하다; 배역을 맡기다　(명) 던지기; 깁스

In the U.S., people have to pre-register to vote, and then have to go to a designated polling place and **cast** their votes. EBS
미국에서는, 사람들이 투표하기 위해 사전에 등록해야 하고, 그런 다음에 지정된 투표장에 가서 **투표해야** 한다.

How long do you have to wear your **cast** on your leg? 학평
너는 네 다리에 한 **깁스**를 얼마나 오래 하고 있어야 하니?

cast a dice 주사위를 던지다　**casting vote** 의장 의결 투표권

0997 lay*
[lei]

(동) 놓다, 두다; (알을) 낳다

The worst effect of dams has been observed on salmon that have to travel upstream to **lay** their eggs. 학평
댐의 최악의 영향은 알을 **낳기** 위해 상류로 이동해야 하는 연어에게서 관찰되고 있다.

lay off 해고하다　**lay out** 펼치다; 계획하다; 배치하다

0998 litter
[lítər]

(동) 쓰레기를 버리다; 어지럽히다　(명) 쓰레기

We charge a fine for **littering** because it is wrong. 학평
쓰레기를 버리는 것은 잘못된 일이기 때문에 우리는 그것에 대해 벌금을 부과한다.

0999 surround*
[səráund]

(동) 둘러싸다　(명) 둘러싸는 것

Say positive words and **surround** yourself with positive people. 학평
긍정적인 말을 하고, 여러분 주변을 긍정적인 사람들로 **둘러싸세요**.

➕ **surrounding** (형) 인근의, 주변의 (명) (pl.) (주위) 환경

1000 burst*
[bəːrst]

(동) 터지다, 터뜨리다; 갑자기 ~하다　(명) 터뜨림

Thousands of gallons of oil flowed into the river when an oil pipeline **burst**. 송유관이 **터졌을** 때 수천 갤런의 기름이 강으로 흘러들어 갔다.

burst into tears 울음을 갑자기 터뜨리다

01	.... grain into flour 곡물을 빻아 가루로 만들다	grind	grind
02	Don't .... your eyes. 당신의 눈을 비비지 마세요.	rub	
03	.... a tunnel 터널을 파다	dig	
04	.... one's chin 턱을 긁적이다	scratch	
05	.... the tears from one's cheeks 뺨에 흐르는 눈물을 닦다	wipe	
06	.... one's hair with a ribbon 리본으로 머리를 묶다	bind	
07	.... one's seat belt 안전띠를 매다[착용하다]	fasten	
08	.... me by the arm 내 팔을 움켜쥐다	grab	
09	.... one's hand 손을 꽉 잡다	grasp	
10	.... a chance 기회를 붙잡다	seize	
11	.... an orange 오렌지를 짜내다	squeeze	
12	.... against a wall 벽에 기대다	lean	
13	.... to one side 한쪽으로 기울다	incline	
14	.... a bell 종을 치다	strike	
15	.... a person on the head ~의 머리를 때리다	beat	
16	.... a person on the shoulder ~의 어깨를 툭툭 치다	tap	
17	.... at the door 문을 세게 두드리다	pound	
18	.... across an ice rink 빙상장을 가로질러 미끄러지다	slide	
19	.... over a stone 돌에 걸려 헛디디다	stumble	

20	.... on ice	얼음 위에서 미끄러지다	slip

20 .... on ice 얼음 위에서 미끄러지다   slip

21 .... a shirt in water 셔츠를 물에 담그다   soak

22 Plants .... oxygen. 식물은 산소를 흡수한다.   absorb

23 Sweaters .... in the wash. 스웨터는 빨면 줄어든다.   shrink

24 .... one's arms 두 팔을 벌리다   spread

25 .... one's hand out 한 손을 뻗다   stretch

26 .... one's knees 무릎을 굽히다[꿇다]   bend

27 .... around in mud 진흙에서 구르다   roll

28 .... the raw egg 날계란을 돌리다   spin

29 .... a potato 감자를 얇게 썰다   slice

30 .... a tree with an axe 도끼로 나무를 베다   chop

31 grow the .... s 작물을 재배하다   crop

32 .... a person to a powerful position
~을 유력한 지위로 승진시키다   elevate

33 The wind .... s hard. 바람이 세게 불다.   blow

34 .... a thief for 100 yards 도둑을 1000야드 정도 뒤쫓다   chase

35 the .... of a voice 목소리의 음높이   pitch

36 .... a vote 투표하다   cast

37 reproduce by .... ing eggs 알을 낳아서 번식하다   lay

38 charge a fine for .... ing 쓰레기 투기에 대해 벌금을 부과하다   litter

39 be .... ed with people 사람들에게 둘러싸이다   surround

40 .... into tears 울음을 갑자기 터뜨리다   burst

		check				check
0961 **grind**	(동) 빻다 (명) 갈기, 빻기; 힘든 일	☐	0981 **soak**	(동) (물에) 담그다 (명) 적시기; 젖음	☐
0962 **rub**	(동) 문지르다 (명) 마찰	☐	0982 **absorb**	(동) 흡수하다; 열중하게 하다	☐
0963 **dig**	(동) 파다, 캐내다 (명) 파내기	☐	0983 **shrink**	(동) 줄어들(게 하)다	☐
0964 **scratch**	(동) 할퀴다, 긁다 (명) 긁기	☐	0984 **spread**	(동) 퍼지다; 펼치다 (명) 확산	☐
0965 **wipe**	(동) 닦다, 지우다	☐	0985 **stretch**	(동) 뻗(치)다; 늘이다 (명) 기간; 신축성	☐
0966 **bind**	(동) 묶다, 결속하다	☐	0986 **bend**	(동) 구부리다 (명) 굽힘	☐
0967 **fasten**	(동) 매다, 묶다	☐	0987 **roll**	(동) 구르다; 말다 (명) 구르기	☐
0968 **grab**	(동) 잡다, 움켜쥐다 (명) 잡(아채)기	☐	0988 **spin**	(동) 회전하다〔시키다〕 (명) 회전	☐
0969 **grasp**	(동) 꽉 잡다; 파악하다 (명) 꽉 쥐기; 이해	☐	0989 **slice**	(동) 얇게 썰다 (명) 조각; 몫	☐
0970 **seize**	(동) 붙잡다; 점령하다	☐	0990 **chop**	(동) 자르다; 잘게 썰다	☐
0971 **squeeze**	(동) 짜내다 (명) 짜내기	☐	0991 **crop**	(동) 잘라 내다 (명) (농)작물	☐
0972 **lean**	(동) 의지하다; 기울다	☐	0992 **elevate**	(동) 올리다; 승진시키다	☐
0973 **incline**	(동) 기울(이)다; ~할 마음이 들(게 하)다 (명) 경사	☐	0993 **blow**	(동) 불다; 날리다 (명) 불기; 강타	☐
0974 **strike**	(동) 치다; (생각이) 떠오르다 (명) 파업; 타격	☐	0994 **chase**	(동) 뒤쫓다 (명) 추적	☐
0975 **beat**	(동) 때리다; (심장이) 뛰다; 물리치다 (명) 리듬	☐	0995 **pitch**	(동) 투구하다 (명) 투구; 음의 높이; 정점	☐
0976 **tap**	(동) 두드리다 (명) 두드리기	☐	0996 **cast**	(동) 던지다; 투표하다 (명) 던지기; 깁스	☐
0977 **pound**	(동) 두드리다; (심장이) 뛰다	☐	0997 **lay**	(동) 놓다, 두다; (알을) 낳다	☐
0978 **slide**	(동) 미끄러져 가다 (명) 미끄러짐; 미끄럼틀	☐	0998 **litter**	(동) 쓰레기를 버리다 (명) 쓰레기	☐
0979 **stumble**	(동) 발을 헛디디다; 더듬거리다	☐	0999 **surround**	(동) 둘러싸다 (명) 둘러싸는 것	☐
0980 **slip**	(동) 미끄러지다 (명) 미끄러짐	☐	1000 **burst**	(동) 터지다; 갑자기 ~하다 (명) 터뜨림	☐

외우지 못한 단어가 있으면 미니 단어장에서 다시 한번 정리해 보세요.

단위, 구성, 범위, 인과

| Word Map에 주제별로 분류된 단어의 뜻을 유추하여 빈칸에 쓰세요. |

단위 묶음

degree	
dozen	12개(의)
measure	치수, 분량; 단위; 수단
quarter	4분의 1
rank	열; 계급
row	열, 줄; 노 젓기
spot	점, 얼룩; 장소
volume	책; 권(卷); 부피; 음량
bunch	
bundle	묶음; 다발로 묶다

범위

range	범위; 산맥
scope	범위, 영역; (정신적) 시야
coverage	
track	흔적; 길; 단서
target	표적; 목표(로 삼다)

분류

category	범주, 카테고리; 종류
classify	
distinguish	구별하다; 눈에 띄게 하다

구성

compose	구성하다; 작문〔작곡〕하다
makeup	구성, 조립; 화장
shape	
formation	형성; 구조; 대형
format	(전체) 구성, 체재
dispose	배치하다; 처리하다
systematic	체계적인; 계획적인

원인 결과

conclude	
consequence	결과; 결말
outcome	결과, 성과
by-product	
output	산출; 생산(물)
responsible	책임이 있는

부분 요소

portion	부분; 몫
proportion	
quota	몫, 할당(액), 할당량
component	구성 요소, 성분
factor	
detail	세부; 상술하다

기타

gap	틈; 간격; 차이
interval	
symbol	상징, 기호

DAY 26 단위, 구성, 범위, 인과

[책] 가리개를 사용하여 뜻을 잘 암기했는지 확인하세요.

1001 **degree*** □□
[digríː]

[명] 도(度); 등급; 학위

A bedroom temperature of around 65 **degrees** Fahrenheit (18.3°C) is ideal for the sleep of most people. [학평]
화씨 65**도**(18.3°C) 정도의 침실 온도가 대부분의 사람들의 수면에 이상적이다.

1002 **dozen*** □□
[dʌ́zn]

[명] 12개 [형] 12개의

30 percent of the people who had sampled from the assortment of 3 bottles of jam bought one, while only 3 percent of those confronted with a **dozen** jams purchased a jar. [학평]
3병의 잼을 시식한 사람 중 30퍼센트가 한 병을 산 반면, **12개의** 잼에 직면한 사람 중 3 퍼센트만이 한 병을 샀다.

dozens of 수십의, 많은

1003 **measure*** □□
[méʒər]

[명] 치수, 분량; 단위; 수단 [동] 측정하다

Most adults think they know their exact foot size, so they don't **measure** their feet when buying new shoes. [학평]
대부분의 성인들은 자신의 정확한 발 크기를 알고 있다고 생각해서, 새 신발을 살 때 자신의 발 크기를 **측정하지** 않는다.

[+] **measurement** [명] 측정, 측량; 양, 치수, 크기 **measurable** [형] 잴 수 있는; 중요한

1004 **quarter*** □□
[kwɔ́ːrtər]

[명] 4분의 1; 15분; 1분기; 쿼터

Our muscles use even more of our energy, about a **quarter** of the total. [학평]
우리의 근육은 우리 에너지의 훨씬 더 많은 부분, 전체의 **4분의** 1 정도를 사용한다.

1005 **rank*** □□
[ræŋk]

[명] 열; 계급 [동] 등급을 매기다

Being the leader means you hold the highest **rank**. [EBS]
리더가 된다는 것은 가장 높은 **지위**를 차지한다는 것을 의미한다.

1006 **row*** □□
[rou]

[명] 열, 줄; 노 젓기 [동] (노를) 젓다

A spectator several **rows** in front stands up to get a better view, and a chain reaction follows. [학평]
앞쪽 몇 **줄**의 관중이 더 잘 보기 위해 일어서고 연쇄 반응이 뒤따른다.

in a row 일렬로; 연속적으로

1007 spot*
[spɑt]

(명) 점, 얼룩; 장소   (동) 얼룩지게 하다; 발견하다

The pupil of your eye is the little black **spot** in the center of the colored circle. 학평 눈의 동공은 색깔이 있는 원형(홍채)의 중간에 있는 작은 검은 **점**이다.

1008 volume*
[vάljuːm]

(명) 책; 권(卷); 부피; 음량

The library has about 150,000 **volumes** on its three floors. EBS
그 도서관에는 세 개의 층에 약 15만 권의 **책**이 있다.

How Different

1009 bunch*
[bʌnʧ]

(명) 송이; 묶음; 무리

Ross left a huge **bunch** of roses in Lisa's hotel room.
Ross는 Lisa의 호텔 방에 커다란 장미꽃 한 **다발**을 남겨 놓았다.

1010 bundle*
[bʌ́ndl]

(명) 묶음, 꾸러미   (동) 다발로 묶다

In 1836, a machine was invented that mowed, threshed, and tied straw into **bundles** and poured grain into sacks. 학평
1836년에 짚을 베어 탈곡하고, **다발**로 묶고, 낟알을 자루에 넣는 기계가 발명되었다.

» **bunch** 유사하거나 같은 종류의 것을 가지런히 잘 묶은 다발이나, 한 다발로 자란 것
» **bundle** 여러 물건들을 한데 묶거나 포장한 다발로, 물건들이 한 종류가 아닐 수 있음

1011 compose*
[kəmpóuz]

(동) 구성하다; 작문하다; 작곡하다

The liquidity of the coffee is explained by the behavior of the molecules that **compose** it. 학평
커피의 액체 상태는 그것을 **구성하는** 분자들의 작용에 의해 설명된다.

be composed of ~로 구성되다
➕ **composition** (명) 구성; 작곡   **composer** (명) 작곡가

1012 makeup
[méikʌp]

(명) 구성, 조립; 화장

A scientist conducted a research to discover the chemical **makeup** of tears. 학평 한 과학자가 눈물의 화학적 **구성**을 알아내기 위한 연구를 시행했다.

1013 shape*
[ʃeip]

(명) 형태, 외양   (동) 형성하다, 만들다

The growth of human teeth requires a jaw structure of a certain size and **shape**. 학평 인간 치아의 발육에는 특정 크기와 **형태**의 턱 구조가 필요하다.

in shape 본래의 상태로; 건강하여   **shape up** 전개되다; 발전하다; 운동하다

1014 formation*
[fɔːrméiʃən]

명 형성; 구조; 대형

Relationship **formation** would be facilitated by people having positive evaluations of each other. (EBS)
사람들이 서로에 대해 긍정적인 평가를 내림으로써 관계 **형성**은 촉진될 것이다.

➕ form 동 형성하다; 구성하다 명 형태; 종류; 형식

1015 format*
[fɔ́ːrmæt]

명 (전체) 구성, 체재, 판형; 포맷

According to the **format**, Linx had to "call out" another dancer to battle him on stage. (수능)
전체 **구성**에 따라, Linx는 무대에서 그와 대결할 다른 춤꾼을 '호명'해야 했다.

1016 dispose*
[dispóuz]

동 배치하다; 처리하다

Disposing of electronics responsibly through recycling is crucial in keeping our community clean and vibrant. (학평) 재활용을 통해 책임감 있게
전자 제품을 **처리하는** 것이 우리 공동체를 깨끗하고 활기차게 유지하는 데 중요하다.

dispose of ~을 처리하다[없애다], 해결하다
➕ disposition 명 배치; 처리; 기질   disposal 명 처분; 배치

1017 systematic
[sìstəmǽtik]

형 체계적인; 계획적인

The investigation wasn't sufficiently **systematic** to give a reliable result. 그 조사는 신뢰할 만한 결과를 얻을 만큼 충분히 **체계적이지** 않았다.

➕ system 명 체계; 계통   systematically 부 체계적으로; 질서 정연하게

1018 portion
[pɔ́ːrʃən]

명 부분; 몫 동 나누다

Blinking makes the eyes wet and keeps the front **portion** clear for good vision. (학평) 눈 깜빡거림은 눈을 촉촉하게 하고 좋은 시야를 위해 (눈의) 앞**부분**
을 깨끗하게 유지해 준다.

1019 proportion
[prəpɔ́ːrʃən]

명 비율; 부분; 몫; 균형

The graph shows the **proportion** of selected age groups of population, by region in 2017. (학평)
그래프는 2017년 지역별 선택된 연령 집단의 인구 **비율**을 보여 준다.

a large[small] proportion of ~의 대부분[적은 부분]

1020 quota
[kwóutə]

명 몫, 할당(액), 할당량

Because there was no profit motive involved, the manager's basic goal was to meet the **quota** in the easiest possible way. (학평)
관련된 이윤 동기가 전혀 없었기 때문에, 그 관리자의 기본 목표는 가능한 가장 쉬운 방법
으로 **할당량**을 충족하는 것이었다.

1021 component
[kəmpóunənt]

(명) 구성 요소, 성분; 부품　(형) 구성하는, 성분의

Water is a vital **component** for the smooth function of our brain. 학평
물은 우리 두뇌의 원활한 기능을 위해 필수적인 **구성 요소**이다.

≡ element (명) (구성) 요소, 성분; 원소

1022 factor*
[fǽktər]

(명) 요인, 요소

The density of the air itself plays a determining **factor** in the loudness of sound waves passing through it. 학평
공기 그 자체의 밀도는 공기를 통과하는 음파의 세기에 결정적인 **요소**로 작용한다.

1023 detail*
[díteil]

(명) 세부　(동) 상술하다, 열거하다

The map must remove **details** that would be confusing. 학평
지도에서 혼란을 줄 수 있는 **세부 사항**은 제거되어야 한다.

in detail 상세하게
➕ detailed (형) 상세한

How Different

1024 range*
[reindʒ]

(명) (힘·능력 등의) 범위; 산맥　(동) (~의) 범위에 이르다

Your improved flexibility will increase your **range** of motion while weight lifting, which in turn will make your muscles stronger. 학평
여러분의 유연성이 향상되면 근력 운동을 할 때 동작의 **범위**가 늘고, 이는 결국 여러분의 근육을 더 강하게 할 것이다.

a wide range of 다양한, 광범위한

1025 scope
[skoup]

(명) (연구·활동 등의) 범위, 영역; (정신적) 시야

The police are broadening the **scope** of the investigation on the crime. EBS 경찰이 그 범죄에 대한 수사 **범위**를 넓히고 있다.

» **range** 힘, 능력 등이 작용하여 영향을 미칠 수 있는 한도
» **scope** 주제, 책, 활동 등이 다루는 범위

1026 coverage
[kʌ́vəridʒ]

(명) 적용 범위; 보도; (보험의) 보장 범위

As family income went up, **coverage** by public insurance went down, and **coverage** by private insurance went up. EBS 가계 소득이 증가할수록, 공영 보험에 의한 **보장 범위**는 줄었고, 민영 보험에 의한 **보장 범위**는 늘었다.

1027 track
[træk]

(명) 흔적; 길; 단서   (동) 추적하다

Two students met their teacher at the start of a **track** through a forest. (학평) 두 학생이 숲을 관통하는 **길**의 초입에서 그들의 선생님을 만났다.

keep track of ~을 추적하다

1028 target*
[tá:rgit]

(명) 표적; 목표   (동) 목표로 삼다

If you dress like a typical tourist in Paris, you'll be an easy **target** for pickpockets. (학평) 여러분이 파리에서 전형적인 여행객처럼 입는다면, 여러분은 소매치기들에게 쉬운 **표적**이 될 것입니다.

1029 category*
[kǽtəgɔ̀:ri]

(명) 범주, 카테고리; 종류

One Flew over the Cuckoo's Nest became the second film in history to win Oscars in all the five major **categories**. (수능) 〈뻐꾸기 둥지 위로 날아간 새〉는 역사상 두 번째로 모든 5대 주요 **부문**에서 오스카상을 받은 영화가 되었다.

➕ **categorize** (동) 분류하다

1030 classify*
[klǽsəfài]

(동) 분류하다, 등급으로 나누다

The books are told in the third person and are generally **classified** as fiction rather than as autobiography. (학평)
그 책들은 3인칭 시점으로 서술되며, 일반적으로 자서전보다는 소설로 **분류된다**.

➕ **classification** (명) 분류   **classified** (형) 분류된; 극비의

1031 distinguish
[distíŋgwiʃ]

(동) 구별하다; 눈에 띄게 하다

Language is one of the primary features that **distinguishes** humans from other animals. (학평)
언어는 인간과 다른 동물들을 **구별하는** 주요한 특징 중 하나이다.

➕ **distinguished** (형) 유명한, 성공한

1032 conclude*
[kənklú:d]

(동) 결론을 내리다; 마치다

The researchers **concluded** that dads play a big role in helping their kids set goals and complete them. (학평) 그 연구원들은 자녀들이 목표를 설정하고 그것을 달성하도록 돕는 데 아버지들이 큰 역할을 한다는 **결론을 내렸다**.

➕ **conclusion** (명) 결론; 결말, 종결   **conclusive** (형) 결정적인, 확실한; 종국의

How Different

1033 consequence
[kánsəkwèns]

(명) 결과; 결말

Although rewards sound so positive, they can often lead to negative **consequences**. (학평)
보상은 매우 긍정적으로 들리지만, 그것들은 흔히 부정적인 **결과로** 이어질 수 있다.

➕ **consequent** (형) 결과로서 생기는   **consequently** (부) 따라서, 그 결과로서

1034 outcome* [áutkλm]

(명) 결과, 성과

We cannot predict the **outcomes** of sporting contests. (학평)
우리는 스포츠 경기의 **결과**를 예측할 수 없다.

» **consequence** 특정 행동이나 조건에 따른 결과를 가리키며, 주로 부정적 의미를 내포함
» **outcome** 예견하기 힘든 최종적인 결과를 가리키며, 전문적인 분야에서 연구나 과정 끝에 따라오는 결과의 의미로 주로 쓰임

1035 by-product [báiprὰdəkt]

(명) 부산물; 부작용

The combustion of oxygen that keeps us alive and active sends out **by-products** called oxygen free radicals. (수능) 우리를 살아있게 하고 활동하게 하는 산소 연소는 활성 산소라고 불리는 **부산물**을 내보낸다.

1036 output* [áutpùt]

(명) 산출; 생산(물)

Nature is a beautiful harmony of systems whereby every system's **output** is a useful input for other systems. (학평) 자연은 모든 체계의 **산출물**이 다른 체계들을 위한 유용한 투입물이 되는, 아름다운 조화가 있는 체계이다.

🔁 input (명) 투입; 입력

1037 responsible* [rispánsəbəl]

(형) 책임이 있는; 원인이 되는

Car insurance people read the reports of accidents and have to figure out who is legally **responsible** for the accidents. (학평) 자동차 보험사 직원은 사고 보고서를 읽고 누구에게 사고에 대한 법적 **책임이 있는지** 파악해야 한다.

➕ responsibility (명) 책임, 의무
🔁 irresponsible (형) 책임이 없는; 무책임한

1038 gap* [gæp]

(명) 틈; 간격; 차이

In 2010, the **gap** between the average rainfall for spring and the average rainfall for fall was the narrowest. (학평)
2010년 봄의 평균 강수량과 가을의 평균 강수량 사이의 **격차**가 가장 작았다.

1039 interval* [íntərvəl]

(명) (시간의) 간격; 휴식 시간

When you learn a new word it takes several repetitions at various **intervals** for the word to be mastered. (학평) 새로운 단어를 배울 때 그 단어를 통달하기 위해서는 다양한 **간격**을 두고 여러 번 반복하는 것이 필요하다.

at intervals 간격을 두고, 이따금

1040 symbol* [símbəl]

(명) 상징, 기호

The natural world provides a rich source of **symbols** used in art and literature. (학평) 자연 세계는 예술과 문학에 사용되는 **상징**의 풍부한 원천을 제공한다.

➕ **symbolize** (동) 상징하다; 기호로 나타내다   **symbolic** (형) 상징적인; 기호의

01 around 65 _____s Fahrenheit   화씨 65도 정도

02 a _____ doughnuts   12개의 도넛

03 _____ shoe size   신발 치수를 측정하다

04 a _____ of the total   전체의 4분의 1

05 hold the highest _____   가장 높은 계급을 차지하다

06 in a _____   일렬로

07 a good _____ for stargazing   별 관찰하기에 좋은 장소

08 the 7th _____ of the series   시리즈의 일곱 번째 권

09 a huge _____ of roses   커다란 장미꽃 한 다발

10 tie straw into _____s   짚을 다발로 묶다

11 juries _____d of Athenians   아테네인들로 구성된 배심원들

12 the chemical _____ of tears   눈물의 화학적 구성

13 _____ how we think   우리가 생각하는 방식을 형성하다

14 findings about habit _____   습관 형성에 관한 연구 결과들

15 according to the _____   전체 구성에 따라

16 _____ the chairs   의자를 배치하다

17 a _____ approach to solving problems
문제를 해결하는 체계적인 접근 방법

18 keep the front _____ clear   앞부분을 깨끗하게 유지하다

19 the _____ of selected age groups of population
선택된 연령 집단의 인구 비율

degree	degree
dozen	
measure	
quarter	
rank	
row	
spot	
volume	
bunch	
bundle	
compose	
makeup	
shape	
formation	
format	
dispose	
systematic	
portion	
proportion	

20 meet the _____ 할당량을 충족하다 quota

21 a _____ for the smooth function 원활한 기능을 위한 구성 요소 component

22 a determining _____ 결정적인 요소 factor

23 in _____ 상세하게 detail

24 increase one's _____ of motion 동작의 범위를 늘리다 range

25 the _____ of potential losses 잠재적 손실의 범위 scope

26 _____ of the target market 목표 시장의 점유 범위 coverage

27 change one's career _____ 경력의 경로를 바꾸다 track

28 shoot at a moving _____ 움직이는 표적을 향해 쏘다 target

29 organize by _____ 범주별로 정리하다 category

30 _____ books by subject 책을 주제별로 분류하다 classify

31 _____ humans from other animals 인간과 다른 동물들을 구별하다 distinguish

32 _____ one's investigation 조사를 마치다 conclude

33 lead to negative _____ s 부정적인 결과로 이어지다 consequence

34 the _____ s of sporting contests 스포츠 경기의 결과 outcome

35 produce dangerous _____ s 위험한 부산물을 생산하다 by-product

36 increase car _____ 자동차 생산량을 증가하다 output

37 be _____ for the accident 그 사고에 책임이 있다 responsible

38 the _____ between rich and poor 빈부 격차 gap

39 at regular _____ s 일정한 간격을 두고 interval

40 a _____ of fertility 풍요의 상징 symbol

단위, 구성, 범위, 인과
3-Minute Check

			check
1001	**degree**	몡 도(度); 등급; 학위	☐
1002	**dozen**	몡 12개 혱 12개의	☐
1003	**measure**	몡 치수, 분량; 단위; 수단 동 측정하다	☐
1004	**quarter**	몡 4분의 1; 15분; 1분기; 쿼터	☐
1005	**rank**	몡 열; 계급 동 등급을 매기다	☐
1006	**row**	몡 열, 줄; 노 젓기 동 (노를) 젓다	☐
1007	**spot**	몡 점; 장소 동 얼룩지게 하다	☐
1008	**volume**	몡 책; 권(卷); 부피; 음량	☐
1009	**bunch**	몡 송이; 묶음; 무리	☐
1010	**bundle**	몡 묶음, 꾸러미 동 다발로 묶다	☐
1011	**compose**	동 구성하다; 작문[작곡]하다	☐
1012	**makeup**	몡 구성, 조립; 화장	☐
1013	**shape**	몡 형태, 외양 동 형성하다	☐
1014	**formation**	몡 형성; 구조; 대형	☐
1015	**format**	몡 (전체) 구성, 체재	☐
1016	**dispose**	동 배치하다; 처리하다	☐
1017	**systematic**	혱 체계적인; 계획적인	☐
1018	**portion**	몡 부분; 몫 동 나누다	☐
1019	**proportion**	몡 비율; 부분; 몫; 균형	☐
1020	**quota**	몡 몫, 할당(액), 할당량	☐

			check
1021	**component**	몡 구성 요소 혱 구성하는	☐
1022	**factor**	몡 요인, 요소	☐
1023	**detail**	몡 세부 동 상술하다	☐
1024	**range**	몡 범위; 산맥 동 (~의) 범위에 이르다	☐
1025	**scope**	몡 범위, 영역; (정신적) 시야	☐
1026	**coverage**	몡 적용 범위; 보도; 보장 범위	☐
1027	**track**	몡 흔적; 길 동 추적하다	☐
1028	**target**	몡 표적; 목표 동 목표로 삼다	☐
1029	**category**	몡 범주, 카테고리; 종류	☐
1030	**classify**	동 분류하다, 등급으로 나누다	☐
1031	**distinguish**	동 구별하다; 눈에 띄게 하다	☐
1032	**conclude**	동 결론을 내리다; 마치다	☐
1033	**consequence**	몡 결과; 결말	☐
1034	**outcome**	몡 결과, 성과	☐
1035	**by-product**	몡 부산물; 부작용	☐
1036	**output**	몡 산출; 생산(물)	☐
1037	**responsible**	혱 책임이 있는; 원인이 되는	☐
1038	**gap**	몡 틈; 간격; 차이	☐
1039	**interval**	몡 (시간의) 간격; 휴식 시간	☐
1040	**symbol**	몡 상징, 기호	☐

외우지 못한 단어가 있으면 MINI 단어장에서 다시 한번 정리해 보세요.

파괴, 제한, 폭력, 위험

| Word Map에 주제별로 분류된 단어의 뜻을 유추하여 빈칸에 쓰세요. |

파괴 손상

destroy	파괴하다; 망치다
ruin	
disrupt	붕괴시키다; 방해하다
collapse	붕괴(하다); 좌절
crash	충돌하다; 충돌 (사고)
crush	
spoil	망치다
extinct	멸종된; (생명력이) 끊어진
fragile	
drown	물에 빠뜨리다
vulnerable	상처를 입기 쉬운; 취약한

제한

cease	
compel	강제하다
confine	
limitation	제한; 한계
prescribe	규정하다; (약을) 처방하다
restricted	제한된; 기밀의
spare	아끼다; 할애하다; 여분의

금지

ban	
forbid	금(지)하다, 허용하지 않다
prohibit	금(지)하다; 방해하다
prevent	막다, 예방하다

위험 위해

| risk | 위험(성); 위태롭게 하다 |
| harmful | 해로운; 위험한 |

폭력 공격

aggressive	공격적인
cruel	
violent	격렬한; 폭력적인
fierce	사나운, 흉포한; 맹렬한
deprive	
temper	화; 기질
threat	위협, 협박
invade	침입하다; 침해하다
offend	성나게 하다; 위반하다

의무

duty	의무; 세금; 직무
obligation	
impose	부과하다; 강제하다
mandatory	의무적인; 명령의

방해 간섭

bother	귀찮게 하다; 성가심
interfere	간섭하다; 방해하다
obstacle	

DAY 27

파괴, 제한, 폭력, 위험

가리개를 사용하여 뜻을 잘 암기했는지 확인하세요.

How Different

1041 **destroy*** [distrɔ́i]

[동] 파괴하다; 망치다

The wilderness preserve owned by the town was largely **destroyed**.
[학평] 그 마을이 소유한 야생 보존지는 대부분 **파괴되었다**.

[+] destruction [명] 파괴, 파기 destructive [형] 파괴적인, 해를 끼치는

1042 **ruin*** [rúːin]

[동] 망치다 [명] 몰락; (*pl.*) 폐허

Shopping addiction is a serious disorder that can **ruin** lives if it's not recognized and treated. [학평]
쇼핑 중독은 인식되고 치료되지 않으면 삶을 **망칠** 수 있는 심각한 장애이다.

[+] ruined [형] 파괴된, 황폐한 ruinous [형] 파괴적인; 파괴된

» destroy 무언가를 심하게 손상해서 더 이상 존재하지 않거나 고칠 수 없는 상태가 되게 하는 행위로, ruin보다 더 심각한 파괴를 가리킴
» ruin 형태는 남아 있지만 현 상태로는 더 이상 쓸모없을 정도로 심하게 손상하는 것을 가리킴

1043 **disrupt** [dìsrʌ́pt]

[동] 붕괴시키다; 방해하다

As soon as harmony is **disrupted**, we do whatever we can to restore it. [학평] 조화가 **방해받자마자** 우리는 그것을 회복하기 위해 할 수 있는 모든 것을 한다.

[+] disruption [명] 붕괴, 분열

1044 **collapse*** [kəlǽps]

[동] 붕괴하다 [명] 붕괴; 좌절

The floor **collapsed** almost immediately after the firefighters escaped.
[학평] 소방관들이 대피하고 난 거의 직후에 바닥이 **무너졌다**.

1045 **crash*** [kræʃ]

[동] 충돌하다; 추락하다 [명] 충돌 (사고); 추락

The only way to keep from **crashing** was to put extra space between our car and the car in front of us. [학평] **추돌**을 막는 유일한 방법은 우리 차와 우리 앞에 있는 차 사이에 여분의 공간을 두는 것이었다.

crash into ~와 충돌하다

1046 **crush*** [krʌʃ]

[동] 으깨다, 분쇄하다 [명] 으깸; 홀딱 반함

Energy soared as the executives of a pharmaceutical company developed ideas for drugs that would **crush** theirs. [학평]
제약 회사의 간부들이 자기 회사를 **짓밟을** 만한 약에 대한 아이디어를 만들어 내는 동안 에너지가 치솟았다.

1047 spoil*
[spɔil]

동 망치다; (아이를) 버릇없게 키우다

Errors in using people's names can **spoil** business dealings. 학평
사람들의 이름을 사용하는 데 있어서의 실수는 사업상의 거래를 **망칠** 수 있다.

➕ spoilage 명 손상; 부패

1048 extinct*
[ikstíŋkt]

형 멸종된; (생명력이) 끊어진; 꺼진

Dodo birds became **extinct** during the late 19th century. 학평
도도새는 19세기 후반에 **멸종되었다**.

➕ extinction 명 멸종, 소멸; 소화   extinctive 형 소멸성의, 소멸적인

1049 fragile
[frǽdʒəl]

형 부서지기 쉬운; 허약한

Nature's **fragile** balance would be destroyed by human influence. EBS
자연의 **부서지기 쉬운** 균형이 인류의 영향으로 파괴될 것이다.

➕ fragility 명 부서지기 쉬움; 허약
🟰 frail 형 깨지기 쉬운; (체질이) 약한

1050 drown*
[draun]

동 물에 빠뜨리다, 익사시키다

Entire forests can be **drowned**. 학평
숲 전체가 **물에 잠길** 수 있다.

1051 vulnerable
[vʌ́lnərəbəl]

형 상처를 입기 쉬운; 취약한

Pregnant birds would be too heavy to fly and would therefore be **vulnerable** to predators. 학평
임신한 새들은 날기에 너무 무거워서 포식자들에게 **취약할** 것이다.

➕ vulnerability 명 상처[비난]받기 쉬움; 취약성   vulnerably 부 취약하게

1052 aggressive*
[əgrésiv]

형 공격적인; 적극적인

In spite of their size, the sharks are not **aggressive** and harmless to people. 학평
상어들의 크기에도 불구하고, 그들은 **공격적이지** 않고 사람들에게 무해하다.

➕ aggression 명 공격(성), 침략   aggressively 부 공격적으로

1053 cruel*
[krúːəl]

형 잔혹한; 지독한

You can face a kind or **cruel** world based on your actions. 학평
당신은 당신의 행동에 따라 친절하거나 **잔혹한** 세계를 직면할 수 있다.

➕ cruelty 명 잔혹, 잔인함; 학대   cruelly 부 잔혹하게; 지독히

How Different

1054 violent* ☐☐
[váiələnt]

(형) 격렬한; 폭력적인; 극심한

A **violent** storm broke the boat and threw the two men apart. 학평
격렬한 폭풍이 그 배를 부수고 두 사람을 떨어뜨려 놓았다.

➕ violence (명) 격렬(함); 폭력   violently (부) 격렬하게, 난폭하게

1055 fierce* ☐☐
[fiərs]

(형) 사나운, 흉포한; 맹렬한

The hunter owned a few **fierce** hunting dogs. 학평
그 사냥꾼은 **사나운** 사냥개 몇 마리를 소유하고 있었다.

➕ fierceness (명) 사나움; 맹렬   fiercely (부) 사납게; 맹렬하게

» violent 주체할 수 없는 격렬한 감정, 또는 폭력 행사의 의도가 보이는 행동이나 상태를 가리킴
» fierce 격렬한 정도가 심해서 폭력성을 띄거나, 그에 따라 나타나는 무서운 겉모습을 가리킴

1056 deprive ☐☐
[dipráiv]

(동) 빼앗다, 박탈하다

When **deprived** of regular intervals of dark and light, the mind can lose its bearings. 학평
어둠과 빛의 규칙적인 간격을 **빼앗기면**, 정신은 그것의 방향을 잃을 수 있다.

1057 temper ☐☐
[témpər]

(명) 화; 기질   (동) 진정시키다

Josh's **temper** was so difficult that nobody wanted to be his friend.
학평 Josh의 **기질**은 너무 까다로워서 아무도 그의 친구가 되고 싶어 하지 않았다.

keep[hold, control] one's temper 화를 참다   have a temper 성미가 급하다

1058 threat* ☐☐
[θret]

(명) 위협, 협박

We perceive obesity as a critical **threat** to our health. 학평
우리는 비만을 우리 건강에 치명적인 **위협**으로 인식한다.

➕ threaten (동) 협박하다   threatening (형) 협박하는; 험악한

1059 invade* ☐☐
[invéid]

(동) 침입하다; 침해하다

As the soldiers **invaded**, the unprepared northern tribes fled to places where the army could not reach. 학평 군인들이 **침입했을** 때 대비가 되지 않은 북방 부족들은 그 군대가 미치지 못하는 곳으로 달아났다.

➕ invasion (명) 침입; 침해   invader (명) 침략군   invasive (형) 침습성의; 침입하는

1060 offend* ☐☐
[əfénd]

(동) 성나게 하다; 위반하다

We hope that we haven't done anything to **offend** you. 학평
저희가 귀하의 **감정을 상하게 한** 일이 없었기를 바랍니다.

➕ offense (명) 모욕; 위반; 공격   offender (명) 범죄자   offensive (형) 불쾌한; 공격의

1061 cease*
[siːs]

동 멈추다　명 중지

We have all had the experience of suddenly noticing that a source of constant background noise has just **ceased**. 학평 우리 모두는 끊임없는 배경 소음의 근원이 방금 **멈췄다는** 것을 갑자기 알아차린 경험이 있다.

➕ ceaseless 형 끊임없는

1062 compel
[kəmpél]

동 강제하다, 억지로 ~시키다

A food labeled "free" of a food dye will **compel** some consumers to buy that product. 학평 식용 색소가 '없는'이라고 표기된 식품은 일부 소비자들로 하여금 그 제품을 구매하도록 **강요할** 것이다.

➕ compulsory 형 강제적인, 의무적인　compulsion 명 강제, 강요; 충동

1063 confine*
동 [kənfáin]
명 [kánfain]

동 제한하다; 감금하다　명 (pl.) 경계; 한계

Dr. Grove was **confined** in a narrow dark room for two months. Grove 박사는 두 달 동안 좁고 어두운 방에 **감금되어** 있었다.

➕ confined 형 제한된, 좁은; 갇힌　confinement 명 제한; 감금

1064 limitation
[lìmətéiʃən]

명 제한; 한계

Our paradigms are often way off the mark, and they create **limitations**. 학평 우리의 패러다임은 종종 완전히 틀리며 **한계**를 만들어 낸다.

➕ limit 동 제한하다 명 한계, 제한　limited 형 제한된, 한정된; 좁은　limitless 형 무제한의

1065 prescribe*
[priskráib]

동 규정하다; 지시하다; (약을) 처방하다

Others believe that we help because we have been socialized to do so, through norms that **prescribe** how we ought to behave. 학평 다른 사람들은 우리가 어떻게 행동해야 하는지를 **규정하는** 규범들을 통해서, 우리가 그렇게 하도록 사회화되어 왔기 때문에 돕는다고 믿는다.

➕ prescription 명 규정; 처방(전); 처방약

1066 restricted
[ristríktid]

형 제한된; 기밀의

It is well established that the aerobic range of flight speeds for any bird is **restricted**. 학평 어떤 새든지 대기 중에서 낼 수 있는 비행 속도의 범위가 **제한적**이라는 점은 잘 확립되어 있다.

➕ restrict 동 제한[한정]하다　restrictedly 부 제한적으로

1067 spare*
[spɛər]

동 아끼다; (시간) 할애하다　형 여분의　명 예비품

We would be grateful if you could **spare** a few minutes to share your experience and opinions. 학평 귀하께서 몇 분을 **할애하셔서** 귀하의 경험과 의견을 공유해 주시면 저희는 감사하겠습니다.

How Different

1068 **ban*** ☐☐
[bæn]

[동] 금(지)하다 [명] 금지(령); 추방

Civil organizations have asked the government to **ban** direct mail marketing to children. [학평] 시민 단체들은 어린이들에게 우편으로 하는 직접적인 마케팅을 **금지할** 것을 정부에 요청해 왔다.

1069 **forbid*** ☐☐
[fərbíd]

[동] 금(지)하다, 허용하지 않다

Lotte Laserstein was **forbidden** to exhibit her artwork in Germany. [학평] Lotte Laserstein은 독일에서 자신의 작품을 전시하는 것이 **금지되었다**.

forbid A to B A가 B하지 못하게 하다 **forbid A from -ing** A가 ~하는 것을 금하다
[+] **forbiddance** [명] 금지(행위)

1070 **prohibit** ☐☐
[prouhíbit]

[동] 금(지)하다; 방해하다

Food and pets are **prohibited** in the museum. [학평] 박물관에서는 음식과 애완동물이 **금지되어** 있습니다.

[+] **prohibition** [명] 금지

1071 **prevent*** ☐☐
[privént]

[동] 막다, 예방하다

The act of fact-checking **prevents** misinformation from shaping our thoughts. [학평] 사실 확인 행위는 잘못된 정보가 우리의 생각을 형성하는 것을 **예방한다**.

[+] **prevention** [명] 예방, 방지

» **ban** 이전에 가능했던 일을 공식적으로나 법적으로 가능하지 않게 함
» **forbid** 누군가에게 어떤 일을 하도록 허락하지 않거나 하지 말라고 강력하게 말함
» **prohibit** 공중도덕과 같은 사회적 합의에 의해서나 제도적·법적으로 금지함
» **prevent** 어떤 일이 일어나지 않도록 미리 방지함

1072 **risk*** ☐☐
[risk]

[명] 위험(성), 모험 [동] 위태롭게 하다

A person who can never take a **risk** can't learn anything. [학평] 결코 **위험**을 감수할 수 없는 사람은 아무것도 배울 수 없다.

at risk 위험에 처한 **at the risk of** ~의 위험을 무릅쓰고
run[take] a risk 위험을 무릅쓰다, 모험을 하다
[+] **risky** [형] 위험한

1073 **harmful** ☐☐
[hɑ́ːrmfəl]

[형] 해로운; 위험한

Staring at the bare Sun is **harmful** than when part of the Moon blocks it. [학평] 완전히 노출된 태양을 응시하는 것은 달의 일부가 태양을 가렸을 때보다 **해롭다**.

[+] **harmfully** [부] 해롭게; 위험하게
[반] **harmless** [형] 해롭지 않은

1074 duty*
[djúːti]

(명) 의무; 세금; (pl.) 직무

A guard at Windsor Castle was accused of being asleep on **duty**. 학평
Windsor 성의 한 경비원은 **근무** 중에 잠든 것 때문에 기소되었다.

off[on] duty 비번[당번]으로

1075 obligation
[àbləɡéiʃən]

(명) 의무, 책임

Obligations are to rights what taxation is to public spending. 학평
권리에 대한 **의무**의 관계는 공공 지출에 대한 과세의 관계와 같다.

➕ **oblige** (동) ~에게 의무를 지우다

» **duty** 주로 법적이나 도덕적 의무를 가리킴
» **obligation** 주로 계약상의 의무를 가리킴

1076 impose
[impóuz]

(동) 부과하다; 강제하다

Centuries ago, the Duke of Tuscany **imposed** a tax on salt. 학평
수세기 전에 토스카나의 군주는 소금에 세금을 **부과했다**.

➕ **imposition** (명) 부과; 세금, 부담   **imposing** (형) 인상적인

1077 mandatory
[mǽndətɔ̀ːri]

(형) 의무적인; 명령의; 위임의

Mandatory retirement discriminates against older people because age alone cannot predict ability on the job. EBS 나이만으로는 직장에서의 능력을 예측할 수 없기 때문에 **의무[정년]** 퇴직은 나이 든 사람들에 대한 차별이다.

➖ **optional** (형) 선택의, 임의의   ➕ **compulsory** (형) 강제적인, 의무적인

1078 bother*
[bάðər]

(동) 귀찮게 하다   (명) 성가심, 귀찮음

Counselors often advise clients to get some emotional distance from whatever is **bothering** them. 학평 상담가들은 의뢰인들에게 그들을 **귀찮게 하**는 그 어떤 것과도 약간의 감정적 거리를 두라고 흔히 조언한다.

1079 interfere*
[intərfíər]

(동) 간섭하다; 방해하다

What **interferes** with the peaceful feeling is our expectation of receiving something in return. 학평
평화로운 감정을 **방해하는** 것은 보답으로 무언가를 받을 것이라는 우리의 기대감이다.

➕ **interference** (명) 간섭; 방해   **interfering** (형) 간섭하는; 방해하는

1080 obstacle
[άbstəkəl]

(명) 장애(물), 방해(물)

The artist sees inspiration where the ordinary person sees only a limitation or an **obstacle**. 학평
보통 사람들이 한계 혹은 **장애물**만을 보는 곳에서 예술가는 영감을 발견한다.

파괴, 제한, 폭력, 위험
Use Words

빈칸을 채우며 단어를 외우고, 쓰면서 한 번 더 익히세요.

01 .... the environment   환경을 파괴하다 | destroy   destroy

02 .... one's performance   공연을 망치다 | ruin

03 .... the economy   경제를 붕괴시키다 | disrupt

04 a sudden ....   갑작스러운 붕괴 | collapse

05 .... into a mountain   산속으로 추락하다 | crash

06 .... the olives with a press   압착기로 올리브 열매를 으깨다 | crush

07 Too many cooks .... the broth.
요리사가 너무 많으면 수프를 망친다. | spoil

08 an .... language   사멸된 언어 | extinct

09 nature's .... balance   자연의 부서지기 쉬운 균형 | fragile

10 be ....ed in the river   강에서 익사하다 | drown

11 be .... to attack   공격에 취약하다 | vulnerable

12 an .... attitude   공격적인 태도 | aggressive

13 a .... world   잔혹한 세계 | cruel

14 a .... storm   격렬한 폭풍 | violent

15 a few .... hunting dogs   사나운 사냥개 몇 마리 | fierce

16 .... Roy of his dream   Roy에게서 그의 꿈을 빼앗다 | deprive

17 keep one's ....   화를 참다 | temper

18 the .... of global warming   지구 온난화의 위협 | threat

19 .... one's privacy   사생활을 침해하다 | invade

20 I don't mean to .... you. 네 기분을 상하게 하려는 의도가 아냐.   offend

21 .... to function   기능하는 것을 멈추다   cease

22 .... consumers to buy the product   compel
소비자들로 하여금 그 상품을 사도록 강요하다

23 be .... d in a room   방에 감금되어 있다   confine

24 create ....   한계를 만들어 내다   limitation

25 .... how we ought to behave   prescribe
우리가 어떻게 행동해야 하는지를 규정하다

26 a .... space   제한된 공간   restricted

27 in the .... time   여가 시간에   spare

28 .... on peanut-containing food   땅콩 함유 음식의 금지   ban

29 .... Lina to drink alcohol   Lina가 음주하는 것을 금하다   forbid

30 Smoking is .... ed.   흡연은 금지되어 있다.   prohibit

31 .... the disease   질병을 예방하다   prevent

32 take a ....   위험을 무릅쓰다   risk

33 .... insects   해로운 곤충들   harmful

34 be on ....   근무 중이다   duty

35 be under an ....   의무가 있다   obligation

36 .... a tax on salt   소금에 세금을 부과하다   impose

37 .... retirement   의무적인 퇴직   mandatory

38 I'm sorry to .... you.   너를 귀찮게 해서 미안해.   bother

39 .... in children's lives   아이들의 생활에 간섭하다   interfere

40 overcome an ....   장애를 극복하다   obstacle

파괴, 제한, 폭력, 위험

3-Minute Check

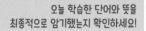

오늘 학습한 단어와 뜻을 최종적으로 암기했는지 확인하세요!

			check
1041	destroy	[동] 파괴하다; 망치다	☐
1042	ruin	[동] 망치다 [명] 몰락; 폐허	☐
1043	disrupt	[동] 붕괴시키다; 방해하다	☐
1044	collapse	[동] 붕괴하다 [명] 붕괴; 좌절	☐
1045	crash	[동] 충돌하다; 추락하다 [명] 충돌 (사고); 추락	☐
1046	crush	[동] 으깨다, 분쇄하다 [명] 으깸; 홀딱 반함	☐
1047	spoil	[동] 망치다; (아이를) 버릇없게 키우다	☐
1048	extinct	[형] 멸종된; (생명력이) 끊어진	☐
1049	fragile	[형] 부서지기 쉬운; 허약한	☐
1050	drown	[동] 물에 빠뜨리다	☐
1051	vulnerable	[형] 상처를 입기 쉬운; 취약한	☐
1052	aggressive	[형] 공격적인; 적극적인	☐
1053	cruel	[형] 잔혹한; 지독한	☐
1054	violent	[형] 격렬한; 폭력적인; 극심한	☐
1055	fierce	[형] 사나운, 흉포한; 맹렬한	☐
1056	deprive	[동] 빼앗다, 박탈하다	☐
1057	temper	[명] 화; 기질 [동] 진정시키다	☐
1058	threat	[명] 위협, 협박	☐
1059	invade	[동] 침입하다; 침해하다	☐
1060	offend	[동] 성나게 하다; 위반하다	☐

			check
1061	cease	[동] 멈추다 [명] 중지	☐
1062	compel	[동] 강제하다	☐
1063	confine	[동] 제한하다 [명] 경계; 한계	☐
1064	limitation	[명] 제한; 한계	☐
1065	prescribe	[동] 규정하다; (약을) 처방하다	☐
1066	restricted	[형] 제한된; 기밀의	☐
1067	spare	[동] 아끼다; 할애하다 [형] 여분의 [명] 예비품	☐
1068	ban	[동] 금(지)하다 [명] 금지(령)	☐
1069	forbid	[동] 금(지)하다, 허용하지 않다	☐
1070	prohibit	[동] 금(지)하다; 방해하다	☐
1071	prevent	[동] 막다, 예방하다	☐
1072	risk	[명] 위험(성) [동] 위태롭게 하다	☐
1073	harmful	[형] 해로운; 위험한	☐
1074	duty	[명] 의무; 세금; 직무	☐
1075	obligation	[명] 의무, 책임	☐
1076	impose	[동] 부과하다; 강제하다	☐
1077	mandatory	[형] 의무적인; 명령의	☐
1078	bother	[동] 귀찮게 하다 [명] 성가심	☐
1079	interfere	[동] 간섭하다; 방해하다	☐
1080	obstacle	[명] 장애(물), 방해(물)	☐

외우지 못한 단어가 있으면 미니 단어장에서 다시 한번 정리해 보세요.

A 영어는 우리말로, 우리말은 영어로 쓰시오.

01	surround		21	결론을 내리다
02	quota		22	줄어들(게 하)다
03	beat		23	구성하다
04	destroy		24	버릇없게 키우다
05	rank		25	위험(성)
06	dispose		26	의무적인
07	aggressive		27	퍼지다; 확산
08	offend		28	해로운
09	slide		29	간섭하다
10	vulnerable		30	기울(이)다; 경사
11	scope		31	송이; 묶음
12	grab		32	구별하다
13	portion		33	구부리다
14	prohibit		34	물에 빠뜨리다
15	pitch		35	체계적인
16	compel		36	의지하다
17	gap		37	의무; 직무
18	temper		38	(물에) 담그다
19	makeup		39	제한; 한계
20	target		40	세부

B 네모 안에서 알맞은 단어를 고르시오.

01 Centuries ago, the Duke of Tuscany imposed / offended a tax on salt.

02 Our muscles use even more of our energy, about a quarter / quota of the total.

03 Windmills help draw water and dig / grind grain into flour.

04 When you learn a new word it takes several repetitions at various degrees / intervals for the word to be mastered.

C   각 문장이 우리말과 일치하도록 빈칸에 알맞은 단어를 고르시오. (형태 변화 가능)

disrupt	row	seize	invade	tap

01   A gray-haired guide .... the tip of his cane against the floor for attention.
머리가 센 안내원은 주의를 끌기 위해 지팡이 끝을 바닥에 두드린다.

02   Humans are sociable creatures, and will .... the chance to help others.
인간은 사회적인 동물이며, 타인을 도울 기회를 붙잡으려고 할 것이다.

03   As soon as harmony is ...., we do whatever we can to restore it.
조화가 방해받자마자 우리는 그것을 회복하기 위해 할 수 있는 모든 것을 한다.

04   As the soldiers ...., the unprepared northern tribes fled to places where the army could not reach.
군인들이 침입했을 때, 대비가 되지 않은 북방 부족들은 그 군대가 미치지 못하는 곳으로 달아났다.

05   A spectator several .... in front stands up to get a better view, and a chain reaction follows.
앞쪽 몇 줄의 관중이 더 잘 보기 위해 일어서고 연쇄 반응이 뒤따른다.

D   우리말이 영어 문장과 일치하도록 빈칸에 알맞은 말을 쓰시오.

01   My mom squeezed oranges and poured the juice into a jug.
우리 엄마는 오렌지를 .... 그 즙을 병에 부었다.

02   We need to see a doctor who may prescribe medicines to control the infection.
우리는 감염을 억제하기 위해 약을 .... 수 있는 의사의 진찰을 받을 필요가 있다.

03   Although rewards sound so positive, they can often lead to negative consequences.
보상은 매우 긍정적으로 들리지만, 그것들은 흔히 부정적인 .... 로 이어질 수 있다.

04   Car insurance people read the reports of accidents and have to figure out who is legally responsible for the accidents.
자동차 보험사 직원은 사고 보고서를 읽고 누구에게 사고에 대한 법적 .... 파악해야 한다.

05   The natural world provides a rich source of symbols used in art and literature.
자연 세계는 예술과 문학에 사용되는 .... 의 풍부한 원천을 제공한다.

시간, 상황, 연결어

| Word Map에 주제별로 분류된 단어의 뜻을 유추하여 빈칸에 쓰세요. |

빈도
- continually　계속해서; 빈번히
- eternal
- frequent　빈번한; 자주 가다
- momentary　순간의, 일시적인

시간 순서
- former　예전의; 전자
- previous
- prior　이전의, 우선하는
- contemporary　동시대의; 동시대인
- ultimate　최후의; 근본적인

기간
- annual　매년의; 연보, 연감
- decade
- semester　학기
- occasion　경우; 행사; 이유

정확
- accurate
- ambiguous　애매모호한
- plain　분명한; 분명히; 평야
- subtle　미묘한; 엷은

우열 잘못
- merit
- minor　소수의; 미성년자
- fault　단점; 흠잡다
- mistaken　잘못된; 오해한

상황 서술
- inevitable　필연적인; 당연한
- monotonous　단조로운
- practical　실제의; 실용적인; 실질적인
- excessive
- fundamental　근본적인; 기본; 원리
- equivalent　동등한; 동등한 것
- aspect　측면; 외관; 방향
- barely　간신히; 거의 ～ 않다

연결어

결과
- accordingly　따라서; 그에 따라
- eventually　결국, 마침내
- namely

조건
- otherwise
- nevertheless　그럼에도 불구하고

추가
- furthermore
- moreover　게다가, 더욱이, 또한
- likewise　마찬가지로, 또한

강조
- so-called　소위, 이른바
- respectively
- literally　글자 그대로

DAY 28 시간, 상황, 연결어

📖 가리개를 사용하여 뜻을 잘 암기했는지 확인하세요.

1081 continually
[kəntínjuəli]

🔵 계속해서; 빈번히

We are largely governed by our emotions, which **continually** influence our perceptions. 학평
우리는 주로 우리 감정의 지배를 받고, 이것은 **계속해서** 우리의 인지에 영향을 준다.

➕ continual ⓗ 계속되는; 빈번한   ➖ continuously 🔵 (멈춤이 없이) 계속해서, 끊임없이

1082 eternal
[itə́:rnəl]

ⓗ 영원한

The ad features couples using diamonds to express their **eternal** love.
학평 광고에는 다이아몬드를 이용하여 자신들의 **영원한** 사랑을 표현하는 커플이 등장한다.

➕ eternally 🔵 영원히   eternity ⓝ 영원, 영구; 내세

1083 frequent*
[frí:kwənt]

ⓗ 빈번한 ⓥ 자주 가다

Headaches are more **frequent** when our brain lacks water. 학평
두통은 우리의 두뇌에 물이 부족할 때 더 **빈번하다**.

➕ frequently 🔵 자주, 빈번히   frequency ⓝ 잦음; 빈도; 주파수

1084 momentary
[móuməntèri]

ⓗ 순간의, 일시적인

Psychologists make the distinction between dispositions, or traits, and states, or **momentary** feelings. 학평
심리학자들은 기질, 즉 특성, 그리고 상태, 즉 **일시적인** 감정을 구별한다.

➕ moment ⓝ 순간, 잠깐   momentarily 🔵 잠시, 잠깐; 곧

How Different

1085 former*
[fɔ́:rmər]

ⓗ 예전의; (둘 중에서) 전자의   ⓝ (the ~) 전자

Patsy McLeod took freshly washed clothes to her **former** master Ben Wilson's house. 학평
Patsy McLeod는 그녀의 **예전** 주인인 Ben Wilson의 집에 깨끗이 세탁한 옷을 가져갔다.

➕ formerly 🔵 이전에(는), 옛날에

1086 previous*
[prí:viəs]

ⓗ 이전의, 사전의

Charles Henry Turner illustrated that insects can alter behavior based on **previous** experience. 학평
Charles Henry Turner는 곤충이 **이전의** 경험을 바탕으로 행동을 바꿀 수 있다고 설명했다.

previous to ~보다 전에[앞서]
➕ previously 🔵 이전에, 미리

1087 prior
[práiər]

(형) 이전의, 우선하는

We live in a society where gender roles and boundaries are not as strict as in **prior** generations. 학평
우리는 성 역할과 경계가 **이전** 세대만큼 엄격하지 않은 사회에 살고 있다.

➕ **priorly** (부) 앞서, 사전에   **priority** (명) 우선 사항, 우선권

» **former** 현재는 더 이상 아닌, 이전의 직업이나 지위를 말할 때 쓰임
» **previous** 이전의 일 중 가장 최근인 바로 직전의 일을 가리킴
» **prior** 어떤 일이 있기 이전의 일을 가리키며, 날짜, 배치, 경고, 통지, 협의 등에 관한 표현에 쓰임

1088 contemporary
[kəntémpərèri]

(형) 동시대의; 현대의   **(명)** 동시대인

The acceleration of human migration toward the shores is a **contemporary** phenomenon. 학평
해안 쪽으로의 인류 이동의 가속화는 **현대적인** 현상이다.

1089 ultimate*
[ʌ́ltəmit]

(형) 최후의; 궁극의; 근본적인

The **ultimate** life force lies in tiny cellular factories of energy, called mitochondria, that burn nearly all the oxygen we breathe in. 수능
궁극적인 생명력은 우리가 들이쉬는 거의 모든 산소를 태우는, 미토콘드리아라고 불리는 아주 작은 에너지 세포 공장에 있다.

➕ **ultimately** (부) 결국, 궁극적으로

1090 annual*
[ǽnjuəl]

(형) 매년의   **(명)** 연보, 연감

The **annual** school musical at Victoria's school would be held in a few months. 학평
Victoria의 학교에서 **연례** 학교 뮤지컬이 몇 달 후에 개최될 예정이다.

➕ **annually** (부) 매년, 해마다, 연 1회

1091 decade*
[dékeid]

(명) 10년; 10개 한 벌

Just in the last **decade** we have acquired the ability to do amazing things with computers. 학평
불과 지난 **10년** 동안, 우리는 컴퓨터로 놀라운 일을 할 수 있는 능력을 얻어 왔다.

1092 semester
[siméstər]

(명) 학기

I called my son, Josh, during his first **semester** at college to wish him luck on his final exams. 학평 나는 내 아들 josh의 대학 첫 **학기** 중에 그에게 전화해서 기말고사에 행운이 있기를 기원했다.

1093 occasion*
[əkéiʒən]

명 경우; 행사; 이유　동 ~의 원인이 되다

During the course, you're going to learn how to bake cookies for family **occasions**. 학평
이 강좌에서, 여러분은 가족 **행사**를 위해 쿠키 굽는 법을 배울 것입니다.

on all occasions 모든 경우에　**on occasion(s)** 가끔, 이따금
➕ **occasional** 형 가끔의; 임시의　**occasionally** 부 가끔, 이따금

1094 accurate*
[ǽkjərit]

형 정확한, 정밀한

Doctors in a positive mood make **accurate** diagnoses 19 percent faster than doctors in a neutral state. 학평 긍정적인 기분의 의사는 중립적인 상태의 의사보다 **정확한** 진단을 19퍼센트 더 빠르게 내린다.

➕ **accuracy** 명 정확(성), 정밀(도)　➖ **inaccurate** 형 부정확한, 정밀하지 않은

1095 ambiguous
[æmbígjuəs]

형 애매모호한; 두 가지 뜻으로 해석되는

A word is **ambiguous** when one cannot tell from the context what sense is being used. 학평
어느 의미가 쓰이고 있는지 문맥으로 구별할 수 없을 때 단어는 **애매모호하다**.

➕ **ambiguously** 부 애매모호하게　**ambiguity** 명 애매모호함; 두[여러] 가지 뜻

1096 plain*
[plein]

형 분명한; 평범한　부 분명히; 솔직히　명 평야

You can easily lose motivation when you face the **plain** reality of the road to success. 학평 성공으로 가는 길의 **명백한** 현실에 여러분이 직면했을 때 여러분은 쉽게 동기를 잃을 수 있다.

1097 subtle
[sʌ́tl]

형 미묘한; 엷은; 예민한; 교묘한

Making **subtle** changes to the seating arrangements can have an effect on what people choose to focus their attention on. 학평 좌석 배치에 **미묘한** 변화를 주면 사람들이 주의를 집중하기로 선택하는 것에 영향을 끼칠 수 있다.

1098 merit*
[mérit]

명 장점; 우수성

Many theatrical producers asked to invest in a production have preferred a play of proven **merit** to a new, untried play. 학평
제작에 투자해 달라는 요청을 받는 많은 연극 제작자들은 공연한 적 없는 새로운 연극보다는 **우수성**이 증명된 연극을 더 선호해 왔다.

1099 minor*
[máinər]

형 소수의; 중요하지 않은, 사소한　명 미성년자

Minor conflicts help our relationship develop defense capabilities. 학평 **사소한** 갈등은 우리의 관계가 방어 능력을 기르는 데 도움이 된다.

➕ **minority** 명 소수 (집단)　➖ **major** 형 큰 쪽의, 대다수의; 주요한

1100 fault*
[fɔːlt]

⟨명⟩ 단점; 잘못 ⟨동⟩ 흠잡다; 잘못을 저지르다

Some teens have an "inner critic," a voice inside that seems to find **fault** with everything they do. 학평 어느 청소년들에게는 '내면의 비판자'가 있는데, 이것은 그들이 하는 모든 일에서 **잘못**을 찾아내는 듯 보이는 내면의 목소리이다.

at fault 잘못하여; 당황하여
➕ **faulty** ⟨형⟩ 결점이 있는, 잘못된

1101 mistaken
[mistéikən]

⟨형⟩ 잘못된; 오해한

Overconfidence can leave students with **mistaken** impressions that they are fully prepared for tests. 학평 지나친 자신감은 학생들로 하여금 자신들이 시험에 충분히 준비되어 있다는 **잘못된** 생각을 하게 둘 수도 있다.

1102 inevitable
[inévitəbəl]

⟨형⟩ 필연적인, 당연한

In order to achieve high building density, massive high-rise buildings are **inevitable**. 학평 높은 건축 밀도를 얻으려면 거대한 고층 건물이 **불가피하다**.

➕ **inevitably** ⟨부⟩ 불가피하게, 필연적으로

1103 monotonous
[mənátənəs]

⟨형⟩ 단조로운

Doing something **monotonous** like knitting helps us be more creative and face our problems better. 뜨개질처럼 뭔가 **단조로운** 일을 하는 것은 우리가 창의성을 더 발휘하고 우리의 문제를 더 잘 맞서는 데 도움이 된다.

➕ **monotony** ⟨명⟩ 단조로움

1104 practical*
[prǽktikəl]

⟨형⟩ 실제의; 실용적인; 실질적인

Because most of the plastic particles in the ocean are so small, there is no **practical** way to clean up the ocean. 학평 바닷속에 있는 대부분의 플라스틱 조각들은 매우 작기 때문에 바다를 청소할 **실질적인** 방법은 없다.

➕ **practically** ⟨부⟩ 실제로, 사실상 **practice** ⟨명⟩ 실행, 실제; 연습 ⟨동⟩ 실행하다

1105 excessive
[iksésiv]

⟨형⟩ 과도한

Giving **excessive** rewards may have a negative effect on the attitude of the people doing the work. 학평
지나친 보상을 주는 것이 그 일을 하는 사람들의 태도에 부정적인 영향을 줄 수 있다.

➕ **exceed** ⟨동⟩ 넘다, 초과하다 **excess** ⟨명⟩ 초과, 과다 ⟨형⟩ 초과한, 여분의

1106 fundamental*
[fʌndəméntl]

⟨형⟩ 근본적인; 중요한 ⟨명⟩ (pl.) 기본; 원리

Honesty is a **fundamental** part of every strong relationship. 학평
정직은 모든 굳건한 관계의 **근본적인** 부분이다.

➕ **fundamentally** ⟨부⟩ 근본적으로

1107 equivalent
[ikwívələnt]

(형) 동등한   (명) 동등한 것

Feeling of familiarity is not necessarily **equivalent** to knowing the material. (학평) 친숙한 느낌이 자료를 아는 것과 반드시 **같은** 것은 아니다.

➕ **equivalently** (부) 동등하게   **equivalence** (명) 같음

1108 aspect*
[æspekt]

(명) 측면; 외관; 방향

Growing a high-quality product at a reasonable cost is a key **aspect** to farming edible mushrooms for profit. (학평) 합리적 비용으로 좋은 질의 상품을 재배하는 것이 이윤을 위해 식용 버섯을 기르는 것의 핵심적인 **측면**이다.

1109 barely
[bέərli]

(부) 간신히; 거의 ~ 않다

In 1888, Sarah worked as a washerwoman for more than a decade, earning **barely** more than a dollar a day. (학평) 1888년에, Sarah는 10년 넘게 세탁부로 일하면서 하루에 **겨우** 1달러가 넘는 돈을 벌었다.

1110 accordingly
[əkɔ́:rdiŋli]

(부) 따라서; 그에 따라

The key is to learn what your baby needs and respond to them **accordingly**. (학평) 중요한 것은 여러분의 아기가 필요로 하는 것을 알고 **그에 따라** 반응하는 것이다.

1111 eventually*
[ivéntʃuəli]

(부) 결국, 마침내

Many missteps **eventually** lead to a problem. (학평) 많은 실수는 **결국** 문제를 초래한다.

➕ **eventual** (형) 최후의, 결과로서 일어나는
🟰 **finally** (부) 결국, 마침내

1112 namely
[néimli]

(부) 즉, 다시 말하자면

Kenge had failed to learn what most of us take for granted, **namely**, that things look different when they are far away. (학평) Kenge는 우리 대부분이 당연하게 여기는 것, **즉** 사물이 멀리 있을 때 달라 보인다는 것을 배우지 못했다.

1113 otherwise*
[ʌ́ðərwàiz]

(부) 그렇지 않으면; 그 외에; 다른 방법으로

When dealing with property, descriptions need to be as precise as possible, **otherwise** misunderstandings will arise. (학평) 재산을 다룰 때, 설명은 가능한 한 정확할 필요가 있는데, **그렇지 않으면** 오해가 생길 것이다.

1114 nevertheless*
[nèvərðəlés]

(부) 그럼에도 불구하고

Octavius was advised not to accept Caesar's request. **Nevertheless**, he did accept it. (학평) Octavius는 Caesar의 요청을 받아들이지 말라는 조언을 들었다. **그럼에도 불구하고** 그는 그것을 받아들였다.

How Different

1115 furthermore*
[fə́:rðərmɔ̀:r]

(부) 더욱이, 게다가

People who can analyze data manually are rare. **Furthermore**, the amount of data is huge and manual analysis is not possible. (학평)
수동으로 데이터를 분석할 수 있는 사람들은 드물다. **더군다나**, 자료의 양은 엄청나고 수동으로 하는 분석은 가능하지 않다.

1116 moreover*
[mɔːróuvər]

(부) 게다가, 더욱이, 또한

For many centuries very few individuals had the means to study Latin. **Moreover**, few people had access to books. (학평) 수 세기 동안 라틴어를 공부할 수 있는 사람은 극히 드물었다. **더욱이** 책을 접할 수 있는 사람도 거의 없었다.

» **furthermore** 앞에 서술된 내용에 또 다른 정보를 추가할 때 쓰임
» **moreover** 앞에 서술된 내용과 연관이 있으며 이를 뒷받침하는 다른 정보를 추가할 때 쓰임

1117 likewise*
[láikwàiz]

(부) 마찬가지로, 또한

Thales used reason to inquire into the nature of the universe, and encouraged others to do **likewise**. (학평) Thales는 우주의 본질을 탐구하기 위해 이성을 사용하였고, 다른 사람들도 **이와 같이** 하도록 권장하였다.

1118 so-called
[sóukɔ:ld]

(형) 소위, 이른바

Along Japan's coast, hundreds of **so-called** tsunami stones were put in place to warn people not to build homes below a certain point. (학평)
일본 해안가를 따라, 수백 개의 **이른바** 쓰나미 스톤이, 특정 지점 아래에 집을 짓지 말라고 사람들에게 경고하기 위해 놓여졌다.

1119 respectively
[rispéktivli]

(부) 각각

Black and white have a brightness of 0% and 100% **respectively**. (학평)
검정색과 흰색은 **각각** 명도가 0퍼센트와 100퍼센트이다.

➕ **respective** (형) 각각의

1120 literally
[lítərəli]

(부) 글자 그대로; 그야말로

Our brains are **literally** programmed to perform at their best when they are positive. (학평)
우리의 두뇌는 **말 그대로** 긍정적일 때 최상의 상태로 기능하도록 프로그램화되어 있다.

➕ **literal** (형) 글자 그대로의; 직역의; 상상력이 없는

01 .... influence perceptions　계속해서 인지에 영향을 주다　continually

02 their .... love　그들의 영원한 사랑　eternal

03 .... changes　잦은 변화　frequent

04 .... feelings　일시적인 감정　momentary

05 Winston Churchill, a .... British prime minister　former
전 영국 수상 Winston Churchill

06 based on .... experience　이전의 경험을 바탕으로　previous

07 in .... generations　이전 세대에서　prior

08 a .... phenomenon　현대적인 현상　contemporary

09 the .... life force　궁극적인 생명력　ultimate

10 the .... school musical　연례 학교 뮤지컬　annual

11 in the last ....　지난 10년 동안　decade

12 during his first ....　그의 첫 학기 중에　semester

13 on a special ....　특별한 경우에　occasion

14 make .... diagnoses　정확한 진단을 내리다　accurate

15 an .... term　애매모호한 용어　ambiguous

16 the .... reality　명백한 현실　plain

17 .... changes to the arrangements　배치의 미묘한 변화　subtle

18 the relative ....s of detergents　세제들의 상대적인 장점　merit

19 seemingly .... imbalance　겉보기에 사소해 보이는 불균형　minor

20 finding .... and criticizing　결점 찾기와 비판하기　fault

21 students with .... impressions 잘못된 생각을 하는 학생들   mistaken

22 experience an .... fall 불가피한 추락을 겪다   inevitable

23 Do something .... 뭔가 단조로운 일을 하라.   monotonous

24 .... way to clean up the ocean 바다를 청소할 실질적인 방법   practical

25 side effects of .... exercise 과도한 운동의 부작용   excessive

26 a .... part of every relationship 모든 관계의 근본적인 부분   fundamental

27 Ten miles is .... to about 16 km. equivalent
    10마일은 대략 16킬로미터와 같다.

28 a specific .... of science 과학의 특정한 측면   aspect

29 earn .... more than a dollar 겨우 1달러가 넘는 돈을 벌다   barely

30 dress .... for the weather 날씨에 따라 옷을 입다   accordingly

31 .... lead to a problem 결국 문제를 초래하다   eventually

32 Two kids are absent, ... , Sue and Tom. namely
    두 아이, 즉 Sue와 Tom이 결석이다.

33 bruised but .... unhurt 멍들었으나 그 외에는 다치지 않은   otherwise

34 I was tired but went .... 나는 피곤했지만 그럼에도 불구하고 갔다.   nevertheless

35 .... , the amount of data is huge. furthermore
    더욱이, 자료의 양은 엄청나다.

36 .... , few caught fish. 게다가 물고기를 잡은 이가 거의 없었다.   moreover

37 encourage people to do .... 사람들이 똑같이 하도록 권장하다   likewise

38 in the .... developed world 소위 선진 세계에서   so-called

39 Ken and Tim, aged 7 and 9 .... 각각 7세, 9세인 Ken과 Tim   respectively

40 Don't take his words .... 그의 말을 말 그대로 받아들이지 마.   literally

			check
1081	continually	(부) 계속해서; 빈번히	☐
1082	eternal	(형) 영원한	☐
1083	frequent	(형) 빈번한 (동) 자주 가다	☐
1084	momentary	(형) 순간의, 일시적인	☐
1085	former	(형) 예전의; 전자의 (명) 전자	☐
1086	previous	(형) 이전의, 사전의	☐
1087	prior	(형) 이전의, 우선하는	☐
1088	contemporary	(형) 동시대의 (명) 동시대인	☐
1089	ultimate	(형) 최후의; 궁극의; 근본적인	☐
1090	annual	(형) 매년의 (명) 연보, 연감	☐
1091	decade	(명) 10년; 10개 한 벌	☐
1092	semester	(명) 학기	☐
1093	occasion	(명) 경우; 행사; 이유 (동) ~의 원인이 되다	☐
1094	accurate	(형) 정확한, 정밀한	☐
1095	ambiguous	(형) 애매모호한; 두 가지 뜻으로 해석되는	☐
1096	plain	(형) 분명한 (부) 분명히 (명) 평야	☐
1097	subtle	(형) 미묘한; 엷은; 예민한	☐
1098	merit	(명) 장점; 우수성	☐
1099	minor	(형) 소수의 (명) 미성년자	☐
1100	fault	(명) 단점; 잘못 (동) 흠잡다	☐

			check
1101	mistaken	(형) 잘못된; 오해한	☐
1102	inevitable	(형) 필연적인; 당연한	☐
1103	monotonous	(형) 단조로운	☐
1104	practical	(형) 실제의; 실용적인	☐
1105	excessive	(형) 과도한	☐
1106	fundamental	(형) 근본적인; 중요한 (명) 기본; 원리	☐
1107	equivalent	(형) 동등한 (명) 동등한 것	☐
1108	aspect	(명) 측면; 외관; 방향	☐
1109	barely	(부) 간신히; 거의 ~ 않다	☐
1110	accordingly	(부) 따라서; 그에 따라	☐
1111	eventually	(부) 결국, 마침내	☐
1112	namely	(부) 즉, 다시 말하자면	☐
1113	otherwise	(부) 그렇지 않으면; 그 외에; 다른 방법으로	☐
1114	nevertheless	(부) 그럼에도 불구하고	☐
1115	furthermore	(부) 더욱이, 게다가	☐
1116	moreover	(부) 게다가, 더욱이, 또한	☐
1117	likewise	(부) 마찬가지로, 또한	☐
1118	so-called	(형) 소위, 이른바	☐
1119	respectively	(부) 각각	☐
1120	literally	(부) 글자 그대로; 그야말로	☐

외우지 못한 단어가 있으면 미니 단어장에서 다시 한번 정리해 보세요.

DAY 29

기타 동사·명사

| Word Map에 주제별로 분류된 단어의 뜻을 유추하여 빈칸에 쓰세요. |

생각 계획
bias	편견; 비스듬한	
concept		
prospect	전망; 예상; 탐사하다	
project	계획하다; 예상하다; 계획	
anticipate	예상하다; 기대하다	
predict	예측하다, 예언하다	

진행 해결
simplify	단순화하다
define	정의하다; 규정하다
deal	거래하다; 거래
compensate	보상하다; 상쇄하다
imitate	

상태
status	지위, 신분; 상황
fatigue	
facility	시설; 재능; 쉬움

순서
procedure	절차; 진행
quit	그만두다; 떠나다
initiate	

섭취
diet	
appetite	식욕; 욕구; 기호
famine	기근; 굶주림
starve	굶주리다; 굶기다

요리
peel	껍질을 벗기다; 껍질
ingredient	
recipe	조리법; 비결
spice	양념, 향신료
flavor	맛, 풍미; 조미료

상황
await	기다리다
deserve	~을 받을 자격이 있다
remain	
confront	직면하다; 맞서다

사람
folk	사람들; 민속의; 민중의
mate	배우자; 짝짓기를 하다
personality	
occupation	직업; 점령; 거주

소유
heritage	
possess	소유하다; 사로잡다
belong	(~에) 속하다
abandon	버리다; 그만두다, 단념하다

부분
organ	장기; 기관; 오르간
edge	

DAY 29 기타 동사·명사

[책] 가리개를 사용하여 뜻을 잘 암기했는지 확인하세요.

1121 □□ **bias***
[báiəs]

[명] 편견 [동] 편견을 갖게 하다 [형] 비스듬한

Everyone is affected by unconscious **biases** that lead us to make incorrect assumptions about other people. [학평] 모든 사람은 다른 사람들에 대한 부정확한 가정을 하도록 이끄는 무의식적인 **편견**에 의해 영향을 받는다.

[+] biased [형] 치우친; 편견을 가진 unbiased [형] 선입관[편견]이 없는

1122 □□ **concept***
[kánsept]

[명] 개념, 관념

The Amondawa tribe, living in Brazil, does not have a **concept** of time that can be measured or counted. [학평]
브라질에 사는 Amondawa 부족에게는 측정되거나 셀 수 있는 시간이라는 **개념**이 없다.

1123 □□ **prospect***
[práspèkt]

[명] 전망; 예상 [동] 탐사하다

We borrow environmental capital from future generations with no intention or **prospect** of repaying. [수능]
우리는 갚으려는 의도나 **예상**도 없이 미래의 세대들로부터 환경 자본을 빌린다.

[+] prospective [형] 장래의, 예상된; 가망이 있는

1124 □□ **project**
[동][prədʒékt]
[명][prádʒekt]

[동] 계획하다; 예상하다; 투영하다 [명] 계획, 연구 과제

Salva had to raise money for a **project** to help southern Sudan. [학평]
Salva는 남수단을 돕기 위한 **계획**을 위해서 모금을 해야 했다.

[+] projection [명] 예상; 투영; 영사

How Different

1125 □□ **anticipate***
[æntísəpèit]

[동] 예상하다, 기대하다

However much you may remember the past or **anticipate** the future, you live in the present. [학평]
여러분이 아무리 많이 과거를 기억하거나 미래를 **예상할지라도**, 여러분은 현재에 살고 있다.

[+] anticipation [명] 예상, 기대

1126 □□ **predict***
[pridíkt]

[동] 예측하다, 예언하다

We can't **predict** the outcomes of sporting contests, which vary from week to week. [학평] 우리는 매주 달라지는 스포츠 경기의 결과를 **예측할** 수 없다.

[+] predictable [형] 예측할 수 있는 prediction [명] 예언[예보]하기; 예측

» **anticipate** 어느 일이 분명히 일어날 것이라고 생각해서 그에 대한 준비가 필요함을 가리킴
» **predict** 관찰, 경험을 기반으로 어느 일이 일어날 것이라고 예측함을 가리킴

1127 simplify
[símpləfài]

(동) 단순화하다

Simplifying great writing means less-than-great writing. 학평
위대한 문학 작품을 **단순화한다는 것**은 작품이 위대하지 않게 됨을 의미한다.

➕ simplification (명) 단순화, 간소화

1128 define*
[difáin]

(동) 정의하다; 규정하다

All learners grow and learn in culturally **defined** ways in culturally **defined** contexts. 학평 모든 학습자들은 문화적으로 **규정된** 맥락 안에서 문화적으로 **규정된** 방식으로 성장하고 배운다.

➕ definition (명) 정의; 선명도   definite (형) 확실한

1129 deal*
[di:l]

(동) 거래하다   (명) 거래; 대우; 분량

If full communication with a potential counterparty in a **deal** is not possible, then uncertainty and probably a measure of distrust will remain. 학평 **거래**에서 잠재적 계약 상대와 완전한 의사소통이 가능하시 않다면, 불확실성과 아마도 어느 정도의 불신이 남아 있을 것이다.

deal with ~을 다루다; ~을 처리하다   **a good deal of** 많은 (양의), 다량의

1130 compensate
[kámpənsèit]

(동) 보상하다; 상쇄하다

Workers are not always **compensated** for their increased productivity. 학평 노동자들은 그들의 증가된 생산성에 대해 항상 **보상받지는** 못한다.

➕ compensation (명) 보상(금), 배상

1131 imitate*
[ímitèit]

(동) 모방하다

When a team member displays a strong work ethic and begins to have a positive impact, others **imitate** him. 학평 한 팀원이 강한 직업 윤리를 보여 주고 긍정적인 영향을 주기 시작할 때, 다른 사람들은 그를 **모방한다**.

➕ imitation (명) 모방, 흉내; 모조품

1132 status*
[stǽtəs/stéitəs]

(명) 지위, 신분; 상황

This is a reply to your inquiry about the shipment **status** of the desk you purchased at our store on September 26. 학평 이것은 귀하께서 9월 26일 저희 가게에서 구매하셨던 책상의 배송 **상황** 문의에 대한 회신입니다.

1133 fatigue
[fətí:g]

(명) 피로   (동) 지치게 하다

Fatigue and pain are your body's ways of saying that it is in danger and is being overworked. 학평 **피로**와 고통은 당신의 몸이 위험에 처해 있고 너무 무리하고 있다는 것을 말해 주는 방식이다.

1134 **facility**[*]
[fəsíləti]

(명) 시설; 재능; 쉬움

People living in neighborhoods with safe biking and walking lanes, public parks, and freely available exercise **facilities** use them often. 학평 안전한 자전거 도로와 산책로, 공원, 자유롭게 이용할 수 있는 운동 **시설**이 있는 동네에 사는 사람들은 그것들을 흔히 사용한다.

➕ facilitate (동) (손)쉽게 하다

1135 **procedure**
[prəsíːdʒər]

(명) 절차; 진행

We hope to give some practical education to our students in regard to industrial **procedures**. 학평 저희는 저희 학생들에게 산업 **절차**와 관련해 몇 가지 실용적인 교육을 하기를 바랍니다.

➕ proceed (동) 나아가다; 진행하다 procedural (형) 절차(상)의

1136 **quit**[*]
[kwit]

(동) 그만두다; 떠나다

When Thomas Nast was about 13 years old, he **quit** regular school and he started to study art the next year. 학평 Thomas Nast는 13살쯤에 정규 학교를 **그만두고** 이듬해에 미술을 공부하기 시작했다.

1137 **initiate**[*]
[iníʃièit]

(동) 시작하다; 가입시키다

The bus company **initiated** the service to the front door of our apartment complex every day. 학평 버스 회사가 매일 우리 아파트 단지 정문으로 오는 운행을 **시작했다**.

➕ initiative (명) 계획; 결단력 (형) 초기의 initial (형) 처음의, 최초의 (명) 머리글자

1138 **diet**
[dáiət]

(명) 음식; 식이 요법

Hippocrates discovered that **diet** played an important role in preventing disease. 학평 Hippocrates는 **음식**이 질병을 예방하는 데 중요한 역할을 한다는 것을 발견했다.

be on a diet 식이 요법 중이다
➕ dietary (형) 음식물의; 규정식의; 식이 요법의 (명) 규정식, (식사의) 규정량

1139 **appetite**
[ǽpətàit]

(명) 식욕; 욕구; 기호

One of the symptoms of Foot-and-Mouth Disease is loss of **appetite** and weight. 학평 구제역의 증상들 중 하나는 **식욕**과 체중의 감소이다.

➕ appetizer (명) 식욕을 돋우는 것, 전채

1140 **famine**
[fǽmin]

(명) 기근; 굶주림

During a **famine**, the ultimate cause of death is the lack of proteins and the essential amino acids calories provide. 학평 **기근** 동안 죽음의 궁극적인 원인은 단백질과, 열량이 제공하는 필수 아미노산의 부족이다.

1141 **starve**

[stɑːrv]

[동] 굶주리다; 굶기다

There were more than 1.5 million people **starving** in the King's country, and there was no money to feed them. [학평] 그 왕의 나라에는 150만 명이 넘는 사람들이 **굶주리고** 있었고, 그들에게 식량을 공급할 돈은 없었다.

starve to death 굶어 죽다
[+] **starvation** [명] 기아, 굶주림

1142 **peel***

[piːl]

[동] 껍질을 벗기다 [명] (과일의) 껍질

Dorothy **peeled** two potatoes, sliced them up and put a pot with cooking oil on the stove. [학평]
Dorothy는 감자 두 개의 **껍질을 벗겨** 얇게 썰고, 식용유를 넣은 냄비를 레인지에 올렸다.

1143 **ingredient***

[ingríːdiənt]

[명] 성분, 재료; 구성 요소

Many of the manufactured products made today contain so many chemicals and artificial **ingredients**. [학평] 오늘날 만들어진 제조 식품 중 다수가 너무 많은 화학 물질과 인공 **재료**를 함유하고 있다.

1144 **recipe***

[résəpìː]

[명] 조리법; 비결

After class, participants can take home all **recipes** and the meals they cooked. [학평]
수업이 끝난 후 참가자들은 모든 **조리법**과 자신들이 요리한 음식을 집으로 가져갈 수 있다.

How Different

1145 **spice**

[spais]

[명] 양념, 향신료 [동] 양념을 치다

Mince pies consist of dried fruit and **spices** like cinnamon. [학평]
민스파이는 말린 과일과 계피 같은 **향신료들**로 구성된다.

[+] **spicy** [형] 양념을 넣은; 매운

1146 **flavor***

[fléivər]

[명] 맛, 풍미; 조미료 [동] 맛을 내다

Great ideas, like great wines, need proper aging: time to bring out their full **flavor** and quality. [학평] 위대한 아이디어는 훌륭한 와인과 같이 적절한 숙성, 즉 완벽한 **풍미**와 품질을 끌어내는 시간이 필요하다.

[+] **flavored** [형] (~의) 맛이 나는 **flavoring** [명] 조미료

» **spice** 음식에 맛과 향을 더하기 위해 쓰이는 식물 성분 물질
» **flavor** 특정한 맛과 향을 만드는 데 쓰이는 물질

1147 **await***

[əwéit]

[동] 기다리다

There must be some explanation for this delay, so we **await** your prompt reply. [학평]
이 지연에 관해 해명이 있어야 하므로, 저희는 귀하의 빠른 답변을 **기다립니다**.

1148 deserve*
[dizə́:rv]

(동) ~을 받을 자격이 있다

You worked hard to enter that college, and you **deserve** your success.
(학평) 네가 그 대학에 들어가려고 열심히 공부했으니 너는 네 성공을 누릴 **자격이 있다.**

➕ deserved (형) (상. 벌. 보상 등이) 응당한, 당연한

1149 remain*
[riméin]

(동) 남다; 여전히 ~이다   (명) (pl.) 나머지; 유적

In the course of agricultural development, women's labor productivity
remains unchanged compared to men's. (학평)
농업 발전의 과정에서 여성의 노동 생산성은 남성에 비해 바뀌지 않은 채로 **남아** 있다.

1150 confront*
[kənfrʌ́nt]

(동) 직면하다; 맞서다

An individual fails or succeeds at some task which **confronts** him. (학평)
사람은 자신에게 **직면한** 어떤 일에서 실패하거나 성공한다.

➕ confrontation (명) 대립; 대결

1151 folk*
[fouk]

(명) 사람들; (pl.) 가족, 친척   (형) 민속의; 민중의

Most **folk** paintings were done by people who had little formal artistic
training. (학평)
대부분의 **민속화**는 정식 예술 훈련을 거의 받지 않은 사람들에 의해 그려졌다.

1152 mate*
[meit]

(명) 배우자, 짝   (동) 짝짓기를 하다

In Minnesota, mallards, a kind of ducks, **mate** in late winter or early
spring. (학평)
미네소타에서 오리의 한 종류인 청둥오리는 늦은 겨울이나 이른 봄에 **짝짓기를 한다.**

1153 personality*
[pə̀rsənǽləti]

(명) 성격; 개성

From birth, each baby has a unique **personality** and preferences. (학평)
태어나면서부터, 각각의 아기는 특유의 **성격**과 선호도를 가진다.

➕ personal (형) 개인의, 개인적인

1154 occupation*
[àkjəpéiʃən]

(명) 직업; 점령; 거주

Robert Ferber from Illinois University had respondents rate a list of
occupations. (학평)
Illinois 대학의 Robert Ferber는 응답자들에게 여러 **직업들**의 순위를 매겨보도록 하였다.

➕ occupy (동) 차지하다, 거주하다

1155 **heritage**
[hérɪtɪdʒ]

(명) 유산

Halet Cambel's work preserving Turkey's cultural **heritage** won her a Prince Claus Award. (학평) 터키의 문화**유산**을 보존한 Halet Cambel의 업적은 그녀에게 Prince Claus 상을 안겨 주었다.

How Different

1156 **possess***
[pəzés]

(동) 소유하다; 사로잡다

We are using only a small percentage of the potential social skills we all **possess**. (학평)
우리는 우리 모두가 **소유한** 잠재적인 사교 기술들 중 오직 낮은 비율만을 사용하고 있다.

➕ **possession** (명) 소유, 점유 (pl.) 소유물, 재산

1157 **belong***
[bilɔ́(:)ŋ]

(동) (~에) 속하다, (~의) 소유이다

The need to **belong** is a product of human beings' evolutionary history as a social species. (학평)
속하려는 욕구는 사회적 종으로서의 인간 진화 역사의 산물이다.

➕ **belonging** (명) 소속감; (pl.) 소유물, 소지품

» **possess** 어느 대상에 대한 소유권이 있음을 가리킴
» **belong** 어떤 물건이 누군가의 소유임을 가리키거나 누군가가 어느 집단에 소속되어 있음을 가리킴

1158 **abandon***
[əbǽndən]

(동) 버리다; 그만두다, 단념하다

Although an investment may be falling in price, it doesn't mean you have to **abandon** it in a rush. (학평) 투자 대상의 가격이 떨어진다고 해서 그것이 그 투자를 성급하게 **그만두어야** 함을 의미하는 것은 아니다.

➕ **abandoned** (형) 버림받은; 버려진

1159 **organ***
[ɔ́ːrgən]

(명) 장기; 기관; 오르간

Early human populations preferred the fat and **organ** meat of the animal over its muscle meat. (학평)
초기 인류는 동물의 살코기보다는 비계와 **내장육**을 더 선호했다.

➕ **organic** (형) 유기농의; 생물의; 장기의   **organism** (명) 유기체

1160 **edge***
[edʒ]

(명) 가장자리; (칼의) 날; 유리함

Long ago, people feared that if they traveled too far they might fall off the **edge** of Earth. (학평)
옛날에, 사람들은 너무 멀리 가면, 지구의 **가장자리**로 떨어질 거라고 두려워했다.

on the edge of ~의 가장자리에, 막 ~하려는 참에

기타 동사·명사
Use Words

빈칸을 채우며 단어를 외우고, 쓰면서 한 번 더 익히세요.

01 a strong .... against foreigners   외국인에 대한 강한 편견

bias   bias

02 a .... of time   시간이라는 개념

concept

03 have nothing in ....   아무 가망도 없다

prospect

04 carry a .... to completion   계획을 완성하다

project

05 .... a good vacation   즐거운 휴가를 기대하다

anticipate

06 .... the outcomes of sporting contests
스포츠 경기의 결과를 예측하다

predict

07 .... great writing   위대한 문학 작품을 단순화하다

simplify

08 Art is difficult to ....   예술은 정의하기 어렵다.

define

09 a fair ....   공정한 대우

deal

10 be ....d for increased productivity
증가된 생산성에 대해 보상받다

compensate

11 .... the complex functions   복잡한 기능을 모방하다

imitate

12 the shipment .... of the desk   책상의 배송 상황

status

13 bodily ....   신체적 피로

fatigue

14 beyond the ....'s capacity   시설의 수용 능력을 넘어

facility

15 the proper .... of survey   설문의 적절한 절차

procedure

16 .... regular school   정규 학교를 그만두다

quit

17 .... the bus service   버스 운행을 시작하다

initiate

18 a friend who is on a ....   식이 요법을 하는 친구

diet

19 loss of .... and weight   식욕과 체중의 감소

appetite

20 feast and ....   풍요와 기근

famine

21 Don't let people .... 사람들을 굶게 하지 마.   starve

22 .... two potatoes 감자 두 개의 껍질을 벗기다   peel

23 use a seasonal .... 제철 재료를 쓰다   ingredient

24 find a new .... 새로운 조리법을 찾아내다   recipe

25 the .... exported abroad 외국으로 수출되는 향신료   spice

26 an artificial .... 인공 조미료   flavor

27 .... one's opportunity 기회를 기다리다   await

28 You .... your success. 당신은 성공할 만하다.   deserve

29 .... unchanged 바뀌지 않은 채 남다   remain

30 the best way to .... problems 문제에 맞서는 최고의 방법   confront

31 most .... paintings 대부분의 민속화   folk

32 Mallards .... in late winter.   mate
청둥오리는 늦은 겨울에 짝짓기를 한다.

33 a unique .... and preferences 독특한 성격과 선호도   personality

34 choosing one's .... 직업의 선택   occupation

35 preserve Turkey's cultural .... 터키의 문화유산을 보존하다   heritage

36 social skills we all .... 우리 모두가 소유한 사회적 기술   possess

37 the need to .... 속하려는 욕구   belong

38 .... an investment in a rush 투자를 성급하게 그만두다   abandon

39 the .... meat of the animal 동물의 내장육   organ

40 fall off the .... of Earth 지구의 가장자리로 떨어지다   edge

기타 동사·명사
3-Minute Check

			check
1121	bias	몡 동 편견(을 갖게 하다) 혱 비스듬한	☐
1122	concept	몡 개념, 관념	☐
1123	prospect	몡 전망; 예상 동 탐사하다	☐
1124	project	동 계획하다; 예상하다 몡 계획, 연구 과제	☐
1125	anticipate	동 예상하다; 기대하다	☐
1126	predict	동 예측하다, 예언하다	☐
1127	simplify	동 단순화하다	☐
1128	define	동 정의하다; 규정하다	☐
1129	deal	동 거래하다 몡 거래; 대우; 분량	☐
1130	compensate	동 보상하다; 상쇄하다	☐
1131	imitate	동 모방하다	☐
1132	status	몡 지위, 신분; 상황	☐
1133	fatigue	몡 피로 동 지치게 하다	☐
1134	facility	몡 시설; 재능; 쉬움	☐
1135	procedure	몡 절차; 진행	☐
1136	quit	동 그만두다; 떠나다	☐
1137	initiate	동 시작하다; 가입시키다	☐
1138	diet	몡 음식; 식이 요법	☐
1139	appetite	몡 식욕; 욕구; 기호	☐
1140	famine	몡 기근; 굶주림	☐

			check
1141	starve	동 굶주리다; 굶기다	☐
1142	peel	동 껍질을 벗기다 몡 껍질	☐
1143	ingredient	몡 성분, 재료; 구성 요소	☐
1144	recipe	몡 조리법; 비결	☐
1145	spice	몡 양념, 향신료 동 양념을 치다	☐
1146	flavor	몡 맛, 풍미; 조미료 동 맛을 내다	☐
1147	await	동 기다리다	☐
1148	deserve	동 ~을 받을 자격이 있다	☐
1149	remain	동 남다 몡 나머지; 유적	☐
1150	confront	동 직면하다; 맞서다	☐
1151	folk	동 사람들 혱 민속의; 민중의	☐
1152	mate	몡 배우자 동 짝짓기를 하다	☐
1153	personality	몡 성격; 개성	☐
1154	occupation	몡 직업; 점령; 거주	☐
1155	heritage	몡 유산	☐
1156	possess	동 소유하다; 사로잡다	☐
1157	belong	동 (~에) 속하다	☐
1158	abandon	동 버리다; 그만두다	☐
1159	organ	몡 장기; 기관; 오르간	☐
1160	edge	몡 가장자리; 날; 유리함	☐

외우지 못한 단어가 있으면 미니 단어장에서 다시 한번 정리해 보세요.

기타 형용사·부사

| **Word Map**에 주제별로 분류된 단어의 뜻을 유추하여 빈칸에 쓰세요. |

논리
- rational　이성적인; 합리적인
- reasonable

시간
- initial　초기의; 머리글자
- instantly　즉시
- punctual
- urgent　긴급한; 재촉하는

감각 감정
- emotional　감정의; 감정적인
- dizzy
- exhausted　기진맥진한; 소모된
- optimistic　낙관적인, 낙천적인
- tempting　유혹하는; 솔깃한
- thrilled　황홀해하는, 매우 기쁜

인지 인식
- cognitive　인식의, 인지의
- anonymous　익명의, 성명 미상의
- nonverbal　말을 쓰지 않는
- mute

진위
- fake　가짜(의); 위조하다
- actual
- virtual　실질적인; 가상의

정도 서술
- widespread　널리 퍼진, 광범위한
- approximately　대략
- strict
- brief　짧은, 간단한
- sound　건전한; 깊이
- solely　단독으로; 오로지

종류
- raw　날것의, 가공하지 않은
- hybrid
- casual　우연한; 일시적인; 무심결의
- random　임의의, 무작위의

문화 관습
- conventional　관습적인; 상투적인
- exotic
- memorial　기념의, 추도의; 기념비
- old-fashioned　구식의
- racial　인종의; 민족의

변화 여부
- consistent　일관된; 일치하는
- constant　거듭되는; 일정한; 충실한
- variable
- evolutionary　발달의; 진화의

반대
- contrary
- opposite　맞은편의; 반대의 것

DAY 30 기타 형용사·부사

📖 가리개를 사용하여 뜻을 잘 암기했는지 확인하세요.

How Different

1161 rational
[rǽʃənl]

📋 이성적인; 합리적인

A decision can be **rational** without being right and right without being **rational**. 학평 결정은 옳지 않으며 **이성적일** 수 있고, **이성적이지** 않으며 옳을 수 있다.

🔁 **rationally** 🔹 이성적으로   **rationalize** 🔹 합리화하다   🔄 **irrational** 🔹 비이성적인

1162 reasonable
[ríːzənəbəl]

📋 분별 있는; 타당한

Any **reasonable** observer in, say, 1700, would have expected the world's cotton production to remain centered in India, or perhaps in China. EBS 이를테면 1700년에는 어떤 **분별 있는** 관찰자라도 세계 면화 생산이 인도 혹은 아마도 중국에 계속 집중될 것이라고 예상했을 것이다.

🔁 **reasonably** 🔹 꽤; 합리적으로   🔄 **unreasonable** 🔹 불합리한

» **rational** 과학적 근거에 기반하여 논리적이고 이성적으로 판단한 것을 가리킴
» **reasonable** 상황과 맥락에 알맞게 논리적으로 판단한 것을 가리킴

1163 initial*
[iníʃəl]

📋 초기의   📋 머리글자

The **initial** stages of a relationship are usually relatively conflict-free. 학평 대개 관계의 **초기** 단계에는 상대적으로 갈등이 없다.

🔁 **initially** 🔹 처음에   **initiate** 🔹 시작하다

1164 instantly
[ínstəntli]

📋 즉시

The term 'duel' **instantly** brings to mind sword-wielding opponents facing off. '결투'라는 단어는 칼을 휘두르며 대결하는 적들을 **즉시** 떠올리게 한다.

🔁 **instant** 🔹 즉각적인 🔹 순간   **instantaneous** 🔹 즉시의; 동시적인 (instant보다 빠른)

1165 punctual
[pʌ́ŋktʃuəl]

📋 시간을 엄수하는

Croatians tend to be extremely **punctual** and expect others to be on time. 크로아티아인은 매우 **시간을 엄수하고** 다른 이들도 시간을 지키길 바라는 편이다.

🔁 **punctuality** 🔹 시간 엄수

1166 urgent*
[ə́ːrdʒənt]

📋 긴급한; 재촉하는

Climate change is one of today's most **urgent** global challenges.
기후 변화는 현재 가장 **긴급한** 국제적 과제들 중 하나이다.

🔁 **urgency** 🔹 긴급(한 일), 절박   **urgently** 🔹 긴급히, 다급하여

1167 emotional
□□
[imóuʃənəl]

(형) 감정의; 감정적인

Counselors often advise clients to get some **emotional** distance from whatever is bothering them. (학평) 상담가들은 의뢰인들에게 그들을 귀찮게 하는 그 어떤 것과도 약간의 **감정적** 거리를 두라고 흔히 조언한다.

➕ emotion (명) 감정   emotionally (부) 감정적으로, 정서적으로

1168 dizzy
□□
[dízi]

(형) 현기증 나는   (동) 현기증 나게 하다

The lack of oxygen makes people feel tired, **dizzy**, and sick. (학평)
산소 부족은 사람들을 피곤하고, **어지럽고**, 메스껍게 만든다.

1169 exhausted
□□
[igzɔ́:stid]

(형) 기진맥진한; 소모된

Exercising gives you more energy and keeps you from feeling **exhausted**. (학평)
운동은 여러분에게 더 많은 에너지를 주고 여러분이 **지치는** 것을 막는다.

➕ exhaust (동) 지치게 하다; 고갈시키다

1170 optimistic
□□
[àptəmístik]

(형) 낙관적인, 낙천적인

Salespeople who are **optimistic** sell more than those who are pessimistic by 56 percent. (학평)
낙관적인 판매원이 비관적인 판매원보다 56퍼센트 더 많이 판매한다.

➕ optimism (명) 낙천주의   optimist (명) 낙관론자   optimize (동) 낙관하다

1171 tempting
□□
[témptiŋ]

(형) 유혹하는; 솔깃한

If you are looking to improve muscles, it can be very **tempting** to really push your body beyond its limits. (학평) 만약 여러분이 근육을 발달시키려고 한다면, 여러분의 신체를, 그 한계를 넘기도록 밀어붙이는 것이 매우 **솔깃할** 수 있다.

➕ tempt (동) 유혹하다, 꾀다   temptation (명) 유혹(적인 것)

1172 thrilled
□□
[θrild]

(형) 황홀해하는, 매우 기쁜

Amy felt overwhelmingly **thrilled** for being mentioned as one of the top five medical graduates of her school. (학평)
Amy는 자신의 학교에서 다섯 명의 최우수 의대 졸업생 중 한 명으로 언급되어 **매우 기뻤다**.

➕ thrill (동) 황홀하게 하다 (명) 황홀감

1173 cognitive
□□
[kágnətiv]

(형) 인식의, 인지의

Learners function within complex developmental, **cognitive**, physical, social, and cultural systems. (학평)
학습자들은 복잡한 발달상의 **인지적**, 신체적, 사회적, 그리고 문화적 체계 안에서 기능한다.

➕ cognition (명) 인식, 인지   cognitively (부) 인식적으로, 인지적으로

1174 anonymous
[ənánəməs]

(형) 익명의, 성명 미상의

We want to express our heartfelt gratitude to the **anonymous** donor who gave this gift to our fund. 저희는 저희 기금에 이러한 기부를 하신 **익명의** 기증자에게 진심에서 우러나온 감사를 표하고 싶습니다.

➕ anonymity (명) 익명, 무명

1175 nonverbal
[nɑnvə́ːrbəl]

(형) 말을 쓰지 않는, 비언어적인

Nonverbal communication can be useful in situations where speaking may be impossible or inappropriate. 학평
말하기가 불가능하거나 부적절한 상황에서 **비언어적** 의사소통은 유용할 수 있다.

➕ nonverbally (부) 비언어적으로　🔁 verbal (형) 말의, 구두의

1176 mute
[mjuːt]

(형) 무언의; 묵음의　(명) 묵음

Dr. Carrasco has remained **mute** about whether he will resign.
Carrasco 박사는 그가 사임할지에 관해 **침묵했다.**

1177 fake
[feik]

(형) 가짜의　(명) 가짜, 사기꾼　(동) 위조하다; 속이다

Much of the spread of **fake** news occurs through irresponsible sharing. 학평 **가짜** 뉴스 확산의 많은 부분은 무책임한 공유를 통해서 일어난다.

How Different

1178 actual*
[ǽktʃuəl]

(형) 현실의, 실제의

Social information is now being shared much more widely across virtual and **actual** borders than in the past. 학평 사회적 정보는 이제 가상 그리고 **실제** 경계를 넘어서 과거보다 훨씬 더 널리 공유되고 있다.

1179 virtual
[və́ːrtʃuəl]

(형) 실질적인; 가상의

In the video game business, selling **virtual** items is where the real money lies. 학평 비디오 게임 산업에서, **가상** 아이템을 파는 것이 실제 이윤을 낸다.

➕ virtuality (명) 사실상 그러함, 실질　virtually (부) 실질적으로

» **actual** 실제의 것을 가리킴
» **virtual** 실제에 거의 근접하게 (컴퓨터로) 만들었으나 실제는 아닌 것을 가리킴

1180 widespread*
[wáidspréd]

(형) 널리 퍼진, 광범위한

What Joan wanted to do was create a learning epidemic to fight the **widespread** epidemics of poverty and illiteracy. 학평 Joan이 하길 원했던 것은 **만연한** 가난과 문맹이라는 유행병과 싸우기 위해 학습 유행병을 만드는 것이었다.

1181 approximately
[əpráksəmitli]

(부) 대략

The average American adult has **approximately** 1,200 different species of bacteria residing in his or her gut. 학평
일반 미국 성인에게는 장 속에 서식하는, **대략** 1,200개의 다른 종의 박테리아가 있다.

1182 strict*
[strikt]

(형) 엄격한; 엄밀한

Most kids would rather have parents that are a little too **strict** than not **strict** enough. 학평
대부분의 아이들에게 부모님은 충분히 **엄하지** 않은 것보다 약간 과하게 **엄격한** 것이 낫다.

➕ strictly (부) 엄격히; 엄밀하게

1183 brief*
[bri:f]

(형) 짧은, 간단한   (동) ~에게 보고하다

Don't eliminate a person from your life based on a **brief** observation. 학평 어느 사람도 **잠시** 본 것만으로 여러분의 삶에서 제외하지 마라.

in brief 말하자면, 요컨대   to be brief 간단히 말하면
➕ briefly (부) 잠시; 간단히

1184 sound
[saund]

(형) 건전한   (부) 깊이   (동) ~하게 들리다

Selfish adults or kids do not make **sound** decisions as well as do grateful people. 학평 이기적인 성인들이나 아이들은 감사할 줄 아는 사람들이 하는 만큼 **건전한** 결정을 잘 내리지 못한다.

1185 solely
[sóulli]

(부) 단독으로; 오로지

The sport marketer must avoid marketing strategies based **solely** on winning. 학평
스포츠 마케팅 담당자는 **오로지** 승리에만 기반을 두는 마케팅 전략을 피해야 한다.

➕ sole (형) 유일한; 단독의   (명) 발바닥

1186 raw*
[rɔ:]

(형) 날것의, 가공하지 않은

Recycling makes more new jobs than extracting **raw** materials. 학평
재활용이 **원자재**를 추출해 내는 것보다 새로운 일자리들을 더 많이 만든다.

1187 hybrid
[háibrid]

(형) 혼성의, 합성의   (명) 혼성체

For the most part empires have produced **hybrid** civilizations that absorbed much from their subject peoples. 학평
대체로 제국들은 피지배 민족들로부터 많은 것을 흡수한 **혼성의** 문명을 만들어 왔다.

1188
☐☐ **casual***

[kǽʒuəl]

(형) 우연한; 일시적인; 무심결의

Mandy just took a **casual** glance at my laptop before shifting her gaze to hers.
Mandy는 내 노트북 컴퓨터를 **무심코** 보고 나서 그녀의 노트북으로 시선을 돌렸다.

1189
☐☐ **random***

[rǽndəm]

(형) 임의의, 무작위의

Shopping for new gadgets, clothes, or just **random** junk can turn into a hobby in itself. (학평)
새로운 기기, 옷, 혹은 **무작위의** 잡동사니들을 사는 것은 그 자체로도 취미가 될 수 있다.

at random 되는 대로
➕ **randomly** (부) 무작위로   **randomness** (명) 임의

1190
☐☐ **conventional**

[kənvénʃənəl]

(형) 관습적인; 상투적인

A symbol is understood only because there are shared **conventional** meanings. (학평) 공유된 **관습적인** 의미가 있기 때문에 상징 기호가 이해되는 것이다.

➕ **convention** (명) 총회; 협정; 관습

1191
☐☐ **exotic***

[igzátik]

(형) 외래의; 이국적인

Exotic earthworms may threaten the stability of the ecosystem. (학평)
외래종 지렁이들이 생태계의 안정성을 위협할 수 있다.

1192
☐☐ **memorial**

[məmɔ́:riəl]

(형) 기념의, 추도의   (명) 기념비

All veterans wear medals on **Memorial** Day to show that they will not forget the real heroes who gave their lives defending this land. (학평)
모든 참전 용사들은 이 나라를 지키기 위해 자신의 목숨을 바친 진정한 영웅들을 잊지 않겠다는 것을 보이기 위해 전몰장병 **추모일**에 훈장을 착용한다.

Memorial Day 전몰장병 추모일; 현충일

1193
☐☐ **old-fashioned**

[ouldfǽʃənd]

(형) 구식의

The little country schoolhouse was heated by an **old-fashioned** coal stove. (학평) 그 작은 시골 학교 교사는 **구식** 석탄 난로로 난방을 했다.

1194
☐☐ **racial***

[réiʃəl]

(형) 인종의; 민족의

Social science has failed to eliminate great social evils such as **racial** discrimination and war. (학평)
사회 과학은 **인종** 차별과 전쟁 같은 거대한 사회악을 제거하는 데에 실패했다.

➕ **race** (명) 인종; 경주; 경쟁

1195 consistent*
[kənsístənt]

(형) 일관된; 일치하는; 거듭되는

Enforcement of the limit should be **consistent** and firm. 학평
제한의 시행은 **일관성** 있고 단호해야 한다.

➕ **consistency** (명) 일관성; 농도   **consistently** (부) 일관되게

1196 constant*
[kánstənt]

(형) 거듭되는; 일정한; 충실한   (명) 상수

China's frequent times of unity and Europe's **constant** disunity both have a long history. 학평
중국의 빈번한 통합과 유럽의 **거듭되는** 분열은 모두 오랜 역사를 지니고 있다.

➕ **constantly** (부) 끊임없이; 빈번하게

» consistent 방식과 기준이 바뀌지 않고 늘 동일하며, 꾸준하게 행동하거나, 사건이 발생함을 가리킴
» constant 끊임없이 일정하게 계속되는 것을 기리킴

1197 variable
[vέəriəbl]

(형) 변하기 쉬운   (명) 변수

Even though two **variables** seem to be related, there may not be a causal relationship. 학평
비록 두 **변수**가 관련 있는 것처럼 보이더라도 인과 관계가 없을 수도 있다.

➕ **variability** (명) 변하기 쉬움   **vary** (동) 각기 다르다; 변화를 주다
➖ **invariable** (형) 불변의

1198 evolutionary
[èvəlú:ʃənèri]

(형) 발달의; 진화의

Evolutionary biologists believe sociability drove the evolution of our complex brains. 학평
진화 생물학자들은 사회성이 복잡한 우리 두뇌의 진화를 이끌었다고 믿는다.

➕ **evolution** (명) 진화; 발전   **evolve** (동) 발달하다; 진화하다

1199 contrary*
[kántreri]

(형) 정반대의   (명) 정반대, 모순   (부) 반대로

Contrary to actual smiles, smileys do not increase perceptions of warmth. 학평 실제 미소와 **달리**, 웃음 이모티콘은 친밀감에 대한 인식을 늘리지 않는다.

on the contrary 이에 반하여

1200 opposite
[ápəzit]

(형) 맞은편의; 반대의   (명) 반대의 것   (전) ~의 맞은편에

A gentle tapping at one end of a long table can be clearly heard at the **opposite** end if the ear is pressed against the table. 학평
긴 탁자의 한 쪽 끝에서 가볍게 두드리는 소리는 귀를 탁자에 대고 있으면 **맞은편** 끝에서 잘 들릴 수 있다.

➕ **opposition** (명) 반대; 대립

기타 형용사·부사
Use Words

빈칸을 채우며 단어를 외우고, 쓰면서 한 번 더 익히세요.

01 based on _____ considerations 이성적 고려에 근거하여   rational rational

02 a _____ conclusion 타당한 결론   reasonable

03 the _____ stages of a relationship 관계의 초기 단계   initial

04 post a news story _____ 뉴스 기사를 즉시 게시하다   instantly

05 someone extremely _____ 극단적으로 시간을 엄수하는 사람   punctual

06 today's most _____ global challenges   urgent
오늘날 가장 긴급한 국제적 과제들

07 get some _____ distance 약간의 감정적 거리를 두다   emotional

08 feel tired, _____, and sick 피곤하고, 어지럽고, 메스꺼움을 느끼다   dizzy

09 feel _____ after swimming 수영 후에 기진맥진하다   exhausted

10 an _____ forecast 낙관적인 예측   optimistic

11 That's a _____ idea. 그거 솔깃한 생각이다.   tempting

12 Amy felt overwhelmingly _____. Amy는 매우 기뻤다.   thrilled

13 within complex _____ systems 복잡한 인지적 체계 안에서   cognitive

14 gratitude to the _____ donor 익명의 기증자에 대한 감사   anonymous

15 _____ communication 비언어적 의사소통   nonverbal

16 Dr. Carrasco has remained _____. Carrasco 박사는 침묵했다.   mute

17 the spread of _____ news 가짜 뉴스의 확산   fake

18 across virtual and _____ borders 가상과 실제 경계를 넘어서   actual

19 selling _____ items 가상 아이템을 팔기   virtual

20 the _____ epidemics of poverty 가난이라는 만연한 유행병   widespread

21 .... 1,200 species of bacteria   대략 1,200개 종의 박테리아   approximately

22 parents that are a little too ....   약간 과하게 엄격한 부모님   strict

23 based on a .... observation   잠시의 관찰에 근거하여   brief

24 make .... decisions   건전한 결정을 내리다   sound

25 marketing strategies based .... on winning   solely
   오로지 승리에만 기반한 마케팅 전략

26 extracting .... materials   원자재 추출하기   raw

27 produce .... civilizations   혼성의 문명을 만들다   hybrid

28 take a .... glance   무심코 보다   casual

29 make a .... sound   아무 소리나 내다   random

30 shared .... meanings   공유된 관습적인 의미들   conventional

31 .... earthworms   외래종 지렁이들   exotic

32 on .... Day   전몰장병 추모일에   memorial

33 an .... coal stove   구식 석탄 난로   old-fashioned

34 .... discrimination   인종 차별   racial

35 Enforcement of the limit should be ....   consistent
   제한의 시행에는 일관성이 있어야 한다.

36 Europe's .... disunity   유럽의 거듭되는 분열   constant

37 a .... and a constant   변수와 상수   variable

38 an .... biologist   진화 생물학자   evolutionary

39 .... to popular belief   일반적인 믿음과 반대로   contrary

40 the .... end of a long table   긴 탁자의 맞은편 끝   opposite

		check
1161 **rational**	형 이성적인; 합리적인	☐
1162 **reasonable**	형 분별 있는; 타당한	☐
1163 **initial**	형 초기의 명 머리글자	☐
1164 **instantly**	부 즉시	☐
1165 **punctual**	형 시간을 엄수하는	☐
1166 **urgent**	형 긴급한; 재촉하는	☐
1167 **emotional**	형 감정의; 감정적인	☐
1168 **dizzy**	형 현기증 나는 동 현기증 나게 하다	☐
1169 **exhausted**	형 기진맥진한; 소모된	☐
1170 **optimistic**	형 낙관적인, 낙천적인	☐
1171 **tempting**	형 유혹하는; 솔깃한	☐
1172 **thrilled**	형 황홀해하는, 매우 기쁜	☐
1173 **cognitive**	형 인식의, 인지의	☐
1174 **anonymous**	형 익명의, 성명 미상의	☐
1175 **nonverbal**	형 말을 쓰지 않는	☐
1176 **mute**	형 무언의; 묵음의 명 묵음	☐
1177 **fake**	형 가짜의 명 가짜 동 위조하다; 속이다	☐
1178 **actual**	형 현실의, 실제의	☐
1179 **virtual**	형 실질적인; 가상의	☐
1180 **widespread**	형 널리 퍼진, 광범위한	☐

		check
1181 **approximately**	부 대략	☐
1182 **strict**	형 엄격한; 엄밀한	☐
1183 **brief**	형 짧은, 간단한 동 ~에게 보고하다	☐
1184 **sound**	형 건전한 부 깊이 동 ~하게 들리다	☐
1185 **solely**	부 단독으로; 오로지	☐
1186 **raw**	형 날것의, 가공하지 않은	☐
1187 **hybrid**	형 혼성의, 합성의 명 혼성체	☐
1188 **casual**	형 우연한; 일시적인	☐
1189 **random**	형 임의의, 무작위의	☐
1190 **conventional**	형 관습적인; 상투적인	☐
1191 **exotic**	형 외래의; 이국적인	☐
1192 **memorial**	형 기념의, 추도의 명 기념비	☐
1193 **old-fashioned**	형 구식의	☐
1194 **racial**	형 인종의; 민족의	☐
1195 **consistent**	형 일관된; 일치하는	☐
1196 **constant**	형 거듭되는; 일정한 명 상수	☐
1197 **variable**	형 변하기 쉬운 명 변수	☐
1198 **evolutionary**	형 발달의; 진화의	☐
1199 **contrary**	형 정반대의 명 정반대, 모순 부 반대로	☐
1200 **opposite**	형 맞은편의 명 반대의 것 전 ~의 맞은편에	☐

외우지 못한 단어가 있으면 미니 단어장에서 다시 한번 정리해 보세요.

A 영어는 우리말로, 우리말은 영어로 쓰시오.

01	ambiguous		21	정의하다; 규정하다	
02	deserve		22	단점; 잘못	
03	quit		23	직업; 점령; 거주	
04	project		24	사람들; 민속의	
05	aspect		25	낙관적인, 낙천적인	
06	emotional		26	필연적인; 당연한	
07	thrilled		27	일관된; 일치하는	
08	bias		28	절차; 진행	
09	ultimate		29	짧은, 간단한	
10	fake		30	동시대의; 동시대인	
11	anticipate		31	소유하다; 사로잡다	
12	frequent		32	익명의	
13	raw		33	기근; 굶주림	
14	organ		34	그럼에도 불구하고	
15	racial		35	굶주리다, 굶기다	
16	subtle		36	관습적인; 상투적인	
17	peel		37	거의 ~ 않다	
18	abandon		38	즉시	
19	cognitive		39	맞은편의; 반대의	
20	occasion		40	글자 그대로	

B 네모 안에서 알맞은 단어를 고르시오.

01 Feeling of familiarity is not necessarily equivalent / monotonous to knowing the material.

02 Exercising gives you more energy and keeps you from feeling exhausted / virtual .

03 Climate change is one of today's most urgent / exotic global challenges.

04 We cannot compensate / predict the outcomes of sporting contests, which vary from week to week.

C 각 문장이 우리말과 일치하도록 빈칸에 알맞은 말을 쓰시오.

01 Mince pies consist of dried fruit and .... like cinnamon.
민스파이는 말린 과일과 계피 같은 향신료들로 구성된다.

02 The need to .... is a product of human beings' evolutionary history as a social species.
속하려는 욕구는 사회적 종으로서의 인간 진화 역사의 산물이다.

03 We live in a society where gender roles and boundaries are not as strict as in .... generations.
우리는 성 역할과 경계가 이전 세대만큼 엄격하지 않은 사회에 살고 있다.

04 Selfish adults or kids do not make .... decisions as well as do grateful people.
이기적인 성인들이나 아이들은 감사할 줄 아는 사람들이 하는 만큼 건전한 결정을 잘 내리지 못한다.

05 If full communication with a potential counterparty in a .... is not possible, then uncertainty and probably a measure of distrust will remain.
거래에서 잠재적 계약 상대와 완전한 의사소통이 가능하지 않다면, 불확실성과 아마도 어느 정도의 불신이 남아 있을 것이다.

D 우리말이 영어 문장과 일치하도록 빈칸에 알맞은 말을 쓰시오.

01 Just in the last decade we have acquired the ability to do amazing things with computers.
불과 지난 .... 동안, 우리는 컴퓨터로 놀라운 일을 할 수 있는 능력을 얻어 왔다.

02 Honesty is a fundamental part of every strong relationship.
정직은 모든 굳건한 관계의 .... 부분이다.

03 Even though two variables seem to be related, there may not be a causal relationship.
비록 두 .... 가 관련 있는 것처럼 보이더라도 인과 관계가 없을 수도 있다.

04 In the course of agricultural development, women's labor productivity remains unchanged compared to men's.
농업 발전의 과정에서 여성의 노동 생산성은 남성에 비해 바뀌지 않은 채로 .... 있다.

05 The average American adult has approximately 1,200 different species of bacteria residing in his or her gut.
일반 미국 성인에게는 장 속에 서식하는 .... 1,200개의 다른 종의 박테리아가 있다.

HIGH SCHOOL ENGLISH

교과서 어휘 목록

L1
current 해류, 물살; 현재의, 지금의
appropriate 적절한
arrange 편곡하다
assess 평가하다
available 이용할 수 있는
be interested in ~에 관심이 있다
cheer up ~을 격려하다
come up with 고안하다
complexity 복잡함
composer 작곡가
conduct 수행하다
day off 쉬는 날
deal with ~을 다루다
develop 개발하다
earning (pl.) 소득
edit 편집하다
eliminate 제거하다
envious 부러워하는
equipment 장비
exhausted 지친
first-hand 직접 얻은, 경험한
get oneself involved in
　　　　　　스스로 ~에 몰두하다
head ~로 향하다
in person 직접
in-depth 면밀한
narrow down 좁히다
occasional 가끔의
occupation 직업
on top of ~뿐만 아니라
outlook 전망
perform (연기 등을) 하다, 공연하다
producer (음반) 제작자
psychology 심리학
repeat 되풀이하다
requirement 필요
set one's mind on ~을 마음에 두다
suitable 적합한
technician 기술자
trick 마술
unfold 펼쳐지다
value 가치

L2
analogous 유사한
angular 각이 진
as for ~에 관해 말하자면
avoid 피하다
be in fashion 유행하고 있다

bold 뚜렷한
casual 평상시의
charm 매력
clash (빛깔이) 안 어울리다
combine 결합하다[되다]
complementary 상호 보완적인
create 만들다, 창조하다
current 현재의
discover 알아내다
elegant 우아한
eventually 마침내, 결국
experiment 실험(하다)
expressive (감정을) 나타내는
eyebrow 눈썹
frame (pl.) 안경테
go well with ~와 잘 어울리다
hide 숨기다
impression 인상
in terms of ~에 관하여
individuality 개성
layer 층; 겹
material 재료
outfit 복장
pay attention to
　　　　~에 주의를 기울이다
personal 개인의
realize 깨닫다
result in ~의 결과가 되다
shade 색조; 그늘
showcase ~을 돋보이게 하다
signature 특징
square 직각의
strict 엄격한
suit 어울리다
tend to ~하는 경향이 있다
tricky (하기) 힘든
uniform 교복

L3
activist 운동가
adopt 채택하다
annually 매년
be all the rage 엄청나게 유행하다
be filled with ~로 가득 차다
chances are 아마 ~일 것이다
community 지역 사회
disposable 일회용의
dispose of ~을 없애다
distribute 분배하다
drive ~하도록 몰다

Dutch 네덜란드의
eco-friendly 친환경적인
edible 먹을 수 있는
entire 전체의
font (인쇄 등에 쓰이는) 서체
found 설립하다
innovator 개혁자
landfill 쓰레기 매립지
make sense 의미가 통하다
massive 육중한, 대량의
mess 지저분한 것
novel 새로운
pavement 인도
perspective 관점
photocopy 복사(물); 복사하다
promote 홍보하다
readability 가독성
reveal 드러내다
ruin 망치다; 몰락
soaked 흠뻑 젖은
structure 구조(물)
tackle (문제 등을) 다루다
take on (일 등을) 맡다
throw ~ away ~을 버리다
transparent 투명한
unplug 플러그를 뽑다
waste 낭비(하다)

L4
a couple of 두서너 개의
abroad 해외로
afford ~할 여유가 있다
alley 좁은 길
ancient 고대의
as well 또한
be known as ~로 알려지다
border 국경
canal 운하
ceiling 천장
comment 논평하다
conservatory 음악 학교
construction 건축(물)
convince 설득하다
definitely 분명히
ensure 반드시 ~하게 하다
exchange 교환(하다)
explore 탐험하다
fare 요금
find out 발견하다
force 강요하다

fountain 분수
gondola 곤돌라
in earnest 본격적으로
lifetime 일생
linger 남다
masterpiece 걸작
miss out on ~을 놓치다
out of this world 너무도 훌륭한
Pope 교황
prime 주요한
sculpture 조각품
seaside 바닷가
sightseeing 관광
snake 구불구불 가다
so far 지금까지
steal 훔치다
thrilled 아주 흥분한
wander 배회하다

L5 anthem 축가
bother 귀찮게 하다
break down 부서지다
bury 묻다
celebration 기념행사
collapse 붕괴하다
democratic 민주주의의
despair 절망(하다)
dig for ~을 찾아 땅을 파다
enthusiastically 열광적으로
exploratory 탐사의
explosion 폭발
faith 신념
fill up with ~로 가득 차다
heroics 용단
humanity 인류(애)
humidity 습기
immediately 즉시
initial 초기의
involve 연루시키다
live on ~을 먹고 살다
lock 가두다
miner 광부
morale 사기
operational 사용할 수 있는
organize 조직하다
priority 우선 사항
relief 안도
religious 종교의
rescue 구조(하다)

severely 혹독하게
shelter 보호소
spark 촉발시키다
surrender 굴복하다
triumph 대성공
unite 결합하다
vibration 진동
vote 투표(권)

L6 affect 영향을 주다
appealing 매력적인
arrangement 진열
associate ~ with ...
　　　　　　~을 …에 연관 짓다
assume 추정하다
automatically 자동적으로
autopilot 자동 조종 장치
be aware of ~을 알다
be up to ~에 달려 있다
commercial 광고; 상업의
consumer 소비자
decision 결정
deliberate 신중히 생각하다
in addition to ~에 더하여
inexpensive 비싸지 않은
inventory 재고(품)
load (짐 등을) 싣다
make room for
　　　　　~을 위해 자리를 만들다
motivate 동기를 부여하다
overwhelmed 압도된
pop-up 튀어나오는
prove 증명하다
purchase 구매(하다)
random 무작위의
regular 보통의
resource 자원
retail 소매
shout 외치다
simply 그냥
strategically 전략적으로
subtle 교묘한
suggestion 제안
up-selling 연쇄 판매

L7 arcade 게임 센터
beneficial 유익한
biomimetics 생체 모방 기술
bony 가시[뼈]가 많은
claw 갈고리 발톱

complicated 복잡한
conserve 보존하다
end result 최종 결과
figure out 알아내다
grab 움켜잡다
grind 잘게 부수다
incorporation 결합
incredible 놀라운
inefficient 비효율적인
inspire 영감을 주다
lowly 낮은
means 수단
measurable 주목할 만한
medicine 약; 의학
mosquito 모기
mound 흙더미
painless 고통이 없는
passive 외적 작용에 의한
procedure 절차
roll up 걷어 올리다
scale 규모
sea urchin 성게
shot 주사
shovel 삽
smooth 매끄럽게 하다
termite 흰개미
tip (뾰족한) 끝
upwards 위쪽으로
vary from ~ to ...
　　　　　　~에서 …까지 달라지다
winglet 작은 날개

L8 accordingly 그에 알맞게
aggressive 공격적인
artistic 예술의
artwork 예술품
atmosphere 분위기
auditory 청각의
be linked with ~와 연계가 있다
breathe in 숨을 들이쉬다
canvas 캔버스
capture 포착하다
dreamlike 꿈같은
emotion 감정
emotional 감정의
fantasy 공상
field 분야
figure 모습
furthermore 게다가

give life to ~에 생기를 불어넣다
imaginary 상상의
influence 영향(을 미치다)
intake 섭취(량)
interaction 상호 작용
interpret 해석하다
memorial 추도의
movement 악장
note 음(표)
play 희곡
play a ~ role in ...
　　　　...에서 ~한 역할을 하다
recreate 재현하다
reflect 반영하다
representation 묘사
stimulate 자극하다
stroke 선[획]을 긋다
suite 모음곡
translate 번역하다
unexpected 예기치 않은
visual 시각적인

능률(김)

L1
admire 존경하다
allow 허락하다
attitude 태도
bend 구부러지다
bring out ~을 끌어내다
burst (강한 감정 표현) 터뜨리다
catch up 따라잡다
commitment 헌신, 약속
crowded 붐비는
dedication 헌신
determined 결심한
effort 노력
encourage 격려하다
especially 특히
glory 영광
in return 보답으로
inspiration 영감
leap 서둘러 ~하다
lift (기분을) 북돋우다
make one's way ~로 나아가다
motivate 동기를 부여하다
observe 관찰하다; 준수하다
offer 제공하다
passion 열정
physical 육체의

positive 긍정적인
pour 쏟아 붓다
recover 회복하다
regardless of ~에 상관없이
remind 상기시키다
reward 보상(하다)
run out (시간 등이) 끝나다
senior (고교·대학의) 4학년생
shine 빛나다
sideline (경기장의) 사이드라인
sophomore (고교·대학의) 2학년생
unexpectedly 뜻밖에
unnaturally 부자연스럽게
valuable 귀중한
wonder 궁금해하다
worth ~할 가치가 있는

L2
a series of 일련의
abandon 버리다
along with ~와 더불어
amount 양
appear ~처럼 보이다
approach 접근(하다)
blend (보기 좋게) 조합되다
brilliant 탁월한
conserve 절약하다
convert 전환하다
decompose 분해되다
destroy 파괴하다
disposable 일회용의
endless 끝없는
equipment 장비
exhibit 전시하다; 전시품
facility 설비
gorgeous 아주 멋진
heritage (문화)유산
imagination 상상력
individually 개별적으로
inspiring 고무적인
junk 쓰레기
landscape 풍경
lessen 줄이다
manage 관리하다
marvelous 놀라운
material 재료
mess 지저분한 것
object 물건
obviously 명백히
one of a kind 특별한 것[사람]

original 원래의
perhaps 아마도
pleasing 즐거운
preserve 보존하다
provoke 유발하다
purify 정화하다
reduce 줄이다
repurpose 용도를 변경하다
resource 자원
sculpture 조각품
seemingly 겉보기에는
storage 저장
throw away 버리다
transform 변형시키다
turn ~ into ... ~을 ...로 바꾸다

L3
apologize 사과하다
be about to 막 ~하려고 하다
bold 과감한
carry on 계속하다
cheerful 쾌활한
contrasting 대조적인
cure 치료(법)
daydream 몽상
deal with ~을 다루다
develop (필름을) 현상하다
dominant 지배적인
dutifully 충실하게
embrace 포용하다
engaging 매력 있는
eruption 폭발
existence 존재
fall into place 꼭 들어맞다
flock 떼
formation (특정한) 대형[편대]
irritated 짜증이 난
medicine 약; 의학
opportunity 기회
opposite 반대(의)
overcome 극복하다
overwhelm 압도하다
perspective 관점
publication 간행물
realize 깨닫다
release 내보내다
relieve 완화시키다
satisfied 만족하는
seagull 갈매기
soar (하늘 높이) 날아오르다

task 일
trail 자취
unfit 부적합한
unfortunately 불행하게도
uplifting 사기를 높이는
vividly 생생하게

L4 brick 벽돌
celebrate 축하하다
complain 불평하다
construction 건축(물)
decent (수준·질이) 괜찮은
deserve ~을 받아 마땅하다
dig 파다
doubt 의심(하다)
drip (액체가) 똑똑 떨어지다
hardly 거의 ~ 아니다
help out (곤란한 때에) 거들다
hut 오두막
incredible 놀라운
jar 단지
lay 놓다
leak 새다
let alone ~은 고사하고
mission 임무
nightmare 악몽
ordinary 평범한
presentation 발표
protect 보호하다
relief 안도
scary 무서운
sigh 한숨
take apart 해체하다
take for granted 당연하게 여기다
temperature 온도
thankful 감사하는
touched 감동한
upset 기분 나쁜

L5 announce 발표하다
attack 공격하다
bandage 붕대를 감다
beg 구걸하다
care for ~을 돌보다
come across
　　　　우연히 마주치다[발견하다]
consult 상담[상의]하다
council 의회
decline 거절[사양]하다
disguise 변장하다

enemy 적
ensure 반드시 ~하게 하다
eventually 마침내, 결국
exhausted 지친
folk 사람들(의)
forgive 용서하다
greet 인사하다
hermit 은자
peasant 농부
precise 정확한
property 재산
recognize 알아보다
respond 대답[응답]하다
restore 되돌려주다
serve (사람을) 모시다
spade 삽
stare 응시하다
take ~ into account
　　　　　　　~을 고려하다
whereas 반면
wisdom 지혜
worship 예배
wound 상처

L6 accomplishment 업적
amazement 놀라움
ambition 야망
assistant 보조의
carry out 수행하다
commuter 통근자
constantly 끊임없이
contribution 공헌
despite ~에도 불구하고
destined (~할) 운명인
evidence 증거
expert 전문가
foundation 기반
frequently 자주
hold up 지탱하다
in charge of ~을 책임지는
in particular 특히
including ~을 포함하여
infection 감염
injure 부상을 입히다
instruction 지시
involved 관련[연루]된
landmark 주요 지형지물
launch 시작[착수]하다
obstacle 장애(물)

permanently 영구적으로
persistence 끈기
process 과정
propose 제안하다
quit 그만두다
sacrifice 희생
see ~ through ~을 끝까지 해내다
shortly 곧
site 장소, 현장
step in 돕고 나서다
succeed 뒤를 잇다
supervise 감독[관리]하다
suspension bridge 현수교
telescope 망원경
tide 조수
transport 수송[운송] 수단
unprecedented 전례[유례] 없는
unstable 불안정한
waterproof 방수가 되는

L7 absorb 흡수하다
adapt 적응하다
advanced 진보한
appreciate 인정하다
armor 갑옷
bark 나무껍질
bleed 번지다
break down 분해되다
characteristic 특징
complex 복잡한
container 용기
currently 현재
customer 손님
damaged 손상된
discovery 발견
document 문서
domestic 국내의
durable 내구성 있는
endure 지속되다; 견디다
fabric 직물
fall apart 오래되어 허물어지다
function 기능
generation 세대
glue 풀
harmful 유해한
innovative 혁신적인
invaluable 매우 귀중한
joint 공동의
layer 층; 겹

make waves 파장(풍파)을 일으키다
modernization 현대화
mulberry 뽕나무
outstanding 뛰어난
panel 판
practical 실용적인
probe 우주 탐사선
purchase 구매(하다)
ray 광선
relevant 의의가 있는
remove 제거하다
revival 부활
spacecraft 우주선
tear 찢다
treat 만족(즐거움)을 주는 것(사람)
vibration 진동
yarn (직물용) 실

L8 adolescent 청소년
based on ~에 기반을 두어
connection 연결
consequence 결과
dismiss 묵살(일축)하다
experiment 실험(하다)
get rid of ~을 제거하다
get through 통과하다
go through ~을 거치다
harsh 가혹한
host 진행자
identify 확인하다
immediately 즉시
in terms of ~에 관하여
inclined ~하는 경향이 있는
influence 영향(을 미치다)
insight 통찰력
instinct 본능
instrument 악기
make up ~을 구성하다
mature 성숙하다
measure 측정하다
merely 단지
period 기간
phase 단계
region 부분; 지역
rely on ~에 의존하다
risky 위험한
signal 신호(하다)
significant 중요한
slight 약간의

stage 단계
strengthen 강화하다

능률(양)

L1 attention 주의
available 이용할 수 있는
bare 발가벗은
be good at ~을 잘하다
come off 벗겨지다
concentrate on ~에 집중하다
confident 자신감 있는
counsel 충고하다
determined 결심한
easier said than done 말은 쉬운
feel like -ing ~하고 싶다
fit in (with) (~에) 조화하다
get along with ~와 사이좋게 지내다
give a shot ~을 시도하다
involve 연루시키다
passion 열정
pay attention to
~에 주의를 기울이다
perspective 관점
poem 시
poet 시인
reflect on ~을 곰곰이 생각하다
remove 제거하다
self-identity 자기 정체성
semester 학기
sign up 가입하다
specialist 전문가
stick one's toe in the water
~을 시험 삼아 해 보다
stretch 한껏 뻗다
suffer 더 나빠지다
take a break 쉬다
take advantage of ~을 이용하다
to be honest 솔직하게 말하면
turn to ~에 의지하다
unique 유일한
value 평가하다

L2 a great deal of 다량의
aerobic 유산소 운동의
be known for ~로 유명하다
be likely to ~할 것 같다
boost 신장시키다
circulation 순환
curl 몸을 웅크리다

dehydration 탈수
elbow 팔꿈치
engage in ~에 참여하다
flavor 풍미
get rid of ~을 제거하다
herb 허브
hydrate 수분을 머금게 하다
in order to ~하기 위하여
last but not least
마지막으로 그러나 중요한
neutral 중립의
nutritionist 영양학자
pillow 베개
put ~ into action
~을 행동에 옮기다
rich in ~이 풍부한
snore 코를 골다
spine 척추
stiff 뻣뻣한
straighten 바로잡다
suffer from ~로 고통받다
sugary 설탕이 든
up to ~까지
vote for ~에게 투표하다
wrinkle 주름

L3 alert 알리다
all over 도처에
as a result of ~의 결과로
attach 부착하다
be struck by ~에 감명받다
break down 고장 나다
bully 괴롭히다
burn down (화재로) 소실되다
caregiver 돌보는 사람
circuit (전기) 회로
come to ~하게 되다
conclude 결론을 내리다
contribute to ~에 기여하다
deal with ~을 다루다
detect 발견하다
encourage 격려하다
give ~ a hand ~을 돕다
in a row 한 줄로
live up to ~에 부응하다
look forward to ~을 기대하다
overcome 극복하다
reach out 접근하다
scold 야단치다

sensor 감지기
sticky 끈적거리는
take action 실행하다
take the place of ~을 대신하다
trip over ~에 걸려 넘어지다

L4
a variety of 다양한
according to ~에 따라
alternate 여럿 사이를 오가다
attain 달성하다
be famous for ~로 유명하다
benefit 이익
breeze 바람
broth 묽은 수프
chill 냉각하다
commit to ~에 전념하다
cucumber 오이
cure 치료(법)
depend on ~에 달려 있다
drop into ~에 들르다
end up 결국 ~하게 되다
garlic 마늘
ginseng 인삼
herbal 약초의
in honor of ~을 기념하여
investigate 조사하다
make sense 의미가 통하다
mustard 겨자
needless to say 말할 필요도 없이
noodle 면 (요리)
pepper 고추
philosophy 철학
progress 진행(하다)
refreshing 상쾌한
relaxing 편안한
spice 향신료
steam 증기
stuff ~ with ... ~을 …로 채우다
tender 부드러운
top ~ with ... ~에 …을 올리다
try out 시도하다
turn out 드러나다

L5
alter 바꾸다
as well as ~뿐만 아니라
at the same time 동시에
bamboo 대나무
be known as ~로 알려지다
be made from ~로 만들어지다
be surrounded by ~로 둘러싸이다

browse 둘러보다
afford ~할 여유가 있다
carbon 탄소
charity 자선단체
come up with 고안하다
cut down on ~을 줄이다
dig out 파내다
do without ~없이 지내다
fiber 섬유소
footprint 발자국
garment 의복
in fact 사실
keep ~ in mind ~을 명심하다
launch 발사하다
make ~ out of ... …로 ~을 만들다
make a difference 영향을 미치다
make do 임시변통하다
make every effort 온갖 노력을 하다
mall 쇼핑몰
mend 수선하다
pastime 취미
renewable 재생 가능한
retail 소매
reward 보상(하다)
take responsibility for
～을 책임지다
turn off 잠그다
wardrobe 의상

L6
as long as ~하는 한
baobab 바오바브나무
blossom 꽃
complaint 불평
decorate 장식하다
diameter 지름
due to ~ 때문에
encounter 맞닥뜨리다(부딪히다)
enormous 거대한
feather 깃털
flap 날개를 치다
get stuck 걸리다
hover 맴돌다
hum 콧노래를 부르다
hummingbird 벌새
jealous 질투하는
liquid 액체(의)
look up 찾아보다
Mayan 마야인의
plain 평범한

provide ~ for ...
…에게 ~을 제공하다
run away 도망치다
stick to ~에 달라붙다
stroke 획
tear ~ into halves ~을 반으로 찢다
trunk 줄기
upside down 거꾸로

L7
be supposed to ~해야 하다
bed-and-breakfast
아침 식사가 제공되는 숙박
belong to ~에 속하다
bound for ~을 향한
canal 운하
charming 매력적인
come to life 되살아나다
contract 계약
dazzling 눈부신
defend 방어하다
destination 목적지
elegant 우아한
escape 달아나다
extremely 극도로
flesh 살
get a view of ~을 보다
get in ~을 타다
get to ~에 도착하다
glass-blower 유리 부는 장인
gondola 곤돌라
impress 인상을 주다
mosaic 모자이크
muddy 진창인
mythological 신화의
one of a kind 특별한 것[사람]
pick out 고르다
pretend ~인 척하다
prison 감옥
professional 직업의
regard ~ as ... ~을 …로 간주하다
save the day (궁지에서) 구해 주다
significant 중요한
snap one's fingers
손가락을 튕겨 소리 내다
souvenir 기념품
steer 조종하다
take care to ~하도록 조심하다
thrilled 아주 흥분한
turn into ~이 되다

absorb 흡수하다
aluminum 알루미늄
be modeled on ~을 모델로 하다
beak 부리
bend 구부리다
cope with ~에 대처하다
crash into ~와 충돌하다
credit ~ as ... ~을 …로 여기다
date back to ~까지 거슬러 올라가다
endure 지속되다; 견디다
far from 전혀 ~ 아닌
flexible 신축성 있는
hammer 망치
hammer into ~ 속으로 박아 넣다
have ~ in common
　　　　　　~라는 공통점이 있다
imitate 모방하다
impact 영향
innovation 혁신
inspire 영감을 주다
insurance 보험
keep off ~을 멀리하다
look into ~을 조사하다
manage to 간신히 ~하다
manufacturer 제조자
massive 육중한, 대량의
on average 평균적으로
pack ~ with ~을 …로 싸다
peck 쪼다
pioneer 개척자
pound at ~을 마구 두드리다
rubber 고무
search for ~을 찾다
skull 해골
turn on 켜다

YBM(박)

a number of 많은
achieve 성취하다
anxious 불안해하는
carry ~ about
　　　　　　~을 갖고[지니고] 다니다
carry out 수행하다
common 보통의; 공동의
competition 경쟁
constantly 끊임없이
enthusiasm 열정

---

excitement 흥분
expectation 기대
explorer 탐험가
fall in love with ~와 사랑에 빠지다
feature ~ as ...
　　　　　　~을 …로서 출연시키다
hit upon ~을 불현듯 떠올리다
include 포함하다
inspiration 영감
involve 포함하다
kayak 카약
limitless 무한한
make an effort 노력하다
nothing more than
　　　　　　~에 지나지 않은
opportunity 기회
out of shape 제 모양이 아닌
outstanding 뛰어난
overcome 극복하다
pay off 결실을 맺다
perform 수행하다
perspiration 땀
practice 실행
privilege 특권
process 과정
regret 후회하다
relatively 상대적으로
remind ~ of ...
　　　　　　~에게 …을 상기시키다
set foot on ~에 발을 내딛다
solo 단독의
toe 발가락

analogy 유추
comparison 비교
convenient 편리한
cost a fortune 엄청나게 비싸다
crime 범죄
describe 묘사하다
destination 목적지
disappear 사라지다
draw on ~에 의존하다
dye 염색하다
fascinating 매혹적인
financially 재정적으로
flawed 결함[결점]이 있는
get in the way 방해되다
irregular 불규칙적인
linguistic 언어의

---

logic 논리
misinterpretation 오해
mistreat 학대하다
observation 관찰
obvious 명백한
odd 이상한
pretend ~인 척하다
prey 먹이
refer to 언급하다
refuse 거절하다
root 뿌리
ruin 망치다; 몰락
similarity 유사성
stand out 두드러지다
stimulate 자극하다
unpopular 인기 없는
weep over ~을 슬퍼하다
worthless 가치 없는

A as well as B B뿐만 아니라 A도
a variety of 다양한
associate ~와 관련시키다
award 상; ~을 주다
carving 조각
celebration 기념행사
clam 조개
come upon ~을 우연히 만나다
crate (물품 운송용 대형 나무) 상자
demonstrate 입증[설명]하다
exhibit 전시하다; 전시품
fisherman 어부
float (물 등에) 뜨다
go hand in hand 관련되다
herring 청어
imaginable 상상할 수 있는
ingredient 재료
lobster 바닷가재
local 지역의
offer 제공하다
organizer 기획자
participant 참가자
regard ~ as ... ~을 …로 간주하다
region 지역
season 양념을 하다
take part in ~에 참여하다
take place 개최하다
traditional 전통적인
unique 독특한
worm 벌레

L4
appreciate 고마워하다
approach 접근(하다)
break into (건물에) 침입하다
Celsius 섭씨의
current 해류
damaged 손상된
emerge 나타나다
entire 전체의
escape 달아나다
host 진행자
injured 부상을 입은
make the rounds 순회하다
officially 공식적으로
post 게시하다
pressure 압력, 압박
rescue 구조(하다)
rotation 회전
shiver 떨다
spin 회전하다
surface 표면
survival 생존
swallow 삼키다
temperature 온도
thunderstorm 번개
tropical depression 열대성 저기압
tropics 열대(지방)
unflooded 물에 잠기지 않은

L5
actually 실제로
ambassador 대사
ancient 고대의
belong to ~에 속하다
capture 포착하다
confuse 혼란스럽게 하다
criticism 비판
detect 발견하다
differ from ~와 다르다
distort 왜곡하다
extreme 극단적인
fascinate 마음을 사로잡다
frighten 겁먹게 만들다
identify 확인하다
illusion 환각
imitate 모방하다
in detail 상세하게
landscape 풍경
matter 중요하다
object 물건
ordinary 평범한

perspective 관점
prove 증명하다
pull aside ~을 옆으로 치우다
purpose 목적
skull 해골
specific 특정한
spread 펼치다
stand for ~을 상징하다
take ~ away from ...
　　　　~을 …로부터 벗어나게 하다
unconscious 무의식의
visual 시각적인
vividness 생생함

L6
adjust to ~에 적응하다
amazed 놀란
archaeological 고고학적인
be crowded with ~로 붐비다
be thankful for ~에 대해 감사하다
blessing 축복
civilization 문명
complete 완성하다
construction 건축(물)
distant 먼
evidence 증거
exhausted 지친
historic 역사적인
international 국제적인
lime 라임
meaningful 의미 있는
participate in ~에 참가하다
path 길
pottery 도자기
preserve 보존하다
prosper 번성하다
recover 회복하다
remains 유물
ruin 망치다; 몰락
sacred 성스러운
site 장소, 현장
slope 경사(면)
soak 푹 담그다
sour 신맛이 나는
store 저장하다
surrounding 주변의
take advantage of ~을 이용하다
unforgettable 잊을 수 없는
valley 계곡
weed 잡초

L7
aimlessly 목적 없이
cattle (집합적으로) 소
charge 충전하다
comfortable 편안한
cross one's mind
　　　　(생각이) 마음에 떠오르다
decrease 감소하다
device 기구, 장치
eventually 마침내, 결국
fair 박람회
flashing 깜빡이는
guard 지키다
heel 발뒤꿈치
look after 돌보다
make peace with ~와 화해하다
monitor 감시 장치
paired 연결된
practical 실용적인
put up with 참다
scarecrow 허수아비
sensor 감지기
signal 신호(하다)
solar panel 태양광 전지(판)
spark 불꽃
speed up 가속화하다
stable 축사
take away 빼앗다
take turns 번갈아 하다
torch 횃불
transform ~ into ...
　　　　~을 …로 변형시키다
wander 배회하다

L8
aware 인식하는
benefit 이익
biofuel 바이오 연료
brilliant 탁월한
carbon 탄소
consumption 소비
convert 전환하다
current 현재의
diesel 디젤
DIY 직접 하는 (= do-it-yourself)
effect 효과
electricity 전기
emission 배출
enormous 거대한
fossil fuel 화석 연료
household 가정

journalist 기자
melt away 녹아 없어지다
modern 현대의
primitive 원시적인
progress 진행(하다)
renewable 재생 가능한
run out of ~가 부족하다
shine 빛나다
sooner or later 곧
struggle 투쟁하다
sustainable 지속 가능한
trade 상업
transportation 운송

L9 absolute 절대적인
administration 관리
adopt 채택하다
affect 영향을 주다
athlete 운동선수
broadcast 방송
championship 결승전
combine 결합하다[되다]
complaint 불평
connect 연결하다
core 중심(적인)
defense 수비
dispute 논쟁(하다)
employ 이용하다
enforce 시행하다
exhaustion 탈진
gear 장비
in real time 실시간으로
injury 부상(자)
innovative 혁신적인
install 설치하다
mount 올라가다
offense 공격
promising 유망한
promote 촉진하다
referee 심판
release 내보내다
rule out 배제하다
settle 해결하다
suffer from ~로 고통받다
suit 옷
virtual reality 가상 현실

L10 absorbed 열중한
be aware of ~을 알다

be capable of ~을 할 수 있다
beg 구걸하다
calm down 진정시키다
cheerful 쾌활한
comfort 위로하다
crash 충돌(하다)
donation 기부
empathy 공감
fire up 작동하다
laughter 웃음
medical bill 치료 청구서
mimic 흉내 내다
neuron 뉴런
neuroscience 신경 과학
on the basis of ~을 기초로 하여
put ~ on hold 보류하다
put ~ to good use 선용하다
selfishly 이기적으로
sight 시각
stimulation 자극
stressed out 스트레스를 받은

SL accompany 동반하다
army 군대, 육군
at a loss 어쩔 줄 모르는
at last 마침내
at length 길게
barely 겨우; 거의 ~ 않는
devotion 헌신
division 분리
get into trouble 말썽을 일으키다
government 정부
harvest 수확(하다)
have no choice but to
　　　　　　　 ~하지 않을 수 없다
hesitation 망설임
insurance 보험
maintain 유지하다
medicine 약; 의학
pass away 돌아가시다
pick up the bill 비용을 지불하다
praise 칭찬
put up with 참다
request 요청
resource 재원
separate 분리하다
set up 설치하다
surgery 수술
turn down 거절하다

L1 accept 받아들이다
achieve 성취하다
be amazed at ~에 놀라다
ceremony 의식
come true 실현되다
countless 수많은
deliver 강연하다
dreamer 몽상가
entirely 완전히
gender 성별
graduation 졸업
honored 명예로운
inevitably 틀림없이
magical 마법의
miserable 비참한
move forward 전진하다
nonsense 터무니없는 말
opportunity 기회
pay for ~의 대금을 지불하다
regardless of ~에 관계없이
scare 겁주다
seize 붙잡다
self-centered 자기중심적인
slavery 노예 제도
starve to death 굶어 죽다
violence 폭력

L2 aid 도움
arrangement 배치
be regarded as ~로 여겨지다
client 고객
cooperation 협동
cooperative 협력하는
delivery 배달
direction 방향
encounter 맞닥뜨리다[부딪히다]
establish 형성하다
fit 알맞은
foster 육성하다
frightened 겁에 질린
inbound (어떤 장소로) 오는
inspiration 영감
inspiring 고무적인
instead of ~ 대신에
look to ~을 주시하다
observe 관찰하다; 준수하다
occupy 차지하다
outbound (어떤 장소에서) 떠나는

parasite 기생충
plenty of 많은
predator 포식자
prevail 만연하다
refer to ~ as ... ~을 …로 간주하다
refuse 거절하다
remind ~ of ...
　　　　　　~에게 …을 상기시키다
selfishness 제멋대로임
swallow 삼키다
take over 장악하다

L3 absorb 흡수하다
acid 산성의
altogether 완전히
artificial 인공의
attract 마음을 끌다
block 방해하다
boost 증가
bring about 일으키다, 가져오다
carbonation 탄산 가스
chemical 화학의
consume 소비하다; 먹다
cut back ~을 줄이다
decay 부식하다
delay 미루다
diabetes 당뇨
digestion 소화
disorder 무질서, 혼란
due to ~ 때문에
exceed ~을 초과하다
excessive 지나친
expiration date 유통 기한
extend 연장하다, 펴다
flavor 풍미
generate 생성하다
gradually 점차
heartbeat 심장 박동
ingredient 재료
intake 섭취(량)
interact with ~와 상호 작용을 하다
interfere with 간섭하다
irregular 불규칙적인
kidney 신장
lead to ~로 이어지다
nutrient 영양소
obesity 비만
quit 그만두다
recommend 추천하다

refreshing 상쾌한
replace 교체하다
satisfy 만족시키다
sour 신맛이 나는
substance 물질
thirst 목마름
typical 전형적인
unnecessary 불필요한

L4 address 다루다, 고심하다
alert 경보
approach 접근(하다)
attach 부착하다
be responsible for ~에 책임이 있다
belong 제자리에 있다
biodiversity 생물 다양성
buzz 윙윙거리는 소리
come upon ~을 우연히 만나다
destruction 파괴
detect 감지하다
device 기구, 장치
disappear 사라지다
discard 폐기하다
electricity 전기
flee 도망가다
garage 차고
habitat 서식지
illegal 불법적인
immediately 즉시
install 설치하다
mine 채굴하다
pick up (정보를) 알게 되다
rainforest 열대 우림
ranger 순찰대원
release 내보내다
sensitive 민감한
shade 그늘; 색조
solar panel 태양광 전지(판)
solution 해결책
species 종(생물 분류의 기초 단위)
spot 장소, 지점
surround 둘러싸다

SL1 activate 활성화하다
addict 중독자
appreciation 이해
await 기다리다
be about to 막 ~하려고 하다
board 타다
commitment 헌신, 약속

confident 자신감 있는
convincing 설득력 있는
destination 목적지
diversity 다양성
donate 기부[기증]하다
exploration 탐험
fortune (큰) 재산
grateful 감사해하는
gratitude 감사
inherit 물려받다
inspiring 고무적인
landscape 풍경
literally 글자 그대로
orphanage 고아원
overwhelmingly 압도적으로
positivity 긍정성
possession 소유물
principle 원리
rural 시골의
sensation 느낌
stick with 붙어 있다
take ~ for granted ~을 당연시하다
tap 수도꼭지
wealthy 부유한
witness 목격(자); 목격하다

L5 after all 결국
autobiography 자서전
award 상; ~을 주다
be divided into ~로 나뉘다
budget 예산
come up with 고안하다
commonly 흔하게
conflict 갈등
convince 설득하다
criticize 비판하다
deal with ~을 다루다
dissonance 부조화
effective 효율적인
eventually 마침내, 결국
experiment 실험(하다)
extra 추가의[로]
fund 자금
get along with ~와 사이좋게 지내다
have difficulty -ing
　　　　　　~하는 데 어려움을 겪다
ignore 무시하다
immediately 즉시
impression 인상

institution 기관
justify 정당화하다
opponent 상대방
phenomenon 현상
politician 정치인
psychologist 심리학자
rate 평가하다
refer to ~ as ... ~을 …로 간주하다
relieve 완화시키다
remain (~의 상태로) 남다
representative 대표
resolve 해결하다
run out of ~가 부족하다
serve as ~로 역할을 하다
stand up to 맞서다
the chances are
아마도 ~일 것이다
threaten 위협하다

L6
accuracy 정확(도)
approximately 대략
as a result of ~의 결과로
assign 할당하다
benefit 이익
challenge 도전하다
coding 부호화
conduct 수행하다
corporation 기업
delivery 배달
demonstrate 입증[설명]하다
depending upon ~에 따라서
destination 목적지
dietary 음식의
direction 방향
distribute 분배하다
distribution 분배
district 지역, 지구
efficient 효율적인
expand 확장하다
globalization 세계화
hardly 거의 ~ 아니다
hire (사람을) 고용하다
illiterate 문맹의
in reverse 거꾸로
load (짐 등을) 싣다
middle-class 중산층의
operating cost 운영 비용
organization 기관
outstanding 뛰어난

packed 붐비는
pick up 수거하다
practice 관례, 풍습
present 현재의
procedure 절차
religion 종교
rely on ~에 의존하다
restriction 제한
satisfaction 만족
specific 특정한
strife 투쟁
suburb 교외
transaction 거래
typical 전형적인

L7
admire 존경하다
anniversary 기념일
architect 건축가
architecture 건축
bold 뚜렷한
catch one's eye ~의 이목을 끌다
ceiling 천장
characterize 특징짓다
claim 주장(하다)
column 기둥
complete 완성하다
construction 건축(물)
decorate 장식하다
embarrassment 당혹함
extraordinary 비범한
fascinate 마음을 사로잡다
filter 통과시키다
fountain 분수
heritage (문화)유산
imaginative 상상력이 풍부한
incomplete 불완전한
industrialize 산업화하다
inspire 영감을 주다
original 원래의
purchase 구매(하다)
remind ~ of ...
~에게 …을 상기시키다
renovate 개조하다
skull 해골
skylight 채광창
structure 구조(물)
summit 정상
take an interest 흥미를 갖다
transform 변형시키다

unique 독창적인

L8
accompany 동반하다
attach 부착하다
attempt 시도
awkward 어색한
barrier 장애물
bend 구부리다
block 방해하다
call upon 요청하다
competition 경쟁
complicated 복잡한
decisively 결단성 있게
degree (온도, 각도) 도
disaster 재난
disaster-stricken 재난을 당한
effortlessly 노력 없이
emphasis 강조
encounter 맞닥뜨리다
eventually 마침내, 결국
extremely 극도로
government 정부
handle ~을 다루다
have difficulty -ing
~하는 데 어려움을 겪다
improve 향상시키다
in response to ~에 대한 대응으로
kneel 무릎을 꿇다
leak 새다
locate 위치를 파악하다
navigate 길을 찾다
nuclear 원자력의
outdoor 밖에서
press 누르다
progressively 점진적으로
radioactive 방사능
reflect 반영하다
release 내보내다
renew 다시 시작하다
rotate 회전하다
rough 거친
scan 살피다
set off 시작하다
simultaneously 동시에
speed up 가속화하다
terrain 지형
trial 시도
tsunami 해일

up to ~까지
vehicle 차량

SL2 accuse 고발하다
act out (연기하듯) 실연해 보이다
affection 애정
attack 공격하다
bully 괴롭히다
convict 유죄를 선고하다
criticism 비판
cruelly 잔인하게
defend 방어하다
discrimination 차별
evidence 증거
generation 세대
guilty 유죄의
harmless 무해한
haunted 귀신 붙은
heroine 여자 주인공
in return 보답으로
injustice 부당함
innocent 순수한
insult 모욕하다
investigation 조사
judge 판사
jury 배심원단
justice 정의
murder 살인
nevertheless 그럼에도 불구하고
perspective 관점
porch 현관
puzzled 당황한
racism 인종 차별(주의)
regret 후회하다
rescue 구조(하다)
revenge 복수
severe 심각한
sheriff 보안관
sin (종교적인) 죄
sing one's heart out
            온 마음을 다해 노래하다
stab (칼 등으로) 찌르다
sympathy 공감
translate 번역하다
unfair 불공평한
unjust 부정한, 불의의
various 여러 가지의
witness 목격(자); 목격하다
wounded 상처 입은

L1 adapt to ~에 적응하다
assign 할당하다
attend 출석하다
barely 겨우; 거의 ~ 않는
be about to 막 ~하려고 하다
be caught up in ~에 휘말리다
be on the phone 통화 중이다
benefit 이익
concentrate 집중하다
confident 자신감 있는
environment 환경
exactly 정확하게
final term 기말고사
for life 죽을 때까지
hardly 거의 ~ 아니다
humble 천한
impress 인상을 주다
instantly 즉각
keep ~ from ...
            ~가 …하는 것을 막다
keep ~ in mind ~을 명심하다
make sense 의미가 통하다
make the most of
            ~을 최대한 활용하다
moreover 더욱이
poem 시
popularity 인기
pretend ~인 척하다
pursue 뒤쫓다
relieve 완화시키다
strict 엄격한
survive 살아남다

L2 approach 접근(하다)
be in common use 흔히 쓰이다
bunch 꾸러미
combine 결합하다[되다]
creative 창의적인
depend on ~에 달려 있다
device 기구, 장치
era 시대
exemplify ~의 좋은 예가 되다
imagine 상상하다
improve 향상시키다
lead to ~로 이어지다
poetry (문학 형식으로의) 시
pull ~ out of thin air
            ~을 느닷없이 내놓다

pump (물·공기 등을) 퍼 올리다
realize 깨닫다
scrubber (냄비 등을 닦는) 솔[수세미]
soapy 비누의
think outside the box
            새로운 사고를 하다
throughout the ages
            여러 시대를 걸쳐
thus 이렇게 하여
view ~라고 보다
what if ~하면 어떨까?

L3 annoying 짜증스러운
considerate 사려 깊은
cooperation 협동
couch 소파
desperate 절망적인
determined 결심한
doorway 출입구
far from 전혀 ~ 아닌
firmly 단호히
grab 움켜잡다
greet 인사하다
halfway 불완전하게
impatient 짜증 난
in a moment 곧
inconsiderate 사려 깊지 못한
needy (경제적으로) 어려운
once and for all 최종적으로
reasonable 타당한
reminder 생각나게 하는 것
replace 교체하다
represent 상징하다
rudeness 무례함
run away from ~을 피하려 하다
shameless 부끄러운 줄 모르는
soften 부드럽게 하다
suffering 고통
thoughtless 무심한
tightly 단단히
way too far 너무 멀리 온
worn 낡은

L4 be regarded as ~로 여겨지다
comparison 비교
concise 간결한
conquer 정복하다
convey 전달하다
coward 겁쟁이
departure 떠남

despair 절망(하다)

destination 목적지

extremely 극도로

figure of speech 수사법

fright 공포

gruel 귀리 죽

inexperienced 경험이 부족한

intense 강렬한

lyricist 작사가

lyrics (노래의) 가사

make up ~을 구성하다

memorable 기억할 만한

merely 단지

path 길

pose 제시하다

purposeful 목적의식 있는

refer to 언급하다

the apple of one's eye
　　　　　매우 소중한 사람

universal 보편적인

wanderer 방랑자

L5 antelope 영양

arch 아치

collapse 붕괴하다

disturb 방해하다

diversity 다양성

ecosystem 생태계

feel free to 자유롭게 ~하다

get to the point 요점을 언급하다

have an effect on
　　　　　~에 영향을 미치다

hyena 하이에나

in turn 차례로

inspiration 영감

maintain 유지하다

mussel 홍합

observe 관찰하다; 준수하다

period 기간

plain 평야

predator 포식자

prevent ~ from ...
　　　　　~가 …을 못하게 막다

remove 제거하다

rewarding 가치가 있는

significantly 중대하게

spread 펼치다

term 용어

zoology 동물학

L6 appreciate 감상하다, 감사하다

be moved to tears
　　　　　감동받아 눈물을 흘리다

bond 유대감, 채권

bring ~ together ~을 결합하다

choir 합창단

choral 합창의

composer 작곡가

composition 작곡

conduct 수행하다; 지휘하다

connectivity 연결

go through 검토하다

go to any length 철저하게 하다

in person 직접

inspire 영감을 주다

on one's own 혼자서

performance 공연

post 게시하다

release 내보내다

renew 다시 시작하다

row 열

soul 영혼, 사람

take part in ~에 참여하다

thousands of 수천의

virtual 가상의

zoom in 확대하다

L7 ancestor 조상

at work 작용하는

bamboo 대나무

circular 원형의

constantly 끊임없이

diameter 지름

drag 끌다

equivalent 동등한

evenly 고르게

experiment 실험(하다)

gravity 중력

have ~ in common
　　　　　~라는 공통점이 있다

in accordance with ~에 따라

interaction 상호 작용

length 길이

lift 승강기

oppose 반대하다

pressure 압력, 압박

principle 원리

propeller 프로펠러

proportion 부분

provide 제공하다

rectangular 직사각형의

result in ~의 결과가 되다

spin 회전하다

stability 안정감

stably 안정적으로

still 고요한

strip 띠

tension 긴장

thrust 찌르다

uniqueness 독특함

upward 위쪽으로

width 폭

L8 attach 부착하다

backache 요통(腰痛)

be divided into ~로 나뉘다

centipede 지네

ceremony 의식

cherish 소중히 여기다

contribute to ~에 기여하다

cooperate 협동하다

crab 게

cure 치료(법)

defeat 패배(시키다)

generation 세대

harvest 수확(하다)

heritage (문화)유산

inherit 물려받다

intangible 무형의

promote 촉진하다

reflect 반영하다

region 지역

ritual 의식

spirit 정신

township 마을

try one's best 최선을 다하다

tug 잡아당기다

under the heading of
　　　　　~의 제목 하에

unforgettable 잊을 수 없는

unity 통합

vary 다르다

천재교육(김)

U1 after all 결국

ask for ~을 요청하다

be about to 막 ~하려고 하다

career 직업; 경력

categorize 범주로 나누다
currently 현재
divide ~ into ... ~을 …로 나누다
due (on) (날짜) 기한인
extra 추가의[로]
for a while 한동안
give up 포기하다
gossip 가십 기사
ignore 무시하다
in class 수업 중에
in the long run[term] 결국에는
include 포함하다
keep ~ in mind ~을 명심하다
keep up with ~을 따라잡다
label 라벨
management 관리; 경영
material 재료
neither ~ nor ...
　　　　　　~도 아니고 …도 아닌
reduce 줄이다
regularly 규칙적으로
relatively 상대적으로
skip 거르다
sole 혼자의
tend to ~하는 경향이 있다
urgency 긴급성
waste 낭비(하다)

U2 acknowledge 인정하다
arrow 화살
awesome 근사한
bead 구슬
bin 통
bracelet 팔찌
emphasis 강조
inspire 영감을 주다
instructor 교사
involve 연루시키다
lead ~ to ... ~로 하여금 …하게 하다
manufacturer 제조자
plenty of 많은
product 제품
profitable 수익성이 있는
protect 보호하다
ring pull 따개 고리
straw 빨대
symbol 부호
thrill 열광시키다
throw away 버리다

transform 변형시키다
turn ~ into ... ~을 …로 바꾸다
upcycling 재활용
waste 낭비(하다)
wrap up 마무리하다

U3 abstract 추상적인
address 말을 하다, 연설하다
approach 접근(하다)
cheat 속이다
concentrate on ~에 집중하다
conflicted 갈등을 겪는
confusion 혼란
end up -ing 결국 ~하다
file into 줄서서 ~에 들어가다
forgive 용서하다
frustrated 좌절감을 느끼는
get ~ straight in one's head
　　　　　　~을 명확하게 이해하다
go over ~을 점검하다
guilty 유죄의
heart attack 심장 마비
hold back ~을 억제하다
make one's way to ~로 나아가다
one last time 마지막으로 한 번 더
operation 수술
pale 창백한
physics 물리학
pity 동정
point to ~을 가리키다
prepare for ~을 준비하다
put away 치우다
row 열
sigh 한숨
steal a glance at
　　　　　　~을 슬쩍 훔쳐보다
take out ~을 꺼내다
tease 놀리다
text 문자 메시지(를 보내다)
theory 이론
to one's astonishment 놀랍게도

U4 aggressive 공격적인
appeal to ~에 호소하다
audience 관객
back up ~을 뒷받침하다
basis 근거
cite 인용하다
consciousness 의식
credibility 신뢰성

crime 범죄
debate 토의
delivery 배달
do ~ harm ~에게 해를 입히다
donate 기부[기증]하다
element 요소
evidence 증거
exaggeration 과장
expert 전문가
face to face 서로 얼굴을 맞대고
fallacy (인식상의) 오류
generalization 일반화
grief 비탄
guarantee 보장하다
hasty 성급한
have difficulty -ing
　　　　　　~하는 데 어려움을 겪다
in person 직접
judgment 판단
keep ~ in check ~을 억제하다
persuasion 설득
reasonable 타당한
reject 거부하다
reliable 신뢰가 가는
rely on ~에 의존하다
survive 살아남다
sympathy 공감
violent 폭력적인
win over 설득하다

U5 accurate 정확한
beat (심장이) 뛰다
canvas 캔버스
collaboration 공동 작업
come to ~하게 되다
come true 실현되다
community welfare center
　　　　　　사회 복지관
complete 완성하다
enthusiastic 열렬한
feel like ~처럼 느끼다
gather 모으다; 모이다
get in touch with ~와 연락하다
immigrant 이민자
look back 되돌아보다
make a mistake 실수하다
mind 언짢아하다, 상관하다
one by one 하나씩
palm 손바닥

participate in ~에 참가하다
pronunciation 발음
recording 녹음
theme 주제
volunteer 자원봉사 (하다)

U6 barley 보리
candle flame 촛불
catch one's eye ~의 이목을 끌다
celebrate 축하하다
clap 박수를 치다
costume 의상
destination 목적지
doubt 의심(하다)
dynamic 역동적인
float (물 등에) 뜨다
get off ~에서 내리다
gradually 점차
grain 알갱이; 낟알
handicraft 수공예품
harbor 항구
head to ~로 향하다
iceberg 빙산
insist 주장하다
land 착륙하다
mailbox 우체통
melt 녹다
modern 현대의
on one's way to ~로 가는 길에
refreshing 상쾌한
remain (~의 상태로) 남다
see off 배웅하다
sled 썰매
speechless 말문이 막히는
spirit 정신
stew 스튜
take off 이륙하다
wave (바람에) 흔들리다

U7 aboard 탑승한
basically 기본적으로
breathe 호흡하다
bury 묻다
crew 팀(팀원)
device 기구, 장치
dig out 파내다
efficiency 효율성
entirely 완전히
equipment 장비
external 외부의

go missing 실종되다
harsh 가혹한
hole 구멍
mechanical 기계의
minimal 최소한의
mission 임무
optimistic 낙관적인
or so ~쯤
orbit 궤도
oxygenator 산소 발생기
portion 1인분
repair 수리하다
rescue 구조(하다)
reserve 비축(하다)
rover 탐사 차량
solar cell 태양광 전지
solid 견고한
spare 여분의
speciality 전문 지식
supply 보급(품); 공급(하다)
surface 표면
sweep off 쓸어 내다
urine 소변

U8 access 접근(하다)
affair 일
air out 환기하다
annals 연대기
archive 기록 보관소
break out 발생하다
conceal 숨기다
contain 포함하다
crisis 위기 (pl. crises)
deal with ~을 다루다
defend 방어하다
deposit (특정한 곳에) 보관하다
devotion 헌신
diplomatic 외교의
dynasty 왕조
elaborate 정교한
eliminate 제거하다
enrich 풍요롭게 하다
except for ~을 제외하고
founder 설립자
geography 지리(학)
in charge of ~을 책임지는
insight 통찰력
moisture 습기
objective 객관적인

pile 쌓인 것, 더미
pile up 쌓아 올리다
property 재산
provide ~ for ...
　　　　　　...에게 ~을 제공하다
register 등재하다
reign (왕의) 통치 기간
reveal 드러내다
rot 썩다
scholar 학자
severely 혹독하게
stack 쌓다
well-preserved 잘 보존된

동아출판

L1 accomplish 성취하다
anxiety 불안
assign 할당하다
at the moment 마침 그때
at the same time 동시에
attitude 태도
common 보통의; 공동의
compete with ~와 겨루다
conductor 지휘자
confused 혼란스러운
demanding 부담이 큰
failure 실패
for the time being 당분간
further (거리상으로) 더 멀리에[로]
get involved ~에 관여하다
go through ~을 겪다
highs and lows 고저
in harmony with
　　　　　　~와 조화를 이루며
in store 예비된
instead of ~ 대신에
management 관리; 경영
nervous 긴장되는
optimistic 낙관적인
pace (걸음·달리기·움직임의) 속도
path 길
peer 또래
positive 긍정적인
resource 자원
respect 존중하다
seek 찾다; 구하다
set goals 목표를 세우다

stress 스트레스, 압박, 긴장
yield 생산하다

L2

advertise 광고하다
appearance 용모
at a later date 나중에
at that time 그때에
award 상; ~을 주다
ceremonially 형식적으로
coin (새로운 말을) 만들다
common practice 일반적 습관
contain 포함하다
convenience 편의
display 전시하다
doubt 의심(하다)
embarrassing 당혹스러운
financially 재정적으로
find out 알아내다
for some time 잠시 동안
from then on 그때부터 계속
gradually 점차
grain 알갱이; 낟알
inaccurate 부정확한
ingredient 재료
mankind 인류
mass-produce 대량 생산하다
misleading 잘못된 정보를 주는
needless 불필요한
overly 너무
performance 공연
poison ~을 독살하다
priest 신부
protect 보호하다
put ~ into service
　　　　　~을 사용하기 시작하다
refer to 언급하다
remedy 치료(약)
responsive 즉각 반응하는
slice (얇게) 썰다
support 부양[지지]하다
take on (표정·성질 등)을 띠다
theatrical 연극의
wheel 바퀴

L3

benefit 이익
blind 눈이 먼
butterflies in one's stomach
　　　　　불안한 마음
come by (얻기 힘든 것)을 얻다
come up with 고안하다

connect ~ with ...
　　　　　~을 …와 연결시키다
describe 묘사하다
disease 질병
expiration date 유통 기한
fascinating 매혹적인
grand 웅장한
hang up 전화를 끊다
have to do with ~와 관계가 있다
improve 향상시키다
in detail 상세하게
in turn 그 다음에
install 설치하다
needy (경제적으로) 어려운
prevent 막다
realize 깨닫다
region 지역
sighted 앞을 볼 수 있는
spread 펼치다
volunteer 자원봉사 (하다)
wage 임금

L4

alter 바꾸다
artificial 인공의
be familiar with ~에 익숙하다
be in for (불쾌한 일을) 당하게 되다
beneficial 유익한
bounce off ~에 맞고[부딪쳐] 튀다
cancer 암
come in contact with
　　　　　~와 접촉하다
contrast 대조
crash 충돌(하다)
depression 우울증
estimate 추정하다
exhaustion 탈진
float (물 등에) 뜨다
generation 세대
glow 빨갛게 타다; 빛을 내다
go by ~에 따르다
harmless 무해한
hatch (알이) 부화하다
horizon 지평선
in an effort to ~하려는 노력으로
in use 사용 중인
join hands 협력하다
misuse 남용
navigate 길을 찾다
overuse 과용

photosynthesis 광합성
pollution 오염
populated (지역) 사람들이 거주하는
reproduction 번식
rob 빼앗다
scatter 흩뿌리다
seemingly 겉보기에는
shrink 줄어들다
threaten 위협하다
trick ~ into ...
　　　　　~을 속여 …하게 만들다
ultimately 결국
urban 도시의
victim 희생자
visible 눈에 보이는

AR1

accuse 혐의를 제기하다
ancient 고대의
attacker 공격자
belongings 재산
bump 혹
carve 새기다
cease 중단시키다
close by 인근[가까이]에
coincidence 우연
commit (그릇된 일·범죄) 저지르다
confidently 자신 있게
curse 저주
damp 축축한
dare 감히 ~하다
declare 선언하다
detective 수사관
dynasty 왕조
expertise 전문 지식[기술]
face down 거꾸로[엎드려]
fingerprint 지문
genuine 진짜의
get out of (~에서) 떠나다[나가다]
gorgeous 아주 멋진
investigation 조사
lock up 자물쇠로 잠그다
police lab 경찰 실험실
possess 소유하다
refreshment 다과
royal 왕[여왕]의
rush back 급히 돌아가다
shaky 떨리는
smash 세게 때리다
sore 아픈[따가운 / 화끈거리는]

suspect 용의자
tear 찢다
text 문자 메시지(를 보내다)
tightly 단단히
warn 경고하다

 L5 apathy 무관심
applause 박수 (갈채)
be flooded with ~가 넘쳐나다
beauty salon 미용실
bother 귀찮게 하다
cheer 환호하다
concentration 집중
confidently 자신 있게
draw attention 관심을 끌다
embrace 포용하다
foreign 외국인의
get in line 줄을 서다
ignorance 무지함
in a circle 원형을 이루어
indifference 무관심
innocently 천진스레
leap out 뛰쳐나오다
mix 섞다
more often than not 자주
prejudice 편견
simultaneously 동시에
stare 응시하다
sum 합계
take turns 번갈아 하다
uncover 덮개를 벗기다
whole 전체

L6 ancient 고대의
anonymous 익명으로 된
apply 적용하다
aside from ~외에는
at any moment 금방이라도
at that time 그때에
authority 권위
be tempted to ~하고 싶다
catch sight of ~을 찾아내다(보다)
common 보통의; 공동의
decorate 장식하다
deer 사슴
eternal 영원한
exclusively 오로지
feature 특징; 등장시키다
fierce 사나운
folk 사람들(의)

fortune 행운
fur 털
gather 모으다; 모이다
give it a try 시도하다
government 정부
in contrast to ~와 대조적으로
in the hope of ~을 바라고
keep ~ in mind ~을 명심하다
longevity 장수
modern 현대의
movement 운동
notice 알아채다
out of place 제자리에 있지 않은
period 기간
perspective 관점
popularity 인기
prosperous 번영한
public 공공(의)
rebirth 부활
reborn 다시 활발해진
reflect 반영하다
signal 신호(하다)
strand 가닥
take courage 용기를 내다
take one's last breath
　　　　　　　 마지막 숨을 거두다
tale 이야기

L7 agency (정부) 기관
appoint 임명하다
arrange 준비하다
at the time 그 당시
boycott 거부 운동
bring about 일으키다, 가져오다
civil rights 시민의 평등권
department 부서
disability 장애
disabled 장애를 가진
entire 전체의
follow suit 남이 한 대로 따라 하다
go a long way 큰 도움이 되다
harsh 가혹한
head to ~로 향하다
injustice 부당함
insignificant 하찮은
journey 여행
motto 좌우명
non-violent 비폭력적인
obstacle 장애(물)

paralyzed 마비된
pass by ~을 스쳐 지나가다
polio 소아마비
refugee 난민
refuse 거절하다
rehabilitation
　　　　　 (장애인 등의) 사회 복귀
relocation 재배치
reserve 비축(하다)
segregation 분리
separate 분리하다
severe 심각한
shortage 부족
spark 촉발시키다
stand up to 맞서다
stare at 응시하다
stick to 굳게 지키다
take over 장악하다
unconstitutional 헌법에 위배되는
unfit 부적합한
vocational 직업과 관련된

L8 a bit of 소량의
anniversary 기념일
authentic 진정한
be impressed with ~에 감동받다
be worth -ing ~의 가치가 있다
brighten 밝아지다
bucket list 달성하고 싶은 목표 목록
capital 수도
from scratch 처음부터
handicraft 수공예품
have a good laugh 크게 웃다
huge 거대한
know-it-all 아는 체 하는(사람)
lay off ~을 그만하다
lose weight 살이 빠지다
make sense of ~을 이해하다
marvelous 놀라운
package tour 패키지 여행
postmark (우편물의) 소인
put up with 참다
souvenir 기념품
spot 발견하다
vow 맹세하다
wilderness 야생의 벌판

 AR2 abandon 버리다
advancement 발전
bankrupt 파산한

canal 운하
channel 수로
chief 최고위자인
disastrous 처참한
dock 부두
drain 배수관
elevation 해발 높이
escalator 에스컬레이터
extensive 대규모의
hospitalize 입원시키다
incurable 치유할 수 없는
isthmus 지협
literally 글자 그대로
mosquito 모기
pour down ~을 붓다
primary 주된
root 뿌리
route 경로
sacrifice 희생
transmitter 전달자
uneven 평평하지 않은
unfold 펼쳐지다
wage war 전쟁을 벌이다
waterway 수로
wipe out ~을 완전히 없애 버리다
yellow fever 황열병

지학사

L1
achieve 성취하다
action 행동
attitude 태도
balance 균형
celebrity 유명 인사
challenging 도전적인
condition 상태
end up 결국 ~하게 되다
focus on ~에 집중하다
freshman 신입생
friendship 우정
go through 살펴보다
look forward to ~을 기대하다
look into ~을 조사하다
moment 순간
negative 부정적인
precious 귀중한
present 현재의
proverb 속담
quantity 양

spirit 정신
strength 힘
struggle 투쟁하다
take action 실행하다
tip 조언
tough 어려운

L2
affect 영향을 주다
appetite 식욕
automatic 무의식적인
chromosome 염색체
decisive 결단력 있는
delicate 연약한
demonstrate 입증[설명]하다
emotionless 감정이 없는
exist 존재하다
fascinating 매혹적인
gene 유전자
identify 확인하다
instinct 본능
leafy 잎이 많은[우거진]
liberation 해방
lifeless 활기가 없는
movement 운동
obvious 명백한
option 선택(권)
outer 바깥 표면의
perceive 인지하다
poisonous 독성이 있는
shade 색조; 그늘
spectrum 스펙트럼
suitable 적합한
suppress [반응 등을] 억제하다
variation 변형
warning 경고의
wonder 경이로운 것

L3
be proud to ~해서 자랑스럽다
brilliant 탁월한
combine 결합하다[되다]
compose 작곡하다
entire 전체의
foundation 재단
guilty 유죄의
heal 치유하다
inspiration 영감
on tap 준비된
performer 연주자
racial 인종의
side by side 나란히

sorrow 슬픔
survive 살아남다
take ~ for granted
　　　　　　~을 당연시하다
tune in 청취하다
vision 비전

L4
according to ~에 따라
be associated with ~와 관련되다
chopstick 젓가락
communicate with
　　　　　　~와 의사소통하다
consider 고려하다
customer 손님
exchange 교환(하다)
forbid 금지하다
fortune 행운
get to ~에 도착하다
greeting 인사
host family 민박 가정
impress 인상을 주다
innocent 순결한
leftover 남은 음식
make a fortune 재산을 모으다
modernize 현대화하다
pay off 결실을 맺다
rarely 좀처럼 ~하지 않는
regard ~ as ... ~을 …로 간주하다
spice 향신료
spin around 회전하다
symbolize 상징하다
take a bite 한입 베어 물다

L5
argument 논쟁
bank 둑, 제방
beat 이기다
catch up to ~을 따라잡다
challenge 도전하다
currently 현재
disappointed 실망한
go all out 전력을 다하다
on and on 계속
once upon a time 옛날에
opposite 반대(의)
overconfident 자만하는
overtake 앞지르다
riverbank 강둑
route 경로
satisfaction 만족
sequel 속편

several 몇몇의
slightly 약간
start off 시작하다
take off 출발하다
take over 장악하다

L6 a handful of 소수의
aboard 탑승한
amuse 즐겁게 하다
annoy 짜증나게 하다
assign 할당하다
available 이용할 수 있는
certification 자격증
consumer 소비자
curiosity 호기심
definitely 분명히
enormous 거대한
evaluate 평가하다
expert 전문가
get(be) used to ~에 익숙하다
horizontally 수평적으로
in terms of ~에 관하여
infant 유아
leisurely 여유로운
occupied 집중하는
peculiar 특이한
preference 선호도
premium 최고급
specialized 특수화된
spit out 뱉다
swallow 삼키다
sweep 휩쓸다
tag 꼬리표를 붙이다
take into account 고려하다
unfamiliar 익숙하지 않은
vertically 수직으로

L7 atmosphere 대기
attraction 매력
average 평균의
carbon dioxide 이산화 탄소
consist of ~로 구성되다
exotic 이국적인
extra 추가의(로)
furthermore 게다가
gravity 중력
impulse 충동
layer 층; 겹
magnificent 훌륭한
manned 유인의(사람을 태운)

mission 임무
muscle 근육
nitrogen 질소
nomadic 유목민의
oxygen 산소
permanent 영구적인
plain 분명한
planet 행성
protective 보호하는
prove 증명하다
rotate 회전하다
scenery 경치
shelter 보호소
shrink 줄어들다
skeletal 골격의
sleep in 늦잠 자다
split 분리하다
stand up against ~에 저항하다
sunburned 화상을 입은
wander 배회하다
weigh 무게가 나가다

L8 article 기사, 논설
assignment 과제
blur 흐리게 하다
cataract 백내장
claim 주장(하다)
come up 떠오르다
constantly 끊임없이
countless 수많은
critic 평론가
criticize 비판하다
drawing 그림
established 인정받는, 존경받는
exhibition 전시(회)
feature 특징; 등장시키다
gardening 원예
grocery store 식료품점
harbor 항구
Impressionism 인상주의
ironically 모순적으로
literature 문학
masterpiece 걸작
moderate 중간의
owe ~ to ... ~는 … 덕분이다
portrait 초상화
pose 제시하다
production (생)산물
reflection 반사

reputation 평판
resident 마을 사람
stroke 획
suffer (from) ~을 겪다
sunrise 일출
surface 표면
take on (표정·성질 등)을 띠다
term 기간; 용어

금성출판사

U1 achieve 성취하다
aircraft 비행기
annual 연간의
aptitude 적성
assemble 조립하다
award 상; ~을 주다
brownie 초콜릿 케이크
create 만들다
deliver 배달하다
elderly 연로하신
expert 전문가
fancy 고급의
flour 밀가루
freshman 신입생
from scratch 처음부터
gain 증가; 이득
in need 도움이 필요한
in the end 결국에는
log on (to) ~에 접속하다
realize 깨닫다
script 대본
search for ~을 찾다
take part in ~에 참여하다
various 여러 가지의

U2 accomplish 성취하다
account 계좌; 계정; 계산
arrange 준비하다
article 기사
assign 할당하다
assignment 과제
at one's best 가장 좋은 상태에서
be caught up with
~로 사로잡히다
concentrate 집중하다
figure out 알아내다
get the most out of
~을 최대한으로 이용하다
hang out with ~와 시간을 보내다

huge 거대한
in advance 미리
lead a life 삶을 영위하다
organize 조직하다
precious 귀중한
present 현재의; 선물
prevent ~ from ...
　　　　　 ～가 …을 못하게 막다
productive 생산적인
responsibility 책임(감)
seize 붙잡다
spare 여분의
struggle 투쟁하다
success 성공
thanks to ~ 덕분에
urgency 긴급
urgent 긴급한
valuable 귀중한

U3 attitude 태도
break out 발생하다
bridge the gap 간격을 메우다
chapter (책, 논문의) 장
device 기구, 장치
digital 디지털의
generation 세대
have no choice but to
　　　　　 ～할 수밖에 없다
hometown 고향
invisible 보이지 않는
laborer 노동자
narrow 좁히다; 좁은
online 온라인의
pleased 기쁜
poverty 가난
put up with 참다
select 선택하다
separate 분리하다
share 공유하다
strengthen 강화하다
throughout 내내
totally 완전히
worsen 악화되다

U4 alternative 대체의
arctic 북극의
at long last 오랜 시간이 흐른 후
auditorium 강당
awareness 인식
carbon dioxide 이산화 탄소

classify 분류하다
climate 기후
damage 손상을 주다
dramatic 극적인
drought 가뭄
emission 배출
exceed ～을 초과하다
fossil fuel 화석 연료
give a boost to
　　　　　 ～에 활력을 불어넣다
greenhouse gas 온실가스
hydrogen 수소
injury 부상(자)
intensity 강도
long-lasting 오래 지속되는
make up for ～을 보상하다
melt 녹다
micro dust 미세 먼지
official 공식적인
reduce 줄이다
renewable 재생 가능한
resource 자원
result in ～의 결과가 되다
root out ～을 뿌리 뽑다
severely 혹독하게
shortage 부족
significant 중요한
sink (수면 아래로) 가라앉다
southeast 남동의
temperature 온도
transform ~ into ...
　　　　　 ～을 …로 변형시키다

U5 a must 필수 사항
aboriginal 원주민의
absolute 절대적인
absorb 흡수하다
architectural 건축의
astonishing 놀라운
awesome 근사한
be located in ～에 위치하다
border 국경
coast 해안
cruise 유람선
definitely 분명히
delicately 섬세하게
destination 목적지
devil 악마
emphasis 강조

entire 전체의
exhibit 전시하다; 전시품
gleam 어슴푸레 빛나다
impress 인상을 주다
in person 직접
incredible 놀라운
interaction 상호 작용
jaw 턱
keep ~ posted about ...
　　　　　 ～에게 계속 …에 관한 소식을 알리다
landscape 풍경
legend 전설
passion 열정
pattern 양식
preserve 보존하다
scenery 경치
sweat 땀
throat 목구멍
waterfall 폭포

U6 announce 발표하다
approach 접근(하다)
beyond ～을 넘어서는
combine 결합하다(되다)
come to mind 생각나다
creativity 창조성
diagonally 대각선으로
except for ～을 제외하고
fence off 울타리로 나누다
five senses 오감
glance 흘낏 봄
imaginary 상상의
include 포함하다
incorrectly 부정확하게
infinite 무한한
physicist 물리학자
portrait 초상화
step out of one's comfort
　　　　　 ～의 편안함에서 나오다
switch 전환하다
tend to ～하는 경향이 있다
the other way round 반대로
think outside the box
　　　　　 새로운 사고를 하다
upside down 거꾸로
wire 철사

U7 a great number of 많은
advantage 장점
attract 마음을 끌다

audience 관객
costume 의상
daydreamer 공상가
decade 10년
estimate 추정하다
feature 특징으로 삼다
give life to ~에 생기를 불어넣다
glamor 화려함
hologram 홀로그램
icon 우상
manufacture 제조하다
marketing strategy 마케팅 전략
phantom 유령
phenomenon 현상
profit 이익
release 내보내다
revive 활기를 되찾다
storytelling 이야기를 하기
terrific 멋진
uniqueness 독특함

U8 ashamed 부끄러운
be faced with ~에 직면하다
be willing to 흔쾌히 ~하다
care about ~에 마음을 쓰다
civic 시민의
contribute to ~에 기여하다
disaster 재난
extinguisher 소화기
firefighter 소방관
firework 불꽃놀이
frown 찌푸리다
garbage 쓰레기
jaywalk 무단횡단하다
keep order 질서를 유지하다
make way for ~에게 길을 내주다
misbehavior 버릇없음
noticeably 두드러지게
pedestrian 보행자
potential 잠재력 (있는)
public 공공(의)
push aside 떠밀다
regulation 규칙
relieve 완화시키다
rescue 구조(하다)
trap 가두다

U9 augment 증가시키다
be based on ~에 근거하다
be composed of ~로 구성되다

clay 점토
commercial 상업의; 광고
compass 나침반
contour 등고선
devise 고안하다
distribute 분배하다
drone 드론
examine 조사하다
geographical 지리적인
hardware 하드웨어
illustrate 삽화를 넣다
map-making 지도 제작
mythical 신화 속에 나오는
navigation 항해
observation 관찰
prediction 예측
projection 투영
rely on ~에 의존하다
represent 나타내다
revolutionize 대변혁을 일으키다
route 경로
spatial 공간의
widespread 광범위한

U10 attack 공격하다
bearded 턱수염 난
bleeding 출혈
bodyguard 경호원
common 보통의; 공동의
declare 선언하다
deserve ~을 받아 마땅하다
dig 파다
forgive 용서하다
get back at ~에게 복수하다
grant 부여하다
have mercy on
　　　　　　~에게 자비를 베풀다
hermit 은자
lose oneself in ~에 몰두하다
majesty 장엄함; 폐하
make peace with ~와 화해하다
make up one's mind 결심하다
possess 소유하다
property 재산
spade 삽
take away 빼앗다
unconscious 무의식의
unsteadily 불안정하게
weapon 무기

wound 상처

다락원

U1 acceptance 수락
affect 영향을 주다
assign 할당하다
attach 부착하다
avalanche 눈사태
barely 겨우; 거의 ~ 않는
barren 척박한
behave 행동하다
condition 조건
conservation 보존
continent 대륙
deal with ~을 다루다
destruction 파괴
diverse 다양한
diversity 다양성
ecotourism 생태 관광
enable 가능하게 하다
enroll 등록하다
environment 환경
escape 달아나다
expansion 확대
geographical 지리적인
involve 포함하다
isolated 고립된
lung 폐
maintenance 유지
means 수단
mention 언급하다
minority 소수
multicultural 다문화의
opportunity 기회
promote 촉진하다
rainforest 열대 우림
religious 종교의
remote 멀리 떨어진
represent 대표하다
result in ~의 결과가 되다
rewarding 보람 있는
satellite 위성
side by side 나란히
specialize in ~을 전문으로 하다
stuffed 배부른
surrounding 주변의
sustainable 지속 가능한
take place 개최하다

temperate 온화한
thermometer 온도계
vary 다르다
via ~을 경유하여

U2 absorb 흡수하다
assume 추정하다
astronaut 우주 비행사
atmosphere 대기
constantly 끊임없이
content 콘텐츠
crystal 결정체
despite ~에도 불구하고
disappear 사라지다
distant 먼
droplet 작은 방울
endless 끝없는
entire 전체의
evaporate 증발하다
eventually 마침내, 결국
gas 기체의
glacier 빙하
gravity 중력
groundwater 지하수
hail 우박
invisible 보이지 않는
liquid 액체의
particle 조각
precipitation 강수
process 과정
release 내보내다
set out 시작하다
sleet 진눈깨비
solid 단단한
surface 표면
teapot 차 주전자
temperature 온도
turn into ~이 되다
upward 위쪽으로
vapor 증기
various 여러 가지의

U3 adventurous 모험심 강한
apply to ~에 적용되다
appreciate 고마워하다
appropriate 적절한
bruise 멍
collide with 충돌하다
ecofriendly 친환경적인
encounter 맞닥뜨리다(부딪히다)

especially 특히
gear 장비
ignore 무시하다
lane 도로
liberty 자유
majority 다수
merge into ~ 사이로 들어가다
method 방법
pedestrian 보행자
predictable 예측 가능한
prefer 선호하다
prevent 막다
protective 보호하는
reflect 반사하다
respond 대답(응답)하다
route 경로
separate 분리하다
sidewalk 인도
signal 신호(하다)
transportation 교통수단
vertically 수직으로
when it comes to ~에 대해서라면
yield 양보하다

U4 adapt 적용하다
anew 다시, 새로
be faced with ~에 직면하다
beat 이기다
bring out ~을 끌어내다
careless 부주의한
challenge 도전하다
commitment 헌신, 약속
consistent 한결같은
crucial 중요한
currently 현재
demonstrate 입증(설명)하다
disappointed 실망한
emerge 나타나다
fable 우화
failure 실패
finish line 결승선
generate 생성하다
give up 포기하다
identity 정체성
in keeping with ~와 어울려
moral 교훈
neither ~ nor ...
　　　　　　~도 아니고 …도 아닌
opposite 반대(의)

outcome 결과
overconfident 자만하는
put in effort 노력하다
reach 닿다
satisfaction 만족
settle an argument 논쟁을 끝내다
shoot ahead 갑자기 앞지르다
slightly 약간
steady 꾸준한
strategy 전략
take ~ for granted
　　　　　　　~을 당연시하다
take over 넘겨받다
undisputed 논쟁의 여지가 없는
win-win 모두에게 유리한

U5 acceptable 용인되는
accompaniment 동반자
appetizer 전채 요리
appreciation 감사
approve 찬성하다
be supposed to ~해야 하다
betray 배신하다
compliment 칭찬
destination 목적지
dine 만찬을 들다
doubt 의심(하다)
fellow 친구
hospitality 환대
insult 모욕하다
lap 무릎
left-handed 왼손잡이의
modest 겸손한
offend 불쾌하게 하다
proper 적당한
proverb 속담
respectful 공손한
sip 홀짝이다
slurp 후루룩 소리를 내다
spoonful 한 숟가락
throw away 버리다
upright 똑바른, 꼿꼿한
utensil 기구
wasteful 낭비적인
weapon 무기
wrist 손목

U6 a variety of 다양한
advance 발전
apparently 겉보기에는

artificial intelligence 인공 지능
atom 원자
awake 깨어 있는
back and forth 앞뒤로
calculation 계산
cell 세포
combination 조합
compete 겨루다
concept 개념
continuously 계속해서
core 중심(적인)
criminal 범죄자
defeat 패배(시키다)
department 부서
depth 깊이
elderly 연로하신
elegant 우아한
exchange 교환(하다)
fascinate 마음을 사로잡다
founder 설립자
grandmaster (체스에서의) 대가
humanity 인류(애)
hut 오두막
imaginary 상상의
impressive 인상적인
logical 논리적인
mere 단지
nerve 신경
neuron 뉴런
numerous 수많은
observe 관찰하다; 준수하다
outstanding 뛰어난
rare 희귀한
recognition 인식
shelter 보호소

take turns 번갈아 하다
territory 영토
toss 던지다
wander 배회하다

U7 at ease 걱정 없는
come up with ~을 고안하다
comfort zone 편안함을 느끼는 곳
commit to ~에 전념하다
confidence 자신감
embarrassing 당혹스러운
encouraging 격려하는
exist 존재하다
expose ~ to ... ~을 …에 노출시키다
get the most out of
　　　　　～을 최대한으로 이용하다
huge 거대한
impress 인상을 주다
in oneself 그 자체로
in the long run 장기적으로
interaction 상호 작용
merely 단지
milestone 중요한 사건
phrase 구절
pick up (언어를) 익히다
pronounce 발음하다
reward 보상(하다)
rivalry 경쟁
sibling 형제
silly 어리석은
stay motivated 의욕을 잃지 않다
struggle 투쟁하다
surround ~ with ...
　　　　　～을 …로 둘러싸다
switch 전환하다
weird 이상한

willingness 의향

U8 ache 아프다
acid 산성의
bare 발가벗은
bother 귀찮게 하다
commence 시작되다
covey 새의 무리
creek 개울
degree (온도, 각도) 도
detached 분리된
epidemic 유행병
evidently 분명히
flush 상기되다
forehead 이마
gaze 응시하다
germ 세균
influenza 인플루엔자
instruction 지시
light-headed 약간 어지러운
miserable 비참한
mound 흙더미
pirate 해적
pneumonia 폐렴
poise 태세를 취하다
prescribe 처방을 내리다
purgative 설사약
quail 메추라기
scatter 흩뿌리다
shiver 떨다
slack 늘어진
slither 매끄럽게 나아가다
springy 탄력 있는
stare 응시하다
stay awake 깨어 있다
varnish 광택제를 바르다

PART

Ⅱ.

형태별
고등 필수
어휘

단어를 암기할 때 **뒤쪽 책날개**를 뜯어서
단어 뜻 가리개로 활용하세요.

DAY 31

주요 동사 숙어

📖 가리개를 사용하여 뜻을 잘 암기했는지 확인하세요.

make

1201 make a difference

영향을 미치다; 중요하다

Removing one plank might not **make a difference** in repairing a whole ship. (학평)
널빤지 하나를 제거하는 것은 배 전체를 수리하는 데 **영향을 미치지** 않을 수도 있다.

1202 make a fortune

부를 축적하다, 재산을 모으다

Hamwi helped his neighbor and, in the process, **made a fortune**.
(학평) Hamwi는 자신의 이웃을 도왔고, 그 과정에서 **부를 축적했다**.

1203 make fun of

~을 놀리다

Some students started **making fun of** a new classmate from a small village. (학평)
몇몇 학생들은 작은 마을에서 온 새로운 반 친구를 **놀리기** 시작했다.

📰 **poke fun at** ~을 놀리다

1204 make it

1. 해내다   2. 제시간에 맞추다

¹ Congratulations! I knew you could **make it**. (학평)
축하해! 나는 네가 **해낼** 줄 알았어.

² Don't worry about it. I can **make it** in time. (학평)
걱정하지 마. 나는 제시간에 **맞춰 갈** 수 있어.

1205 make sense

1. 이해가 되다, 의미가 통하다   2. 타당하다

¹ Read the instructions and tell me if they **makes sense**.
이 사용 설명서를 읽고 그것이 **이해가 되는지** 말해 주세요.

² Writing out your notes in full sentences **makes sense** if the goal is to study a textbook. (학평)
목표가 교과서를 공부하는 것이라면 완전한 문장으로 필기를 하는 것은 **타당하다**.

1206 make up for
□□

만회하다, 벌충하다, 보상하다

I have to work overtime to **make up for** the loss of my fund.
펀드 손실을 **만회하기** 위해 나는 초과 근무를 해야 한다.
When a man found the rumor to be false, he went to the person he had offended to ask how he could **make up for** telling it. 학평
그 소문이 사실이 아님을 알았을 때, 그 남자는 소문을 퍼뜨린 것에 대해 어떻게 **보상할** 수 있을지를 묻기 위해 자신이 감정을 상하게 한 사람에게 갔다.

1207 make use of
□□

~을 이용하다

Many social enterprises are reluctant to **make use of** traditional commercial finance products, fearing that they might not be able to pay back the loans. 학평 많은 사회적 기업들은 대출금을 상환하지 못할 수 있다는 것을 두려워하여 전통적인 상업 금융 상품들을 **이용하는** 것을 꺼린다.

---

get

1208 get ~ wrong
□□

~을 오해하다, ~을 잘못 생각하다

Don't **get** me **wrong**. I was too busy to help you. 학평
내 말을 **오해하지** 마. 나는 너무 바빠서 널 도울 수가 없었어.

1209 get along with
□□

~와 잘 지내다, 어울리다

Train your dogs to **get along with** people! 학평
당신의 개가 사람들과 **잘 지내도록** 훈련하세요!

1210 get in the way of
□□

방해가 되다

Never let some small details **get in the way of** the whole plan.
몇몇 사소한 세부 사항들이 전체 계획에 절대 **방해가 되지** 않도록 하라.
Our biased attitudes **get in the way of** preserving biodiversity.
학평 우리의 편향된 태도는 생물 다양성을 보존하는 데 **방해가 된다**.

1211 get stuck
□□

꼼짝 못하게 되다, 갇히다

I **got stuck** in a traffic jam for two hours. 학평
나는 교통 체증에 두 시간 동안 **꼼짝 못하고** 있었다.

1212 **get the most out of** ~을 최대한 활용[이용]하다

Some coaches **get the most out of** their athletes while others don't. 학평
어떤 코치들은 그들의 선수들을 **최대한 활용하는** 반면 다른 코치들은 그렇지 않다.

give

1213 **give ~ a hand** ~을 도와주다

I can't deal with looking over some figures now but what I can do is I can ask Brian to **give** you **a hand** and he should be able to explain them. 학평
저는 지금 수치를 검토하는 것을 할 수 없지만 제가 Brian에게 당신을 **도와주라고** 부탁할 수는 있어서 그가 그 수치를 설명해 줄 수 있을 것 같아요.

1214 **give in** 1. ~에 굴복하다   2. 제출하다   3. (마지못해) 동의하다

¹ We have seen that many talented individuals **give in** to their greed and pride without a sense of responsibility. 학평
우리는 많은 재능 있는 개인들이 책임감 없이 그들의 탐욕과 자만심에 **굴복하는** 것을 보아 왔다.

² Please **give** your paper **in** by the end of this week.
금주 말까지 과제를 **제출해** 주세요.

³ Your refusal may lead to your colleagues insisting how important your input is, increasing the pressure on you to **give in**. 학평
여러분의 거절은 동료들에게 여러분의 참여가 얼마나 중요한지를 주장하게 만들 수도 있으며, 여러분이 **마지못해 동의하도록** 압력을 더 가한다.

1215 **give off** (냄새, 열, 빛을) 발산하다

Animals **give off** carbon dioxide, a gas that plants need. 학평
동물들은 식물이 필요로 하는 기체인 이산화 탄소를 **발산한다**.

1216 **give way to** 1. 양보하다   2. ~로 대체되다

¹ Always **give way to** traffic coming from the left.
항상 좌측에서 오는 차량에 **양보하세요**.

² Religion as the system of authority and law was **giving way to** scientific authority. EBS
권위와 법의 체계로서의 종교는 과학이라는 권위로 **대체되고** 있었다.

have

1217 have an influence on

~에 영향을 미치다

The notion that food **has a** specific **influence on** gene expression is relatively new. (학평)
음식이 유전자 발현에 특정한 **영향을 미친다는** 개념은 비교적 새롭다.

1218 have difficulty (in) -ing

~하는 데 어려움을 겪다

A fallen elephant is likely to **have difficulty breathing** because of its own weight, or it may overheat in the sun. (학평)
쓰러진 코끼리는 자기 체중 때문에 **호흡하는 데 어려움을 겪을** 가능성이 있거나 햇빛 아래서 몸이 너무 뜨거워질 수도 있다.

1219 have no choice but to

~할 수밖에 없다

The reporter **had no choice but to** wait for his turn to interview the winner. (학평)
기자는 우승자와 인터뷰할 자신의 차례를 기다릴 **수밖에 없었다.**

1220 have nothing to do with

~와 관계가 없다

The numbers on the expiration date **have nothing to do with** food safety. (학평)
유통 기한에 적힌 숫자들은 식품 안전성과는 **관계가 없다.**

keep

1221 keep ~ in mind

~을 명심하다

There are some important travel safety rules to **keep in mind**. (학평)
명심해야 할 몇 가지 중요한 여행 안전 규칙들이 있다.

1222 keep away from

~을 멀리하다

Do you advise your kids to **keep away from** strangers? (학평)
여러분의 자녀들에게 낯선 사람을 **멀리하라고** 조언하고 있나요?

1223
☐☐ **keep track of**

~을 계속 파악하다

Funny people don't depend upon their memory to **keep track of** everything they find funny. (학평) 웃긴 사람들은 재미있다고 생각하는 모든 것을 **계속 파악하기** 위해 기억력에 의존하지 않는다.

1224
☐☐ **keep up with**

1. ~을 따라잡다, ~에 뒤처지지 않다   2. ~와 계속 연락하다

¹ Two-legged creatures cannot **keep up with** four-legged animals in a sprint. (학평)
단거리 경주에서 두 발 생명체는 네 발 동물을 **따라잡을** 수 없다.
If you **keep up with** the rest of your peers, then you'll feel well-adjusted, competent, and a part of the group. (모평)
여러분이 또래에 **뒤처지지 않으면**, 여러분은 정서적으로 안정되고 유능하며, 그 집단의 일원이라고 느낄 것이다.

² I **keep up with** Gerald by means of Christmas cards.
나는 크리스마스 카드를 써서 Gerald와 **계속 연락한다.**

take

1225
☐☐ **take ~ into account**

~을 고려하다

We don't **take into account** the role of luck in the sudden-earned gains. (학평) 갑작스럽게 얻은 이익에서, 우리는 운의 역할을 **고려하지** 않는다.

1226
☐☐ **take advantage of**

~을 이용하다

Take advantage of a promotion at a fitness center and then sign up for a membership. (학평)
피트니스 센터의 프로모션을 **이용하고** 나서 회원 가입을 하세요.

1227
☐☐ **take off**

1. 벗다   2. 이륙하다

¹ **Take** your old jacket **off** and try this brand-new one.
오래된 재킷을 **벗고**, 이 새로 나온 재킷을 입어 보세요.
² I board the plane, **take off**, and climb out into the night sky. (학평)
나는 비행기에 탑승하고, **이륙해**, 밤하늘로 올라간다.

1228
☐☐ **take one's time**

시간을 들이다, 천천히 하다

Take your time to read the comics because they will make you laugh. (학평)
만화책이 여러분을 웃게 할 테니까 만화책을 읽는 데 **시간을 들이세요.**

bring

1229 **bring ~ to mind**

~을 기억해 내다

I tried to **bring** her name **to mind**.
나는 그녀의 이름을 **기억해 내려고** 애썼다.

1230 **bring about**

불러일으키다, 유발하다

Work hard to **bring about** change. [학평]
변화를 **불러일으키기** 위해 열심히 일하라.

[유] **cause** [동] 야기하다

1231 **bring up**

1. 양육하다 2. (화제를) 꺼내다

1 The baby was **brought up** with great care by her aunt. [학평]
그 아기는 숙모의 극진한 보살핌으로 **길러졌다**.

2 Emma tried repeatedly to **bring up** the subject of money.
Emma는 반복해서 돈이라는 화제를 **꺼내기** 위해 노력했다.

[유] **raise** [동] 기르다; (안건·문제 등을) 제기하다

come

1232 **come across**

1. 우연히 마주치다 2. 인상을 주다

1 Being out for a walk, I **came across** a huge dog in the road.
[학평] 산책하러 나왔을 때, 나는 길에서 엄청 큰 개와 **우연히 마주쳤다**.

2 Careful theorizers **come across** as rational scientists, constantly weighing evidence and testing explanations. [학평]
세심한 이론가들은 끊임없이 증거를 따지고 설명을 검증하는 이성적인 과학자라는 **인상을 준다**.

1233 **come in contact with**

~와 접촉하다

Touch means both what we touch with our fingers and the way things feel as they **come in contact with** our skin. [학평]
촉감은 우리가 손가락으로 만지는 것과 물건이 우리의 피부와 **접촉할** 때 느껴지는 방식 둘 다를 의미한다.

1234 **come up with**

생각해 내다, 찾아내다

Students can **come up with** creative ideas through writing. [학평]
학생들은 글쓰기를 통해 창의적인 아이디어를 **생각해 낼** 수 있다.
Some animals **come up with** clever plans to survive in the cold weather. [학평] 몇몇 동물들은 추운 날씨에 생존하기 위한 영리한 계획을 **찾아낸다**.

put

1235 put on weight

체중이 늘다

If you buy low-fat foods, eat smaller portions, and exercise, you won't **put on weight**. 학평 저지방 식품을 사고, 더 적은 1인분의 양을 먹으며, 운동한다면, 여러분은 **체중이 늘지** 않을 것이다.

🔄 **lose weight** 체중이 줄다

1236 put off

연기하다

Please **put off** the listening test. 학평
듣기 평가를 **연기해** 주세요.

🟰 **delay** 통 늦추다, 미루다   **postpone** 통 연기하다, 미루다

1237 put up with

참다, 견디다

Mom and Dad got married and settled in Millerton, and my grandfather decided he could **put up with** Dad. 학평 엄마와 아빠는 결혼했고 Millerton에 정착했으며, 외할아버지는 아빠를 **견디기로** 하셨다.

run

1238 run for

(선거에) 출마하다

Why don't you **run for** class president? 학평
반장 **선거에 출마하는** 게 어때?

1239 run into

1. 우연히 마주치다   2. ~을 들이받다   3. (어려움에) 부딪치다

1 I **ran into** a famous actor on the way home.
   나는 집으로 가는 길에 유명한 배우와 **우연히 마주쳤다**.

2 The car went out of control and **ran into** a tree.
   차가 통제력을 잃고 나무를 **들이받았다**.

3 You may **run into** a wall of resistance or indifference from friends and family members. 학평
   여러분은 친구나 가족 구성원으로부터의 저항이나 무관심의 벽에 **부딪칠** 수 있다.

1240 run out of

~을 다 써 버리다

The ice-cream vendor **ran out of** bowls to serve to his customers. 학평 그 아이스크림 상인은 고객에게 제공할 그릇을 **다 써 버렸다**.

☑ ANSWERS p.463

A 우리말과 일치하도록 빈칸에 알맞은 단어를 쓰시오.

01 get ~ _____
(~을 오해하다, ~을 잘못 생각하다)

02 take ~ into _____ (~을 고려하다)

03 have an _____ on (~에 영향을 미치다)

04 give _____ to (양보하다; ~로 대체되다)

05 bring ~ to _____ (~을 기억해 내다)

06 make a _____ (부를 축적하다)

07 give ~ a _____ (~을 도와주다)

08 _____ about (불러일으키다, 유발하다)

09 _____ into
(우연히 마주치다; ~을 들이받다)

10 have _____ to do with
(~와 관계가 없다)

11 make _____ (해내다; 제시간에 맞추다)

12 get the _____ out of (~을 최대한 활용하다)

13 come _____
(우연히 마주치다; 인상을 주다)

14 keep ~ in _____ (~을 명심하다)

15 get _____ with (~와 잘 지내다, 어울리다)

16 take _____ of (~을 이용하다)

17 make _____ of (~을 놀리다)

18 put on _____ (체중이 늘다)

19 have no choice _____ to
(~할 수밖에 없다)

20 make _____ of (~을 이용하다)

B 숙어의 뜻을 빈칸에 쓰시오.

01 make sense _____

02 take off _____

03 make up for _____

04 have difficulty (in) -ing _____

05 keep track of _____

06 come up with _____

07 get in the way of _____

08 run out of _____

09 give in _____

10 put up with _____

11 give off _____

12 put off _____

13 keep away from _____

14 run for _____

15 make a difference _____

16 keep up with _____

17 come in contact with _____

18 bring up _____

19 take one's time _____

20 get stuck _____

주요 부사, 전치사 숙어

📖 가리개를 사용하여 뜻을 잘 암기했는지 확인하세요.

to

1241
adapt to
~에 적응하다

Your mind has not yet **adapted to** a relatively new development.
(학평) 당신의 마음은 아직 비교적 새롭게 생겨난 것에 **적응하지** 못했다.

1242
apply to
1. ~에 적용되다   2. ~에 지원하다

[1] Having a big breakfast is not a universal rule that **applies to** everyone. (학평) 푸짐한 아침 먹기가 모두에게 **적용되는** 보편 규칙은 아니다.

[2] Do you intend to **apply to** a graduate school? (학평)
당신은 대학원에 **지원할** 의향이 있나요?

1243
attend to
1. ~을 처리하다   2. ~에 주의를 기울이다

[1] Yesterday Tim could not **attend to** business as he was laid up with high fever. (학평) 어제 Tim은 고열로 누워 있어서 업무를 **처리하지** 못했다.

[2] The audience must **attend to** the message that accompanies the attention-getters. (학평)
청중은 이목을 끄는 것들을 수반하는 메시지에 **주의를 기울여야** 한다.

1244
lead to
~을 초래하다

Many missteps eventually **lead to** a problem. (학평)
많은 실수는 결국 문제를 **초래한다.**

1245
pay attention to
~에 주의를 기울이다

Consumers do not usually **pay attention to** what's new and different unless it's related to the old. (학평) 새롭고 색다른 것이 예전의 것과 관련이 없다면 소비자들은 보통 **주의를 기울이지** 않는다.

1246
refer to
1. 나타내다   2. 참고하다   3. 언급하다

[1] Obesity **refers to** having too much fat in our body. (학평)
비만이란 우리 몸에 지방이 너무 많은 것을 **나타낸다.**

[2] I always **refer to** a dictionary when I come across a new word.
새로운 단어와 마주했을 때 나는 항상 사전을 **참고한다.**

[3] There are some cultures that can be **referred to** as "people who live outside of time." (학평)
'시간 밖에서 사는 사람들'이라고 **언급될** 수 있는 몇몇 문화들이 있다.

1247 stick to
□□

~을 고수하다

A businessman will be foolish to **stick to** his old vision in the face of new data. 학평 사업가가 새로운 정보를 직면했을 때 자신의 기존 비전을 **고수하는** 것은 어리석은 일일 것이다.

for

1248 account for
□□

1. ~을 설명하다   2. ~을 차지하다   3. ~의 원인이 되다

¹ Can you **account for** your movements on that night?
그날 밤 당신의 움직임을 **설명할** 수 있나요?

² Ships in 2010 **accounted for** the same percentage as in 2001.
학평 2010년에 선박은 2001년과 같은 비율을 **차지했다.**

³ Feelings of rejection increased people's beliefs linking money to a better life and these beliefs entirely **accounted for** the riskier choices with their money. 학평
거부당했다는 기분은 돈이 더 나은 삶과 연결되어 있다는 사람들의 믿음을 강화했고, 이러한 믿음은 돈과 관련한 더 위험한 선택의 전적인 **원인이 되었다.**

1249 apply for
□□

~에 지원하다

I forgot to **apply for** that job at the Winter Olympics. 학평
나는 동계 올림픽의 그 일자리에 **지원하는** 것을 잊었다.

1250 call for
□□

~을 요구하다

Certainly praise is critical to a child's sense of self-esteem, but when given too often for too little, it kills the impact of real praise when it is **called for**. 학평 분명 칭찬은 아이의 자존감에 중요하지만, 너무 사소한 일을 너무 자주 칭찬하면, 진정한 칭찬이 **요구될** 때 그것의 효과를 없앤다.

1251 long for
□□

~을 간절히 원하다

I **longed for** a bed — any kind of bed that would allow me to stretch and relax.
나는 늘어서서 긴장을 풀도록 해 줄 어떤 종류의 침대라도 **간절히 원했다.**

1252 pay for
□□

~에 대한 비용을 내다

The city **pays** $1,000 **for** a fireworks display. 학평
그 도시는 불꽃놀이 장식으로 1,000달러를 **지불했다.**

Feeling pressed for time is the price we **pay for** an abundance of options. 학평
시간에 쫓긴다고 느끼는 것은 우리가 다수의 선택권에 **치르는** 대가이다.

1253
□□ **stand for**

~을 상징하다

Everyone involved understands what the acronyms **stand for**. 학평
관련된 모든 사람이 두문자어가 **상징하는** 바를 이해한다.

---

out

1254
□□ **break out**

1. 발생하다   2. 달아나다

¹ A security guard came under immediate suspicion because the blaze **broke out** in an area where he was assigned. 학평
한 보안 요원은 그가 배치된 지역에서 화재가 **발생했기** 때문에 즉각 용의선상에 올랐다.

² Two prisoners **broke out** of the prison.
두 명의 죄수가 그 감옥에서 **달아났다**.

1255
□□ **carry out**

수행하다

It is important to remember that computers can only **carry out** instructions that humans give them. 학평
컴퓨터들은 단지 인간이 그들에게 부여한 지시 사항만을 **수행할** 수 있음을 기억하는 것이 중요하다.

1256
□□ **figure out**

이해하다

Grown-ups use the words or the rules in conversation and leave it to children to **figure out** what is going on. 학평 성인들은 대화에서 단어나 규칙을 사용하고, 무슨 뜻인지 **이해하는** 일을 아이들에게 맡긴다.

1257
□□ **hang out with**

~와 어울려 놀다

Sloop began to act out, **hanging out with** the wrong crowd at school. 학평 Sloop은 학교에서 나쁜 무리와 **어울려 놀며** 말썽을 피우기 시작했다.

1258
□□ **stick out**

1. 두드러지다   2. ~을 내밀다

¹ Many important things had happened to Lisa, but one **stuck out**. 많은 중요한 일들이 Lisa에게 일어났었지만, 하나가 **두드러졌다**.

² Felix mischievously **stuck** his tongue **out** at his little brother.
Felix는 장난스럽게 자신의 남동생에게 혀를 **내밀었다**.

1259 turn out

1. ~인 것으로 밝혀지다   2. (전등을) 끄다

1 It **turned out** that I had a bad spyware and that's what was causing my computer's breakdown. 학평 내가 악성 스파이웨어를 갖고 있던 것으로 **밝혀졌고**, 그것이 내 컴퓨터 고장의 원인이었다.

2 James **turned out** the light and went to bed.
James는 불을 **끄고** 나서 잠자리에 들었다.

up

1260 catch up with

~을 따라잡다

Thankfully, Lucas soon **caught up with** Julia who was struggling in the water. 학평
다행스럽게도, Lucas는 물속에서 허우적거리는 Julia를 곧 **따라잡았다**.
Lily wants to **catch up with** new trends in Korea.
Lily는 한국의 새로운 경향을 **따라잡기를** 원한다.

1261 end up -ing

결국 ~하게 되다

If you engage yourself in mud-slinging, you will definitely **end up making** yourself dirty. 학평
만약 당신이 인신공격에 가담하면, **결국** 분명히 스스로를 더럽히게 **될** 것이다.

1262 look up to

~을 우러러보다

Many students **look up to** their teachers and think of them as role models.
많은 학생들은 그들의 선생님을 **존경하고** 그들을 본보기상으로 생각한다.

1263 pick up

1. 들어 올리다   2. 데리러 가다   3. 수거하다   4. 습득하다

1 Now **pick up** the left foot, swing it forward, hold it high enough so it doesn't touch the ground. 학평
이제 왼쪽 발을 **들어 올려**, 앞으로 내밀고, 땅에 닿지 않을 만큼 높이 들고 있어라.

2 I'll **pick** you **up** at your house. 학평
내가 너희 집으로 너를 **데리러 갈게**.

3 Shoes will be **picked up** on Tuesdays every two weeks. 학평
신발은 격주로 화요일에 **수거될** 것이다.

4 If you stay abroad even longer, you may even **pick up** some of the linguistic features and begin to sound like the locals. 학평
만약 당신이 외국에 보다 더 오랫동안 머무른다면, 언어적 특징들 중 일부를 **익혀서** 그 지역 사람들처럼 들리기 시작할지도 모른다.

1264 **sign up for**

~에 등록하다

How about **signing up for** the camp right now? 학평
지금 당장 캠프에 **등록하는** 건 어때?

1265 **throw up**

1. 토하다   2. 포기하다

1 Sean **threw up** into the garbage can. Sean은 쓰레기통에 **토했다**.

2 Why has the man **thrown up** a promising career in politics?
왜 그 남자는 정계에서의 유망한 경력을 **포기했는가**?

in, into

1266 **burst into**

1. (갑자기) ~하기 시작하다   2. 갑자기 들어오다

1 Carol **burst into** laughter. 학평 Carol은 **갑자기** 웃기 **시작했다**.

2 A man **burst into** the lecture hall with a featherless chicken. 학평
한 남자가 깃털 없는 닭을 가지고 강당으로 **불쑥 들어왔다**.

1267 **engage in**

~에 참여하다

Animals as well as humans **engage in** play activities. 학평
인간뿐만 아니라 동물도 놀이 활동에 **참여한다**.

1268 **look into**

~을 조사하다, ~을 살펴보다

The boys' job was to **look into** the pipe and fix the leak. 학평
그 소년들의 임무는 배관을 **조사하고** 새는 곳을 고치는 것이었다.

of, off

1269 **consist of**

~으로 구성되다

The native people of Nauru **consist of** 12 tribes. 학평
Nauru 원주민은 12개의 부족으로 **구성된다**.

1270 **set off**

1. 출발하다   2. 유발하다   3. 가동하다   4. 폭발시키다

1 We should **set off** early in the morning.
우리는 아침 일찍 **출발해야** 한다.

2 The alarming news **set off** widespread panic.
그 놀라운 소식은 광범위한 공포를 **유발했다**.

3 Smoke from a cigarette may **set off** a smoke alarm.
담배 연기가 화재 경보 장치를 **가동할지도** 모른다.

4 A slight movement could have **set off** the bomb.
약간의 움직임이 폭탄을 **폭발시킬** 수도 있었다.

1271
☐☐ **show off**

자랑하다, 과시하다

Americans believe they shouldn't **show off** too much wealth. 학평
미국인들은 너무 많은 부를 **자랑해서는** 안 된다고 믿는다.

---

on, onto

1272
☐☐ **focus on**

1. ~에 집중하다   2. ~에 초점을 맞추다

¹ **Focus on** one task at a time, and you'll accomplish each task better, and probably faster. 학평 한 번에 한 가지 일에 **집중하라**, 그러면 각각의 일을 더 잘, 그리고 아마도 더 빠르게 해낼 것이다.

² A baby's vision has not developed enough to **focus on** the screen. 학평
아기의 시력은 화면에 **초점을 맞출** 수 있을 정도로 충분히 발달하지 않았다.

1273
☐☐ **hold onto**

1. ~을 고수하다   2. ~을 붙잡고 있다

¹ Hunter-gatherers experienced rich and rewarding lives; we know so because when their ways were threatened, they fought to **hold onto** them, to the death. 학평
수렵 채집인들은 풍요롭고 보람찬 삶을 경험했는데, 그들의 (삶의) 방식이 위협받았을 때 그것을 **고수하기** 위해 죽을 때까지 그들이 싸웠기 때문에 우리가 그렇게 알고 있다.

² The first thing you will do is to **hold onto** the wooden chair and try to skate with it. 학평
여러분이 첫 번째로 할 일은 나무 의자를 **붙잡고** 스케이트를 타 보는 것이다.

1274
☐☐ **wait on**

시중들다

The man obediently **waited on** me and put out a hand to assist me. 그 남자는 순순히 나를 **시중들고**, 나를 도와주려고 손을 내밀었다.
Alice was the waitress who usually **waited on** me at the cafe.
Alice는 그 카페에서 나를 주로 **시중들던** 종업원이었다.

---

by

1275
☐☐ **drop by**

들르다

Simply call us and we will be happy to **drop by** and pick up the instrument. 학평
저희에게 전화만 주시면 저희가 기꺼이 **들러서** 악기를 가져가겠습니다.

¹²⁷⁶ ☐☐ **stop by**

들르다

Imagine for a moment that your boss remembers all of your children's names and ages, routinely **stops by** your desk and asks about them, and then listens as you talk about them. 학평
여러분의 상사가 여러분의 자녀들의 이름과 나이를 모두 기억하고, 주기적으로 여러분의 책상에 **들러서** 그들에 대해 묻고, 여러분이 그들에 대해 말할 때 들어 준다고 잠시 상상해 보자.

down

¹²⁷⁷ ☐☐ **break down**

1. 고장 나다　2. 실패하다　3. 나뉘다

¹ The washing machine suddenly **broke down**.
그 세탁기는 갑자기 **고장 났다**.

² Joe and Ron disagree about exactly when their relationship **broke down**.
Joe와 Ron은 정확히 언제 그들의 관계가 **파탄 났는지에** 대해 의견이 다르다.

³ When talking in general about Roman women, things **break down** by time periods and by classes. 학평
일반적으로 로마 여성들에 관해 이야기할 때, 상황은 시대 및 계층별로 **나뉜다**.

¹²⁷⁸ ☐☐ **settle down**

1. 정착하다　2. 진정하다

¹ Some people enjoy adventure rather than **settle down**. 학평
어떤 사람들은 **정착하기**보다 모험을 즐긴다.

² For the first time I **settled down** and got calm.
처음으로 나는 **진정하고** 차분해졌다.

with

¹²⁷⁹ ☐☐ **deal with**

1. ~을 처리하다　2. ~을 다루다

¹ It may be worthwhile to **deal with** smaller problems first. 학평
먼저 더 사소한 문제들을 **처리하는** 것이 가치 있을지도 모른다.

² Architecture involves a kind of thinking that other arts don't even **deal with**. 학평
건축은 다른 예술은 **다루지** 않는 생각까지 포함한다.

¹²⁸⁰ ☐☐ **interfere with**

~을 방해하다

Chemicals from specialized cells in the skin might be attracting additional predators that may **interfere with** the initial attacker.
학평 피부의 특화된 세포에서 나오는 화학 물질은 최초 공격자를 **방해할** 수 있는 추가 포식자들을 유인하고 있는 것일지도 모른다.

☑ ANSWERS p.463

A 우리말과 일치하도록 빈칸에 알맞은 단어를 쓰시오.

01 look _____ (~을 조사하다)

02 show _____ (자랑하다, 과시하다)

03 hang _____ with (~와 어울려 놀다)

04 end _____ -ing (결국 ~하게 되다)

05 account _____ (~을 설명하다; ~을 차지하다)

06 pay _____ (~에 대한 비용을 내다)

07 attend _____ (~을 처리하다; ~에 주의를 기울이다)

08 focus _____ (~에 집중하다)

09 stop _____ (들르다)

10 break _____ (발생하다; 달아나다)

11 catch _____ with (~을 따라잡다)

12 _____ attention to (~에 주의를 기울이다)

13 look _____ to (~을 우러러보다)

14 burst _____ (갑자기 ~하기 시작하다; 갑자기 들어오다)

15 interfere _____ (~을 방해하다)

16 _____ for (~에 지원하다)

17 settle _____ (정착하다; 진정하다)

18 adapt _____ (~에 적응하다)

19 sign _____ for (~에 등록하다)

20 stick _____ (두드러지다; ~을 내밀다)

B 숙어의 뜻을 빈칸에 쓰시오.

01 engage in _____

02 call for _____

03 figure out _____

04 throw up _____

05 consist of _____

06 refer to _____

07 wait on _____

08 carry out _____

09 set off _____

10 break down _____

11 apply to _____

12 stick to _____

13 stand for _____

14 turn out _____

15 lead to _____

16 pick up _____

17 long for _____

18 drop by _____

19 hold onto _____

20 deal with _____

주요 부사구, 형용사구

📖 가리개를 사용하여 뜻을 잘 암기했는지 확인하세요.

전치사 + 명사

1281
□□
as a whole

전체로서, 총괄하여

As a whole, longer battery life is the most wanted feature for both females and males. 학평
전체적으로, 더 긴 배터리 수명이 여성과 남성 둘 다 가장 원하는 특징이다.

1282
□□
at hand

가까이에; 가까운 장래에

Leaders used to be told to remove emotion from the situation **at hand** and just deal with the facts. 학평 지도자들은 **가까이 있는** 상황으로부터 감정을 제거하고 단지 사실을 다루라는 말을 듣곤 했다.

1283
□□
at risk

위험에 처한

The safety of our children is **at risk** largely due to the disregard for speed limits by motorists. 학평 우리 아이들의 안전은 주로 자동차 운전자들의 속도 제한 무시로 인해 **위험에 처해** 있다.

1284
□□
at work

일하고 있는; 작용하여

One night, my wife surprised me by packing up dinner and coming to see me **at work**. 학평
어느 날 밤에, 내 아내는 식사를 싸 가지고 **근무 중인** 나를 보러 와서 나를 놀라게 했다.

1285
□□
by accident

우연히

There are countless examples of scientific inventions that have been generated **by accident**. 학평
우연히 만들어진 과학적 발명의 예는 셀 수 없이 많다.

🔄 **on purpose** 고의로, 일부러

1286
□□
by no means

결코 ~하지 않다

The right and left hemispheres are **by no means** limited to processing certain types of information.
우뇌와 좌뇌가 특정한 유형의 정보를 처리하는 데에 **결코** 한정되어 있지 **않다**.

1287 by oneself
☐☐

혼자서; 혼자 힘으로

A lifespan of 75 is not much time to learn what matters in our life **by ourselves**. 학평
75년의 수명은 우리 인생에서 중요한 것을 **혼자서** 배우기에 많은 시간은 아니다.

1288 for oneself
☐☐

1. 혼자 힘으로, 스스로   2. 자기를 위하여

¹ Only children who choose and evaluate **for themselves** can truly develop their own aesthetic taste. 학평
스스로 선택하고 평가하는 아이들만이 진정으로 자신만의 미적 취향을 발전시킬 수 있다.

² Advertising helps people find the best **for themselves**. 학평
광고는 사람들이 **자신을 위한** 최선의 것을 찾도록 돕는다.

1289 in a row
☐☐

일렬로; 연속적으로, 잇달아

I tossed a coin over and over, and it has landed heads up six times **in a row**. 학평
나는 동전을 반복해서 던졌는데, 그것은 6번 **잇달아** 윗면이 위로 오게 떨어졌다.

1290 in advance
☐☐

미리, 사전에

Anyone who wants to volunteer at the book fair must sign up online **in advance**. 학평
도서 박람회에서 봉사하기를 원하는 사람은 **사전에** 온라인으로 등록해야 한다.

1291 in general
☐☐

일반적으로, 대체로

When you have incomplete paradigms about yourself or life **in general**, it's like wearing glasses with the wrong prescription. 학평
우리가 우리 자신이나 삶에 대해 **대체로** 불완전한 인식 체계를 갖고 있을 때, 그것은 시력에 맞지 않는 안경을 끼고 있는 것과 같다.

1292 in itself
☐☐

그 자체로, 본질적으로

Shopping for new gadgets, clothes, or just random junk can turn into a hobby **in itself**. 학평
새로운 기기, 옷, 혹은 무작위 잡동사니를 사는 것은 **그 자체로** 취미가 될 수 있다.

1293 in need
어려움에 처한; 궁핍한

While people are more willing to help an individual **in need**, they become indifferent when given the larger perspective of hunger. 학평
사람들은 **어려움에 처한** 개인은 더 기꺼이 돕는 반면에, 기아에 대한 더 큰 관점이 주어지면 무관심해진다.

1294 in person
1. 직접, 몸소   2. 그 사람 자신; 실물로

1 Sign up **in person** at Kid's Coding Center or online on our website. 학평
Kid's Coding Center에서 **직접** 등록하시거나 저희 웹사이트에서 온라인으로 등록하세요.

2 Body language experts say that smiling can portray confidence and warmth when people meet someone **in person**. 학평
신체 언어 전문가들은 사람들이 누군가를 **실제로** 만날 때 미소 짓는 것이 자신감과 친밀감을 나타낼 수 있다고 말한다.

1295 in progress
진행 중인

The play was already **in progress**, so we decided to wait for a later viewing.
그 연극은 이미 **공연 중이어서**, 우리는 다음 공연을 기다리기로 했다.

1296 in return
보답으로; 그 대신에

Students were able to help themselves to coffee and were asked **in return** to leave 50 cents for coffee. 학평
학생들은 커피를 마음껏 마실 수 있었고 커피에 대한 **보답으로** 50센트를 남기도록 요구받았다.

1297 in the end
마침내, 결국

The review raised in Sharon's mind the question of whether the concert was worthwhile to go, but **in the end**, she reluctantly decided to attend it. 수능
그 평을 보고, Sharon의 마음에 그 콘서트가 갈 만한지에 관한 의문이 들었으나, **결국** 그녀는 마지못해 콘서트에 가기로 했다.

1298
☐☐ **in the long run**

장기적으로 보면, 결국은

The update will surely make our management system more efficient as well as more cost-effective **in the long run**. 학평
그 업데이트는 분명히 우리 관리 체계를 **장기적으로** 비용 대비 효과가 더 높도록 만들 뿐만 아니라 더 효율적으로 만들어 줄 것입니다.

1299
☐☐ **in turn**

1. 번갈아; 차례차례   2. 결국

1 The pupil counts 'seven, eight, nine', while turning up three fingers **in turn**. 모평
그 학생은 세 손가락을 **차례로** 펴면서, '7, 8, 9'를 센다.

2 The smiles and nods of a listener signal interest and agreement, which **in turn** encourage the speaker to share more personal insights. 학평
듣는 이의 미소와 끄덕임이 흥미와 동의를 나타내어 **결국** 말하는 이로 하여금 더 많은 개인적인 통찰을 공유하도록 장려한다.

1300
☐☐ **on the other hand**

다른 한편으로는, 반면에

We have access to a world of information at the click of a mouse. But **on the other hand**, the Internet isolates us from our fellow human beings. 학평
우리는 마우스 클릭 한 번으로 정보의 세계에 접속할 수 있다. 그러나 **다른 한편으로**, 인터넷은 우리를 주변 사람들로부터 격리시킨다.

1301
☐☐ **out of control**

통제할 수 없는, 통제를 벗어나

A child whose behavior is **out of control** improves when clear limits on their behavior are set and enforced. 학평
행동이 **통제되지 않는** 아이는 그 행동에 대한 명확한 제한이 설정되고 시행될 때 개선된다.

1302
☐☐ **out of order**

고장 난; 규칙에 위배되는

Kate, Troy's sister, is watching TV and finds that the subway line Troy usually takes is **out of order**. 학평
Troy의 여동생 Kate는 TV를 보다가 Troy가 평소에 타는 지하철 노선이 **고장 난** 것을 알게 된다.

1303 **to one's surprise**
놀랍게도

In the middle of the night, Nolan suddenly woke up sensing something was terribly wrong. **To his surprise**, the stove was glowing red! 학평
한밤중에, Nolan은 뭔가 단단히 잘못된 것을 느끼며 갑자기 깼다. **놀랍게도**, 난로가 빨갛게 달아올라 있었다!

1304 **to some extent**
어느 정도까지, 다소

The line drawn for telling things apart should be respected, even if the line might be **to some extent** arbitrary. 학평
어떤 것들을 구분하려고 그어진 선은 비록 그 선이 **다소** 임의적이더라도 존중되어야 한다.

1305 **up to date**
최신식으로; 현대적으로

Why don't you keep your security program **up to date**? 학평
당신의 보안 프로그램을 **최신식으로** 유지하는 것이 어때요?

전치사 + 명사 + 전치사

1306 **at the expense of**
~의 비용으로; ~을 희생하여

We want to ensure that you do not enjoy your pets **at the expense of** your neighbors or your community. 학평
저희는 귀하께서 귀하의 이웃이나 지역 사회에 **폐를 끼치면서** 귀하의 반려동물과 즐거운 시간을 보내지는 않음을 확실히 하고 싶습니다.

目 at a person's expense ~의 비용으로; ~을 희생하여

1307 **for the sake of**
~을 위해서

When installed in a window frame, the glass would be placed thicker side down **for the sake of** stability. 학평
창틀에 설치될 때 그 유리는 안정감을 **위해** 더 두꺼운 쪽을 아래로 하여 놓여졌다.

1308 **in charge of**
~을 담당하여; ~을 지휘하는

Jonathan is **in charge of** everything from directing the play to checking the stage setting. 학평
Jonathan은 연극 연출부터 무대 장치 확인까지 모든 것을 **담당하고** 있다.

1309 in exchange for

~ 대신, ~와 교환으로

A camping trip where each person attempted to gain the maximum rewards from the other campers **in exchange for** the use of his or her talents would quickly end in disaster and unhappiness. 학평
각자 자신의 재능을 사용하는 **대가로** 캠핑하는 다른 사람들로부터 최대의 보상을 얻으려고 하는 캠핑 여행은 곧 재앙과 불행으로 끝날 것이다.

1310 in favor of

1. ~에 찬성하여   2. ~의 이익이 되도록

1 Most people are **in favor of** using our resources wisely.
대부분의 사람들은 우리의 자원을 현명하게 사용하는 것에 **찬성한다**.

2 Wetlands are converted **in favor of** more profitable options such as dams or irrigation schemes.
습지는 댐이나 관개시설 계획 같은 더 유리한 선택지에 **이익이 되도록** 전환된다.

1311 in honor of

~에게 경의를 표하여

In 1824, the General Council of the Eastern Cherokees awarded Sequoyah a medal **in honor of** his accomplishment. 모평
1824년에 Eastern Cherokees 총회는 Sequoyah의 업적에 **경의를 표하여** 그에게 메달을 수여했다.

1312 in response to

~에 응답하여

A study at Ohio State University found that women's blood pressure rises less than men's **in response to** an objective stressor. 학평
Ohio 주립 대학교의 한 연구는 객관적인 스트레스 요인에 **대한 반응으로** 여성의 혈압이 남성의 혈압보다 덜 상승한다는 것을 발견했다.

1313 in terms of

~에 의하여; ~에 관하여; ~의 면에서는

In terms of the number of native speakers, Chinese is the most spoken language worldwide. 학평
원어민의 수는 **면에서는** 중국어가 전 세계에서 가장 많이 사용되는 언어이다.

1314 in the absence of

~이 없을 경우에, ~이 없어서

Historical evidence points to workers being exploited by employers **in the absence of** appropriate laws. 학평
역사적인 증거들을 보면 적절한 법이 **없는 경우에** 노동자들이 고용주들에 의해 착취당하는 것을 볼 수 있다.

1315 in the face of

~에 직면하여; ~에도 불구하고

Carol said with a smile **in the face of** a rather odd request. 학평
Carol은 다소 이상한 요구에도 **불구하고** 미소 지으며 말했다.

1316 on behalf of

~을 대표하여; ~을 위하여

On behalf of the Youth Soccer Tournament Series, I would like to remind you of the 2019 Series next week. 학평
청소년 축구 토너먼트 시리즈를 **대표하여** 여러분께 다음 주의 2019 시리즈에 대해 상기시켜 드리려고 합니다.

명사 + of

1317 a good deal of

많은 (양의), 다량의

Your brain goes through **a good deal of** trouble to clarify the information hitting your eyes. 학평
여러분의 두뇌는 여러분의 눈에 들어오는 정보를 명확하게 하는 데 **많은** 어려움을 겪는다.

目 **a lot of** 많은

1318 a host of

많은 (수의), 다수의

Moringa, a tropical plant, contains enormous quantities of **a host of** vitamins and minerals. 학평
열대 식물인 Moringa는 **다수의** 비타민과 무기질을 상당히 많이 함유하고 있다.

1319 a series of

일련의, 연속된

If you've ever seen a tree stump, you probably noticed that the top of the stump had **a series of** rings. 학평
만약 여러분이 나무 그루터기를 본 적 있다면, 아마도 그루터기의 꼭대기 부분에 **일련의** 나이테가 있는 것을 보았을 것이다.

1320 a variety of

다양한 (종류의), 여러 가지의

Renewable sources of energy include **a variety of** sources such as hydropower and ocean-based technologies. 학평
재생 가능한 에너지원은 수력 발전과 해양 기반 기술과 같은 **다양한** 자원을 포함한다.

☑ ANSWERS p.463

A 우리말과 일치하도록 빈칸에 알맞은 단어를 쓰시오.

01 to some _____ (어느 정도까지)

02 a _____ of (다양한 종류의, 여러 가지의)

03 out of _____ (통제할 수 없는)

04 in _____ of (~을 담당하여)

05 to one's _____ (놀랍게도)

06 in a _____ (일렬로; 연속적으로)

07 _____ exchange for (~와 교환으로)

08 by _____ (혼자서; 혼자 힘으로)

09 a _____ of (많은 수의)

10 _____ accident (우연히)

11 at _____ (위험에 처한)

12 _____ return (보답으로; 그 대신에)

13 in the _____ of (~이 없을 경우에)

14 _____ advance (미리, 사전에)

15 in response _____ (~에 응답하여)

16 _____ behalf of (~을 대표하여)

17 in the _____ (마침내, 결국)

18 _____ progress (진행 중인)

19 in _____ (어려움에 처한; 궁핍한)

20 a _____ deal of (많은 양의)

B 숙어의 뜻을 빈칸에 쓰시오.

01 on the other hand _____

02 at hand _____

03 as a whole _____

04 up to date _____

05 for oneself _____

06 in itself _____

07 in the face of _____

08 for the sake of _____

09 at the expense of _____

10 in honor of _____

11 in favor of _____

12 a series of _____

13 in terms of _____

14 at work _____

15 in general _____

16 in person _____

17 in turn _____

18 in the long run _____

19 out of order _____

20 by no means _____

DAY 34 기타 숙어

📖 가리개를 사용하여 뜻을 잘 암기했는지 확인하세요.

be + 형용사 + 전치사

1321 be associated with ~와 관련되다

Pigs **were** traditionally **associated with** dirtiness because of their habit of rolling around in mud. 학평
돼지는 진흙에서 뒹구는 그 습관 때문에 전통적으로 더러움과 **연관되었다**.

1322 be better off (전보다) 형편이 더 낫다, 잘 지내다

Grief is unpleasant. Would one not then **be better off** without it altogether? 수능
슬픔은 불쾌하다. 그렇다면 그것이 완전히 없는 상태라면 **더 낫지** 않을까?

1323 be equal to ~와 동일하다

Tesco's market share **is equal to** the total market share of ASDA and Morrisons. EBS
Tesco의 시장 점유율은 ASDA와 Morrisons의 전체 시장 점유율과 **동일하다**.

1324 be faced with ~에 직면하다

When **faced with** a problem — a conflict — we instinctively seek to find a solution. 학평
대립과 같은 문제에 **직면할** 때 우리는 본능적으로 해결책을 찾으려 한다.

1325 be familiar with ~에 익숙하다

I think I need some time to **get familiar with** this piano before the rehearsal. 모평
내 생각에 나는 리허설 전에 이 피아노에 **익숙해질** 시간이 좀 필요하다.

1326 be inclined to ~하고 싶어지다; ~하는 경향이 있다

People **are** innately **inclined to** look for causes of events, **to** form explanations and stories. 학평
사람들은 선천적으로 사건의 원인을 찾는, 즉, 설명과 이야기를 구성하려는 **경향이 있다**.

1327 **be involved in**
☐☐

~에 관련되다; ~에 연루되다

During World War II, Francis **was involved in** naval weapons research. 학평
제2차 세계 대전 중에, Francis는 해군의 무기 연구에 **참여했다.**

1328 **be short of**
☐☐

~이 부족하다; ~에 못 미치다

If you plunge into an activity without warming up, your "cold" muscles **are**, in effect, **short of** oxygen for the first few minutes. 학평
여러분이 준비 운동을 하지 않고 어느 활동을 갑자기 시작하면, 여러분의 '차가운' 근육은 사실상 처음 몇 분간 산소가 **부족하다.**

1329 **be subject to**
☐☐

~에 종속하다, ~의 지배를 받다

Trespassers who pick cherries from cherry trees on private land **are subject to** legal sanctions. EBS
사유지의 체리 나무에서 체리를 따는 무단 침입자는 법적 제재를 **받게 된다.**

1330 **be supposed to**
☐☐

~하기로 되어 있다, ~할 것으로 기대되다

My speaking exam **was supposed to** take place on June 17th, but it was postponed to a week later. 학평
내 말하기 시험이 6월 17일에 열리기로 **되어 있었는데,** 그것이 일주일 뒤로 연기되었다.

동사 + A + 전치사 + B

1331 **provide A for B**
☐☐

B에게 A를 공급하다

Parents are responsible for **providing** the basic necessities of life **for** their children. 학평
부모는 자신의 자녀들**에게** 생활필수품을 **제공할** 의무가 있다.

📄 **provide B with A** B에게 A를 공급하다

1332 **regard A as B**
☐☐

A를 B로 여기다

In perceiving changes, we tend to **regard** the most recent ones **as** the most revolutionary. 학평
변화를 인식함에 있어, 우리는 가장 최근의 변화를 가장 혁명적인 것**으로 여기는** 경향이 있다.

📄 **look on A as B** A를 B로 여기다

1333 remind A of B

A에게 B가 생각나게 하다

The lady sitting next to me with both arms in casts **reminded** me **of** my friend Cathy who was suffering after a car accident. 학평
양쪽 팔에 깁스를 한 채 내 옆에 앉은 그 여자분은 나에게 교통사고 후에 고통을 겪고 있는 내 친구 Cathy를 **생각나게 했다.**

1334 view A as B

A를 B로 간주하다

People **viewed** baseball **as** a game of skill and technique rather than strength. 학평
사람들은 야구를 힘의 경기라기보다는 기량과 기술의 경기로 **간주했다.**

비교급 숙어

1335 more or less

다소; 대략, 거의

Both smartphones and tablets fulfil **more or less** the same function in Alex's life. 학평
스마트폰과 태블릿은 둘 다 Alex의 생활에서 **거의** 같은 기능을 수행한다.

1336 no more than

단지, 겨우, ~일 뿐

By processing 1 ton of sugarcane, producers can yield **no more than** 20 gallons of ethanol. 학평
1톤의 사탕수수를 가공함으로써 생산자들은 **겨우** 20갤런의 에탄올만 생산할 수 있다.

🔁 **only** (부) 겨우, 단지

1337 no less than

1. ~와 마찬가지인   2. ~(만큼)이나

¹ Ms. Gomez is **no less than** the founder of the company.
Gomez 씨는 그 회사의 창립자나 **마찬가지**이다.

² The brain makes up just two percent of our body weight but uses 20 percent of our energy. In newborns, it's **no less than** 65 percent. 학평
두뇌는 우리 체중의 2퍼센트만을 차지하지만 우리 에너지의 20퍼센트를 사용한다. 신생아의 경우, 그 비율이 65퍼센트**나** 된다.

1338 not more than
□□

~보다 많지 않은; 많아야 ~

A pregnancy of the shark lasts for about two years, resulting in **not more than** six baby sharks. 학평
그 상어의 임신 기간은 약 2년간 지속되고, **많아야** 6마리의 아기 상어를 낳는다.

1339 not less than
□□

~ 이상; 적어도 ~

Write a short story of **not less than** 500 words on the subject you like the most.
여러분이 가장 좋아하는 주제에 관해, **적어도** 500단어 이상의 짧은 이야기를 쓰세요.

1340 sooner or later
□□

조만간, 곧

Doing the dishes day after day can be a tiring job, but no matter how much we hate it, it must be done **sooner or later**. 학평
매일같이 설거지를 하는 것이 지루한 일일 수 있지만, 우리가 아무리 그 일을 매우 싫어한다고 할지라도 그 일은 **조만간** 행해져야 한다.

재귀대명사 숙어

1341 devote oneself to
□□

~에 전념하다, 헌신하다

Maurice Materlinck studied law and worked as a lawyer until 1889, when he decided to **devote himself to** writing. 학평
Maurice Materlinck는 법학을 공부했고, 1889년까지 변호사로 일했는데, 그때 그는 글쓰기에 **전념하기로** 결심했다.

1342 help oneself (to)
□□

~을 마음대로 먹다; ~을 횡령하다

Come on in and **help yourself to** food and drink as much as you want.
들어오셔서 여러분이 원하시는 만큼 음식과 음료를 **마음껏 드세요**.

1343 make oneself
□□ at home

편하게 지내다

My son's friends were staying over at my house last Friday, and they really **made themselves at home**.
지난 금요일에 내 아들의 친구들이 우리 집에서 자고 갔는데, 그들은 정말 **편하게 지냈다**.

---

¹³⁴⁴ think to oneself

마음속으로 생각하다; 혼잣말하다

I **thought to myself**, 'Did I work hard enough to outperform the other participants?' (학평)
나는 '내가 다른 참가자들을 능가할 만큼 열심히 노력했나?'라고 **마음속으로 생각했다**.

기타 동사구

¹³⁴⁵ feel free to

거리낌 없이 ~하다

If you need further information, **feel free to** contact me. (학평)
더 많은 정보가 필요하시면, 제게 **거리낌 없이** 연락해 **주십시오**.

¹³⁴⁶ go along with

~에 찬성하다, ~에 동조하다

Many of us fall into the trap of trying to please people by **going along with** whatever they want us to do. (수능)
많은 이들은 (다른) 사람들이 우리가 하기를 바라는 것이라면 무엇이든 **동조함으로써** 그들을 기쁘게 하려고 애쓰는 함정에 빠진다.

¹³⁴⁷ go through

1. ~을 겪다   2. ~을 거치다   3. ~을 조사하다

¹ When someone cuts in front of you, you may **go through** a physiological change, becoming angry and out of control. (학평)
누군가가 여러분의 앞에 끼어들 때, 여러분은 생리적인 변화를 **겪게** 되어 화가 나고 자제력을 잃게 될 수도 있다.

² Although every forensic case is different, each case **goes through** many of the same phases. (학평)
비록 모든 과학 수사 사건이 다르기는 하지만, 각 사건은 동일한 여러 단계를 **거친다**.

³ Let's **go through** the things we need to do to make the school promotional video. (학평)
학교 홍보 영상을 만들기 위해 우리가 해야 할 일을 **조사해** 보자.

¹³⁴⁸ let go (of)

~을 놓아 주다

Letting go of that sense of security is the challenge, whether you are rock climbing or taking a new path in life. (학평)
당신이 암벽 등반을 하든, 인생에서 새로운 길을 가든, 그 안도감을 **놓는** 것이 도전이다.

1349 **manage to**
□□

그럭저럭 ~해 내다, 간신히 ~하다

I **managed to** overcome my urge to burst into tears, and expressed my joy and delight and my thanks to my family. 학평
나는 눈물이 터져 나오는 충동을 **가까스로** 넘겼고, 기쁨과 즐거움 그리고 가족에 대한 감사함을 표현했다.

1350 **pull over**
□□

(차를 길가에) 세우다

After the third time that the kids have quarreled, Jill **pulls over** the car, turns around, and screams at them at the top of her lungs. 학평
아이들이 세 번째 다툰 후에, Jill은 차를 **세우고**, 몸을 돌려, 그들에게 목청껏 소리를 지른다.

1351 **stare at**
□□

~을 응시하다

The lady gave no reply, but **stared** coldly **at** Amy, leaving without saying a word. 학평
그 여자는 대답하지 않았고 Amy를 차갑게 **응시하며** 아무런 말없이 떠났다.

1352 **stay in touch with**
□□

~와 연락을 유지하다; ~을 계속 알다

Even though Virchow had not practiced medicine for many years, he **stayed in touch with** developments in the field. 학평
비록 Virchow가 여러 해 동안 의사로 일하지는 않았으나, 그는 그 분야의 발전에 관해 **계속 접하고 있었다**.

📖 keep in touch with ~와 연락을 유지하다

1353 **throw away**
□□

~을 버리다; ~을 허비하다

The average person in America and Britain **throws away** his or her cell phone within eighteen months of purchase. 학평
미국과 영국의 보통 사람은 자신의 휴대 전화를 구입 후 18개월 이내에 **버린다**.

기타 부사구, 부사절

1354 **along with**
□□

~와 함께

The day-to-day practice in music, **along with** setting goals and reaching them, develops self-discipline, patience, and responsibility. 학평 목표를 세우고 달성하는 것**과 함께** 매일 수행하는 음악 연습은 자기 절제와 인내심, 그리고 책임감을 계발한다.

¹³⁵⁵
☐☐ **as long as**

~하는 한, ~ 동안은

A closet is probably your best bet for storage of your medications, **as long as** you keep them out of the reach of children. 학평
여러분이 의약품을 아이들의 손이 닿지 않게 보관**하는 한**, 벽장이 아마도 의약품 보관을 위한 여러분의 최선의 방책일 것이다.

¹³⁵⁶
☐☐ **contrary to**

~와는 반대로, ~에 반하여

Very often, multi-tasking only slows you down, **contrary to** popular belief. 학평
때때로 동시에 여러 일을 하는 것은 일반적인 믿음**과는 반대로** 당신의 속도를 늦출 뿐이다.

¹³⁵⁷
☐☐ **free of charge**

무료로

Adrian realized how stupid it was not to listen to his dad who gave him precious advice **free of charge**. 학평
Adrian은 자신에게 **무료로** 값진 조언을 해 주신 아버지의 말을 듣지 않은 것이 얼마나 어리석었는지 깨달았다.

¹³⁵⁸
☐☐ **let alone**

~은 말할 것도 없고, ~은 고사하고

Grown-ups rarely explain the meaning of new words to children, **let alone** how grammatical rules work. 학평
어른들은 아이들에게 문법적인 규칙이 어떻게 작용하는지는 **말할 것도 없고**, 새로운 단어의 의미를 거의 설명하지 않는다.

¹³⁵⁹
☐☐ **regardless of**

~에 관계없이, ~을 개의치 않고

Adults behaved in similar ways **regardless of** whether they were on their own or observed by others. 학평
성인들은 그들이 혼자 있든지 다른 사람에게 보여지든지에 **관계없이** 유사한 방식으로 행동했다.

¹³⁶⁰
☐☐ **when it comes to**

~에 관한 한, ~에 관해서라면

When it comes to feeding your body and mind, nothing is superior to preparing your food at home. 학평
당신의 몸과 마음에 음식을 공급하는 것에 **관해서라면**, 가정에서 음식을 준비하는 것보다 더 좋은 것은 없다.

Daily TEST

☑ ANSWERS p.463

A 우리말과 일치하도록 빈칸에 알맞은 단어를 쓰시오.

01 not _____ than (~보다 많지 않은)

02 _____ or later (조만간, 곧)

03 _____ less than (~만큼이나)

04 go _____ (~을 겪다; ~을 조사하다)

05 make _____ at home (편하게 지내다)

06 be _____ with (~와 관련되다)

07 be _____ to (~하기로 되어 있다)

08 be _____ in (~에 연루되다)

09 be _____ to (~하는 경향이 있다)

10 _____ A of B
(A에게 B가 생각나게 하다)

11 _____ A for B (B에게 A를 공급하다)

12 think to _____ (마음속으로 생각하다)

13 be faced _____ (~에 직면하다)

14 be _____ to (~에 종속하다)

15 go _____ with (~에 찬성하다)

16 no _____ than (겨우, ~일 뿐)

17 contrary _____ (~와는 반대로)

18 _____ with (~와 함께)

19 when it _____ to (~에 관한 한)

20 stay in _____ with
(~와 연락을 유지하다)

B 숙어의 뜻을 빈칸에 쓰시오.

01 let go (of) _____

02 help oneself (to) _____

03 regard A as B _____

04 view A as B _____

05 free of charge _____

06 let alone _____

07 be better off _____

08 regardless of _____

09 be short of _____

10 be familiar with _____

11 not less than _____

12 feel free to _____

13 manage to _____

14 devote oneself to _____

15 be equal to _____

16 pull over _____

17 as long as _____

18 more or less _____

19 stare at _____

20 throw away _____

DAY 35 다의어 **I**

 가리개를 사용하여 뜻을 잘 암기했는지 확인하세요.

1361 end
□□ [end]

1. 끝나다   2. 끝   3. 목적

¹ Your subscription to Winston Magazine will **end** soon.
귀하의 〈Winston〉지에 대한 구독이 곧 **끝날** 것입니다.

² Sigrid Undset escaped Norway during the German occupation, but she returned after the **end** of World War II.
Sigrid Undset은 독일이 점령했던 동안 노르웨이에서 탈출했지만, 제2차 세계 대전의 **종식** 후에 돌아왔다.

³ Despite our differences, we were working to a common **end**.
우리의 다름에도 불구하고, 우리는 공통의 **목적**을 위해 일했다.

1362 miss
□□ [mis]

1. 빗나가다   2. 놓치다   3. 이해하지 못하다   4. 그리워하다

¹ The dart I threw **missed** the target and hit on the white space background.
내가 던졌던 다트는 과녁에서 **빗나가서** 흰색 배경에 맞았다.

² Don't **miss** the opportunity to meet Rosa Park, this year's bestselling author.
올해의 베스트셀러 작가인 Rosa Park를 만날 기회를 **놓치지** 마세요.

³ I completely **missed** the point of the joke you were saying.
나는 네가 했던 농담을 전혀 **이해하지 못했다**.

⁴ What do you **miss** most during the COVID-19 pandemic?
COVID-19이 대유행하는 동안 너는 무엇이 가장 **그리웠니**?

1363 run
□□ [rʌn]

1. 달리다   2. 작동하다   3. 운영하다   4. 출마하다

¹ Do not **run** on the stairs. 계단에서 **뛰지** 마라.

² Why do we expect our computers to **run** normally without the care?
왜 우리는 관리하지 않으면서 컴퓨터가 정상적으로 **작동하길** 바라는가?

³ Ta-Nahesi Coates, a senior editor at *The Atlantic Monthly*, **ran** a personal blog for years.
〈The Atlantic Monthly〉의 선임 편집자인 Ta-Nahesi Coates는 여러 해 동안 개인 블로그를 **운영했다**.

⁴ Mr. Stevens has prepared for **running** for the Presidency for a long time. Stevens 씨는 대통령 선거 **출마**를 오랫동안 준비해 왔다.

1364 □□ **save** [seiv]

1. 구하다 2. 아끼다 3. 모으다, 저축하다 4. 저장하다

1 The safeguard jumped into the sea to **save** the kid.
안전 요원은 아이를 **구하기** 위해 바다로 뛰어들었다.

2 No matter what you can afford, **save** great wine for special occasions.
당신에게 여유가 있더라도, 특별한 경우를 위해 훌륭한 와인은 **아껴 두어라**.

3 If you **save** a little money now, you're still not a millionaire.
여러분이 지금 돈을 약간 **모으더라도**, 여러분은 여전히 백만장자는 아니다.

4 Be sure to **save** the files before turning off the computer.
컴퓨터를 끄기 전에 파일들을 꼭 **저장해라**.

1365 □□ **present** [형][명] [prézənt] [동] [prizént]

1. 현재(의) 2. 참석한 3. 선물 4. (보여) 주다

1 I don't know Lauren's **present** phone number.
나는 Lauren의 **현재** 전화번호를 알지 못한다.

2 Relatives and friends expend considerable effort to be **present** when death is near.
친척들과 친구들은 죽음이 가까워졌을 때 **참석하기** 위해 상당한 노력을 기울인다.

3 Gloria gave me the baseball ticket as a **present**.
Gloria가 내게 야구 티켓을 **선물**로 줬다.

4 Life and sports **present** many situations where critical and difficult decisions have to be made.
인생과 스포츠는 중요하고 어려운 결정이 내려져야 하는 많은 상황들을 **제공한다**.

1366 □□ **bill** [bil]

1. 청구서 2. 지폐 3. 법안

1 Light-colored roofing helps you save on your energy **bills** on hot days.
밝은 색의 지붕 재료는 더울 때 여러분이 전기 요금 **고지서**의 요금을 아끼는 데 도움이 된다.

2 Symbolic tool use is something people do every time they pay for an item with paper **bills** or coins.
상징적 도구 사용이란 사람들이 **지폐**나 동전으로 물건 값을 지불할 때마다 하는 행동이다.

3 Congress approved a **bill** prohibiting shark finning in all United States waters last month.
미국 의회는 미국 전 해역에서 상어 지느러미 포획을 금지하는 **법안**을 지난달 승인했다.

1367 check
☐☐ [tʃek]

1. 검사(하다) 2. 수표 3. 계산서

¹ Quality questions are one way that teachers can **check** students' understanding of the text.
훌륭한 질문은 교사들이 글에 대한 학생들의 이해도를 **점검할** 수 있는 한 가지 방법이다.

² There was a **check** for $250,000 in the envelope!
봉투 안에는 25만 달러의 **수표가** 있었다!

³ Can I have the **check**, please?
계산서 좀 가져다주시겠어요?

1368 book
☐☐ [buk]

1. 책 2. 예약하다

¹ You can't judge a **book** by its cover.
표지를 보고 **책을** 판단해서는 안 된다.

² **Booking** is required at least 10 days in advance.
최소한 10일 전에 **예약하는 것이** 필수적이다.

1369 company
☐☐ [kʌ́mpəni]

1. 회사 2. 동료 3. 함께 있음

¹ I am writing regarding your **company**'s job offer.
저는 **귀사의** 일자리 제안과 관련하여 편지를 씁니다.

² A man is known by the **company** he keeps.
사람은 그가 사귀는 **친구를** 보면 알 수 있다.

³ **Company** in distress makes sorrow less.
고통을 겪는 데 있어 **함께하는 것이** 슬픔을 던다.

1370 draw
☐☐ [drɔː]

1. 그리다 2. 끌다 3. 추첨 4. 무승부

¹ I feel at ease while I **draw**.
나는 **그림 그리는** 동안엔 마음이 편안하다.

² My eyes were **drawn** to the darkness beneath the stairs.
내 눈은 계단 아래의 어둠에 **이끌렸다.**

³ The **draw** ceremony for the second round of the Asian Cup will be held tomorrow. 아시안 컵 2라운드 **추첨식이** 내일 열릴 것이다.

⁴ The match ended in a one-all **draw**.
그 시합은 1 : 1 **무승부로** 끝났다.

1371 block
[blak]

□□

1. 큰 덩어리   2. (건물) 단지, 블록   3. 막다

1 Each room is decorated with furniture carved from ice **blocks**.
각 방은 얼음 **덩어리**로 조각한 가구로 장식되어 있다.

2 It's often easier to walk a few **blocks** than to wait for a taxi.
택시를 기다리는 것보다 몇 **블록** 걷는 것이 종종 더 쉽다.

3 The ice moved in and **blocked** the way out to the open sea.
얼음이 들어와서 탁 트인 바다로 나가는 길을 **막았다**.

1372 case
[keis]

□□

1. 상자   2. 경우   3. 사건, 소송

1 Please get the parts wrapped in paper and pack them in strong wooden **cases**. 그 부품들은 종이에 포장해서, 튼튼한 목재 **상자**에 넣어 주세요.

2 The tornado was a very rare **case** in New England.
New England에서는 토네이도가 아주 드문 **경우**였다.

3 Four police officers are investigating the murder **case**.
네 명의 경찰이 그 살인 **사건**을 조사하는 중이다.

1373 press*
[pres]

□□

1. 누르다   2. 압박하다   3. 언론; 인쇄

1 **Press** the power button twice to turn the projector off.
프로젝터를 끄려면 전원 버튼을 두 번 **누르세요**.

2 The European Union was **pressed** to lift the ban region by region.
유럽 연합은 지역별로 금지령을 해제하라는 **압박을 받았다**.

3 A free **press** is fundamental to democracy.
자유로운 **언론**은 민주주의의 기본이다.

1374 air
[ɛər]

□□

1. 공기; 공중   2. 기운   3. 항공   4. 방송(하다)

1 My baby son flew the balloon into the **air**.
내 아들이 풍선을 **공중**으로 날렸다.

2 The old man was ragged but he had an **air** of dignity around him.
그 노인은 누더기 옷을 입고 있었지만 그의 주변에 위엄의 **기운**을 가지고 있었다.

3 Nathan decided to join the **Air** Force, but was declined entry.
Nathan은 **공군**에 입대하려고 결심했으나 입대가 거부되었다.

4 The most popular music reality show is going on **air** from May 19th.
가장 인기 있는 음악 리얼리티 쇼가 5월 19일부터 **방송될** 예정이다.

1375 hold
[hould]

1. 잡다　2. 개최하다　3. 유지하다

1 The racer **holds** the front wheel tight with his hands, and this stops the wheel from spinning.
그 선수는 그의 손으로 앞바퀴를 꽉 **잡았고**, 이것이 바퀴가 도는 것을 멈췄다.

2 A special presentation will be **held** at our school auditorium on April 16th.　특별한 발표가 우리 학교 강당에서 4월 16일에 **개최될** 것입니다.

3 We do need at least five participants to **hold** classes!
수업이 **유지되려면** 최소 다섯 명의 참가자가 꼭 필요합니다.

 1376 right
[rait]

1. 옳은　2. 오른쪽의　3. 권리　4. 바로

1 Cultures are not about being **right** or wrong.
문화는 **옳거나** 그름에 관한 것이 아니다.

2 I have very little sight in my **right** eye.　내 **오른쪽** 눈의 시력은 매우 약하다.

3 Shirley Chisholm spoke out for civil **rights** and women's **rights**.
Shirley Chisholm은 시민**권**과 여성의 **권리**를 위해 목소리를 높였다.

4 I'll call **right** away to see if Larry can get you the samples.
Larry가 네게 샘플을 갖다줄 수 있는지 내가 **바로** 전화해 볼게.

 1377 stand
[stænd]

1. 서다　2. 견디다

1 My legs were trembling so badly that I could hardly **stand** still.
내 다리가 너무 심하게 떨려서 나는 가만히 **서 있을** 수가 없었다.

2 Many nobles couldn't **stand** being kept waiting anymore.
많은 귀족들은 계속 기다려야 하는 것을 더 이상 **견딜** 수 없었다.

 1378 even*
[íːvən]

1. ~조차, ~까지　2. 평평한; 일정한　3. 짝수의

1 In America, people prefer cold drinks **even** with ice.
미국에서는 사람들이 차가운 음료에 얼음**까지** 넣는 것을 선호한다.

2 Try to keep the room at a fairly **even** temperature.
방을 대체적으로 **일정한** 온도로 유지하도록 애써라.

3 The elevators are separated into odd number floors and **even** number floors.　승강기가 홀수층 전용과 **짝수층** 전용으로 나뉘어 있다.

1379 reason* □□
[ríːzən]

1. 이유   2. 이성   3. 추론하다

1 There's a **reason** a dog is a man's best friend.
개가 사람의 가장 친한 친구인 **이유**가 있다.

2 Thales used **reason** to inquire into the nature of the universe.
Thales는 **이성**을 이용하여 우주의 본질을 탐구했다.

3 Newton **reasoned** that there must be a force such as gravity.
Newton은 중력 같은 힘이 있을 거라고 **추론했다**.

1380 rate* □□
[reit]

1. 비율   2. 속도   3. 요금   4. 평가하다

1 The female smoking **rate** was on the decrease from 2007 to 2009.
여성 흡연 **비율**은 2007년부터 2009년까지 감소세였다.

2 The bike was passing by me at a tremendous **rate**.
자전거 한 대가 내 옆을 엄청난 **속도**로 지나갔다.

3 I reserved one room for one night at the regular **rate** of $100.
저는 100달러의 일반 **요금**으로 방 하나를 1박 예약했습니다.

4 Eight in ten mothers of younger children **rate** themselves as a very good parent. 어린이들의 엄마 10명 중 8명은 자신을 아주 좋은 엄마로 **평가한다**.

1381 state* □□
[steit]

1. 상태   2. 국가; 주   3. 진술하다

1 The person who compares himself to others lives in a **state** of fear.
스스로를 다른 사람들과 비교하는 사람은 두려움의 **상태**에서 산다.

2 Indonesia is an important Islamic country but it is not a formal Islamic **state**.
인도네시아는 중요한 이슬람 국가이지만 공식적인 이슬람 **국가**는 아니다.

3 Please **state** why you wish to apply for this job.
이 업무에 지원하고 싶어 하는 이유를 **진술해** 주세요.

1382 game □□
[geim]

1. 놀이   2. 경기, 시합   3. 사냥감

1 Do you have an entertaining **game** for a child?
어린이를 위한 재밌는 **놀이**가 있나요?

2 People viewed baseball as a **game** of skill and technique rather than strength.
사람들은 야구를 힘의 경기라기보다는 기량과 기술의 **경기**로 간주했다.

3 Endangered animals are sacrificed for **game** in Africa.
아프리카에서는 멸종 위기의 동물들이 **사냥감**으로 희생된다.

1383 matter* □□ [mǽtər]

1. 문제, 일   2. 물질   3. 중요하다

1 I would be grateful if you could resolve this **matter** quickly.
당신이 이 **문제**를 빠르게 해결해 주신다면 감사하겠습니다.

2 Actually, per unit of **matter**, the brain uses by far more energy than our other organs.
실제로, **물질** 단위당, 두뇌는 우리의 다른 장기들보다 훨씬 많은 에너지를 사용한다.

3 You've probably heard the expression, "First impressions **matter** a lot." 당신은 "첫 인상이 아주 **중요하다**."라는 표현을 들어 봤을 것이다.

1384 order* □□ [ɔ́ːrdər]

1. 규칙, 질서   2. 명령(하다); 주문(하다)   3. 순서

1 We search for **order** in chaos, the right answer in ambiguity, and conviction in complexity.
우리는 혼돈 속에서 **질서**를, 모호함 속에서 정답을, 복잡함 속에서 확신을 찾는다.

2 Do you ever have trouble deciding what to **order** at a restaurant?
당신은 식당에서 무엇을 **주문할지** 결정하는 데 어려움을 겪은 적이 있나요?

3 Put the files in alphabetic **order** for the meeting.
회의를 위해 파일을 알파벳 **순서**로 두어라.

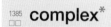

1385 complex* □□ 혱 [kɑmpléks] 몡 [kámpleks]

1. 복잡한   2. 복합 건물   3. 콤플렉스, 강박 관념

1 You don't need **complex** sentences to express ideas.
생각을 표현하기 위해 **복잡한** 문장이 필요하지는 않다.

2 You'll run from Sports **Complex** to City Hall at the Green Marathon.
Green 마라톤 대회에서 여러분은 스포츠 **단지**에서 시청까지 달리게 될 것이다.

3 Justin has got a **complex** about being speechless in public.
Justin에게는 대중 앞에서 말문이 막히는 **콤플렉스**가 있다.

1386 physical* □□ [fízikəl]

1. 신체의   2. 물질적인, 실제의   3. 물리학의

1 Children's play is a training ground for developing **physical** abilities.
아이들의 놀이는 **신체** 능력을 발달시키기 위한 훈련의 토대이다.

2 Airways are not **physical** structures but are similar to roads.
항공로는 **물리적** 구조물은 아니지만 도로와 유사하다.

3 That conclusion is from the **physical** point.
그 결론은 **물리학의** 관점에서 나온 것이다.

1387 mean*
□□ [miːn]

1. 의미하다   2. 비열한

1 The fact that your cell phone is ringing doesn't **mean** you have to answer it.   여러분의 휴대 전화가 울린다는 사실이 여러분이 그것을 받아야 함을 **의미하는** 것은 아니다.

2 I would rather lose the game than do such a **mean** thing.
그런 **비열한** 짓을 하기보다 나는 차라리 시합에서 지는 게 낫다.

1388 bow*
□□ [bau]

1. 절(하다), 인사(하다)   2. 뱃머리   3. [bou] (무기, 악기의) 활

1 The conductor **bowed** and left the stage.
그 지휘자는 **인사를 하고** 무대를 떠났다.

2 When looking towards the **bow**, the left-hand side of the boat is the port side.   **뱃머리** 방향으로 볼 때, 배의 왼쪽 편을 좌현(port side)이라고 한다.

3 Russell was armed with a **bow** and arrows.
Russell은 **활**과 화살로 무장을 했다.

1389 observe*
□□ [əbzə́ːrv]

1. 관찰하다   2. 지키다   3. 진술하다

1 When an important change takes place in your life, **observe** your response.   당신의 삶에 중요한 변화가 생겼을 때 당신의 반응을 **관찰해** 보라.

2 This procedure must be correctly **observed**.
이 절차는 반드시 정확하게 **지켜져야** 합니다.

3 Astronomers **observe** the sun's diameter is more than 100 times larger than Earth's.
천문학자들은 태양의 지름이 지구의 지름보다 100배 넘게 더 크다고 **말한다.**

1390 develop*
□□ [divéləp]

1. 개발하다; 발전시키다   2. (병에) 걸리다   3. 현상하다

1 Our efforts to **develop** technologies that use fossil fuels have shown meaningful results.
화석 연료를 사용하는 기술을 **개발하려는** 우리의 노력은 의미 있는 결과를 보여 줬다.

2 Among the mice that exercised, none **developed** liver cancer in six months.   운동했던 쥐들 중에서는 어느 쥐도 6개월 후에 간암에 **걸리지** 않았다.

3 Did you ever get the pictures **developed**?
너는 사진을 **인화해** 봤니?

1391 material*
[mətíːriəl]

1. 재료   2. 물질적인   3. 물질의; 형태가 있는

1 Beans contain a significant amount of calcium, the basic building **material** of all bones and teeth.
콩에는 모든 뼈와 치아를 형성하는 기본적인 **재료**인 칼슘이 상당량 함유되어 있다.

2 The spread of **material** richness has freed our minds to pursue fulfillment from our work.
물질적 풍요의 확산은 우리의 마음이 일에서 오는 성취감을 추구할 시간을 주었다.

3 A clay pot is an example of a **material** artifact.
토기는 **유형** 유물의 한 예이다.

1392 figure*
[fígjər]

1. 숫자   2. 인물, 유명인   3. 중요하다   4. 계산하다   5. 판단하다

1 Note: **Figures** may not sum to total due to rounding.
참고: 반올림으로 인해 **수치**가 총계와 맞지 않을 수 있습니다.

2 A champion of free speech and religious toleration, Voltaire was a controversial **figure**.
언론의 자유와 종교적 관용의 옹호자인 Voltaire는 논란이 많았던 **인물**이었다.

3 Climate change **figured** prominently in the talks.
기후 변화는 그 회담에서 대단히 **중요했다**.

4 I've **figured** my expenses for the trip which I made to Busan last week. 나는 내가 지난주에 부산으로 갔던 여행의 경비를 **계산했다**.

5 I **figured** that my picture had been taken for speeding.
나는 과속 때문에 내 사진이 촬영됐을 것이라고 **판단했다**.

1393 cover
[kʌ́vər]

1. 덮다; 덮개   2. 다루다   3. 보도하다   4. 이동하다

1 We spread dust **covers** over the furniture while the remodeling is on. 우리는 리모델링이 진행되는 동안 가구들을 먼지 **덮개**로 덮었다.

2 We **cover** reading map symbols, using a compass, planning a route, and estimating distance. 우리는 지도 기호 읽기, 나침반 사용하기, 경로 계획하기, 그리고 거리 측정하기를 **다룹니다**.

3 Some news channels **covered** the story about the football player from Sudan.
몇 개의 뉴스 채널에서 수단 출신 축구 선수에 관한 기사를 **보도했다**.

4 Rosa went for a long bike ride; she **covered** at least 30 miles.
Rosa는 자전거를 오랫동안 타고 갔는데, 최소한 30마일은 **이동했다**.

1394 interest*
[íntrist]
1. 관심, 흥미; 관심을 끌다   2. 이익; 이자

1 Modern man's **interest** in grooming and cosmetic products is not a new phenomenon.
현대 남자의 몸치장 제품과 화장품에 대한 **관심**이 새로운 현상은 아니다.

2 This time deposit brings you a two percent **interest** per year.
이 정기 예금은 여러분께 연간 2퍼센트**의 이자**를 드립니다.

1395 succeed*
[səksí:d]
1. 성공하다   2. 계승하다

1 You can't **succeed** if you are afraid of failure.
실패를 두려워하면 **성공할** 수 없다.

2 Danjong **succeeded** to the throne when he was only 12 years old.
단종은 고작 12살 때 왕위를 **계승했다**.

1396 conduct*
명 [kándʌkt] 동 [kəndʌ́kt]
1. 품행, 행동; 행하다   2. 지휘하다   3. 안내하다

1 The prisoner was released early for good **conduct**.
그 죄수는 성실한 **행동**으로 조기에 석방되었다.

2 The orchestra was **conducted** by Leonard Bernstein.
그 오케스트라는 Leonard Bernstein이 **지휘했다**.

3 The usher **conducted** us to our seats.
안내원이 우리를 우리 자리로 **안내했다**.

1397 correct*
[kərékt]
1. 정확한; 옳은   2. 정정하다

1 When we make **correct** predictions, that saves energy.
우리가 **정확한** 예측을 할 때, 그 예측은 에너지를 아껴 준다.

2 I sincerely hope that you **correct** this error as soon as possible.
가능한 한 빠르게 이 오류를 **정정해** 주길 진심으로 바랍니다.

1398 charge*
[tʃɑːrdʒ]

1. 요금   2. 부과하다   3. 관리, 책임   4. 충전(하다)   5. 기소하다; 혐의

1 A six-dollar service **charge** will be added for daily cleaning.
6달러의 서비스 **요금**이 일일 세탁비로 추가될 것입니다.

2 What should I do if my card was **charged** twice?
제 카드에 요금이 두 번 **부과됐으면** 어떻게 해야 하나요?

3 Mr. Bates took **charge** of about a dozen "special needs" kids.
Bates 씨는 약 12명의 '특수 교육' 아이들을 **책임**지게 됐다.

4 I use my cell phone until the battery no longer holds a good **charge**.
나는 배터리가 더 이상 **충전**이 잘 되지 않을 때까지 내 휴대 전화를 사용한다.

5 Justin Wallace was **charged** with an attempted hate crime and illegally possessing a gun.
Justin Wallace는 증오 범죄 미수와 불법 총기 소지 혐의로 **기소되었다**.

1399 major*
[méidʒər]

1. 주요한   2. 전공(하다)   3. 소령

1 A boom in car sales has caused traffic jams in many of China's **major** cities.
자동차 판매가 폭발적으로 증가하면서 중국의 많은 **주요** 도시에서 교통 체증이 일어났다.

2 Shoshanna **majored** in English literature at the university.
Shoshanna는 대학에서 영문학을 **전공했다**.

3 **Major** John Patrick relieved that his men had survived the snowstorm.
John Patrick **소령**은 그의 부하들이 눈보라에서 살아남았다는 것에 안도했다.

1400 reflect*
[riflékt]

1. 비추다; 반영하다   2. 반사하다   3. 깊이 생각하다

1 Morgan looks at his face **reflected** in the window.
Morgan은 창문에 **비친** 자신의 얼굴을 본다.

2 Mirrors and other smooth, shiny surfaces **reflect** light.
거울과, 다른 부드럽고 빛나는 표면은 빛을 **반사한다**.

3 Many of us **reflect** on ourselves to make our lives better.
우리들 중 많은 사람들이 우리 삶을 더 나아지게 만들기 위해 스스로를 **성찰한다**.

☑ ANSWERS p.464

A 영어는 우리말로, 우리말은 영어로 쓰시오.

01	major		11	달리다; 운영하다; 출마하다	
02	material		12	구하다; 아끼다; 저축하다	
03	reason		13	관심, 흥미; 이익	
04	state		14	요금; 책임; 충전(하다); 혐의	
05	even		15	비추다; 반영하다; 반사하다	
06	stand		16	개발하다; 발전시키다; 현상하다	
07	right		17	복잡한; 복합 건물; 콤플렉스	
08	end		18	관찰하다; 지키다; 진술하다	
09	hold		19	회사; 동료; 함께 있음	
10	draw		20	큰 덩어리; (건물) 단지; 막다	

B 밑줄 친 단어의 문맥상 적절한 뜻을 고르시오.

01	approve a <u>bill</u> prohibiting shark finning	ⓐ 청구서	ⓑ 법안
02	<u>conduct</u> us to our seats	ⓐ 지휘하다	ⓑ 안내하다
03	the female smoking <u>rate</u>	ⓐ 속도	ⓑ 비율
04	investigate the murder <u>case</u>	ⓐ 사건	ⓑ 상자
05	have an <u>air</u> of dignity	ⓐ 기운	ⓑ 공기
06	baseball as a <u>game</u> of skill	ⓐ 사냥감	ⓑ 경기
07	resolve this <u>matter</u> quickly	ⓐ 문제	ⓑ 물질
08	developing <u>physical</u> ability	ⓐ 신체의	ⓑ 물리학의
09	a controversial <u>figure</u>	ⓐ 숫자	ⓑ 인물
10	armed with a <u>bow</u> and arrows	ⓐ 뱃머리	ⓑ 활

📖 가리개를 사용하여 뜻을 잘 암기했는지 확인하세요.

1401
☐☐
respect*
[rispékt]

1. 존중(하다)   2. (측)면, 점

¹ Adults have a responsibility to teach children to **respect** animals.
어른들은 아이들에게 동물을 **존중하도록** 가르칠 책임이 있다.

² Computers can process data at greater speeds than people can, but they are limited in many **respects**.
컴퓨터는 사람들이 할 수 있는 것보다 더 빠른 속도로 데이터를 처리할 수 있지만, 여러 **면**에서 한계가 있다.

1402
☐☐
feature*
[fíːtʃər]

1. 특징(을 이루다)   2. 얼굴   3. 특집 기사   4. 역할을 하다

¹ Longer battery life is the most wanted **feature** for both females and males. 배터리가 더 오래 가는 것이 남성과 여성 둘 다 가장 원하는 **특징**이다.

² Psychological researchers identified the expressive facial **features** that people associated with each emotion.
심리학 연구원들은 사람들이 각 감정과 연관 짓는 표현이 풍부한 **얼굴 부분**을 발견했다.

³ Some newspapers have a **feature** section, which deals with interesting events and ideas.
몇몇 신문에는 흥미 있는 사건이나 생각을 다루는 **특집란**이 있다.

⁴ Shah Rukh Khan **featured** in one of the most influential shows in India.
Shah Rukh Khan은 인도에서 가장 영향력 있는 쇼 중 하나에서 **중요한 역할을 했다**.

1403
☐☐
issue
[íʃuː]

1. 쟁점   2. 발행물, 호   3. 발행하다

¹ Don't confuse the **issue**.
쟁점을 흐리지 마라.

² You'll continue to receive your monthly **issue** of Winston Magazine.
귀하께서는 계속해서 〈Winston〉지의 월간**호**를 받으실 겁니다.

³ The first English patent for a typewriter was **issued** in 1714.
타자기에 대한 최초의 영국 특허는 1714년에 **발행되었다**.

1404 appreciate*
[əprí:ʃièit]

1. 고맙게 여기다   2. 감상하다   3. 이해하다

1 We **appreciate** your cooperation on our eco-friendly policy.
저희는 저희의 친환경 정책에 대한 여러분의 협조에 **감사드립니다**.

2 Color in painting plays a huge part in how we **appreciate** art.
그림의 색은 우리가 예술을 **감상하는** 데 큰 역할을 한다.

3 Rob didn't fully **appreciate** the value of the contract.
Rob은 그 계약의 가치를 완전히 **이해하지** 못했다.

1405 direct*
[dirékt]

1. 직접적인   2. ~로 향하게 하다   3. 지시하다, 감독하다

1 Parents should ask their children **direct** questions about what's going on at school. 부모들은 자녀들에게 학교에서 무슨 일이 일어나고 있는지에 관해 **직접적인** 질문을 해야 한다.

2 I was **directed** to the waiting area, where I remained until my name was called. 나는 대기장으로 **향했고**, 그곳에서 내 이름이 불릴 때까지 머물렀다.

3 This medicine should be used only as **directed** by a physician.
이 약은 의사의 **지시한** 대로만 사용해야 합니다.

1406 fit*
[fit]

1. 적합하다   2. 어울리는   3. 건강이 좋은

1 Seat belts don't **fit** young children and babies.
안전띠는 어린 아이와 아기에게는 **적합하지** 않다.

2 There will be Lena's wedding party this weekend, but I have nothing **fit** to wear for that.
주말에 Lena의 결혼 파티가 있는데, 나는 거기에 **어울리는** 입을 만한 게 없다.

3 I play tennis twice a week to keep **fit**.
나는 **건강을** 유지하기 위해 일주일에 두 번 테니스를 친다.

1407 stick*
[stik]

1. 막대기   2. 붙다   3. 찌르다; 내밀다   4. 꼼짝 못하(게 하)다

1 Greg drew a picture of a bird on the ground with a **stick**.
Greg은 **막대기로** 땅에 새 그림을 그렸다.

2 The natural dye used in the jeans would **stick** only to the outside of the threads. 청바지에 사용된 천연 염료는 실의 바깥에만 **붙을** 것이다.

3 My eyelashes **stick** in my eyes. 내 속눈썹이 눈을 **찌른다**.

4 Pressed for time and **stuck** in a deadlock, Claire had no idea how to finish the paper. Claire는 시간에 쫓기며 교착 상태에 빠져 **꼼짝 못한 채**, 그 논문을 어떻게 끝마쳐야 할지 몰랐다.

1408 count* [kaunt]
1. 세다   2. 중요하다   3. ~라고 여기다   4. 의지하다

1 Rois asked a volunteer to **count** the number of times a basketball team passed the ball.
Rois는 한 자원봉사자에게 농구 팀이 공을 패스한 횟수를 **세라고** 요청했다.

2 Climbing the stairs instead of riding the escalator **counts**.
에스컬레이터를 타는 대신 계단을 오르는 것이 **중요하다**.

3 I don't **count** Tim as a friend anymore because of his betrayal.
그의 배신 때문에 나는 Tim을 더 이상 친구로 **여기지** 않는다.

4 I can always **count** on you when it comes to clothing and style.
옷과 스타일에 관한 한 저는 항상 당신에게 **의지할** 수 있어요.

1409 assume* [əsúːm]
1. 추정하다   2. 떠맡다   3. ~인 체하다

1 Some researchers **assumed** early human beings ate mainly the muscle flesh of animals.
일부 연구자들은 초기 인류가 주로 동물의 근육 부분의 살을 먹었다고 **추정했다**.

2 The reporter **assumes** full responsibility for what she writes.
그 기자는 자신이 쓴 것에 대해 모든 책임을 **진다**.

3 The Senator **assumed** an air of concern for the poor, while he took no effective measures for them.
그 의원은 가난한 이들을 걱정하는 **체 했지만**, 그들을 위해 실질적인 조치를 하지는 않았다.

1410 fine [fain]
1. 훌륭한   2. 날씨가 맑은   3. 미세한   4. 벌금(을 부과하다)

1 Elena received a catalogue of **fine** luxury gifts to choose from.
Elena는 선택할 수 있는 **훌륭한** 명품 선물 목록을 받았다.

2 According to the weather forecast, it will be **fine** tomorrow.
일기 예보에 따르면, 내일 **날씨는 맑을** 거래요.

3 Our field trip last week was canceled due to the **fine** dust alert.
지난주에 예정했던 우리의 견학 여행은 **미세** 먼지 경보로 인해 취소되었다.

4 What is the difference between **fines** and fees?
벌금과 수수료의 차이는 무엇인가요?

1411 □□ spring
[spriŋ]

1. 봄   2. 스프링   3. 샘(물)   4. 도약(하다)   5. 갑자기 ~이 되다

1 The graph shows the average rainfall for **spring** and fall in Korea from 2006 to 2010.
그래프는 2006년부터 2010년까지 한국의 **봄**과 가을의 평균 강수량을 보여 준다.

2 I still like this old armchair with broken **springs**.
나는 **스프링**이 부러진 이 낡은 안락의자를 아직도 좋아한다.

3 A thermal **spring** bubbled up out of the rocks.
뜨거운 **샘물**이 바위에서 부글부글 솟아 나왔다.

4 When trouble comes, mallards can **spring** out of the water and into the air.   문제가 생기면, 청둥오리들은 물 밖으로 **뛰어올라** 공중으로 날아오를 수 있다.

5 The engineer gave one gentle tap on the side of the boiler, and it **sprang** to life.
기사가 보일러 옆면을 가볍게 한 번 두드렸더니, 그것은 생명력을 **갑자기 되찾았다.**

1412 □□ board
[bɔːrd]

1. 판자   2. 이사회   3. 탑승하다   4. 하숙하다

1 The boy made his way up to the highest **board**.
그 소년은 가장 높은 **판자**에 올라갔다.

2 I'm honored that the **board** has seen fit to recommend me for vice president.
이사회가 저를 부사장으로 추천하기에 적합하다고 여긴 것을 영광으로 생각합니다.

3 I **board** the plane, take off, and climb out into the night sky.
나는 비행기에 **탑승하고**, 이륙해 밤하늘로 올라간다.

4 Jason is **boarding** at my house until he can find his own home.
Jason은 자신의 집을 찾을 수 있을 때까지 우리 집에서 **하숙을 하고** 있다.

1413 □□ term*
[təːrm]

1. 용어   2. 기간, 학기   3. 이름 짓다, 칭하다

1 An ambiguous **term** is one which has more than a single meaning.
애매한 **용어**는 하나 이상의 의미를 가진 것이다.

2 Write down the dates of important events, such as exams and deadlines for **term** papers.
시험과 **학기**말 과제 마감일과 같은 중요한 행사의 날짜를 적어라.

3 We are living in a time of global conflict, **termed** by many the war on terrorism.
우리는 많은 이들에 의해 테러와의 전쟁이라 **불리는** 세계적인 갈등의 시대에 살고 있다.

tie*
[tai]

1414

1. 묶다　2. 동점(을 이루다)　3. 넥타이　4. 유대

1 We **tied** ourselves together with ropes to save our lives if one of us fell.
우리 중 한 명이 떨어지면 목숨을 구하기 위해 우리는 밧줄로 우리 자신을 함께 **묶었다**.

2 At the end of the season, we were **tied** with the Titans.
시즌이 끝날 때, 우리는 Titans와 **동점이 되었다**.

3 I like to wear a white shirt and a blue **tie**.
나는 흰색 셔츠에 파란색 **넥타이**를 매는 것을 좋아한다.

4 Only a sixth of jobs that came via the network were from strong **ties**.
네트워크를 통해 들어온 일자리의 6분의 1만이 강한 **유대**에서 온 것이었다.

character*
[kǽriktər]

1415

1. 성격　2. 특성　3. 등장인물　4. 글자, 부호

1 Collin's father had an amusing, jolly, witty **character**.
Collin의 아버지는 재미있고, 명랑하고, 재치 있는 **성격**을 가지고 있었다.

2 Agriculture has lost its local **character** in many places.
농업은 많은 곳에서 그것의 지역적인 **특성**을 잃었다.

3 Imagine in your mind one of your favorite paintings or cartoon **characters**.
여러분이 가장 좋아하는 그림이나 만화 **등장인물** 중 하나를 여러분 마음속에 상상해 보세요.

4 I can write the word 'horse' in Chinese **character**.
나는 '말'이라는 단어를 **한자**로 쓸 줄 안다.

firm*
[fəːrm]

1416

1. 회사　2. 단단한; 흔들리지 않는　4. 단호한

1 We believe your **firm** is ideal to carry out such a project.
저희는 당신의 **회사**가 이러한 프로젝트를 수행하기에 이상적이라고 생각합니다.

2 Make sure the ladder feels **firm** when you climb up.
올라갈 때 사다리가 **흔들리지 않는지** 확인하세요.

3 My boss would tell us in a **firm** voice that we must follow the rules.
나의 상사는 **단호한** 목소리로 우리가 규칙을 따라야 한다고 우리에게 말하곤 했다.

1417 fair*
□□ [fɛər]

1. 적정한   2. 공정한   3. 상당한   4. 박람회   5. 금발인

1. Today's consumers are not just looking for a good product at a **fair** price. 오늘날의 소비자들은 단지 **적정한** 가격에 좋은 제품을 찾는 것이 아니다.

2. Most people want to be good, **fair**, and liked.
대부분의 사람들은 착하고, **공정하고**, 사랑받기를 원한다.

3. We are challenged to accomplish greater things that take a **fair** amount of courage to achieve.
우리는 성취하기 위해 **상당한** 용기가 필요한 더 큰 일들을 성취하도록 요구받고 있다.

4. Winners will get a gift certificate that can be used at the book **fair**.
우승자에게는 도서 **박람회**에서 사용할 수 있는 상품권이 증정될 것입니다.

5. The boy with **fair** hair told the hairdresser he wanted to have his hair permed. **금발의** 소년은 미용사에게 자신의 머리를 파마하고 싶다고 말했다.

1418 content*
□□ (명) [kántent] (형) [kəntént]

1. 내용   2. (책의) 목차   3. 만족하는

1. Kelly knelt down and glanced inside to see its **contents**.
Kelly는 무릎을 꿇고 **내용물**을 보기 위해 안을 들여다보았다.

2. Labels on food are like the table of **contents** found in books.
식품 라벨은 책에서 발견되는 **목차**와 같다.

3. Everybody seemed **content** with this definition until a philosopher burst into the lecture hall.
철학자가 갑자기 강의실에 들어오기 전까지는 모두가 이 정의에 **만족하는** 것 같았다.

1419 regard*
□□ [rigáːrd]

1. ~을 …으로 여기다 2. 존경(하다) 3. 관계 4. 주의 5. (pl.) 안부 인사

1. In perceiving changes, we tend to **regard** the most recent ones as the most revolutionary. 변화를 인식하는 데 있어서, 우리는 가장 최근의 변화를 가장 혁명적인 것**으로 여기는** 경향이 있다.

2. Jason had high **regard** for his old teacher.
Jason은 그의 옛 선생님을 높이 **존경**했다.

3. We hope to give some practical education to our students in **regard** to industrial procedures.
우리는 학생들에게 산업 절차와 **관계**된 실질적인 교육을 제공하기를 바란다.

4. More **regard** must be paid to safety on the streets.
거리의 안전에 더 많은 **주의**를 기울여야 한다.

5. Give my best **regards** to Megan and Paul.
Megan과 Paul에게 내 **안부** 전해 줘.

1420 current*
[kɔ́ːrənt]

1. 현재의   2. 흐름; 해류   3. 경향   4. 통용되는; 현행의

1 Turning off the vacuum will reset all settings except for the **current** time.
진공청소기를 끄면 **현재** 시간을 제외한 모든 설정이 재설정될 것입니다.

2 Plastic tends to float, which allows it to travel in ocean **currents** for thousands of miles.
플라스틱은 떠다니는 경향이 있어서, **해류**를 타고 수천 마일을 이동할 수 있다.

3 The objections reflect the different political **currents** within the organization.
그 이견들은 조직 내부의 다른 정치적 **경향**을 반영한다.

4 The book hasn't been updated recently, so the information in it is not **current** any longer.
그 책은 최근에 개정되지 않아서 그 책의 정보는 더 이상 **통용되지** 않는다.

1421 tip*
[tip]

1. (뾰족한) 끝   2. 조언   3. 팁, 봉사료   4. 기울다

1 The yard is about the distance between the **tip** of a man's nose and the fingers of his outstretched arm.
마당은 남성의 코**끝**과 그의 뻗은 팔의 손가락 사이 정도의 거리이다.

2 There are some useful **tips** on how you can prevent premature gray hair. 여러분이 너무 일찍 머리가 세는 것을 예방할 수 있는 방법에 대한 몇 가지 유용한 **조언**이 있습니다.

3 How much **tip** should I give to the taxi driver?
제가 택시 운전사에게 **팁**을 얼마나 줘야 할까요?

4 The problem is that the seesaw can also **tip** the other way.
문제는 시소가 다른 방향으로 **기울** 수도 있다는 것이다.

1422 article*
[áːrtikl]

1. 기사   2. 조항   3. 물건

1 Your recent **article** on air pollution was essentially correct.
대기 오염에 대한 당신의 최근 **기사**는 본질적으로 옳았다.

2 **Article** 1 of the Constitution of the Republic of Korea is about democracy.
대한민국 헌법 제**1조**는 민주주의에 관한 것이다.

3 My grandmother made me remove various **articles** of clothing.
할머니는 나에게 여러 옷**가지**를 치우게 하셨다.

1423 account*
[əkáunt]

1. 계정   2. 설명(하다)   3. ~라고 여기다   4. (~의 비율을) 차지하다
5. 청구(서)

1 Follow these steps to set up your iPad to work with your existing email **account**.
기존 이메일 **계정**으로 작동하도록 iPad를 설정하기 위해 다음 단계를 수행하세요.

2 25 percent of the students gave completely different **accounts** of where they were.
25퍼센트의 학생들은 그들이 어디에 있었는지에 대한 전혀 다른 **설명**을 했다.

3 Janet **accounted** herself the unluckiest girl alive.
Janet은 자신이 살아 있는 가장 불운한 소녀라고 **여겼다**.

4 Ships in 2019 **accounted** for the same percentage as in 2010.
2019년에 선박은 2010년과 같은 비율을 **차지했다**.

5 Oscar paid his **account** in cash and was allowed cash discount of 2%.
Oscar는 **청구서** 내용을 현금으로 지불했고 2퍼센트의 현금 할인을 받았다.

1424 represent*
[rèprizént]

1. 대표하다   2. 나타내다   3. 묘사하다

1 I'm very proud to **represent** this amazing club, which has 43 years of history.
저는 43년의 역사를 지닌 이 훌륭한 동아리를 **대표하게** 되어 정말 자랑스럽습니다.

2 Charts and graphs can **represent** numbers in a simple image.
차트와 그래프는 숫자를 간단한 그림으로 **나타낼** 수 있다.

3 The article **represents** the CEO as a family man.
그 기사는 그 CEO를 가정적인 남자로 **묘사하고** 있다.

1425 decline*
[dikláin]

1. 감소(하다)   2. 거절하다

1 Visitors for the purpose of education **declined** from 2013 to 2014.
2013년부터 2014년까지 교육 목적의 방문객이 **감소했다**.

2 Derek politely **declined** my offer of a lunch date.
Derek은 나의 점심 데이트 제안을 정중히 **거절했다**.

1426 flat*
[flæt]

1. 평평한   2. 바람이 빠진 (타이어)   3. 아파트(형 주택)

1 It wasn't too long ago that the majority of people believed the world was **flat**.
대부분의 사람들이 세상이 **평평하다고** 믿었던 것은 그리 오래 전 일이 아니다.

2 Recently, while cycling to work, I had my first **flat**.
최근 자전거로 출근하는 동안, 나는 처음으로 **타이어에 구멍이 났다**.

3 I'm a French citizen and thinking of buying a **flat** in London.
나는 프랑스 시민인데 런던의 **아파트**를 구입할까 생각 중이다.

1427 scale*
[skeil]

1. 규모   2. 비늘   3. 축척, 비율   4. 저울; 눈금

1 Fossil fuels began to be used on a large **scale** for powering machines of many different kinds.
화석 연료는 많은 다양한 종류의 기계에 동력을 공급하기 위해 대**규모**로 사용되기 시작했다.

2 Fish bones and **scales** have been found in the valley.
계곡에서 물고기 뼈와 **비늘**이 발견되었다.

3 I began to look at the map with a **scale** of 1:250,000.
나는 1대 250,000 **축척**의 지도를 살펴보기 시작했다.

4 If you eat an healthy meal, the **scale** doesn't move much.
만약 여러분이 건강에 좋은 음식을 먹는다면, **(저울의) 눈금**은 별로 움직이지 않습니다.

1428 bar*
[bɑːr]

1. 막대기   2. 술집   3. 장애물; 막다   4. 법정, 법조계; 변호사 시험

1 The **bar** graph shows the total number of hybrid car sales by year for three regions.
막대그래프는 세 지역의 연간 하이브리드 자동차 판매 총수를 나타낸다.

2 The cocktail **bar** was crowded with many people.
그 칵테일 **바**는 많은 사람들로 붐볐다.

3 The police seized Anna's passport and **barred** her from leaving the country.
경찰은 Anna의 여권을 압수하여 그녀가 출국하는 것을 **막았다**.

4 Stokes graduated from Cleveland-Marshall College of Law and passed the **bar** exam.
Stokes는 Cleveland-Marshall 법과 대학을 졸업하고 **변호사 시험**에 합격했다.

1429 post* [poust]

1. 기둥 2. 직책 3. 우편(물) 4. 발송하다 5. 게시하다

1 This building is supported by tall **posts** rising from the sloping site.
이 건물은 경사진 곳에서 솟아오른 높은 **기둥**에 의해 지탱된다.

2 Ms. Snyder holds a senior **post** in the department of Human Resources.
Snyder 씨는 인사부에서 고위 **직책**을 맡고 있다.

3 I'd like to announce the relocation of our **post** office to 17 Maple Street.
저희 **우체국**이 Maple가 17번지로 이사했다는 말씀을 드리고 싶습니다.

4 I will **post** you the concert ticket as soon as I receive it.
제가 콘서트 티켓을 받는 대로 바로 당신에게 **발송해** 드릴게요.

5 One interesting way to start conversations in your social networking site is to **post** something controversial. 소셜 네트워킹 사이트에서 대화를 시작하는 한 가지 흥미로운 방법은 논란이 되는 내용을 **게시하는** 것이다.

1430 suit* [suːt]

1. 정장 2. 소송 3. ~에 적합하(게 하)다

1 My grandpa wore the **suit** and passed out candies to all the neighborhood children.
우리 할아버지는 **정장**을 입고 이웃의 모든 아이들에게 사탕을 나누어 주었다.

2 Craig filed **suit** against his former employer for invasion of privacy.
Craig는 그의 전 고용인을 상대로 사생활 침해 혐의로 **소송**을 제기했다.

3 Our society is better **suited** to the rhythm of morning people.
우리 사회는 아침형 인간들의 리듬에 더 **적합하다**.

1431 command* [kəmǽnd]

1. 명령(하다) 2. 지휘(하다) 3. 언어 구사력; 능력

1 Our brain gives a **command** to our fingers to send the email.
우리의 뇌는 우리의 손가락들에게 이메일을 보내라는 **명령**을 내린다.

2 The troops were **commanded** by General Haig.
그 군대는 Haig 장군에 의해 **지휘받고** 있었다.

3 Mr. Kayan, who came to the U.S. in 2003, had a good **command** of English.
2003년에 미국에 온 Kayan 씨는 영어가 **유창했다**.

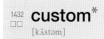

1432 custom*
□□ [kʌ́stəm]

1. 관습　2. 세관　3. 주문 제작한, 맞춤의

¹ The travel guide offers information on local **customs**.
여행 가이드는 현지 **관습**에 대한 정보를 제공한다.

² A U.S. **Customs** Service aircraft sighted a horse lying nearly dead in the desert.
미국 **관세청**의 항공기가 사막에서 거의 죽은 채 누워 있는 말을 발견했다.

³ My cousin operates a **custom** furniture business.
나의 사촌은 **맞춤** 가구 사업을 운영한다.

1433 contract*
□□ (명) [kɑ́ntrækt] (동) [kəntrǽkt]

1. 계약(서); 계약하다　2. 수축하다　3. (병에) 걸리다

¹ Keith has signed a **contract** with ABC Music to record the complete works of Chopin.
Keith는 ABC 뮤직과 쇼팽의 전곡을 녹음하는 **계약**을 맺었다.

² A pine tree hides its seeds in cones — a shell that can expand and **contract** with water.
소나무는 물에 닿으면 팽창하고 **수축할** 수 있는 솔방울에 씨앗을 숨긴다.

³ More than 4 million Americans **contracted** COVID-19 during the month of November.
11월 동안 4백만 명 이상의 미국인이 코로나 바이러스에 **감염됐다**.

1434 bear
□□ [bɛər]

1. 견디다　2. 감당하다　3. (아이를) 낳다

¹ It's not simply that we can't breathe in water, but that we couldn't **bear** the pressures.
단순히 우리가 물속에서 숨을 쉴 수 없다는 것이 아니라, 우리가 그 압력을 **견딜** 수 없다는 것입니다.

² Developed countries **bear** much of the responsibility for environmental problems.
선진국들은 환경 문제에 대한 많은 책임을 **감당하고** 있다.

³ An American naturalist and marine biologist, William Beebe was **born** in 1877 in Brooklyn.
미국의 박물학자이자 해양 생물학자인 William Beebe는 1877년 Brooklyn에서 **태어났다**.

1435 **capital*** [kǽpitl]

1. 수도 2. 자본(의) 3. 대문자(의) 4. 사형의

1 Nauru has no official **capital**, but government buildings are located in Yaren.
Nauru는 공식적인 **수도**가 없지만, 정부 청사는 Yaren에 위치해 있다.

2 A global **capital** market allows investors greater scope to manage and spread their risks.
세계 **자본** 시장은 투자자가 위험을 관리하고 분산할 수 있는 범위를 더 넓게 한다.

3 The true problem with trying to read **capital** letters is just that: It's difficult.
대문자를 읽으려고 할 때 진정한 문제는 바로 어렵다는 것이다.

4 **Capital** sentence is an antithesis of one's right to life.
사형 제도는 인간의 생명권과 정반대의 것이다.

1436 **address** [명] [ǽdres] [동] [ədrés]

1. 주소 2. 연설(하다) 3. 말을 걸다; (~라고) 부르다 4. 다루다

1 I gave the names of Jai's parents and their **address**.
나는 Jai의 부모님의 성함과 **주소**를 알려 주었다.

2 Halet Cambel **addressed** an audience of 1,000 supporters.
Halet Cambel은 1,000명의 지지자들에게 **연설했다**.

3 How should I **address** you?
제가 당신을 어떻게 **부를까요**?

4 Some people are especially sensitive about being properly **addressed**.
어떤 사람들은 특히 적절하게 **다뤄지는** 것에 대해 민감하다.

1437 **dismiss*** [dismís]

1. 일축하다; 기각하다 2. 떨치다 3. 해고하다; 해산하다

1 Ralph just laughed and **dismissed** my idea as unrealistic.
Ralph는 그저 웃으면서 내 생각이 비현실적이라고 **일축했다**.

2 **Dismissing** her fears, Martha swam deeper into the sea.
두려움을 **떨치며**, Martha는 더 깊은 바다로 헤엄쳤다.

3 My father was unfairly **dismissed** from his post.
아버지는 그의 직책에서 부당하게 **해고됐다**.

1438 subject*	1. 주제　2. 과목　3. 실험 대상자　4. (~을) 받기 쉬운; 종속된
몡 혱 [sʌ́bdʒikt] 똥 [səbdʒékt]	5. 복종시키다

¹ The **subject** matter included modernization of the landscape:
railways and factories.
주제는 기찻길과 공장과 같은 풍경의 현대화를 포함했다.

² Math was my favorite **subject** in my schoolhood.
수학은 학창 시절에 내가 가장 좋아하는 **과목**이었다.

³ In one study, **subjects** were asked to perform two simple visual
tasks.
어느 연구에서, **피험자들**은 간단한 시각 관련 과제 두 가지를 하도록 요청받았다.

⁴ Prices are **subject** to change.
가격은 변**하기 쉽다**.

⁵ The Roman Empire **subjected** most of Europe to its rule.
로마 제국은 대부분의 유럽 국가를 자기 지배하에 **복종시켰다**.

1439 grave*	1. 무덤　2. 죽음　3. 중대한, 심각한
[greiv]	

¹ A man was digging a **grave** in the middle of the night.
한 남자가 한밤중에 **무덤**을 파고 있었다.

² What is learned in the cradle is carried to the **grave**.
요람에서 배운 것이 **죽음**까지 간다.

³ Our economic conditions are becoming very **grave**.
우리의 경제 상황이 매우 **심각해지고** 있다.

1440 yield	1. 산출량; 산출하다　2. 굴복하다　3. 양보하다
[jiːld]	

¹ As temperatures rise further, regions such as Africa will face
declining crop **yields**.
기온이 더 올라감에 따라 아프리카 같은 지역은 농작물 **수확량** 감소를 직면하게 될 것
이다.

² My parents finally **yielded** to my persistent demands.
우리 부모님은 마침내 나의 집요한 요구에 **굴복했다**.

³ I will not **yield** an inch on that matter.
나는 그 문제에 대해서는 한 치도 **양보하지** 않을 것이다.

Daily TEST

☑ANSWERS p.464

A 영어는 우리말로, 우리말은 영어로 쓰시오.

01	direct		11	기사; 조항; 물건
02	respect		12	현재의; 흐름; 경향
03	character		13	추정하다; ~인 체하다
04	account		14	판자; 이사회; 탑승하다
05	flat		15	내용; 목차; 만족하는
06	custom		16	대표하다; 나타내다
07	feature		17	규모; 비늘; 축척; 저울
08	command		18	기둥; 직책; 게시하다
09	bear		19	계약(하다); 수축하다
10	fine		20	주소; 연설(하다); 다루다

B 밑줄 친 단어의 문맥상 적절한 뜻을 고르시오.

01	have nothing <u>fit</u> to wear	ⓐ 어울리는	ⓑ 건강이 좋은
02	an armchair with broken <u>springs</u>	ⓐ 스프링	ⓑ 도약
03	confuse the <u>issue</u>	ⓐ 발행물	ⓑ 쟁점
04	<u>appreciate</u> your cooperation	ⓐ 감상하다	ⓑ 고마워하다
05	<u>count</u> the number	ⓐ 세다	ⓑ 의지하다
06	deadlines for <u>term</u> papers	ⓐ 용어	ⓑ 학기
07	tell us in a <u>firm</u> voice	ⓐ 단호한	ⓑ 단단한
08	a good product at a <u>fair</u> price	ⓐ 적정한	ⓑ 금발인
09	<u>decline</u> my offer of a lunch date	ⓐ 감소하다	ⓑ 거절하다
10	the <u>tip</u> of a man's nose	ⓐ 끝	ⓑ 조언

DAY 37 반의어 **I**

1441 negative*
[négətiv]

(형) 부정적인

• some **negative** effects on the skin
피부에 끼치는 몇 가지 **부정적** 영향

↔

1442 positive*
[pázətiv]

(형) 긍정적인

• **positive** effects of music on brain
음악이 두뇌에 미치는 **긍정적** 영향

1443 produce*
[prədʒúːs]

(동) 생산하다, 제작하다

• resources used to **produce** goods and services 재화와 용역을 **생산하는** 데 사용된 자원

↔

1444 consume*
[kənsúːm]

(동) 소비하다; 섭취하다

• **consume** only 20% of total energy
총 에너지의 20퍼센트만 **소비하다**

1445 discourage
[diskə́ːridʒ]

(동) 낙담시키다; 단념시키다

• **discourage** viewers from skipping the ads 시청자들이 광고를 건너뛰지 **못하게 하다**

↔

1446 encourage*
[inkə́ːridʒ]

(동) 용기를 북돋우다; 장려하다

• **encourage** people to save more money
사람들에게 더 많은 돈을 저축하라고 **장려하다**

1447 general*
[dʒénərəl]

(형) 일반의, 보통의

• a **general** belief that sports reduce violence 스포츠가 폭력을 줄인다는 **일반적인** 믿음

↔

1448 special
[spéʃəl]

(형) 특별한, 독특한

• **special** meanings behind the pictures
사진에 숨겨진 **특별한** 의미들

1449 separate
(형) [sépərit] (동) [sépərèit]

(형) 분리된, 별개의 (동) 분리하다

• unite the **separate** kingdoms
분리된 왕국을 통일하다
• **separate** into three groups
3개의 모둠으로 **분리하다**

↔

1450 united
[juːnáitid]

(형) 연합한; 단결한

• become a more **united** team
더 **단결한** 팀이 되다

1451 **ancient**[*]
[éinʃənt]

⟷

1452 **modern**[*]
[mάdərn]

(형) 고대의, 오래된

(형) 현대의, 최신의

- **ancient** cities full of tourist attractions
관광 명소로 가득 찬 **고대** 도시들

- **modern** dental problems from not chewing enough 충분히 씹지 않아 생기는 **현대의** 치아 문제

1453 **conceal**[*]
[kənsíːl]

⟷

1454 **reveal**[*]
[rivíːl]

(동) 감추다, 비밀로 하다

(동) 드러내다

- **conceal** the hostile intentions behind a friendly smile
우호적인 미소 뒤에 적대적인 의도를 **감추다**

- try not to **reveal** one's disappointment
실망감을 **드러내지** 않으려고 애쓰다

1455 **demand**[*]
[dimænd]

⟷

1456 **supply**[*]
[səplái]

(명) 수요 (동) 요구하다

(명) 공급 (동) 공급하다

- a rise in electricity **demand**
전기 **수요**의 증가
- **demand** an apology
사과를 **요구하다**

- a plentiful **supply** of housing
충분한 주택 **공급**
- **supply** tons of food to starving people
많은 양의 음식을 굶주린 사람들에게 **공급하다**

1457 **mobile**[*]
[móubəl]

⟷

1458 **stable**[*]
[stéibl]

(형) 움직이기 쉬운

(형) 고정된; 안정된

- the age of the remote control and **mobile** devices 원격 조종과 **휴대용** 기기의 시대

- ensure a **stable** food supply
안정적인 식량 공급을 보장하다

1459 **inferior**
[infíːəriər]

⟷

1460 **superior**[*]
[supíəriər]

(형) 열등한, ~보다 못한

(형) 우수한, ~보다 나은

- wine of **inferior** quality
낮은 품질의 와인

- **superior** to the old products
옛날 제품들보다 **우수한**

1461 compete*
[kəmpíːt]
(동) 경쟁하다

⬌

1462 cooperate*
[kouάpərèit]
(동) 협력하다

- **compete** against each other in a tournament
  토너먼트에서 서로 **경쟁하다**

- **cooperate** with others to build relationships
  관계를 형성하기 위해 다른 사람들과 **협력하다**

1463 active
[ǽktiv]
(형) 능동적인, 적극적인

⬌

1464 passive
[pǽsiv]
(형) 수동적인, 소극적인

- take a more **active** role in leading innovation
  혁신을 선도하는 데 더 **적극적인** 역할을 하다

- a **passive** acceptance of one's fate
  운명의 **수동적** 수용

1465 damage*
[dǽmidʒ]
(동) 손해를 입히다 (명) 손해

⬌

1466 recover*
[rikʌ́vər]
(동) 회복하다

- **damage** a person's confidence and self-esteem
  한 사람의 자신감과 자존감에 **해를 입히다**

- **recover** from a serious ankle injury
  심각한 발목 부상에서 **회복하다**

1467 doubtful
[dáutfəl]
(형) 확신이 없는, 의심스러운

⬌

1468 obvious*
[άbviəs]
(형) 명백한, 확실한

- be **doubtful** about the product's usefulness 그 제품의 효용을 **의심하다**

- an **obvious** example of what can go wrong
  무엇이 잘못될 수 있는지에 대한 **확실한** 예

1469 objective*
[əbdʒéktiv]
(형) 객관적인; 물질적인

⬌

1470 subjective
[səbdʒéktiv]
(형) 주관적인; 마음의

- try to be **objective** and impartial
  객관적이며 공평해지려고 애쓰다

- the danger of making a **subjective** judgment
  주관적인 판결을 내리는 것의 위험성

1471 **domestic***
[dəméstik]
⟨형⟩ 국내의; 가정의

⟷

1472 **foreign***
[fɔ́:rin]
⟨형⟩ 외국의

• sufficient food for **domestic** consumption
국내 소비를 위한 충분한 식량

• difficulties of learning **foreign** languages
외국어 학습의 어려움

1473 **tender***
[téndər]
⟨형⟩ 부드러운, 연한

⟷

1474 **tough***
[tʌf]
⟨형⟩ 단단한, 질긴

• boil until the carrots are **tender**
당근이 **부드러워질** 때까지 끓이다

• the hurriedly prepared **tough** steak
급하게 준비된 **질긴** 스테이크

1475 **maximum***
[mǽksəməm]
⟨명⟩ 최고, 최대 ⟨형⟩ 최대의

⟷

1476 **minimum***
[mínəməm]
⟨명⟩ 최저, 최소 ⟨형⟩ 최소한의

• **maximum** of three tickets
최대 3장의 티켓

• require a **minimum** of 4 participants
최소 4명의 참가자를 필요로 하다

1477 **explicit**
[iksplísit]
⟨형⟩ 뚜렷한, 노골적인

⟷

1478 **implicit**
[implísit]
⟨형⟩ 암시적인, 내재하는

• give someone very **explicit** directions
누군가에게 매우 **뚜렷한** 지시를 하다

• every person's **implicit** agreement
모든 사람의 **암묵적** 동의

1479 **expense***
[ikspéns]
⟨명⟩ 지출, (pl.) 경비

⟷

1480 **income***
[ínkʌm]
⟨명⟩ 수입, 소득

• reduce the company's operation
expenses 회사의 운영 **경비**를 줄이다

• distribution of **income** and wealth
소득과 부의 분배

☑ANSWERS p.464

A 영어는 우리말로, 우리말은 영어로 쓰시오.

01	ancient		11	낙담시키다	
02	consume		12	최고, 최대(의)	
03	subjective		13	수요; 요구하다	
04	tender		14	현대의, 최신의	
05	stable		15	능동적인, 적극적인	
06	minimum		16	객관적인; 물질적인	
07	supply		17	단단한, 질긴	
08	conceal		18	드러내다	
09	encourage		19	움직이기 쉬운	
10	passive		20	생산하다, 제작하다	

B 우리말과 일치하도록 네모 안에서 알맞은 단어를 고르시오.

01 다른 사람들과 협력하다 → compete / cooperate with others

02 모든 사람의 암묵적 동의 → every person's explicit / implicit agreement

03 소득과 부의 분배 → distribution of expense / income and wealth

04 확실한 예시 → a(n) obvious / doubtful example

05 국내 소비를 위한 충분한 식량 → sufficient food for domestic / foreign consumption

06 더 단결한 팀이 되다 → become a more separate / united team

07 음악이 두뇌에 미치는 긍정적 영향 → negative / positive effects of music on brain

08 심각한 발목 부상에서 회복하다 → recover / damage from a serious ankle injury

09 옛날 제품들보다 우수한 → superior / inferior to the old products

10 사진에 숨겨진 특별한 의미들 → general / special meanings behind the pictures

📖 가리개를 사용하여 뜻을 잘 암기했는지 확인하세요.

1481 accuse*
[əkjúːz]

(동) 고소하다; 비난하다

⟷

1482 defend*
[difénd]

(동) 옹호하다; 방어하다

• **accuse** the man of theft
그 남자를 절도죄로 **고소하다**

• **defend** a woman accused of stealing a car
차를 훔친 죄로 기소된 여성을 **변호하다**

1483 guilty*
[gílti]

(형) 유죄의; 죄책감이 드는

⟷

1484 innocent*
[ínəsənt]

(형) 무죄의; 순진한

• be **guilty** of reckless driving
난폭 운전의 **죄가 있다**

• keep pleading **innocent**
계속해서 **무죄**를 호소하다

1485 compliment
(명) [kámpləmənt] (동) [kámpləmènt]

(명) 칭찬 (동) 칭찬하다

⟷

1486 criticism*
[krítisìzəm]

(명) 비판, 비난

• receive a **compliment** from the public
대중으로부터 **찬사**를 받다

• give employees constructive **criticism**
직원들에게 건설적인 **비판**을 가하다

1487 dull*
[dʌl]

(형) 무딘, 둔(탁)한

⟷

1488 sharp*
[ʃɑːrp]

(형) 날카로운

• a **dull** ache in the right shoulder
오른쪽 어깨의 **둔한** 통증

• with a scary, **sharp** look
무섭고 **날카로운** 표정으로

1489 entrance
[éntrəns]

(명) 입구; 입장

⟷

1490 exit
[égzit]

(명) 출구; 퇴장

• the main **entrance**
중앙 **입구**

• an emergency **exit**
비상용 **출구**

1491 permanent*
[pə́ːrmənənt]
혱 영구적인

⬌

1492 temporary
[témpərèri]
혱 일시적인, 임시의

• **permanent** damage to one's eyesight
영구적인 시력 손상

• **temporary** pain relief
일시적인 통증 완화

1493 flexible*
[fléksəbəl]
혱 구부리기 쉬운; 융통성 있는

⬌

1494 rigid
[rídʒid]
혱 휘지 않는; 융통성 없는

• the **flexible** drinking straw
잘 구부러지는 빨대

• **rigid** methods of education
융통성 없는 교육 방법

1495 abstract*
[ǽbstrækt]
혱 추상적인, 관념적인

⬌

1496 concrete*
[kánkriːt]
혱 구체적인, 유형의

• **abstract** concepts such as good and evil
선과 악 같은 **추상적인** 개념

• the absence of **concrete** evidence
구체적인 증거의 부재

1497 vice
[vais]
몡 악덕, 악, 비행

⬌

1498 virtue
[və́ːrtʃuː]
몡 미덕, 선, 선행

• fight off **vices** that plague one's life
인생을 괴롭게 하는 **악**을 물리치다

• learn the **virtue** of gratitude
감사의 **미덕**을 배우다

1499 expenditure
[ikspénditʃər]
몡 지출; 비용; 소비

⬌

1500 revenue
[révənjùː]
몡 세입; 수익

• cut public **expenditure**
공공 **지출**을 삭감하다

• an increase in tax **revenues**
세수입의 증가

1501 **defense***
[diféns]

(명) 방어, 수비

1502 **offense**
[əféns]

(명) 공격; 위반

- a **defense** against enemy attacks
  적의 공격에 대한 **방어**

- the perfect chance for **offense**
  절호의 **공격** 기회

1503 **deficient**
[difíʃənt]

(형) 불충분한; 결함이 있는

1504 **sufficient***
[səfíʃənt]

(형) 충분한

- a diet **deficient** in vitamin D
  비타민 D가 **부족한** 식단
- **deficient** landing systems
  결함이 있는 착륙 시스템

- **sufficient** evidence to convict
  유죄를 선고할 **충분한** 증거

1505 **admire***
[ædmáiər]

(동) 존경하다; 감탄하다

1506 **condemn**
[kəndém]

(동) 비난하다, 나무라다

- **admire** your courage
  당신의 용기를 **존경하다**

- **condemn** one's foolish behavior
  어리석은 행동을 **비난하다**

1507 **counterfeit**
[káuntərfit]

(형) 가짜의, 모조의

1508 **genuine***
[dʒénjuin]

(형) 진짜의, 진품의

- a **counterfeit** $100 bill
  100달러짜리 **위조지폐**

- a **genuine** diamond
  진짜 다이아몬드

1509 **arrogant**
[ǽrəgənt]

(형) 거만한

1510 **humble**
[hámbəl]

(형) 겸손한

- an **arrogant** attitude
  거만한 태도

- in a **humble** way
  겸손하게

1511 favorable
[féivərəbəl]

(형) 호의적인; 유리한

- **favorable** reviews
  호의적인 평가
- under **favorable** conditions
  유리한 조건하에

1512 hostile
[hástəl]

(형) 적대적인; 불리한

- a crowd of **hostile** demonstrators
  적대적인 시위자 무리
- survive in the most **hostile** terrain
  불리한 지형에서 살아남다

1513 retail
[rí:tèil]

(형) 소매의 (명)(동) 소매(하다) (부) 소매로

- the recommended **retail** price
  권장 소매가

1514 wholesale
[hóulsèil]

(형) 도매의 (명)(동) 도매(하다) (부) 도매로

- a **wholesale** dealer
  도매상

1515 emigrant
[éməgrənt]

(명) (타국으로 가는) 이민자

- the number of **emigrants**
  (타국으로 가는) 이민자의 수

1516 immigrant
[ímigrənt]

(명) (타국에서 온) 이민자

- an illegal **immigrant**
  불법 이민자

1517 conquer
[káŋkər]

(동) 정복하다; 이기다

- **conquer** the world
  세계를 정복하다

1518 surrender
[səréndər]

(동) 항복하다; 포기하다 (명) 항복; 양도

- **surrender** to the enemy
  적에게 항복하다
- the **surrender** of illegal weapons
  불법 무기 양도

1519 horizontal
[hɔ̀:rəzántl]

(형) 수평의, 가로의

- draw a **horizontal** line
  가로선을 그리다

1520 vertical
[vɔ́:rtikəl]

(형) 수직의, 세로의

- the **vertical** axis of the graph
  그래프의 세로축

☑ ANSWERS p.464

A 영어는 우리말로, 우리말은 영어로 쓰시오.

01	accuse		11	칭찬; 칭찬하다
02	horizontal		12	지출; 비용; 소비
03	rigid		13	거만한
04	criticism		14	무딘, 둔(탁)한
05	humble		15	구부리기 쉬운; 융통성 있는
06	counterfeit		16	날카로운
07	emigrant		17	진짜의, 진품의
08	guilty		18	옹호하다; 방어하다
09	revenue		19	공격; 위반
10	defense		20	수직의, 세로의

B 우리말과 일치하도록 네모 안에서 알맞은 단어를 고르시오.

01 권장 소매가 → the recommended retail / wholesale price

02 어리석은 행동을 비난하다 → admire / condemn one's foolish behavior

03 비타민 D가 부족한 식단 → a diet deficient / sufficient in vitamin D

04 구체적인 증거의 부재 → the absence of abstract / concrete evidence

05 계속해서 무죄를 호소하다 → keep pleading guilty / innocent

06 비상용 출구 → an emergency entrance / exit

07 일시적인 통증 완화 → permanent / temporary pain relief

08 세계를 정복하다 → conquer / surrender the world

09 적대적인 시위자 무리 → a crowd of favorable / hostile demonstrators

10 감사의 미덕을 배우다 → learn the vice / virtue of gratitude

DAY 39 철자 혼동 어휘 I

[📖] 가리개를 사용하여 뜻을 잘 암기했는지 확인하세요.

1521 **affect** [əfékt] vs 1522 **effect** [ifékt]

[동] 영향을 미치다

- **affect** one's personality
  성격에 **영향을 미치다**

[명] 효과; 결과

- cause and **effect**
  원인과 **결과**

1523 **rise** [raiz] vs 1524 **raise** [reiz]

[동] 일어나다; 상승하다

- Accident rates **rise** by 7%.
  사고율이 7퍼센트만큼 **상승한다**.

[동] 올리다; 일으키다; 기르다; 모금하다

- **raise** livestock 가축을 **기르다**
- **raise** money to help the poor
  가난한 사람들을 도우려고 돈을 **모금하다**

1525 **addiction** [ədíkʃən] vs 1526 **addition** [ədíʃən]

[명] 중독; 열중

- dangers of Internet **addiction**
  인터넷 **중독**의 위험성

[명] 추가, 첨가; 덧셈

- the **addition** of more food coloring
  더 많은 식용 색소의 **첨가**

1527 **deceive** [disíːv] vs 1528 **receive** [risíːv]

[동] 속이다; 거짓말하다

- trick prey and **deceive** predators
  먹잇감을 속이고 포식자를 **속이다**

[동] 받다

- **receive** one's medical degree
  의학 학위를 **받다**

1529 **access** [ǽkses] vs 1530 **excess** [iksés]

[명] 접근; 진입로 [동] 접근하다

- gain **access** to the construction site
  건설 현장에 **접근**하다

[명] 과잉, 지나침

- avoid both deficiency and **excess**
  부족과 **과잉**을 둘 다 피하다

1531 **region**
[ríːdʒən]

명 지역; 부분; 영역

- inhabitants of the northern **regions**
  북쪽 **지역**의 거주민들

VS

1532 **religion**
[rilídʒən]

명 종교; 신앙

- India was divided by **religion**.
  인도는 **종교**로 분열되었다.

1533 **wander**
[wάndər]

동 돌아다니다, 헤매다

- **wander** the streets
  길거리를 **돌아다니다**

VS

1534 **wonder**
[wʌ́ndər]

명 놀라운 것   동 궁금해하다; 놀라다

- the Seven **Wonders** of the World
  세계 7대 **불가사의**
- start **wondering** why you're late
  네가 왜 지각했는지 **궁금해하기** 시작하다

1535 **moral**
[mɔ́(ː)rəl]

형 도덕적인; 교훈적인

- emphasize **moral** duties
  도덕적 의무를 강조하다

VS

1536 **mortal**
[mɔ́ːrtl]

형 죽을 운명의; 치명적인

- All men are **mortal**.
  모든 인간은 **죽게** 마련이다.

1537 **pray**
[prei]

동 기도하다, 빌다

- The whole family are **praying** for me.
  온 가족이 나를 위해 **기도하고** 있다.

VS

1538 **prey**
[prei]

명 먹잇감; 희생   동 잡아먹다

- succeed in catching one's **prey**
  먹이를 잡는 데 성공하다

1539 **advance**
[ædvǽns]

동 전진시키다; 전진하다; 발전하다
명 전진; 발달

- ways to **advance** LED technology
  LED 기술을 **발전시키는** 방법

VS

1540 **adverse**
[ædvɔ́ːrs]

형 반대의, 거스르는; 불리한

- **adverse** weather conditions
  불리한 기상 조건

1541 ☐☐ **adopt**
[ədάpt]
[동] 채택하다; 입양하다

vs

1542 ☐☐ **adapt**
[ədǽpt]
[동] 적응하다; 각색하다

- **adopt** a new policy
  새로운 정책을 **채택하다**
- consider **adopting** a pet
  반려동물을 **입양하는 것**을 고려하다

- be good at **adapting** to change
  변화에 **적응하는 것**에 능하다
- **adapt** a novel for the stage
  소설을 연극으로 **각색하다**

1543 ☐☐ **bury**
[béri]
[동] 묻다, 매장하다

vs

1544 ☐☐ **vary**
[vέəri]
[동] 다르다; 바꾸다

- **bury** the waste deep underground
  땅속 깊숙이 쓰레기를 **묻다**

- The effect **varied** from person to person.
  효과는 사람마다 **달랐다**.

1545 ☐☐ **interpret**
[intə́:rprit]
[동] 해석하다, 이해하다

vs

1546 ☐☐ **interrupt**
[ìntərʌ́pt]
[동] 방해하다; 중단하다

- **interpret** different gestures
  다양한 몸짓을 **해석하다**

- **interrupt** with a lot of questions
  많은 질문으로 **방해하다**

1547 ☐☐ **mass**
[mæs]
[명] 덩어리; 집단 [형] 대규모의; 대중의

vs

1548 ☐☐ **mess**
[mes]
[명] 혼란한 상태

- **mass** media
  대중 매체

- My room was always a **mess**.
  내 방은 항상 **엉망**이었다.

1549 ☐☐ **submit**
[səbmít]
[동] 제출하다; 복종하다

vs

1550 ☐☐ **summit**
[sʌ́mit]
[명] 정상, 꼭대기; 수뇌부

- **submit** one's paper on time
  논문을 제때 **제출하다**
- **submit** to authority
  권위에 **복종하다**

- reach the **summit** of Mt. Everest
  에베레스트산의 **정상**에 도달하다

1551 □□ **stare**
[stɛər]
[동] 응시하다
- **stare** coldly at somebody
  누군가를 차갑게 **응시하다**

VS

1552 □□ **scare**
[skɛər]
[동] 겁나게 하다
- I was **scared** stiff.
  나는 **겁이 나서** 얼어 버렸어.

1553 □□ **acceptable**
[ækséptəbəl]
[형] 받아들일 수 있는, 용인되는
- to an **acceptable** degree
  받아들일 수 있는 정도로

VS

1554 □□ **accessible**
[æksésəbəl]
[형] 접근하기 쉬운; 이용할 수 있는
- information **accessible** to all
  모두가 **접근하기 쉬운** 정보

1555 □□ **violence**
[váiələns]
[명] 폭력; 격렬(함)
- the fear of physical **violence**
  신체적인 **폭력**에 대한 두려움

VS

1556 □□ **violation**
[vàiəléiʃən]
[명] 위반; 방해; 폭행
- **violation** of a law 법률 **위반**
- prevent **violations** of consumer rights
  소비자 권리의 **침해**를 방지하다

1557 □□ **jealous**
[dʒéləs]
[형] 질투심 많은, 시기하는
- be **jealous** of a friend's popularity
  친구의 인기를 **질투하다**

VS

1558 □□ **zealous**
[zéləs]
[형] 열성적인; 열망하는
- a **zealous** reformer
  열성적인 개혁가

1559 □□ **poverty**
[pávərti]
[명] 가난; 결핍
- people dying of extreme **poverty**
  극심한 **빈곤**으로 죽어 가는 사람들

VS

1560 □□ **property**
[prápərti]
[명] 자산; 소유물; 속성
- the current value of one's **property**
  자산의 현재 가치

☑ ANSWERS p.464

A 영어는 우리말로, 우리말은 영어로 쓰시오.

01 addiction ....   11 추가, 첨가; 덧셈 ....

02 deceive ....   12 받다 ....

03 effect ....   13 영향을 미치다 ....

04 adverse ....   14 전진시키다; 전진 ....

05 wander ....   15 놀라운 것; 궁금해하다 ....

06 mess ....   16 덩어리; 대중의 ....

07 accessible ....   17 받아들일 수 있는 ....

08 scare ....   18 응시하다 ....

09 religion ....   19 지역; 부분; 영역 ....

10 violence ....   20 위반; 방해; 폭행 ....

B 우리말과 일치하도록 네모 안에서 알맞은 단어를 고르시오.

01 먹이를 잡는 데 성공하다 → succeed in catching one's pray / prey

02 가축을 기르다 → raise / rise livestock

03 새로운 정책을 채택하다 → adapt / adopt a new policy

04 건설 현장에 접근하다 → gain access / excess to the construction site

05 땅속 깊숙이 쓰레기를 묻다 → bury / vary the waste deep underground

06 에베레스트산의 정상에 도달하다 → reach the submit / summit of Mt. Everest

07 친구의 인기를 질투하다 → be jealous / zealous of a friend's popularity

08 도덕적 의무를 강조하다 → emphasize moral / mortal duties

09 극심한 빈곤으로 죽어 가는 사람들 → people dying of extreme poverty / property

10 다양한 몸짓을 해석하다 → interpret / interrupt different gestures

철자 혼동 어휘 Ⅱ

📖 가리개를 사용하여 뜻을 잘 암기했는지 확인하세요.

1561 amuse
[əmjúːz]
(동) 즐겁게 하다

VS

1562 amaze
[əméiz]
(동) 깜짝 놀라게 하다

• Rob always **amuses** me with jokes.
Rob은 농담으로 항상 나를 **즐겁게 한다.**

• Lisa **amazed** her friends by suddenly moving to Paris. Lisa는 갑자기 파리로 이사 가서 그녀의 친구들을 **깜짝 놀라게 했다.**

1563 leap
[liːp]
(동) 도약하다 (명) 도약

VS

1564 reap
[riːp]
(동) 수확하다

• Ester **leaped** from her bed with delight.
Ester는 기뻐서 자신의 침대에서 **뛰어나왔다.**

• You **reap** what you sow.
뿌린 대로 **거둔다.**

1565 application
[æplikéiʃən]
(명) 적용, 응용; 신청(서), 지원

VS

1566 appliance
[əpláiəns]
(명) 기구, 전기 제품

• the **application** deadline
신청 마감일

• household **appliances**
가전제품들

1567 medication
[mèdəkéiʃən]
(명) 의약품; 약물 치료

VS

1568 meditation
[mèdətéiʃən]
(명) 명상; 심사숙고

• side effects of **medication** for colds
감기약의 부작용

• relieve stress by **meditation**
명상으로 스트레스를 완화하다

1569 celebrity
[səlébrəti]
(명) 유명인; 명성

VS

1570 celebration
[sèləbréiʃən]
(명) 축하; 칭찬; 의식

• imitate a **celebrity**
유명 인사를 모방하다

• Sid's seventy-fifth birthday **celebration**
Sid의 75번째 생일 **축하연**

1571 saw
[sɔː]
[명] 톱 [동] 톱질하다

• To cut quickly and safely, **saws** must be sharpened often. 빠르고 안전하게 자르기 위해서는 **톱**을 자주 갈아야 한다.

vs

1572 sew
[sou]
[동] 꿰매다, 바느질하다

• **sew** a patch on the jeans
청바지에 헝겊 조각을 **꿰매다**

1573 marble
[mɑ́ːrbəl]
[명] 대리석; 구슬

• The columns were made of white **marble**.
그 기둥들은 흰 **대리석**으로 만들어졌다.

vs

1574 marvel
[mɑ́ːrvəl]
[명] 놀라운 일 [동] 놀라다, 경탄하다

• I **marveled** at the pureness of his loving.
나는 그의 사랑의 순수함에 **놀랐다**.

1575 opponent
[əpóunənt]
[명] 적수, 상대 [형] 적대하는, 반대하는

• His **opponent** made a critical mistake.
그의 **상대**는 결정적인 실수를 저질렀다.

vs

1576 opposition
[ɑ̀pəzíʃən]
[명] 반대, 저항; 대립

• a great deal of **opposition** to the war
전쟁에 대한 다수의 **반대**

1577 perish
[périʃ]
[동] 죽다; 멸망하다

• Unfortunately, all but eight **perished** in the war. 불행히도, 8명을 제외한 전원이 그 전쟁에서 **죽었다**.

vs

1578 polish
[pɑ́liʃ]
[동] 윤내다; 다듬다 [명] 광택

• James **polished** the piano until the wood shone. James는 나무가 반짝일 때까지 피아노를 **윤냈다**.

1579 vacation
[veikéiʃən]
[명] 휴가; 방학

• My **vacation** ends this weekend.
내 **휴가**는 이번 주말에 끝난다.

vs

1580 vocation
[voukéiʃən]
[명] 직업; 사명

• At 15, Mia found her true **vocation** as a singer. 15세에 Mia는 가수가 자신의 진정한 **천직**임을 알았다.

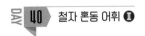

1581 resist
[rizíst]
[동] 저항하다; 참다

• **resist** pressure to change the law
법률을 개정하라는 압력에 **저항하다**

VS

1582 persist
[pəːrsíst]
[동] 고집하다; 지속하다

• If the pain **persists**, call a doctor.
고통이 **지속되면**, 의사에게 연락하세요.

1583 compassion
[kəmpǽʃən]
[명] 동정심

• Animals play a huge role in the development of **compassion**.
동물들은 **동정심**의 발달에 있어 큰 역할을 한다.

VS

1584 companion
[kəmpǽnjən]
[명] 동료, 친구

• Man and nature were **companions** in the same story.
인간과 자연은 같은 이야기에서 **동료**였다.

1585 stationary
[stéiʃənèri]
[형] 움직이지 않는, 정지된

• The truck hit a **stationary** vehicle.
그 트럭은 **정지된** 차량을 들이받았다.

VS

1586 stationery
[stéiʃənèri]
[명] 문방구, 문구

• Jack met Gabby at the **stationery** shop on 8th street.
Jack은 Gabby를 8번가의 **문구**점에서 만났다.

1587 simulate
[símjəlèit]
[동] ~인 체하다; 모의 실험하다

• **simulate** conditions in space
우주에서의 상황을 **모의 실험하다**

VS

1588 stimulate
[stímjəlèit]
[동] 자극하다; 격려하다

• **stimulate** the body's immune system
신체의 면역 체계를 **자극하다**

1589 flourish
[flə́ːriʃ]
[동] 번영하다; 잘 자라다

• Tolerance allows the world to **flourish**.
관용은 세계가 **번영하게** 한다.

VS

1590 furnish
[fə́ːrniʃ]
[동] 공급하다; (가구를) 설비하다

• Room comes **furnished** or unfurnished.
방은 **가구가 갖추어져** 있거나 그렇지 않다.

1591 completion
[kəmplíːʃən]

VS

명 완료; 성취

- successful **completion** of the program
  프로그램의 성공적인 **완료**

1592 comprehension
[kàmprihénʃən]

명 이해(력); 포함

- questioning for better **comprehension**
  더 나은 **이해**를 위해 질문하기

1593 altitude
[ǽltətjùːd]

VS

명 높이, 고도; (pl.) 고지

- flying at high **altitude**
  높은 **고도**로 나는

1594 aptitude
[ǽptitjùːd]

명 경향; 적성

- take an **aptitude** test
  적성 검사를 받다

1595 proceed
[prousíːd]

VS

동 전진하다; 진행되다

- A diner **proceeds** down the line and chooses the foods.
  한 손님이 줄을 따라 **나아가서** 음식을 고른다.

1596 precede
[prisíːd]

동 ~에 선행하다; ~에 우선하다

- Failure **precedes** success.
  실패가 성공에 **선행한다**.

1597 banish
[bǽniʃ]

VS

동 추방하다; 내쫓다

- be **banished** to the island
  섬으로 **추방되다**

1598 vanish
[vǽniʃ]

동 사라지다; 희미해지다

- The snow flakes **vanished** as they touched the ground.
  눈송이는 땅에 닿자마자 **사라졌다**.

1599 inhabit
[inhǽbit]

VS

동 거주하다; ~에 존재하다

- The culture that we **inhabit** shapes our thoughts.
  우리가 **살고 있는** 문화가 우리의 생각을 형성한다.

1600 inhibit
[inhíbit]

동 억제하다, 방해하다

- Expectation of evaluation **inhibits** creativity.
  평가에 대한 기대가 창의력을 **억제한다**.

A 영어는 우리말로, 우리말은 영어로 쓰시오.

01	leap	....	11	이해(력); 포함	....
02	stationery	....	12	명상; 심사숙고	....
03	inhibit	....	13	축하; 칭찬; 의식	....
04	marvel	....	14	기구, 전기 제품	....
05	saw	....	15	죽다; 멸망하다	....
06	medication	....	16	직업; 사명	....
07	amuse	....	17	번영하다; 잘 자라다	....
08	opponent	....	18	거주하다; ~에 존재하다	....
09	compassion	....	19	대리석; 구슬	....
10	polish	....	20	꿰매다, 바느질하다	....

B 우리말과 일치하도록 네모 안에서 알맞은 단어를 고르시오.

01 적성 검사를 받다 → take an altitude / aptitude test

02 신체의 면역 체계를 자극하다 → simulate / stimulate the body's immune system

03 전쟁에 대한 다수의 반대 → a lot of opponent / opposition to the war

04 섬으로 추방되다 → be banished / vanished to the island

05 유명 인사를 모방하다 → imitate a celebration / celebrity

06 법률을 개정하라는 압력에 저항하다 → persist / resist pressure to change the law

07 신청 마감일 → the appliance / application deadline

08 뿌린 대로 거둔다. → You leap / reap what you sow.

09 프로그램의 완료 → completion / comprehension of the program

10 실패가 성공에 선행한다. → Failure precedes / proceeds success.

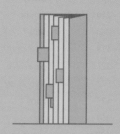

찾아보기
INDEX

bear	413	bold	68	bundle	281	cast	275
beast	208	boldly	68	burden	59	casual	326
beat	272	boldness	68	burst	275	casualty	19
beg	252	bond	251	burst into	371	catastrophe	219
behalf	155	bonding	251	bury	429	catch up with	370
behave	24	book	393	bush	209	categorize	284
behave oneself	24	boost	252	bushy	209	category	284
behavior	24	booster	252	by accident	375	cause	364
belly	17	border	186	by all means	199	caution	68
belong	317	bother	295	by analogy with	120	cautious	68
belonging	317	bounce	26	by[in] contrast	93	cautiously	68
bend	273	boundary	186	by means of	199	cave	217
bendable	273	bow	398	by no means	375	cease	293
benefit	155	branch	209	by oneself	376	ceaseless	293
bet	36	brand-new	239	by-product	285	celebrate	102
betray	91	break down	373			celebration	432
betrayal	91	break out	369			celebrity	432
beware	50	breed	162			cell	186
bias	312	breeze	219			ceremony	250
biased	312	breezy	219	cab	189	certainly	122
bill	392	bride	18	cabinet	38	certificate	90
bind	270	bridegroom	18	cable	185	certification	90
binding	270	brief	325	calculate	179	certify	90
biography	165	briefly	325	calculated	179	challenge	259
biological	177	brilliance	110	calculation	179	chamber	187
biologist	177	brilliant	110	calculator	179	chaos	121
biology	177	brilliantly	110	call for	368	character	407
blame	98	bring ~ to mind	364	campaign	249	characteristic	112
blank	185	bring ~ to trial	145	cancel	133	characterize	112
blanket	39	bring about	364	cancellation	133	charge	401
blankness	185	bring up	364	candidate	143	charity	167
bleed	227	broad	185	capability	71	charm	70
blind	16	broadcast	221	capable	71	charming	70
blindness	16	broadcaster	221	capably	71	chase	274
blink	25	broadcasting	221	capacity	259	chat	82
block	394	broaden	185	capital	414	chatter	82
blond	16	broadly	185	capture	135	cheat	145
blood	227	buddy	92	carbon	176	cheater	145
bloom	206	budget	152	career	14	check	393
blossom	206	bulb	38	carriage	189	cheek	16
blow	274	bullet	146	carry out	369	cheerful	66
blow up	274	bully	61	carve	165	cheerfully	66
board	406	bunch	281	case	394	cheerfulness	66

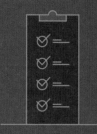

ANSWERS

PART I 주제별 고등 필수 어휘

 DAY 01 사람 p. 13

architect 건축가; 설계자	belly 복부; 위; 식욕
merchant 상인; 상인의	passionate 열정적인
detective 탐정, 형사	mature 익은; 익다
blond 금발의 (사람)	spouse 배우자
oral 구술의; 입의	victim 희생자, 피해자

 DAY 02 신체 동작, 이동 p.23

tremble 떨다; 떨림	descend 내려가다
crawl 포복하다	rotate 회전하다; 교대하다
sniff 냄새를 맡다	migrate 이주하다, 이동하다
chew 씹다; 물어뜯다	penetrate 관통하다
nod 끄덕이다; 끄덕임	trace 추적하다; 자취

 DAY 03 직업, 휴식, 일상생활 p.33

hire 고용하다; 고용; 임차	routine 일과; 일상의
chief 우두머리; 최고의	circumstance 상황, 환경
chore 허드렛일; 집안일	object 물건; 반대하다
destination 목적지	costume 복장, 의상
bet 내기; 단언하다	fiber 섬유 (조직)

Wrap Up / DAY 01~03 pp.43~44

A 01 추적하다; 자취 02 손으로 하는; 육체를 쓰는; 소 책자 03 의사, 내과의사 04 저자, 작가 05 고아(의) 06 일, 사건; 업무 07 성직자; 장관 08 토하다 09 목적지 10 턱 (끝) 11 관통하다 12 냉장고 13 고용하다; 고용; 근무 14 통근하다 15 박수갈채 하다 16 눈살을 찌푸리다 17 출발하다, 떠나다 18 영아; 유아(용)의 19 포복하다; 살금살금 걷다 20 서식지; 거주지 21 yawn 22 blond 23 descend 24 retire 25 embrace 26 forehead 27 sniff 28 pedestrian

29 object   30 cynical   31 corporate
32 mature   33 shed   34 approach
35 architect 36 awake   37 tremble
38 march   39 detective 40 fabric
B 01 Blinking 02 pioneer 03 fur 04 passionate
C 01 convey   02 chew   03 recruited
04 promote 05 rotates
D 01 청소년들 02 희생자 03 승무원들 04 끄덕임
05 상황

 DAY 04 감각, 인식 p.45

vision 시력; 선견(지명)	sensitive 민감한; 섬세한
seemingly 겉보기에는	realize 깨닫다; 실현하다
overlook	conscious 자각하고 있는
간과하다; 내려다보다	instinct 본능; 직관; 천성
scent 향기; 냄새를 맡다	incredible 믿을 수 없는
smooth 매끄러운	

 DAY 05 부정적 감정·태도 p.55

reluctant 내키지 않는	burden
timid 소심한, 용기 없는	부담; ~에게 부담시키다
furious 격노한; 맹렬한	fear 두려움; 두려워하다
grief 비통함; 슬픔(의 원인)	embarrassed 당혹스러운
heartbreaking	greed 탐욕
가슴이 찢어지게 하는	neglect 방치하다; 방치

 DAY 06 긍정적 감정·태도 p.65

preference 선호(도); 편애	alert 방심 않는; 경계(하게
endurance	하다); 경보
인내(력), 지구력	motivate
sacrifice 희생; 희생시키다	동기를 주다, 자극하다
hospitality 환대, 후한 대접	capable 유능한
moderate	talented 재능 있는
절제하는; 온건한	renowned 유명한

Wrap Up / DAY 04~06

pp.75~76

A 01 관용; 인내(력) 02 선호(도); 편애 03 절망적인; 필사적인 04 겉보기에는 05 자각하고 있는 06 부러워하는 07 통찰(력) 08 당혹스럽게 하는; 어색한; 서투른 09 굴욕을 주다 10 현저한, 걸출한 11 환대, 후한 대접 12 매력적인 13 감각; 센세이션, 대사건 14 부담; ~에게 부담시키다 15 내키지 않는 16 간과하다; 내려다보다 17 동기를 주다, 자극하다 18 감지하다, 인식하다 19 적임의; 유능한; 충분한 20 자존감; 자부심 21 timid 22 smooth 23 neglect 24 adventurous 25 promising 26 incredible 27 chill 28 upset 29 bully 30 bold 31 graceful 32 glance 33 helpless 34 nervous 35 wasteful 36 affection 37 greed 38 intuition 39 heartbreaking 40 favor

B 01 attract 02 aware 03 satisfy 04 restless

C 01 frustrated 02 Anxiety 03 resent 04 recalling 05 eager

D 01 비통함 02 모욕했기 03 적당한 04 영감을 주었다 05 알아차렸다

DAY 07 언어, 말, 글

p.77

linguistic 어학의, 언어의
tale 이야기, 소설
persuasive 설득력 있는
revise 수정하다
declare 선언하다

utter 소리를 내다, 말하다
yell 고함치다; 외침
pledge 서약하다; 서약
headline (신문의) 표제
paragraph 문단; 단편 기사

DAY 08 생각, 믿음, 관계

p.87

stereotype 고정 관념
psychology 심리학
deliberate 계획적인
loyal 충성스러운, 충실한
ensure 보장하다

encounter 만남; 마주치다
interact 상호 작용하다
peer 동등한 사람; 응시하다
honor 명예; 존경하다
quarrel 다툼; 다투다

DAY 09 평가, 판단, 의견, 주장

p.97

determine 결심(결정)하다
estimate 추정하다; 평가
analyze 분석하다, 검토하다
acknowledge 인정하다
insist 우기다; 강요하다

approve 찬성하다
oppose 이의를 제기하다
hesitate 주저하다
exaggerate 과장하다
suggest 제안하다

Wrap Up / DAY 07~09

pp.107~108

A 01 반박하다; 모순되다 02 보증하다; 확신시키다 03 말의, 구두의 04 항의하다; 항의 05 믿음직한, 의지가 되는 06 명예; 존경하다 07 상호 작용하다 08 언쟁을 하다 09 소리를 내다; 완전한 10 조사하다 11 서약하다; 서약 12 관련시키다; 포함하다 13 설득력 있는 14 색인 15 비난하다; 비난 16 만남; 마주치다 17 알리다, 발표하다 18 번역하다; 해석하다 19 과장하다 20 의도하다 21 acknowledge 22 paradox 23 mutual 24 illiterate 25 struggle 26 clue 27 appeal 28 ideal 29 determine 30 revise 31 ensure 32 narrative 33 cherish 34 mention 35 engage 36 whisper 37 urge 38 tendency 39 gossip 40 hesitate

B 01 declared 02 assess 03 authentic 04 celebrate

C 01 tone 02 remarked 03 notions 04 Contact 05 illusion

D 01 출판되었고 02 거절한다 03 식별하기 04 갈등 05 과장한다

DAY 10 훌륭한 가치

p.109

marvelous 놀라운
remarkable 주목할 만한
privilege 특권
precious 소중한; 값비싼
odd 기묘한; 홀수의

popularity 인기
tidy 단정한; 정돈하다
significant 중대한
cozy 아늑한; 안락한
valid 유효한; 타당한

성질·정도 서술 p.119

similar 비슷한, 유사한   relevant 관련된; 적절한
identical 일치하는   considerable 상당한
complicated 복잡한   deadly 치명적인
apparent 명백한; 외견상의   tremendous 엄청나게 큰
prompt 촉구하다; 신속한   minimize 최소화하다

 출현, 선택, 주고받기 p.129

appear 등장하다   remove 없애다; 내보내다
exposure 노출; 폭로   exclude 제외(배제)하다
disguise 위장하다; 변장   deliver 배달하다
alternative 대안(이 되는)   refer 언급하다; 참고하다
attach 붙이다; 첨부하다   acquire 습득하다, 취득하다

Wrap Up / DAY 10~12   pp.139~140

A 01 약간; 약하게   02 중립의   03 존경할 만한; 상
당한   04 신속한   05 ~인 척하다; 가짜의   06 소
중한; 값비싼   07 아주 아름다운   08 확실히, 틀림
없이   09 비슷함; 유추   10 강렬한; 열정적인   11 발
생하다; 유발되다   12 결정적인, 중대한   13 거대한
14 할당하다; 부여하다   15 특이한, 유별난   16 포로
로 잡다; 포획   17 혼동하다; 혼란시키다   18 초과하
다   19 생기 있는; 선명한   20 위엄, 품위; 진중함
21 overwhelming   22 typical   23 tidy
24 desirable   25 cancel   26 severe
27 sophisticated   28 disagree   29 accelerate
30 emerge   31 essence   32 display
33 detect   34 comfort   35 uniform
36 coincidence   37 profound   38 accept
39 brilliant   40 optimal
B 01 precise   02 popularity   03 appropriate
04 exposure

C 01 reputation   02 granted   03 meaningful
04 indicates   05 considerable
D 01 중요하다   02 최소화하는   03 전시품   04 기회
05 암시하는

 국가 p.141

council 회의, (지방) 의회   abuse 남용(하다)
administration 행정(부)   corrupt 타락한; 타락시키다
poll 여론 조사; 투표(수)   trial 재판; 시도
advocate 옹호자; 옹호하다   colony 식민지
principle 원칙, 원리   immigration 이주

 금융, 손익, 수량, 증감 p.151

insurance 보험 (계약)   asset 자산
debt 부채; 은혜   benefit 이득; ~에게 이롭다
fund 기금(을 대다)   amount 양; 총액
sum 합계, 총액; 산수   intensify 강화하다
discount 할인(하다)   relieve 덜다; 안도하게 하다

 교육, 예술, 기부, 봉사 p.161

instruct 교육하다, 지시하다   autobiography 자서전
nourish ~에 자양분을 주다   profile 옆모습; 윤곽
inform ~에게 알리다   dedicate 바치다; 전념하다
discipline 훈련; 훈련시키다   donate 기부하다
critic 평론가   voluntary 자발적인; 지원의

Wrap Up / DAY 13~15   pp.171~172

A 01 양육하다; 육성하다   02 몫, 할당; 분배하다
03 임명하다; 지정하다   04 유리; 장점   05 흥정, 합

의; 싸게 산 물건　06 범죄자; 범죄의　07 (탈것의) 요금　08 바치다; 헌신하다　09 평론가　10 수많은　11 헌법; 구성　12 행정부; (경영) 간부　13 조각하다　14 기부하다; 기여하다　15 전기　16 위반하다; 침해하다　17 투자하다　18 비용이 많이 드는　19 주식; 재고(품)　20 변호인; 대리인　21 practice　22 finance　23 standard　24 refund　25 reduce　26 behalf　27 assault　28 reward　29 convict　30 quantity　31 regulate　32 alarm　33 enhance　34 punish　35 receipt　36 novel　37 civil　38 volunteer　39 diminish　40 armed

B 01 portraits　02 parties　03 expend　04 nourish

C 01 principles　02 allowance　03 Globalization　04 profits　05 discipline

D 01 환불　02 남용　03 분배　04 바쳤다　05 위반한

DAY 16 과학, 기술　p.173

theory 이론, 학설; 의견　species (생물의) 종
comet 혜성　tissue (세포) 조직; 화장지
gravity 중력, 중대함　ecosystem 생태계
astronomy 천문학　automatic 자동의
acid 산; 산성의, (맛이) 신　calculate 계산하다

DAY 17 건축, 공간, 시설, 교통　p.183

barrier 장벽; 장애(물)　occupy 차지하다; 거주하다
leak 새는 곳; 새다　locate ~에 두다
hollow (속이) 빈; 우묵한 곳　shelter 피난처; 보호하다
boundary 경계(선); 한계　pool 웅덩이; 수영장
stair 계단(의 한 단)　aboard 탑승하여

DAY 18 도구, 재료, 물리적 상태　p.193

trigger 방아쇠; 계기　narrow 좁은; 한정된
maximize 최대화하다　remote 먼; 외딴; 희박한
humid 습한　friction 마찰; 충돌
solid 고체; 고체의; 단단한　harsh 거친; 가혹한
resource 자원, 물자　trick 속임수; 속이다

Wrap Up / DAY 16~18　pp.203~204

A 01 세균, 미생물　02 건축물, 구조, 조직　03 연장하다; 뻗다　04 방식; 태도; 예절　05 차지하다; 거주하다　06 곧은; 솔직한; 똑바로　07 화석; 화석의; 구식의　08 얕은; 천박한; 피상적인　09 강당; 관객석　10 주름; 주름을 짓다　11 숫자　12 물건; 알 채우다　13 대기, 공기; 분위기　14 장치, 기구　15 진공; 진공의; (청소기로) 청소하다　16 운송 수단　17 벌거벗은; 드러내다　18 창백한; 흐릿한; 창백해지다　19 통로, 복도　20 실험의, 실험적인　21 satellite　22 trap　23 orbit　24 aboard　25 trigger　26 fuel　27 balance　28 lid　29 internal　30 fix　31 chemistry　32 dense　33 physicist　34 square　35 accommodate　36 stripe　37 telescope　38 eclipse　39 blank　40 barrier

B 01 means　02 astronaut　03 boundary　04 utilized

C 01 automobile, carriage　02 shelters　03 fluid　04 surface　05 resources

D 01 조직　02 침식　03 관점　04 습기　05 넓히고

DAY 19 생명, 동식물, 기초, 기원　p.205

blossom 꽃; 꽃을 피우다　vegetation 식물, 초목
lawn 잔디(밭)　root 뿌리; 뿌리박(게 하)다
mammal 포유동물　basis 기초, 원리
predator 약탈자　innate 선천적인; 본질적인
paw (동물의) 발　derive 유래하다

지리, 자연, 역사, 산업 p.215

arctic 북극의
suburb 교외
horizon 수평선; 시야
peak 산꼭대기; 절정
peninsula 반도

drought 가뭄
pollute 오염시키다
primitive 원시(시대)의
merchandise 제품
agriculture 농업, 농학

 의학, 물질, 현상 p.225

wound 상처(를 입히다)
gender 성(性), 성별
antibiotic 항생 물질(의)
chronic (병이) 만성의
symptom 증상; 조짐

diagnose 진단하다
protein 단백질(의)
substance 물질; 본질
impact 충돌; 충격을 주다
phenomenon 현상; 사건

Wrap Up / DAY 19~21 pp.235~236

A 01 역사(학)의 02 형제자매(의) 03 유행(병); 유행병의 04 열대(지방)의 05 임신한 06 곡물; 낟알; 극소량 07 조상 08 지리(학), 09 해안 10 빛나다; 타다; 백열, 홍조 11 근본적인; 철저한; 급진론자 12 유독한, 중독(성)의 13 줄기; 여행용 가방 14 외과; 수술 15 선천적인 16 녹다; 서서히 사라지다 17 개울; 흐름; 흐르다 18 낫(게 하)다 19 아픈, 쓰라린; 상처 20 생명의; 필요한 21 ape 22 tablet 23 impulse 24 bacteria 25 cultivate 26 disaster 27 cliff 28 revive 29 bleed 30 purchase 31 digest 32 origin 33 ankle 34 urban 35 wheat 36 norm 37 mine 38 rubber 39 insane 40 steep

B 01 ached 02 Antibiotics 03 Earthquakes 04 vegetation

C 01 drugs 02 agriculture 03 horizon 04 impulse 05 basis

D 01 비롯된 02 감염 03 유제품 04 포식자 05 부화시킨다

 변화, 조정, 만들기 p.237

institute 도입하다
found 설립하다
reproduce 번식하다
elaborate 공들인; 정교한
apply 적용하다

adjust 조정하다; 적응하다
compromise 타협(하다)
shift 옮기다; 바꾸다; 변화
refine 정제하다; 개선하다
transform 변형하다

 모임, 동반, 도움, 보호 p.247

combine 결합하다
incorporate 통합하다
union 협회; 연합
ceremony 의식; 의례
ritual (종교적) 의식; 의식의

associate 연관 짓다
aid 원조하다; 도움
consult 상담하다
conservation 보존, 유지
warranty (품질) 보증(서)

 능력, 진행, 성취, 해결 p.257

available 이용할 수 있는
authority 권위, 권한; 당국
expertise 전문적 지식
challenge 도전(하다); 이의
incentive 동기; 장려하는

process 진행; 처리하다
thrive 번창하다, 잘 자라다
afford ~할 여유가 있다
modify 수정하다
resolve 해결하다; 결심

Wrap Up / DAY 22~24 pp.267~268

A 01 통합하다; 결합시키다 02 확실히 하다 03 이행하다; 충족하다 04 신품의 05 사건; (함께) 일어나기 쉬운 06 공동의; 집단(적인) 07 착수하다; 출시(하다); 발사 08 명부에 기재하다; 입회하다 09 복

구하다; 회복시키다 **10** 기능, 역할; 기능하다, 작용하다 **11** 배열하다; 조정하다 **12** 시도; 시도하다 **13** 회의; 협의회 **14** 정화하다 **15** 협회; 연합 **16** 떠받치다; 지속하다 **17** 혼합물; 합성의; 혼합하다 **18** 야망, 포부 **19** 대우하다; 치료하다; 대접, 선물 **20** 개괄하다; 일반화하다 **21** revolution **22** preparatory **23** manipulate **24** beg **25** settle **26** reconcile **27** maintain **28** establish **29** concentrate **30** depict **31** cooperative **32** escort **33** bond **34** progress **35** accompany **36** negotiate **37** serve **38** agenda **39** overcome **40** attend

B 01 dominant 02 intellectual 03 generate
C 01 occurs 02 supplement 03 reproduce
  04 conform 05 assembled
D 01 적용하는 02 잠재적인 03 타협 04 돕는다
  05 이루었더라도[성취했더라도]

물리적 움직임 *p.269*

rub 문지르다; 마찰	**absorb** 흡수하다
fasten 매다, 묶다	**spin** 회전(하다)
seize 붙잡다; 점령하다	**elevate** 올리다; 승진시키다
strike 치다; 떠오르다	**chase** 뒤쫓다; 추적
pound 두드리다	**cast** 던지다; 투표하다

단위, 구성, 범위, 인과 *p.279*

degree 도(度); 등급; 학위	**coverage** 적용 범위; 보도
bunch 송이; 묶음; 무리	**classify** 분류하다
shape 형태; 형성하다	**conclude** 결론을 내리다
proportion 비율; 부분; 몫	**by-product** 부산물
factor 요인, 요소	**interval** 간격; 휴식 시간

DAY 27 파괴, 제한, 폭력, 위험 *p.289*

ruin 망치다; 몰락	**cease** 멈추다; 중지
crush 으깨다; 으깸	**confine** 제한하다; 경계
fragile 부서지기 쉬운	**ban** 금지(하다); 금지(령)
cruel 잔혹한; 지독한	**obligation** 의무, 책임
deprive 빼앗다	**obstacle** 장애(물), 방해(물)

Wrap Up / DAY 25~27 *pp.299~300*

A 01 둘러싸다 02 몫, 할당(액); 할당량 03 때리다; (심장이) 뛰다 04 파괴하다; 망치다 05 열; 계급 06 배치하다; 처리하다 07 공격적인 08 성나게 하다; 위반하다 09 미끄러져 가다; 미끄러짐 10 상처를 입기 쉬운 11 범위, 영역; (정신적) 시야 12 잡다; 잡(아채)기 13 부분; 몫 14 금(지)하다; 방해하다 15 투구하다; 투구 16 강제하다 17 틈; 간격; 차이 18 화; 기질 19 구성, 조립 20 표적; 목표 21 conclude 22 shrink 23 compose 24 spoil 25 risk 26 mandatory 27 spread 28 harmful 29 interfere 30 incline 31 bunch 32 distinguish 33 bend 34 drown 35 systematic 36 lean 37 duty 38 soak 39 limitation 40 detail

B 01 imposed 02 quarter 03 grind
  04 intervals
C 01 taps 02 seize 03 disrupted 04 invaded
  05 rows
D 01 짜내서 02 처방할 03 결과 04 책임이 있는지
  05 상징

시간, 상황, 연결어 *p.301*

eternal 영원한	**excessive** 과도한
previous 이전의, 사전의	**namely** 즉, 다시 말하자면
decade 10년; 10개 한 벌	**otherwise** 그렇지 않으면
accurate 정확한, 정밀한	**furthermore** 더욱이
merit 장점; 우수성	**respectively** 각각

DAY 29 기타 동사·명사 p.311

concept 개념, 관념
imitate 모방하다
fatigue 피로; 지치게 하다
initiate 시작하다
diet 음식; 식이 요법

ingredient 성분, 재료
remain 남다; 나머지
personality 성격; 개성
heritage 유산
edge 가장자리; 유리함

DAY 30 기타 형용사·부사 p.321

reasonable 분별 있는
punctual 시간을 엄수하는
dizzy 현기증 나는
mute 무언의; 묵음의; 묵음
actual 현실의, 실제의

strict 엄격한; 엄밀한
hybrid 혼성의; 혼성체
exotic 외래의; 이국적인
variable 변하기 쉬운; 변수
contrary 정반대(의); 모순

Wrap Up / DAY 28~30 pp.331~332

A 01 애매모호한 02 ~을 받을 자격이 있다 03 그만두다; 떠나다 04 계획하다; 예상하다; 계획 05 측면; 외관; 방향 06 감정의; 감정적인 07 황홀해하는, 매우 기쁜 08 편견(을 갖게 하다); 비스듬한 09 최후의; 궁극의; 근본적인 10 가짜(의); 사기꾼; 위조하다 11 예상하다; 기대하다 12 빈번한; 자주 가다 13 날것의, 가공하지 않은 14 장기; 기관; 오르간 15 인종의; 민족의 16 미묘한; 엷은; 예민한; 교묘한 17 껍질(을 벗기다) 18 버리다; 그만두다, 단념하다 19 인식의, 인지의 20 경우; 행사; 이유; ~의 원인이 되다 21 define 22 fault 23 occupation 24 folk 25 optimistic 26 inevitable 27 consistent 28 procedure 29 brief 30 contemporary 31 possess 32 anonymous 33 famine 34 nevertheless 35 starve 36 conventional 37 barely 38 instantly 39 opposite 40 literally
B 01 equivalent 02 exhausted 03 urgent 04 predict
C 01 spices 02 belong 03 prior 04 sound 05 deal
D 01 10년 02 근본적인 03 변수 04 남아 05 대략

PART II 형태별 고등 필수 어휘

DAY 31 주요 동사 숙어　　p.366

A 01 wrong　02 account　03 influence　04 way
05 mind　06 fortune　07 hand　08 bring　09 run
10 nothing　11 it　12 most　13 across　14 mind
15 along　16 advantage　17 fun　18 weight
19 but　20 use

B 01 이해가 되다; 타당하다　02 벗다; 이룩하다　03 만회하다, 벌충하다, 보상하다　04 ～하는 데 어려움을 겪다
05 ～을 계속 파악하다　06 생각해 내다, 찾아내다
07 방해가 되다　08 ～을 다 써 버리다　09 ～에 굴복하다; 제출하다; (마지못해) 동의하다　10 참다, 견디다　11 (냄새, 열, 빛을) 발산하다　12 연기하다　13 ～을 멀리하다
14 (선거에) 출마하다　15 영향을 미치다; 중요하다
16 ～을 따라잡다, ～에 뒤처지지 않다; ～와 계속 연락하다
17 ～와 접촉하다　18 양육하다; (화제를) 꺼내다　19 시간을 들이다　20 꼼짝 못하게 되다, 갇히다

DAY 33 주요 부사구, 형용사구　　p.382

A 01 extent　02 variety　03 control　04 charge
05 surprise　06 row　07 in　08 oneself　09 host
10 by　11 risk　12 in　13 absence　14 in　15 to
16 on　17 end　18 in　19 need　20 good

B 01 다른 한편으로는, 반면에　02 가까이에; 가까운 장래에
03 전체로서, 총괄하여　04 최신식으로; 현대적으로
05 혼자 힘으로; 자기를 위하여　06 그 자체로, 본질적으로
07 ～에 직면하여; ～에도 불구하고　08 ～을 위해서
09 ～의 비용으로; ～을 희생하여　10 ～에게 경의를 표하여　11 ～에 찬성하여; ～의 이익이 되도록　12 일련의, 연속된　13 ～에 의하여; ～에 관하여; ～의 면에서는　14 일하고 있는; 작용하여　15 일반적으로, 대체로　16 직접, 몸소; 그 사람 자신; 실물로　17 번갈아; 차례차례; 결국
18 장기적으로 보면, 결국은　19 고장 난; 규칙에 위배되는
20 결코 ～하지 않다

DAY 32 주요 부사, 전치사 숙어　　p.374

A 01 into　02 off　03 out　04 up　05 for　06 for
07 to　08 on　09 by　10 out　11 up　12 pay
13 up　14 into　15 with　16 apply　17 down
18 to　19 up　20 out

B 01 ～에 참여하다　02 ～을 요구하다　03 이해하다
04 토하다; 포기하다　05 ～으로 구성되다　06 나타내다; 참고하다; 언급하다　07 시중들다　08 수행하다　09 출발하다; 유발하다; 가동하다; 폭발시키다　10 고장 나다; 실패하다; 나뉘다　11 ～에 적용되다; ～에 지원하다　12 ～을 고수하다　13 ～을 상징하다　14 ～인 것으로 밝혀지다; (전등을) 끄다　15 ～을 초래하다　16 들어 올리다; 데리러 가다; 수거하다; 습득하다　17 ～을 간절히 원하다　18 들르다　19 ～을 고수하다; ～을 붙잡고 있다　20 ～을 처리하다; ～을 다루다

DAY 34 기타 숙어　　p.390

A 01 more　02 sooner　03 no　04 through
05 oneself　06 associated　07 supposed
08 involved　09 inclined　10 remind　11 provide
12 oneself　13 with　14 subject　15 along
16 more　17 to　18 along　19 comes　20 touch

B 01 ～을 놓아 주다　02 ～을 마음대로 먹다; ～을 횡령하다
03 A를 B로 여기다　04 A를 B로 간주하다　05 무료로
06 ～은 말할 것도 없고, ～은 고사하고　07 (전보다) 형편이 더 낫다, 잘 지내다　08 ～에 관계없이, ～을 개의치 않고　09 ～이 부족하다; ～에 못 미치다　10 ～에 익숙하다　11 ～ 이상; 적어도 ～　12 거리낌 없이 ～하다
13 그럭저럭 ～해 내다, 간신히 ～하다　14 ～에 전념하다, 헌신하다　15 ～와 동일하다　16 (차를 길가에) 세우다　17 ～하는 한, ～ 동안은　18 다소; 대략; 거의
19 ～을 응시하다　20 ～을 버리다; ～을 허비하다

DAY 35 다의어 ❶ p.402

A 01 주요한; 전공(하다); 소령 02 재료; 물질적인; 물질의; 형태가 있는 03 이유; 이성; 추론하다 04 상태; 국가; 주; 진술하다 05 ~조차, ~까지; 평평한, 일정한; 짝수의 06 서다; 견디다 07 옳은; 오른쪽의; 권리; 바로 08 끝나다; 끝; 목적 09 잡다; 개최하다; 유지하다 10 그리다; 끌다; 추첨; 무승부 11 run 12 save 13 interest 14 charge 15 reflect 16 develop 17 complex 18 observe 19 company 20 block

B 01 ⓑ 02 ⓑ 03 ⓑ 04 ⓐ 05 ⓐ 06 ⓑ 07 ⓐ 08 ⓐ 09 ⓑ 10 ⓑ

 DAY 36 다의어 ❷ p.416

A 01 직접적인; ~로 향하게 하다; 지시하다 02 존중(하다); (측)면 03 성격; 특성; 등장인물; 글자 04 계정; 설명; ~라고 여기다; (~의 비율을) 차지하다; 청구(서) 05 평평한; 바람이 빠진 (타이어); 아파트(형 주택) 06 관습; 세관; 주문 제작한 07 특징; 얼굴; 특집 기사; 역할을 하다 08 명령(하다); 지휘(하다); 언어 구사력 09 견디다; 감당하다; (아이를) 낳다 10 훌륭한; 날씨가 맑은; 미세한; 벌금 11 article 12 current 13 assume 14 board 15 content 16 represent 17 scale 18 post 19 contract 20 address

B 01 ⓐ 02 ⓐ 03 ⓑ 04 ⓑ 05 ⓐ 06 ⓑ 07 ⓐ 08 ⓐ 09 ⓑ 10 ⓐ

 DAY 37 반의어 ❶ p.421

A 01 고대의, 오래된 02 소비하다; 섭취하다 03 주관적인; 마음의 04 부드러운, 연한 05 고정된; 안정된 06 최저, 최소; 최소한의 07 공급; 공급하다 08 감추다, 비밀로 하다 09 용기를 북돋우다; 장려하다 10 수동적인, 소극적인 11 discourage 12 maximum 13 demand 14 modern 15 active 16 objective 17 tough 18 reveal 19 mobile 20 produce

B 01 cooperate 02 implicit 03 income 04 obvious 05 domestic 06 united 07 positive 08 recover 09 superior 10 special

 DAY 38 반의어 ❷ p.426

A 01 고소하다; 비난하다 02 수평의, 가로의 03 휘지 않는; 융통성 없는 04 비판, 비난 05 겸손한 06 가짜의, 모조의 07 (타국으로 가는) 이민자 08 유죄의; 죄책감이 드는 09 세입; 수익 10 방어, 수비 11 compliment 12 expenditure 13 arrogant 14 dull 15 flexible 16 sharp 17 genuine 18 defend 19 offense 20 vertical

B 01 retail 02 condemn 03 deficient 04 concrete 05 innocent 06 exit 07 temporary 08 conquer 09 hostile 10 virtue

 DAY 39 철자 혼동 어휘 ❶ p.431

A 01 중독; 열중 02 속이다; 거짓말하다 03 효과; 결과 04 반대의, 거스르는; 불리한 05 돌아다니다, 헤매다 06 혼란한 상태 07 접근하기 쉬운; 이용할 수 있는 08 겁나게 하다 09 종교; 신앙 10 폭력; 격렬(함) 11 addition 12 receive 13 affect 14 advance 15 wonder 16 mass 17 acceptable 18 stare 19 region 20 violation

B 01 prey 02 raise 03 adopt 04 access 05 bury 06 summit 07 jealous 08 moral 09 poverty 10 interpret

 DAY 40 철자 혼동 어휘 ❷ p.436

A 01 도약하다; 도약 02 문방구, 문구 03 억제하다, 방해하다 04 놀라운 일; 놀라다, 경탄하다 05 톱; 톱질하다 06 의약품; 약물 치료 07 즐겁게 하다 08 적수, 상대; 적대하는, 반대하는 09 동정심 10 윤내다; 다듬다; 광택 11 comprehension 12 meditation 13 celebration 14 appliance 15 perish 16 vocation 17 flourish 18 inhabit 19 marble 20 sew

B 01 aptitude 02 stimulate 03 opposition 04 banished 05 celebrity 06 resist 07 application 08 reap 09 completion 10 precedes